VECINOS VIOLENTOS

Tom Buckley

VECINOS VIOLENTOS

COMPAÑIA EDITORIAL, S.A.
MEXICO

PRIMERA EDICION, JUNIO DE 1986

ISBN 968-13-1567-7

Título original: VIOLENT NEIGHBORS
Traducción: Angelika Sherp

Edición original publicada en inglés por *TIMES BOOKS, The New York Times Book Co., Inc., New York N. Y., U. S. A.*

Impreso en México – Printed in Mexico

Para Barbara

Reconocimientos

AL PREPARAR el presente libro, me ayudaron muchas personas de la vida pública y privada en Estados Unidos y en los países a los que aquí me refiero, algunas de las cuales solicitaron no ser identificadas. A ellas les doy las gracias. A quienes entre ellas siguen trabajando y luchando, contra las probabilidades, por la democracia y la justicia social, les expreso mi profunda admiración.

CONTENIDO

①

UNA CUENTA HONRADA

UN SACERDOTE ESTABA SENTADO en el salón de partida en Tegucigalpa, leyendo con serenidad un libro de bolsillo. El cuello romano, la camisa negra de mangas cortas, los lustrosos pantalones negros y los pesados zapatos del mismo color lo señalaban como un conservador de la vieja escuela. En Centroamérica pocos sacerdotes usan el traje clerical en público y a menudo ni siquiera en sus iglesias. Como conjetura tenía entre 60 y 70 años; era un hombre bajo y de cara redonda, con un aspecto amigable y una tonsura natural de cabello cano.

Cuando se anunció el vuelo a San Salvador, dobló la punta de la página que estaba leyendo y cerró el libro. Al ponerse de pie, vi la portada. No se trataba, como lo había supuesto, de una obra piadosa, sino de *The Last Mafioso* ["El último mafioso"], la biografía de un matón del hampa llamado Jimmy "la Comadreja" Fratianno. Mientras nos dirigíamos al avión, atraje su atención, señalé el espeluznante tomo que estaba cargando, sonreí y menée la cabeza.

—¿El libro? —preguntó con una sonrisa inocente—. Es interesante para mí este tema. Crecí en Greenwich Village, en la esquina de Houston y Thompson. Conocí a muchos de estos tipos en los viejos tiempos.

Nos presentamos.

—Llámeme Padre Joe —dijo al estirar la mano—, Padre Joe Napoli. —Su sonrisa se desvaneció, no obstante, cuando cómodamente ocupé un asiento a su alcance para la conversación.

—Está usted muy lejos del Village —comenté.

—Para mí, esto es como volver a casa —replicó, abandonando *The Last Mafioso* con una expresión lastimera—. Trabajé aquí durante 25 años. Panamá, Honduras, El Salvador, donde usted quiera. Finalmente pensé: "Basta. Ya no eres un joven". Ahora tengo una iglesia en Amarillo. En su mayoría son mexicanos. Gente buena. Amarillo es un lugar admirable. Todo el mundo se lleva bien con todos los demás.

Era franciscano, dijo, miembro de la orden fundada por el bondadoso San Francisco de Asís. Con sus sandalias y bastos hábitos pardos, los franciscanos atravesaron México, Perú y la Tierra Firme marchando hombro a hombro con los conquistadores. Sostuvieron la cruz en alto en desesperadas batallas, vociferando "*In hoc signo vinces*" ["Bajo este signo vencerás"], y salvaron millones de almas indígenas.

—Vine a visitar a unos viejos amigos, y ahora me dirijo a Sonsonate —afirmó el Padre Joe—. Yo construí la iglesia que hay ahí. Los franciscanos canadienses se hicieron cargo de ella cuando me fui. Me enteré que están retirándose. Voy para hablar con ellos. Estoy tratando de decidir si regresar o no.

Sonsonate es un poblado al poniente de El Salvador. La matanza de 1932 tuvo lugar en esa región. Por lo menos 8 000 campesinos, gran parte de ellos indígenas, fueron asesinados al cabo de un levantamiento frustrado. Su organizador, Agustín Farabundo Martí, era el fundador del partido comunista salvadoreño. Los guerrilleros de los ochenta luchan en su nombre, como el Frente Farabundo Martí para la Liberación Nacional.

—Me enteré de la matanza —comentó el Padre Joe cuando la mencioné—. Fue algo terrible.

Ya estábamos en marzo de 1982, casi exactamente 50 años más tarde. Aludí a las elecciones salvadoreñas, para las que entonces sólo faltaba una semana.

—No sigo mucho la política —indicó el Padre Joe—. Si uno lo hace, antes de darse cuenta está complicándose y, entonces, se presentan problemas con todo el mundo.

—¿Como los jesuitas? —pregunté.

—Son tipos muy listos los jesuitas —replicó apaciblemente—, pero se meten en muchos problemas.

Las relaciones entre las dos órdenes, una célebre por su brillantez intelectual y la otra por su humildad, son frías desde 1773. En ese año, bajo presión de Francia y España, Clemente XIV, un papa franciscano, suprimió a los jesuitas. No se les permitió oficialmente reconstituirse hasta 1814.

—¿Qué puede uno hacer? —exclamó el Padre Joe encogiéndose de hombros cuando mencioné aquel suceso—. Se pasaron de la raya. Alguien tuvo que corregirlos.

Abrió *The Last Mafioso* y se puso a leer con una intensidad ceñuda que sugería que, incluso un bondadoso franciscano, podría rebelarse si lo interrumpieran otra vez. Pero el vuelo sólo dura 25 minutos, y para entonces el avión estaba virando bajo sobre el Pacífico y nuevamente de regreso sobre los campos de caña de la llanura costera para aterrizar.

Me encaminaba a recoger mi equipaje cuando vi a alguien conocido. Se trataba de Mario Redaelli, el secretario general de la Alianza Republicana Nacionalista, ARENA, por sus siglas. La amabilidad de Redaelli disminuía la tensión cuando el fundador y líder del partido, Roberto D'Aubuisson, se encontraba presente. D'Aubuisson, un antiguo mayor del servicio de información del ejército salvadoreño, se consideraba a sí mismo como el adversario más fiero del comunismo en el país. Robert E. White, el anterior embajador de Estados Unidos, lo describió como "un asesino psicópata". Lo cual no quiere decir que los propios sentimientos anticomunistas de Redaelli no fueran hondos. Su padre, un inmigrante italiano, fue el único europeo, es decir, persona blanca, que muriera en el levantamiento que condujo a la matanza.

Seis meses antes, cuando su partido apenas se hallaba en sus inicios, yo había sostenido una amena conversación, el único tipo aconsejable, con Redaelli y D'Aubuisson. En virtud de aquel encuentro, Redaelli ofreció llevarme a San Salvador en su coche. Cuando éste no apareció, compartimos un taxi. Nos detuvimos en un punto de control militar a unos cuantos kilómetros del aeropuerto. Fue ahí, en diciembre de 1980, que cuatro misioneras estadounidenses resultaron secuestradas y luego asesinadas. Algunas personas creen que D'Aubuisson dio la orden para estas muertes, así como para la del arzobispo Óscar Arnulfo Romero, nueve meses antes. Cuando el taxi se detuvo, un guardia nacional se asomó a la ventanilla, vio a Redaelli, saludó y con un movimiento de la mano nos indicó que siguiéramos.

Unas semanas antes, cuando yo estaba en Nicaragua, la prensa publicó una noticia que afirmaba que D'Aubuisson había sido levemente herido en un intento de asesinato. La relación sonaba vaga y poco convincente. Mis colegas de aquel lugar decían que parecía una impostura. Con la promesa de que guardaría en secreto la historia hasta que se publicara mi libro, le pregunté a Redaelli qué había sucedido en realidad.

—*Sí* fue una impostura —declaró, riéndose tan fuerte que su bigote oscilaba en la brisa—. Estaban llevando a Bob de regreso de una presentación de campaña en Chalatenango, me parece, cuando la pistola de uno de sus guardaespaldas se disparó accidentalmente. Por fortuna, Bob tenía puesto el chaleco a prueba de balas, y sólo sufrió una rozadura en el brazo.

El taxi estaba ya abriéndose paso a través del ruinoso distrito central de San Salvador. Han ocurrido tantos terremotos y erupciones de volcanes por toda Centroamérica, que sobreviven pocos edificios antiguos y distinguidos. Aparte de unas cuantas torres a prueba de temblores, de 10 o 15 pisos, las nuevas construcciones, por lo general, se mantienen bajas y baratas, a fin de reducir la inversión que se arriesga.

Dejé a Redaelli en su casa y seguí al Hotel Sheraton. El Camino Real, donde se alojaba la prensa, estaba lleno desde hacía semanas. El Sheraton, que se sitúa arriba del resto de la ciudad, sobre las faldas del Volcán de San Salvador, era por lo menos igualmente bueno, pero apartado, y las personas distinguidas que se alojaban allí eran los consejeros militares estadounidenses, agentes secretos, vendedores de armas y otros huéspedes pasajeros semejantes, la mayoría de los cuales se inclinaban a mostrarse hoscos y agresivos con la prensa.

Al contrario del Camino Real, el Sheraton estaba fuertemente protegido, pero las medidas de seguridad parecían aplicarse de manera selectiva. En enero de 1981, José Rodolfo Viera, director del Instituto Salvadoreño de Transformación Agraria, y dos consejeros estadounidenses, Michael P. Hammer y Mark David Pearlman, fueron asesinados en la cafetería del hotel por unos hombres que más tarde fueron identificados como miembros de la Guardia Nacional vestidos de civil. Posteriormente uno de los dueños salvadoreños del hotel fue complicado en los asesinatos.

Desde mi habitación en la torre "VIP", para personas muy importantes, un edificio separado del otro lado de la alberca, llamé por teléfono a René Cárdenas, un salvadoreño que me había ayudado en visitas anteriores, y acordé verlo en el Camino Real. Luego pasé a saludar a Mario Rosenthal, editor y empresario del *News-Gazette,* un periódico semanal que se publica tanto en español como en inglés. Disponía de espacio para su despacho en el hotel, que de otra manera no hubiera podido permitirse, porque las personas como los dueños del hotel consideran que el punto de vista del *News-Gazette* es prudente e imparcial.

Rosenthal es un hombre robusto de 66 años, de pelo entrecano. Nació en Nueva York, hijo de madre salvadoreña y padre estadounidense, pero ha merodeado por Centroamérica la mayor parte de su vida. Trabajó como dependiente para la antigua United Fruit Company, en los treintas, y como encargado de publicidad para un empresario estadounidense llamado O. Roy Chalk, que fue dueño por breve tiempo de los Ferrocarriles Internacionales de América Central, en los sesentas. Rosenthal también fue autor de un libro poco menos que profético, *Guatemala: The Story of an Emergent Latin-American Democracy* ["Guatemala: La historia de una naciente democracia latinoamericana"] y colaboró con Miguel Ydígoras Fuentes, el dictador de Guatemala de 1958 hasta 1963, en *My War with Communism* ["Mi guerra con el comunismo"]. Trabajó como redactor en *El Diario,* un periódico neoyorquino propiedad de Chalk. En 1977 su esposa, que es salvadoreña, lo persuadió de que se establecieran en San Salvador. Al año siguiente compró el *News-Gazette,* cuyos lectores y anunciantes ya estaban encaminados a Miami, por un puñado de pesos.

—No me importa quién gane siempre y cuando pierda Duarte —exclamó, haciendo referencia al presidente José Napoleón Duarte—. ¿Sabes qué dijo? Declaró: "No habrá empresa privada bajo mi gobierno".

—¿Cuándo aseguró eso? —pregunté, puesto que sonaba inusitado en él.

—Mira, aquí mismo —afirmó al revisar un montón de números atrasados en busca de la cita probatoria, mientras seguía hablando—. Si los demócratas cristianos logran una mayoría, realmente estaremos encaminados a un loco socialismo que nadie quiere.

Rosenthal estaba todavía buscando la cita cuando me disculpé para ir a encontrar a Cárdenas. Mientras esperaba un taxi, leí las inscripciones en la pared del hotel. Llevaba los nombres de 40 o 50 naciones que habían enviado concursantes al certamen Miss Universo de 1975, para el cual el hotel sirvió de sede. La competencia resultó ser de mayor importancia política que estética. Los estudiantes de la Universidad Nacional hicieron una manifestación contra el certamen alegando que era una injuria al sexo femenino y un desperdicio de los fondos públicos en un país donde la desnutrición impide que muchos pechos y piernas se desarrollen hasta su potencial pleno y donde las caries hacen que las sonrisas pierdan pronto su brillantez. La marcha de los estudiantes fue disuelta con balas y gases lacrimógenos. Cierto número, es imposible confiar en la cuenta de nadie, fue muerto y herido. Otros fueron arrestados, para nunca reaparecer. Al poco tiempo la izquierda se vengó mediante el asesinato del ministro de Turismo.

Tom Brokaw y su comitiva de productores, escritores y técnicos llegó en un camión. Cuatro botones comenzaron a descargar una montaña de equipaje y equipo. Brokaw, que llevaba un saco para safari de hermoso corte y pantalones que hacían juego, era más alto, más de 180 cm, de lo que parecía en la televisión. Unos cuantos días más tarde, después de que nos presentaron, se lo mencioné. "Todo el mundo dice eso", replicó.

Los periodistas hormigueaban en el vestíbulo del Camino Real. Las camionetas rentadas de los equipos de televisión se arremolinaban en el estacionamiento del hotel.

La prensa estaba comenzando a enfurruñarse. Tenía menos interés en la elección que en el derramamiento de sangre que había de acompañarla, y no estaba sucediendo mucho. Uno o dos de los cinco distintos grupos guerrilleros estaban haciendo amenazas temibles, pero los otros decían que la elección era demasiado bufa para interferir con ella. Las fuerzas de seguridad y los escuadrones de la muerte ni siquiera estaban asesinando a alguien, aunque cuatro miembros de un equipo de televisión holandés fueron muertos unos días antes. Una patrulla del ejército estuvo emboscada en su punto de reunión con una pandilla armada de guerrilleros y mató a todos a balazos.

Los corresponsales estadounidenses, incluso los ubicados más a la izquierda, probablemente hubieran recibido un trato más considerado, pero Holanda no prestaba ayuda y sólo poca simpatía al gobierno salvadoreño. La muerte de los holandeses también sirvió, como probablemente lo habían previsto las fuerzas de seguridad, para reducir el entusiasmo de la prensa por tales excursiones.

Cárdenas se presentó solo un poco tarde.

—Hey, compañero, qué gusto verte —manifestó—. ¿Qué pasa?

Cárdenas es un salvadoreño que prestó servicio durante 29 años en el ejército de Estados Unidos, la mitad de este tiempo en las Fuerzas Especiales. Se retiró como sargento mayor con la "Legión de Mérito", una condecoración rara vez conferida a los suboficiales. Lo conocí en la primavera de 1981, en mi primera visita al país, y me ayudó como compañero, guía e intérprete cuando me encontraba atrapado en la línea de fuego de las ametralladoras lingüísticas del español. Cárdenas era conservador como cualquier viejo soldado, pero como intérprete era fiel y, daba la casualidad de que había admirado a Duarte desde sus días de colegio. Cárdenas era alumno del primer año en el Liceo Salvadoreño cuando Duarte asistía al último, como presidente de su generación y estrella de basquetbol conocida como "El Loco" debido a la manera en la cual iba temerariamente a la carga por la cancha.

Los votantes en la elección elegirían a los 60 miembros de una nueva Asamblea Constituyente, la primera desde octubre de 1979, cuando fue disuelta después de un golpe de Estado. La nueva Asamblea nombraría a un presidente provisional, redactaría una nueva constitución y fijaría una fecha para una elección presidencial. Seis partidos postulaban a candidatos, pero se había vuelto una competencia personal entre Duarte, que no estaba contendiendo, y D'Aubuisson, que sí lo hacía. Tanto los rebeldes marxistas y la izquierda no marxista rechazaron las invitaciones a participar, por el razonable motivo de que era probable que fueran asesinados si trataban de hacer una campaña.

Los demócrata cristianos, que encabezaban una coalición con la izquierda moderada, ganaron las elecciones presidenciales en 1972 y 1977, pero los militares y la oligarquía les robaron las victorias. Aun sin la izquierda, los demócrata cristianos tenían la preferencia para ganar una pluralidad de los escaños de la Asamblea, pero no la mayoría. Ordinariamente, un partido en esa posición hace un trato respecto a tareas y políticas con uno o varios de sus rivales y forma una coalición. No obstante, la ARENA, que se suponía acabaría en segundo o tercer lugar, estaba tratando de unir a todos los demás partidos para excluir a los demócrata cristianos del gobierno, si ése era el resultado de la elección. Lo principal era el tercer partido más importante, el Partido de Conciliación Nacional, o PCN. Si se aliaba con los demócrata cristianos, Duarte permanecería en el poder, que era lo que Washington quería. Si se iba con la ARENA, él y los demócratas cristianos podrían ser eliminados.

Casualmente, sucedió que en el mes de noviembre del año anterior, yo había discutido estas posibilidades con el secretario general del PCN, un hombre llamado Rafael Rodríguez González. Era el jefe del sindicato de carniceros, y poseía la gran panza, los gruesos antebrazos, los fuertes pulgares y la falsa cordialidad de un abastecedor de cortes duros a precios excesivos. Durante 20 años trabajó estrechamente con el Instituto Americano para el Desarrollo Laboral Libre, una rama del AFL-CIO que generalmente se considera ha recibido fondos de la Agencia Central de Inteligencia.

Rodríguez afirmó que el partido no era ya el instrumento de la oligarquía y los militares. Incluso defendió, con calificaciones, la reforma agraria de Duarte. Me fui con la fuerte impresión de que apoyaba una alianza con los demócrata cristianos. Probablemente tuve razón, porque sólo un mes, más o menos, después de nuestra conversación, Rodríguez fue asesinado. No hubo arrestos. La policía salvadoreña está más ocupada cometiendo homicidios que resolviéndolos.

Fue para buscar esclarecimiento en cuanto a este punto que le pedí a René que me llevara a la sede del PCN. El exterior del edificio, que en tiempos más felices fue un club nocturno, mostraba muchas desportilladuras y grietas. Había sido bombardeado como un año antes. No existía alboroto previo a la elección. Unas cuantas secretarias y media docena de gorrones dormitaban sobre sillas y bancos desgarrados de los asientos. Indicaron que el comité ejecutivo del partido podía hallarse en los estudios del Canal Seis, donde estaban haciendo una transmisión de campaña.

Cuando Raúl Molina, un hombre de negocios que reemplazó a Rodríguez como secretario general, salió del estudio, me presenté y pregunté en qué dirección se encaminaba el partido.

—La puerta está abierta todavía —afirmó significativamente mientras se erguía en su estatura completa, a la manera de los hombres de Estado centroamericanos, y fijaba la mirada en un punto muy alto arriba de mi cabeza—. He estado hablando con su embajada. Hace unas semanas estuve en Washington. Me reuní con miembros del Congreso y funcionarios de la Conferencia Nacional de Obispos Católicos.

Al oír eso, pensé que habían terminado las preocupaciones de los demócrata cristianos. Esperaba que el aire oliera a victoria en la sede de éstos, a quienes visitamos a continuación. Ocupaban una casa modesta en una calle tranquila. Varios hombres jóvenes, armados de escopetas automáticas y rifles, montaban guardia afuera. Parecían más bien estar formados en orden de batalla que triunfales. Ninguno de los líderes del partido estaba presente. Muchos de ellos, como Duarte, eran funcionarios públicos y por lo tanto impedidos por la ley para tomar parte en la campaña. Mediante la observación escrupulosa de esta prohibición, por primera vez en la historia de El Salvador, los demócrata cristianos se privaron de los servicios de sus voceros más populares.

Para entonces era hora de dirigirse al Gimnasio Nacional, donde la ARENA estaba celebrando una reunión. Las largas filas de personas que una por una entraban al edificio tenían la misma mirada brillante y animada del verdadero creyente, como el público en las reuniones de Goldwater en 1964 o, para el caso, en las de Reagan en 1980. Llevaban sombreros de plástico de la ARENA, con franjas rojas, blancas y azules, y agitaban banderas de la ARENA. La muchedumbre era predominantemente de la clase media y blanca, en lugar de mestiza, la mezcla entre blanco e indígena representa a más del 90 por ciento de la población de El Salvador y de la mayor parte de Centroamérica. Las mujeres claramente representaban la mayoría. René dijo que las habían atraído las intensas vibraciones de macho de D'Aubuisson. Duarte había recibido el mismo tipo de adoración femenina, que trascendía la política, en su campaña por la presidencia en 1972.

Cada pocos minutos la multitud, que estaba creciendo a unas 10 000 o 12 000 personas, recitaba el nombre de D'Aubuisson —"D'Aubuisson"— cinco veces, con una velocidad creciente y como un exaltado rugido, y luego: "¡Patria, sí! ¡Comunismo, no!" Se mantuvo en rígida posición de firme a través de toda la reproducción de una versión grabada del himno nacional salvadoreño. Es posible que El Salvador sea la nación más pequeña en América Latina, pero su himno nacional, que contiene partes que imitan el sexteto de *Lucia di Lammermoor* y de la obertura a *Guillermo Tell*, es tan largo como Chile.

Tres orquestas de mariachi, violines, guitarras y una trompeta compitieron por un premio por la mejor canción en honor a D'Aubuisson. Unas porristas bailaron serpenteando sobre el piso de la arena. Una sandía estaba expuesta de manera muy visible sobre el estrado. Según D'Aubuisson, simboliza a los demócrata cristianos, siendo verde, el color de su partido, por fuera y rojo, su verdadero color, por dentro.

Cuando D'Aubuisson finalmente llegó, se colocó delante del público con las manos apretadas arriba de la cabeza, volteándose primero en una dirección y luego en la otra y dejando que la electricidad fluyera a la muchedumbre. El público se puso de pie, vitoreó y brincó. Las mujeres vociferaron su nombre con un éxtasis ronco: "*¡Bobbi! ¡Bobbi! ¡Bobbi!*" D'Aubuisson tenía entonces 38 años de edad. Mide sólo como 170 cm, pero se mantiene muy erguido y usa botas de vaquero para agregar unos centímetros a su estatura. Es delgado, aunque el chaleco a prueba de balas que llevaba debajo de la chaqueta lo inflaba como el hombre de las llantas Michelin. Tenía la buena apariencia huesuda y llamativa de Frank Sinatra hace 25 o 30 años. Peina su tupido cabello castaño con un copete, como Sinatra podía hacerlo antes. Tiene la boca ancha y la sonrisa alegre, pero sus ojos color café son fríos como la muerte.

D'Aubuisson habló severa y directamente, casi sin inflexión, como si estuviera dando órdenes. Su programa, dijo, implicaba destruir a todos los guerrilleros y los aliados de éstos, y con ello no excluía a los demócrata cristianos.

—No permitiremos que el presidente de Venezuela o los mexicanos o los franceses nos digan cómo votar —declaró.

El gobierno demócrata cristiano de Venezuela estaba apoyando a Duarte. Francia y México habían emitido una declaración conjunta seis meses antes, llamando al Frente de Liberación Nacional "una fuerza política representativa".

—Tomaremos nuestras propias decisiones —continuó, después de terminar los abucheos— y no salvaremos sólo a El Salvador del comunismo, sino también al resto de América.

A las tres de la madrugada siguiente me despertaron unas ráfagas de armas automáticas. Incrementaron a una descarga furiosa, se desvanecieron durante cinco o 10 minutos, y luego comenzaron de nuevo. Mi habitación daba al estacionamiento del hotel y a una calle bordeada por casas que se encontrarían en la categoría de los 100 000 dólares en Estados Unidos. Detrás de ellas se encuentra una de las barrancas que radian hacia abajo desde el Volcán de San Salvador. Escudriñan como dedos hacia el corazón de la ciudad y con frecuencia los guerilleros las utilizan como rutas de ataque.

El fuego continuaba con la primera luz del amanecer. Me vestí, abandoné el edificio por la entrada del estacionamiento y seguí la calle cuesta abajo por unos 150 metros, más o menos. Ahí se hallaban detenidos un camión del ejército y varias patrullas de la policía. Los destellos de las armas de fuego parpadeaban al fondo y del otro lado de la barranca. El ligero sonido desgarrador de los rifles automáticos era acentuado por el ritmo más lento de una ametralladora pesada.

Un soldado, que estaba protegiéndose detrás de un árbol, afirmó que un grupo de guerrilleros, al subir desde la barranca, había atacado la sede de la Comisión Central de Elecciones, que ocupaba una casa amurallada de la misma calle. Los guardias de la comisión los habían contenido hasta llegar los refuerzos. Entonces, los guerrilleros se retiraron a la barranca. Era improbable el peligro, pero el soldado se veía triste. Su cuerpo, afirmó, se encontraba en El Salvador, pero su corazón en Estados Unidos.

Al día siguiente René y yo encontramos un sendero que bajaba a la barranca enfrente de las canchas de tenis del Sheraton, donde un par de mujeres jóvenes, esbeltas y bronceadas, vestidas de blanco y atendidas por un niño para recoger las pelotas, sostenían un cortés intercambio de tiros. Justo abajo del nivel de la calle, la vereda se ensanchaba. Había chozas de ambos lados. Eran más grandes, de unos cuatro metros por cada costado, y más fuertes de las que yo había visto en otras colonias de paracaidistas en San Salvador. Muchas de ellas estaban construidas, por lo menos en parte, de ladrillo, y contaban con los techos de hierro galvanizado y corrugado o de un material de lujo, parecido a la fibra de vidrio, que admite un poco de luz, proporciona aislamiento contra el acoso del sol y no se oxida.

Las personas con las que hablamos nos aseguraron que habían dormido durante el combate. Los pobres en los países como El Salvador hace mucho decidieron que su única posibilidad de mantenerse a salvo radica en el silencio y la simulación de estupidez. Aun así, finalmente, hallamos a un hombre lo suficientemente temerario para hablar con extraños. Estaba descansando en una deshilachada silla para playa cerca del fondo de la barranca.

—Sesenta familias viven por este sendero —afirmó—. La mayoría de nosotros hemos estado aquí durante muchos años. No está mal. Tenemos una cooperativa. Metimos nuestra propia línea eléctrica, y por eso tenemos luz y televisión. Construimos una cisterna para el agua y tenemos tomas que funcionan incluso ahora, en la temporada de sequías.

Abrió la cortina que colgaba de la entrada a su casa para mostrarnos esas comodidades. Lo felicitamos por la vida amena que había creado para su familia y él esbozó una ancha sonrisa, pero cuando le preguntamos acerca del tiroteo, ésta se desvaneció.

—Dicen que los guerrilleros atraviesan mucho la barranca por la noche —indicó—. Supe que se mataron cuatro o cinco, pero no hubo cadáveres. Tal vez los guerrilleros se los llevaran. No lo sé. Me quedé en mi ranchito con mi mujer y mis hijos.

Para ayudarle a Duarte a realizar su meta de organizar las primeras elecciones indiscutiblemente honestas en la historia de El Salvador, el Departamento de Estado estuvo trayendo a expertos durante un año. Los mejor conocidos fueron Richard Scammon, un antiguo director de la Agencia del Censo, y su socio, Howard Penniman. Durante más de 20 años los dos estuvieron viajando a los rincones más apartados e inhóspitos de la Tierra en provecho de una cuenta honesta.

Durante la semana anterior a la elección, Scammon se dirigió a una reunión con almuerzo de la Cámara de Comercio salvadoreña-estadounidense en el Camino Real. Para entonces, sólo un puñado de hombres de negocios extranjeros de cualquier nacionalidad permanecía en el país. Los demás habían partido, para evitar la posibilidad de ser secuestrados o asesinados por los guerrilleros. Sus lugares en el almuerzo fueron ocupados por sus sustitutos salvadoreños. Scammon, un hombre robusto y rubicundo de unos 195 cm de estatura, con una cabeza reluciente, completamente desprovista de cabello, destacaba entre su público como el Volcán de San Salvador. Penniman, por contraste, era bajo, pálido y de aspecto preocupado.

Los gastados contornos del discurso de Scammon sugerían que lo había pronunciado muchas veces antes. Su poder soporífero fue intensificado por las pausas que eran necesarias, al cabo de cada dos frases, para la interpretación al español. Scammon definió las elecciones, repasó la historia de las mismas, describió los procedimientos que se usarían, disculpó los lapsos pasados nombrando los casos de fraude en Estados Unidos, y concluyó con una cita de

Winston Churchill, en el sentido de que la democracia era el peor sistema de gobierno, exceptuando todos los demás sistemas.

Al cabecear, tenía la extraña impresión de que ya, en alguna parte, había oído todo esto antes. De repente se me ocurrió. Fue en Saigón en 1967, en el comedor sobre la azotea del hotel Caravelle, Scammon estaba dando su discurso y otra delegación de observadores estaba presente para dar constancia de la honestidad de una elección presidencial que estuvo arreglada desde el principio, aunque de manera tan torpe que un candidato recibió más votos de lo que el general Nguyen Van Thieu, el vencedor, consideraba apropiado y en recompensa fue enviado a la cárcel durante varios años.

Cuando le mencioné la ocasión a Scammon, éste fijó la mirada en mí desde arriba y afirmó que de no haber sido honesta la elección, el otro tipo no hubiera recibido votos suficientes para encolerizar a Thieu. Repliqué que de haber sido honesta, Thieu probablemente hubiera sido derrotado.

Esa noche continué mi lectura repetida de *Nostromo* de Joseph Conrad. Casi 80 años después de su publicación, esta gran novela sigue siendo la mejor guía a la política, la economía y la sociedad de América Latina. Entre los cientos de pasajes que podrían citarse, está un juicio expresado por el hijo cosmopolita de una vieja familia en el país imaginario de Conrad, Costaguana:

> Pesa una maldición de futilidad sobre nuestro carácter: Don Quijote y Sancho Panza, la hidalguía y el materialismo, los sentimientos altisonantes y una moralidad supina, los esfuerzos violentos por una idea y una aquiescencia hosca en todo tipo de corrupción. Convulsionamos un continente por nuestra independencia sólo para volvernos la presa pasiva de una parodia democrática, las víctimas indefensas de bribones y asesinos, nuestras instituciones el objeto de burla, nuestras leyes, una farsa. . .

Puesto que los periódicos, la televisión y las estaciones de radio salvadoreñas no cubrían la campaña, ni la guerra tampoco, en cuanto a esto, publicando sólo los boletines oficiales y las fotografías emitidas por el gobierno, los partidos tenían la necesidad de presentar sus mensajes en forma de anuncios pagados. Esto lo hacían profusamente los demócrata cristianos, que recibían apoyo financiero desde Venezuela y probablemente Estados Unidos, y la ARENA, que contaba con el respaldo de la oligarquía salvadoreña.

Los demócrata cristianos no sólo exponían sus posiciones con detalles extremos, sino también emprendían el camino bajo al atacar a D'Aubuisson no sólo por los crímenes de los que era sospechoso, sino también por algunos que parecía poco probable que él fuera el culpable; por ejemplo, por "abandonar" a sus hombres bajo circunstancias no esclarecidas. La publicidad de la ARENA, que se me informó era colocada por una compañía filial de la agencia McCann-Erickson, incluía lo que se alegaba que eran fotocopias de cartas intercambiadas por destacados demócrata cristianos y funcionarios del partido comunista salvadoreño, para arreglar visitas secretas de los primeros a la Unión Soviética y a la Alemania oriental. Pocas personas hubieran podido ser engañadas por ellas, puesto que se empleaban dos tipos de letra diferentes en cada carta.

Al entrar en el Camino Real la tarde siguiente, casi fui arrollado por una embestida de corresponsales a través de la puerta y hacia sus camionetas y coches. Resultó que acababa de ocurrir un golpe de Estado en Guatemala. Sin aviones disponibles para el alquiler, la forma más rápida de llegar ahí era por carretera. Como ya no era un esclavo de los límites de tiempo para las entregas, decidí quedarme donde estaba. Llegaría a Guatemala al cabo de una semana. Entretanto, siempre existía la posibilidad de que el trastorno viajara por alguna falta política hasta El Salvador mismo.

Toda Centroamérica había estado vibrando siniestramente desde que la rebelión sandinista derrocara a la dinastía familiar de Somoza en Nicaragua en 1979. Por primera vez, un gobierno dirigido por marxistas-leninistas declarados poseía el poder en la Tierra Firme. El gobierno de Reagan, que temía el final del monopolio de poder de 100 años ejercido por Estados Unidos en la región, había organizado un ejército de emigrantes para hostigar y, de un modo plausible, derribar a los sandinistas. Parecía probable que Honduras, donde se encontraba la base del ejército, fuera involucrada en la lucha. Guatemala también tenía que habérselas con un levantamiento guerrillero.

Aparte de las ideologías involucradas, esto no tenía nada de nuevo. Desde que ganaron su independencia de España, en la década de los veintes en el siglo XIX, Guatemala, El Salvador, Honduras y Nicaragua han manifestado una propensión a la violencia fuera de toda proporción con su tamaño. (Con un área total de 407 000 kilómetros cuadrados, los cuatro países son un poco más pequeños que California. Su población de 15 000 000 más o menos es considerablemente menor a la del área metropolitana de Nueva York). Han librado un sinnúmero de guerras los unos contra los otros, la mayoría tan sin sentido como riñas de ebrios, y en cada una han ocurrido rebeliones y golpes de Estado imposibles de contar.

Las otras tres naciones tienen historias diferentes y menos problemas inmediatos. Belice fue la Honduras Británica hasta 1980, y las tropas inglesas todavía estaban apostadas ahí para protegerla de las pretensiones territoriales de Guatemala. Costa Rica, colonizada por campesinos españoles e históricamente la nación más estable y democrática de la región, estaba en paz, pero tenía una deuda exterior de 4 mil millones de dólares, la mayor del mundo *per cápita,* que ponía en peligro su nivel de vida. Panamá, parte de Colombia hasta que se separó mediante una rebelión inspirada por Estados Unidos en 1900, estaba todavía mareada por el gusto de haber recobrado al menos, la soberanía nominal del canal, pero ahí también existía una enorme deuda exterior.

Los observadores estadounidenses sostuvieron una conferencia de prensa el día anterior a la elección. La senadora Nancy Kassebaum, una republicana de Kansas e hija de Alfred M. Landon, el candidato del partido a la presidencia en 1936, dijo que esperaba con interés la oportunidad de "visitar" a todos los salvadoreños posibles durante sus tres días en el país.

Otro observador era el reverendo Theodore M. Hesburgh, el rector de la Universidad de Notre Dame. Había sido uno de los maestros de Duarte en los cuarentas, y los dos hombres seguían siendo amigos. Hesburgh afirmó que en Chicago, una ciudad que le era familiar, el lema del día de elecciones era "vota temprano y mucho". Bajo las circunstancias, indicó, no creía que la prensa debiera "reparar en pequeñeces" respecto a las elecciones salvadoreñas. El ámbito universitario era representado por Clark Kerr, el rector emérito de la Universidad de California. Cuando se le preguntó por qué había sido escogido, replicó con una sonrisa:

—No estoy seguro, pero si el presidente Reagan hubiera estado enterado, creo que indudablemente se hubiera opuesto. Me despidió, sabe usted, en la primera junta de gobierno de la universidad cuando se hizo gobernador en 1967.

El gobierno salvadoreño, a instancias de Estados Unidos, había invitado también a unos cientos de observadores de 25 o 30 países. La cuenta precisa no estaba disponible y probablemente era desconocida. La mayoría de ellos provenían de América Latina y del Caribe. Inglaterra era el único país europeo que había mandado a observadores oficiales, habiéndolos enviado la primera ministra Margaret Thatcher para mostrar su apoyo a la política de línea dura de Reagan. Tanto las delegaciones oficiales como las que no lo eran, las cuales representaban en su mayor parte, a partidos cristiano demócratas y conservadores de países europeos y latinoamericanos, fueron alojadas, gratuitamente, en el más lujoso de los hoteles de San Salvador: el Presidente. El hotel, que estuvo cerrado durante un año por falta de clientela, fue abierto y provisto de personal para la ocasión.

Desde un rincón del vestíbulo observé a una procesión de observadores colorados y sudorosos que llegaban desde el aeropuerto en limosinas y camiones alquilados. Jóvenes voluntarias los registraban, les entregaban credenciales y les pedían escoger una ciudad o pueblo que visitar el día de las elecciones. La selección, según noté, mientras permanecía detrás de un funcionario del partido conservador de Noruega, estaba principalmente limitada al lado occidental del país, que era relativamente pacífico.

El doctor Jorge Bustamante, el ginecólogo de espíritu cívico, pero apolítico, que había asumido la presidencia de la Comisión Central de Elecciones a petición de su viejo amigo Duarte, estaba platicando con dos hombres que presentó como observadores de Venezuela.

—Qué relajo es éste —comentó Bustamante—. Gracias a Dios mi trabajo casi termina y podré volver a lo que queda de mi consulta.

René y yo dimos una vuelta por las afueras de la capital, los tugurios o barrios pobres, las terminales de camiones, los distritos de fábricas a lo largo de las carreteras. Las tropas se desplegaban sobre todas las calles principales, retiradas del campo para la elección. Sobre las faldas inferiores del Cerro San Jacinto, del otro lado de la ciudad, desde el Volcán de San Salvador, una compañía del batallón Atlacatl, hombres escogidos y entrenados por los consejeros estadounidenses, patrullaban los senderos que subían entre las chozas de los paracaidistas y terminaban entre la densa maleza y los árboles dispersos arriba. Los hombres del Atlacatl eran más altos, de mayor edad, más soldadescos y mejor pertrechados que las otras unidades del ejército que yo había visto, en las cuales las filas eran completadas por chiquillos de 14 y 15 años en uniformes de segunda mano. El comandante de la compañía dijo que los guerrilleros habían invadido el área la noche anterior. Ahora sus hombres estaban tratando de hallarlos. Como en Vietnam, el ejército y los guerrilleros seguían horarios diferentes.

A no más de tres kilómetros de distancia, nos detuvimos brevemente frente a una fábrica donde 2 000 personas armaban y probaban componentes de computadora para Texas Instruments. Aunque hubiera podido considerarse como un símbolo del imperialismo yanqui, los salvadoreños, incluyendo quizá a los guerrilleros, quienes no habían hecho nada para interferir con ello, sentían un intenso orgullo de esta planta. Era por lo menos igualmente eficiente como otras plantas de Texas Instruments en otro lugar cualquiera de la Tierra.

En Mejicanos, un distrito miserable y animado que había sido un pueblo separado hacía pocos años, nos detuvimos en el mercado del centro. Nos encontrábamos en el apogeo del "verano", como llaman los salvadoreños a la temporada de sequías, una sucesión de días perfectamente asoleados con temperaturas que oscilan entre los 21 y 26 grados en las tierras altas, la cual dura de diciembre hasta abril. Sobre la banqueta, tan posesivas como una bandada de gallinas sobre nidadas de huevos, las campesinas presidían sobre fragantes piñas, naranjas y plátanos, plátanos machos, papayas y mangos, jitomates y col, amontonados en cubiletes de paja o extendidos sobre hojas de plátano anchas y lustrosas. En el interior, débilmente iluminado, se vendía arroz, harina de maíz recién molida y brillantes frijoles negros de costales de arpillera.

También había varios restaurantes pequeños. René me condujo a uno de ellos, el de Rosa Neri Santiago, por un plato de su célebre "sopa de bolos", sopa de ebrios, llamada así porque tiene el poder de acabar con la cruda más incurable.

—Es una sopa buena aunque no se esté crudo —manifestó René—. De cualquier forma es hora de almorzar.

Nos sentamos en uno de los tres astillados bancos de madera.

René le dijo a Rosa, una mujer rolliza de entre 40 y 50 años, que queríamos dos "especiales".

—Cobra según la carne que uno pida —explicó René—. La "sopa especial" es la que más tiene. Te costará cinco colones.

Eso equivalía a poco más o menos 1.50 dólares según el tipo de cambio del mercado libre, y dije que podía permitirme el gusto. Rosa transmitió la orden a su asistente, que sirvió la sopa en platos desportillados de una olla de hierro fundido que hervía lentamente sobre un fuego de carbón. La primera probada me indicó que la sopa de Rosa actuaba en serio. Era un caldo picante en el cual flotaban una pata de cerdo, unos pescuezos con carne y algunas rebanadas de pulposa yuca.

Rosa afirmó que cualquiera podía preparar un buen caldo de puerco, pero que el secreto radicaba en la mezcla de especias, hierbas y otros ingredientes sin nombre llamados "ayote", y que el suyo, que le permitía una vida cómoda, sería revelado sobre su lecho de muerte a la hija que le hubiera sido más devota.

Otros tres hombres estaban comiendo la sopa de Rosa. En el banco enfrente de nosotros, un hombre de unos 50 años la estaba ingiriendo como si se tratara de salvar la vida. Ostentaba una barba cerdosa de tres días y sus ojos tenían el aspecto de estar disolviéndose en sangre. Los otros dos parecían en un estado un poco mejor, y les pregunté cómo iban a votar.

Los campesinos y los paracaidistas de la barranca hubieran adoptado una mirada vaga y dicho que no lo sabían, pero éstos eran hombres de la ciudad, y hablaron.

—La pesca. . . la pesca. . . las manos. . . la pesca. —El pez era el emblema de los demócrata cristianos y las manos —es decir, un apretón de manos—, el del Partido de Conciliación Nacional, el PCN. Cuando pregunté cómo opinaban que iba la guerra, sólo se manifestó el hombre de la cruda devastadora.

—Hay guerrilleros por todo Mejicanos —afirmó—. Vienen aquí todas las noches. En el campo es peor. Soy camionero, y lo sé. En las carreteras los guerrilleros lo detienen a uno todo el tiempo para robar. Lo llaman obligarle a uno a pagar sus contribuciones de guerra. Han quemado los camiones de muchos de mis amigos que trataron de ir a San Vicente. No es posible siquiera visitar esa parte del país.

Desde Mejicanos pasamos junto a la Universidad Nacional. Fue cerrada en 1978, cuando el gobierno decidió que era el centro desde el cual irradiaba la subversión. El terreno universitario, cubierto de maleza, estaba rodeado por un cercado contra ciclones vigilado por tropas. Los edificios de tres pisos de color de ante estaban manchados de graffitis revolucionarios. Muchas de las ventanas estaban rotas. El cuerpo docente se había dispersado y parecía poco probable que la universidad volviera a abrirse hasta que la rebelión hubiera triunfado o hubiera sido aplastada definitivamente. De ahí dimos vueltas por los distritos de Santa Lucía y San Antonio Abad, que se ubican del otro lado de la barranca desde el hotel Sheraton. Los guerrilleros se escabullían por ellos por la noche. En el día las calles estaban vacías. Las casas parecían abandonadas. Las tropas permanecían sentadas sobre los escalones de las fachadas bajo la sombra, fumaban y esperaban que cayera la oscuridad.

Esa noche cené en la casa de un hombre al que llamaré Juan Hernández, porque me pidió que no lo identificara. Lo conocí en mi primer viaje a El Salvador y siempre he dado mucha importancia a visitarlo cuando regreso. Hernández, que está a la mitad entre los 40 y los 50 años, es agrónomo. Posee y administra una ejemplar granja lechera en el ancho valle de Santa Ana, a unos 30 kilómetros al este de la capital. También administra una finca de café de 730 hectáreas para una familia de la oligarquía que entonces residía en Florida. La familia, previsoramente, la había dividido años antes en propiedades separadas que no eran lo suficientemente grandes, según resultó, para ser expropiadas en la reforma agraria de 1980. Él y su familia viven en una casa con un valor de 250 000 dólares en San Benito, no lejos del hotel Presidente.

Hernández, cuyo difunto padre era diplomático, pasó la mayor parte de su infancia y juventud en Estados Unidos. Como Bustamante, Duarte y otros muchos miembros de la ascendente clase media profesional, sustenta un punto de vista político y social reformista, que tiene mucho más en común con el de la misma clase en Estados Unidos, que con el de la vieja oligarquía o de la nueva clase empresarial de El Salvador.

Hernández se mostraba bastante optimista cuando, por primera vez, lo conocí. Me enseñó la finca y su propia granja y me habló, vacilantemente, como es su costumbre, sobre la posibilidad de que la reforma agraria ayudara a traer paz. Ahora lo hallé melancólico, desconcertado y enfadado por turnos, preocupado por su familia y preguntándose si debía vender la granja por el precio depreciado que obtuviera y emigrar a Estados Unidos. La producción agrícola se hundía, afirmó. Su área estaba todavía tranquila, pero intuía que la guerra se acercaba. Estaban abandonándose cientos de granjas. Lo que no destruían las luchas, indicó, era sofocado por la interferencia del gobierno.

Hernández declaró que todavía no estaba seguro acerca de cómo votar. Su mujer que, por lo general, se quedaba escuchando discretamente, dijo que votaría por D'Aubuisson, al igual que todas las mujeres que conocía, porque sólo él estaba en situación de derrotar a los comunistas. Los cuatro hijos, todos adolescentes, manifestaron su acuerdo con ella. Con sus pantalones de mezclilla y "Top-Siders", llevaban camisas de polo blancas bordadas con el emblema de la ARENA, una cruz blanca delineada con rojo y azul, con la sigla debajo. Afirmaron que todo el mundo en su escuela particular contaba por lo menos con una. El hijo mayor de los Hernández cursaba el último año en una de las primeras escuelas preparatorias de la Nueva Inglaterra. Él y sus padres debatieron conmigo los méritos relativos de Harvard, Yale, Stanford y la Universidad de Virginia. Dudo que jamás se le haya ocurrido a Hernández o a su esposa, y yo no lo mencioné, que su hijo, al igual que los muchachos campesinos alistados, tenía la obligación de ayudar a defender la propiedad de la familia.

El día de las elecciones era el 28 de marzo, un domingo, el día de la semana en el cual América Latina acude a las urnas. . . cuando le es permitido. Había convenido en viajar con Peter Arnett, un viejo amigo. En Vietnam, donde nos conocimos, él era la estrella de la Associated Press y el Napoleón de los corresponsales. Hace unos años se unió a la Ted Turner's Cable News Network [Red de Noticias por Cable de Ted Turner], la cual no considera que una cara bonita y una cabellera completa son las calificaciones más importantes del periodista.

Más de 700 personas habían recibido credenciales de prensa del gobierno salvadoreño. Minuto por minuto, cantidades de camionetas semejantes a la nuestra, representando las grandes cadenas televisivas del mundo civilizado, la mayoría de las cuales habían designado a varios equipos para la elección, salían del estacionamiento del hotel, con el fragor de claxones y gráficas maldiciones en español. Velozmente nos dirigimos a una escuela preparatoria donde, a pesar de que eran las 7 de la mañana y las urnas acababan de abrirse, miles de personas esperaban votar. Las filas se extendían hasta afuera de los terrenos de la escuela, por la banqueta e incluso a través de transitadas calles. En un país de inclinaciones menos anárquicas, se hubiera dejado una brecha para permitir que pasara el tráfico. En El Salvador, a no ser que uno se mantuviera lo suficientemente cerca del vecino para robarle la cartera, alguien seguramente trataría de meterse delante. Los votantes eran de la clase media y, por lo tanto, los volubles partidarios de D'Aubuisson. Su actitud hacia la prensa estadounidense quedaba resumida por los carteles y las calcomanías en las defensas de los coches que la ARENA había impreso por miles. Rezaban: "Periodista: Entrega Tu País, Pero No El Nuestro. ¡Di la Verdad!".

Mientras el equipo de Arnett filmaba la escena, una limosina, escoltada por dos camionetas blindadas, se detuvo, y Deane Hinton, el embajador estadounidense, se apeó. Estrechó unas manos, besó a unos bebés y posó para la cámara de Arnett, como si él mismo estuviera postulado para un cargo. Hinton, quien es alto y delgado, se ve y suena como un magnate de forraje y granos de Indiana que pagó por su camino a la diplomacia. Pero los trajes holgados, las camisas desteñidas y las exclamaciones nasales como "maldición" y "no lo crea" servían de camuflaje. Hinton era uno de los embajadores de más experiencia en el servicio diplomático, y tenía los ojos muy fríos detrás de las gafas con armazón de acero. Estuvo prestando servicios en Chile mientras Allende se desmoronaba y en Etiopía cuando Estados Unidos y la Unión Soviética se enfrentaban ahí. Su delegación para El Salvador era una señal de la confianza que le tenía la Casa Blanca. Hinton era considerado como un "oriente-occidentalista", es decir, alguien que veía tales conflictos desde el punto de vista de la rivalidad entre Rusia y Estados Unidos, en lugar de un "norte-sureño", que lo interpretaba como una lucha entre quienes tenían algo y los que no tenían nada.

La votación estaba llevándose a cabo en media docena de mesas colocadas bajo los pasillos cubiertos que vinculaban los edificios escolares. El procedimiento era sencillo. El votante presentaba su cédula, la identificación nacional. Para impedir una votación repetida, ésta era marcada, así como su mano, con una tinta que se revelaba bajo luz ultravioleta. El votante firmaba el registro electoral o apuntaba su seña, puesto que el alfabetismo no era un requisito, y se le entregaba una boleta sobre la cual estaban impresos, a colores, los nombres y los símbolos de los seis partidos. Después marcaba la boleta en un puesto con tres costados altos, lo cual proporcionaba una reserva adecuada, la doblaba y la dejaba caer en una caja de plástico transparente debajo.

Este procedimiento, con una importante excepción, se había empleado en las elecciones anteriores. La excepción derivó de una decisión tomada por Bustamante y el resto de la comisión electoral de no tratar de poner al corriente los registros de votantes, que la última vez se habían revisado en 1972, y de depender, en cambio, completamente de la cédula como medio de identificación. Se reconocía el potencial para el fraude. Se pensaba que estaban en uso decenas de miles de cédulas de identidad falsificadas, y se creía que muchas personas contaban con varias. No obstante, también existía una ventaja importante. Cientos de miles de personas que habían abandonado sus hogares debido a los combates podrían votar dondequiera que estuviesen en El Salvador.

Es posible que el mecanismo de la elección haya sido familiar, pero el espíritu director era enteramente nuevo. Duarte, a quien se había defraudado de la presidencia en 1972, estaba decidido a que las elecciones fueran honestas, aunque le costara el puesto. Washington también quería elecciones honestas. Con la negativa de la izquierda a tomar parte, parecía una situación sin posibilidad de perder. Duarte, evidentemente, era el presidente que el gobierno de Reagan deseaba, pero creía también poder llevarse con los conservadores. Según supe, Hinton había pegado en cabezas hasta que los militares, que seguirían dirigiendo la guerra sin importar a quién se eligiera como presidente, hicieron la solemne promesa de no interferir.

Después de abandonar la escuela, el equipo de Arnett fue víctima de un desastre. El camarógrafo estaba filmando a la multitud mientras caminaba hacia adelante. En tales situaciones, con el ojo pegado al visor, es incapaz de ver peligros como baches o pequeños perros colocados directamente delante de él, y el encargado del sonido, que camina a su lado, tiene la obligación de ponerlo sobre aviso. El sonidista, un salvadoreño contratado localmente, dejó que el camarógrafo caminara directamente contra un poste de alumbrado. Se le puso el ojo amoratado; peor todavía, se le rompió la cámara.

Arnett se sujetó la cabeza, desesperado. No quedaba que hacer más que volver al hotel con las miserables tomas ya hechas. Según resultó, el otro corresponsal de la Cable News Network, Jim Maklashelski, también acababa de regresar al hotel a fin de dejar la cinta lista para emitirla a Atlanta por satélite. Amablemente accedió a llevarme con él.

Apretamos el paso hacia Mejicanos, de donde habían llegado

noticias de combates. Al dar vuelta a una esquina, vimos a unos votantes colocados en fila en una angosta calle bordeada de tiendas. En la calle que atravesaba a ésta, a una cuadra de distancia, unos soldados corrieron, dispararon y se refugiaron en una obra. Caminamos hacia ellos. El fuego no era intenso, pero las balas parecían provenir de varias direcciones. Rompieron ventanas y marcaron con royos las paredes de pálido azul y verde de las tiendas y las casas. Una ambulancia llegó a recoger a un soldado que había recibido una bala en la pierna. Los votantes se mantuvieron impasiblemente formados en la calle. Podía ser fatalismo o patriotismo lo que les impidió buscar refugio, o, lo cual era más probable, la renuencia a abandonar sus lugares en la fila.

No lejos de donde nos encontrábamos, un fotógrafo chileno había sido herido una hora antes. (Murió unas semanas después). La única acción militar significativa alrededor de la capital, según averigüé más tarde, tuvo lugar al amanecer, cuando 15 guerrilleros, aparentemente parte de un destacamento que se había introducido en la ciudad a través de la barranca cerca del Sheraton, fueron muertos en un tiroteo en San Antonio Abad.

Maklashelski volvió al hotel y entregó su equipo a Arnett. Entonces nos dirigimos a Suchitoto, a unos 40 kilómetros al norte de la capital y a la mitad hacia la frontera hondureña. El pueblo había sufrido intensos ataques durante la "ofensiva final" de los guerrilleros en enero de 1981, y permanecían enterrados en un laberinto de túneles y trincheras sobre las faldas del cercano volcán Guazapa. Se trataba de una tierra seca y alta, a 900 metros sobre el nivel del mar. La vegetación estaba quemada de un color pardo al cabo de cuatro meses sin lluvias. Los pobladores del área, la mayoría de ellos campesinos en arriendo, habían huido o los había evacuado el ejército. Sus chozas de adobe estaban vacías, muchas de ellas quemadas, entre marañas de enredaderas. Pasamos a unos campesinos que caminaban cansadamente por el borde de la carretera, algunos doblados bajo sus cargas de leña, pero no había tráfico sobre ruedas excepto las ambulancias y los vehículos de prensa. Los guerrilleros habían amenazado con destruir todo lo demás.

Las tropas guarnecían los puestos de avanzada espaciados cada cuatro o cinco kilómetros a lo largo de la carretera. Eran jovencitos, muy diferentes de los hombres del batallón Atlacatl. Nos hacían señas con la mano y, ocasionalmente, nos detenían con los rifles apuntados. Sus pequeños reductos eran casi peores que inútiles, consistiendo en poco más que pilas de piedra techadas con metal corrugado. Las balas o los explosivos romperían fragmentos de afilados bordes, tan peligrosos para los defensores como la granada de metralla. Los únicos sacos de arena que llegué a ver en El Salvador fortificaban la embajada estadounidense.

Suchitoto cabeceaba bajo la intensa luz y el calor seco de la temprana tarde. En la plaza central, con la larga iglesia blanca de un lado y el ayuntamiento del otro, nada se movía. Las mesas para la elección estaban instaladas sobre la terraza de la escuela primaria. Las urnas de plástico estaban bien llenas. Se mantendrían abiertas hasta las cuatro de la tarde, pero los dependientes y los observadores decían que ya no esperaban a muchos votantes más.

El ciudadano principal del pueblo, al que yo conocí un año antes, estaba de pie en la sombra, tomando una Coca. Era un hombre robusto y canoso llamado Alejandro Cotto. Su hermano, un teniente coronel del ejército, era el secretario del Secretario de la Defensa, el general José Guillermo García. Cotto ocupaba la mejor casa en Suchitoto. Yo había tomado vino en su sombreado jardín, mientras escuchaba el salpicar de una fuente cubierta de musgo, haciendo contrapunto a una invención de Bach en su fonógrafo y contemplaba, por la larga ladera del cerro, el lago a 150 metros abajo, creado por la construcción de una presa hidroeléctrica sobre el río Lempa.

Cotto, que había sido asistente de Luis Buñuel, el gran cineasta, en la ciudad de México en los cuarentas, me comentó en esa época, que estaba tratando de reunir fondos para un documental acerca de El Salvador en el puño de la revolución.

Cuando le pregunté cómo avanzaba el proyecto, meneó la cabeza.

—Mis paisanos son unos tontos —afirmó—. No comprenden la importancia de comunicar su historia al mundo.

Desde Suchitoto tomamos un camino secundario que llegaba a la Carretera Panamericana a unos 30 kilómetros al este de San Salvador. La carretera, la vía principal para atravesar el país, también estaba libre de tránsito, excepto las camionetas ocasionales marcadas, como la nuestra, con las letras TV con cinta blanca sobre las portezuelas y el techo y con una bandera blanca que se agitaba en la antena.

Al sur de la carretera se extendía el ancho y fértil Valle de San Vicente. Los campos regados brillaban con matices de verde: arroz, caña de azúcar y el espeso pasto, en el cual apacentaban unas vacas Holstein negras con blanco. Más allá se elevaba el cono simétrico del Volcán de San Vicente, rodeado por un halo de nubes. Doblamos hacia el Norte sobre un camino rocoso entre pequeños y polvorientos campos y matas marchitas. El camino terminaba en la aldea de Santa Clara. Arnett afirmó que había vagado por el área la semana anterior. Los cerros tras la misma, declaró, estaban llenos de guerrilleros.

Incluso, según las normas salvadoreñas, Santa Clara equivalía a lo último de la miseria. La gente estaba delgada, y su piel cobriza parecía tener un matiz grisáceo. La mayoría de los niños pequeños estaban desnudos, roñosos y sucios. Tenían los vientres hinchados, y los ojos enrojecidos e inflamados. Los cerdos, que se revolcaban en la plaza del pueblo, tenían un aspecto más sano y feliz que la gente. La mayor parte de los hombres eran jornaleros que trabajaban en el fértil valle. Las únicas personas bien alimentadas del lugar era la docena, poco más o menos, de soldados que estaban sentados sobre las sillas astilladas en la terraza cubierta de la estación de policía de una habitación. Nos indicaron que habían rechazado un ataque guerrillero por la mañana. Ahí los funcionarios electorales, que estaban sentados detrás de una larga mesa sobre la terraza del arruinado ayuntamiento, también dijeron que la votación había terminado horas antes.

Regresamos a la carretera y continuamos hacia el Este. Al doblar una curva, nos recibió una vista asombrosa: cientos de campesinos que cansadamente caminaban por la mitad de la carretera bajo el deslumbrante sol de la tarde. Muchos estaban descalzos. Algunas de las mujeres balanceaban fardos sobre la cabeza y cargaban a niños en bragas sobre la espalda.

Los hombres y las mujeres con los cuales hablamos dijeron que estaban volviendo a sus poblaciones, que eran demasiado pequeñas para contar con urnas, después de haber votado en Apastepeque, su pueblo del mercado. Estaban caminando, declararon enfadados, porque los guerrilleros habían prohibido que funcionaran los camiones. Le preguntamos a un hombre si pensaba que el voto cambiaría algo.

Se echó el sombrero de paja hacia atrás y se frotó la frente con el pulgar y el índice.

—La elección es algo muy bueno —afirmó—. Los políticos dicen que con ella terminará la guerra, y los soldados dicen que debemos votar, así que votamos.

¿Por quién había votado? Se encogió de hombros, movió los pies anchos y planos y miró hacia el volcán.

—Es un secreto, ¿no? —murmuró y reanudó la marcha.

Para entonces eran las cuatro de la tarde, hora en que Arnett debía volver para transmitir la cinta. Sólo habíamos avanzado dos o tres kilómetros cuando descubrimos, de pie en un corte donde un camino de tierra entroncaba con la carretera, a tres hombres armados y con uniformes verdes. Otros dos, los centinelas, se encontraban sobre el cerro. Primero, pensé que se trataba de tropas del gobierno, pero sus uniformes eran de un matiz diferente de verde y de otro corte. Eran "los muchachos", como todo el mundo llama a los guerrilleros, y nos detuvimos para hablar con ellos. Los guerrilleros saben que no pueden permitirse una evasión de las cámaras en su campaña para ganarse los corazones y las mentes a través de todo el mundo. No hicieron objeciones cuando el equipo de Arnett empezó a instalarse.

El jefe guerrillero se presentó sólo como Dico. Tenía el aspecto del Che Guevara: la boina negra, el cabello largo y lacio, una corta barba negra. Era delgado. Su piel era pálida, "europea", según dicen en Centroamérica, y llevaba anteojos con armazón de carey. Declaró tener 27 años de edad, ser nativo de San Salvador y estudiante en la Universidad Nacional hasta que cerró. Había sido combatiente, afirmó, durante dos años, pero su rostro, su figura y sus maneras, en las cuales la timidez y la confianza en sí mismo mantenían su propia guerra civil, eran los de un estudiante de escuela universitaria de graduados antes que de un soldado. Los hombres jóvenes que se hallaban con él, que estaban en los últimos años de la adolescencia, eran más oscuros, mestizos en lugar de "europeos", y sus sonrisas sugerían que les agradaba la idea de ser las estrellas en la televisión estadounidense. Se llamaban, según dijeron, David y Ricardo. Afirmaron que eran de la región de San Vicente y que habían asistido a la preparatoria, un nivel educativo que las familias campesinas, por regla general, no pueden permitirse. Por conjetura, sus familias administrarían pequeñas tiendas o serían dueñas de ocho hectáreas de buenas tierras. Los únicos distintivos sobre sus uniformes de hechura barata eran estrellas rojas de esmalte en los cuellos. Dico y Ricardo sostenían rifles automáticos de fabricación belga que afirmaron haberles quitado a las tropas del gobierno. David llevaba un lanzacohetes del bloque soviético.

—Nuestra tarea —indicó Dico— es asegurarnos de que nada más la prensa y las ambulancias circulen por la carretera. Hasta ahora ha sido todo. No hemos visto tropas en todo el día. Creo que no desean confrontarnos.

La razón podía ser, comentó uno de nosotros, que todos estaban cuidando los lugares para votar, de donde acababan de venir esos cientos de campesinos, y Arnett le preguntó cómo explicaba esa larga procesión.

—Nos dijeron que los soldados les habían advertido que tendrían problemas si no votaban —replicó—. Lo comprendemos. No tratamos de detenerlos. La elección es sólo un truco. No importa en absoluto.

Dico afirmó que era miembro de las Fuerzas Populares de Liberación, o FPL, la más antigua de las cinco fuerzas guerrilleras, y que ésa era la posición que había adoptado. Algunos de los grupos más pequeños habían advertido al público: "Voten por la mañana, mueran por la tarde", pero resultaría una amenaza vana.

Las FPL fueron fundadas en 1970 por Salvador Cayetano Carpio, después de haber renunciado como líder del partido comunista salvadoreño. Hasta 1980 fue una organización muy pequeña y generalmente ineficaz. No obstante, para 1982, se consideraba el mayor de los cinco grupos guerrilleros. El número total por lo general era estimado entre 4 000 y 6 000 por Estados Unidos y el gobierno salvadoreño, y entre 6 000 y 8 000 por los guerrilleros mismos, tantos, dicen, según se les pueda proporcionar armas.

Como los jóvenes tenientes del ejército salvadoreño con quienes yo había hablado, Dico podía recitar a gran velocidad las cosas por las cuales luchaba. Éstas incluían la liberación del país del yugo imperialista de Estados Unidos, el establecimiento de una política no de partidismo sino de amistad fraternal con los países socialistas, una verdadera reforma agraria en lugar de la farsa instituida por órdenes de Washington, clases de alfabetización, clínicas de maternidad, una dieta adecuada para los campesinos, y la reforma de las costumbres sociales para acabar con el alcoholismo y las palizas a las esposas. Mientras él hablaba, David y Ricardo asentían con la cabeza y sonreían, como si nunca se cansaran de escuchar ese catálogo de beneficios de manera muy parecida a como sus antepasados indígenas fueron hechizados por las descripciones del paraíso que escuchaban en la iglesia.

Su unidad, afirmó Dico, estaba acampada en los cerros al Norte, pero no quiso decir nada acerca de su tamaño, composición y planes.

—Hacemos lo que pretendemos hacer —declaró—. Emboscamos al ejército cuando trata de atacarnos, y se van corriendo. Estos rifles los llevaban soldados que nosotros matamos. De una cosa estamos seguros: el gobierno de los ricos y del ejército en El Salvador ha terminado.

Temprano por la noche, asistí a un coctel ofrecido por un hombre de negocios neoyorquino en su mansión rentada a pocas cuadras del Sheraton. Tenía un contrato para reemplazar las torres de transmisión eléctrica que los guerrilleros habían estado haciendo explotar en grandes cantidades. El escocés se había acabado para cuando yo llegué, y el bufet iba por el mismo camino.

La mayoría de los invitados eran salvadoreños y estadounidenses del mundo comercial y social. Todos eran partidarios convencidos de D'Aubuisson, y su larga tarde de bebidas los había vuelto hoscos y argumentadores. Una mujer joven que afirmó hacer lecturas de cartas en un club privado de San Benito, habló incoherentemente del tarot y de lo que éste decía acerca del futuro de su país. Me presentó al dueño del club. Era un hombre ceñudo de entre 30 y 40 años llamado Robin Dunne. Era, según afirmó, hijo del embajador sudafricano Archibald Gardiner Dunne, que fue secuestrado y asesinado en 1979 por la FPL, el grupo de Carpio.

—Tenía yo una esposa salvadoreña y un negocio aquí, cómo iba a permitir que esos sinvergüenzas asesinos me expulsaran del país —explicó—. Debo admitir que nunca se me ocurrió que ustedes los yanquis resultaran de su lado.

Esa noche visité la Central de Elecciones, que estaba ubicada en un teatro contiguo al hotel Presidente. Los resultados se telegrafiaban ahí, pueblo por pueblo, se leían en voz alta y se anotaban con gis en un gran pizarrón. Para la medianoche, las sumas apenas habían alcanzado los bajos cientos de miles, pero ya se había establecido una tendencia: los demócrata cristianos estaban recibiendo como el 40 por ciento del voto válido, y los otros cinco partidos, encabezados por el ARENA, lo demás. Aproximadamente el 10 por ciento de las boletas estaba desfigurado, algunas de ellas, seguramente, como una señal de apoyo para la izquierda.

Bustamante, flanqueado por otros miembros de la comisión de elecciones, estaba sentado detrás de una larga mesa sobre el escenario. Al cabo de su agitado día, muchos de los observadores estaban relajándose en los cómodos asientos del fresco auditorio, débilmente iluminado. José Figueres, el ex presidente de Costa Rica, con el cual pasé una mañana algunas semanas antes en San José, me indicó:

—No sé quién sea el ganador, pero sí sé quién es el perdedor. El perdedor es la violencia.

Un poco más tarde oí a tres hombres que murmuraban con elegantes acentos británicos a unas filas de distancia. Se trataba, como supuse, de los observadores ingleses: Sir John Galsworthy, un embajador retirado y pariente lejano del que escribe, y el profesor Derek Bowelt, rector del Colegio de la Reina en la Universidad de Cambridge.

—En un lugar —me contó Bowelt—, Ciudad Arce, creo que así se llama, ¿creería usted que entramos al lugar de la votación a través de un agujero en la pared?

—Nuestras condiciones de referencia nos prohíben revelar cualquier cosa que pudiera interpretarse como una opinión o una conclusión —declaró Sir John—. Esto se hará a discreción de la primera ministra después de haberle presentado nuestro informe. En todo caso, debo admitir que mis impresiones todavía están filtrándose a través de una mente bastante obstruida.

Unos cuantos periodistas ingleses se unieron a nosotros, aporreando a los observadores con preguntas que Sir John evadía o contestaba con cortes y golpes diplomáticos.

—¿No puede usted darme una respuesta franca? —preguntó finalmente uno de los moradores de Fleet Street con cierta aspereza.

—Por supuesto, puedo hacerlo —replicó Sir John—, pero prefiero no hacerlo.

Para el mediodía siguiente, el voto ya había excedido el total de 700 000 que Bustamante, Duarte y la embajada estadounidense habían concordado que constituiría un gran éxito. Se consideraba que la cifra representaba el 50 por ciento de la población de 5 000 000 mayor de 18 años, el límite para votar. Éstas eran estimaciones; no se había hecho ningún censo desde 1970.

Antes de dirigirse a casa, los observadores estadounidenses emitieron una declaración que decía: "La concurrencia tremenda, quizá de más de 1 000 000, subraya el sentido de compromiso de la gente". Pronto se alcanzó esta cifra de 1 000 000 y continuó ascendiendo durante los días siguientes. Finalmente, unas semanas después, llegó a una suma oficial de 1 551 687, o sea, *más* de 100 000 del número total estimado de votantes idóneos.

Según resultó, la tendencia establecida la primera noche nunca cambió. Los demócratas cristianos recibieron el 35 por ciento del voto total y el 40 por ciento de las boletas válidas. Según el sistema de representación proporcional que estaba empleándose, ganaron 24 de lòs 60 escaños en la Asamblea Constituyente; la ARENA recibió el 26 por ciento del voto válido y 19 escaños; el PCN, el 17 por ciento y 14 escaños; los tres partidos menores se adjudicaron el resto y uno de ellos, el de Acción Democrática, ganó los tres escaños sobrantes.

A pesar de que la mayor parte de las 160 000 boletas desfiguradas hubiera podido tomarse como votos a su favor, el Frente Revolucionario Democrático, el cuerpo coordinador para todas las organizaciones no violentas de oposición ubicadas fuera del país, y el Frente de Liberación Nacional Farabundo Martí, el cuerpo coordinador para las fuerzas guerrilleras, así como sus partidarios en Estados Unidos y Europa, casi no lograron ocultar su asombro y consternación. Aparentemente, la campaña para atraer el voto, encabezada por Duarte y otros funcionarios del gobierno, había tenido éxito más allá de los sueños más encarecidos de cualquiera.

Unos días después de la elección, los cinco partidos conservadores declararon que habían formado su coalición y que D'Aubuisson sería el presidente provisional. Tanto Washington como los militares salvadoreños pusieron en claro su oposición. Hinton hizo saber que el precio por instalar a D'Aubuisson y excluir a los demócratas cristianos del gobierno probablemente fuera la pérdida de muchas decenas de millones de dólares en ayuda, cierto porcentaje de los cuales siempre sale inadvertidamente de la bolsa pública y se mete en bolsillos privados. En todo caso, los oficiales de alto rango preferían que los regañaran el Pentágono y el Ministerio de Relaciones Exteriores de Estados Unidos a aceptar órdenes de un joven ex mayor.

Siguieron varias semanas de escaramuzas. Circularon rumores acerca de que D'Aubuisson estaba planeando un golpe de Estado, pero, finalmente, cedió. Una figura apolítica que contaba con el respaldo de los militares fue elegida como presidente provisional para prestar servicios durante los 18 meses o dos años hasta la elección de un presidente para un periodo completo de cinco años. Se trataba de Álvaro Alfredo Magaña, un economista educado en la

Universidad de Chicago en los principios del mercado libre, un antiguo funcionario de la Organización de Estados Americanos, y el director, durante los 17 años previos, de un banco salvadoreño. La Asamblea también votó por instalar a tres vicepresidentes. Los demócrata cristianos, la ARENA y el PCN recibieron sendos funcionarios. Los puestos del gabinete también estaban divididos. D'Aubuisson, el único jefe de partido que había sido postulado para la Asamblea, fue elegido como su presidente.

Atento a la naturaleza interina de su posición y a su falta de poder político, Magaña dijo que procedería con cautela, considerando a la Asamblea como "el poder supremo del país". Posiblemente fuera así sobre el papel, pero no había sucedido nada que sugiriese que las fuerzas armadas no continuarían dirigiendo la guerra sin ayuda civil y ejerciendo un poder de veto sobre las importantes decisiones gubernamentales.

El segundo aniversario del asesinato del arzobispo Óscar Arnulfo Romero cayó el 24 de marzo, cuatro días antes de la elección. Una misa conmemorativa fue anunciada en la prensa y luego cancelada. No se dio ninguna explicación, pero no hacía falta. Se había acusado a D'Aubuisson de complicidad en su muerte. Una ceremonia pública posiblemente hubiera conducido a manifestaciones y, tal vez, a confrontaciones tanto con los militares como con los violentos hombres de la ARENA. La decisión de cancelar la misa fue tomada por el arzobispo en funciones, Arturo Rivera y Damas. No pudo haber sido fácil, puesto que él era el protegido de Romero y el único partidario de su programa de activismo social entre los obispos de El Salvador.

El Vaticano, según generalmente se creía, había hecho depender el nombramiento permanente de Rivera y Damas a condición de que se redujera la participación de la Iglesia en asuntos temporales. Se pensaba que Rivera y Damas deseaba el puesto aunque no fuera por otra razón que para impedir que pasara a un conservador, que haría todo lo posible para destruir lo que quedaba del legado de Romero. Aun así, Rivera y Damas seguía órdenes. Cuando tocaba cuestiones políticas y sociales en sus sermones dominicales en la catedral, su voz estaba apagada. En comparación con la de Romero, apenas si se podía oír. No obstante, Rivera y Damas hizo saber que estaba a favor de las negociaciones del gobierno con la izquierda, lo cual representaba una de las demandas del

Frente Revolucionario Democrático, así como de que finalizaran los envíos de armas a ambas partes desde el extranjero, lo cual no les agradó a las fuerzas armadas salvadoreñas. Como para equilibrar estas posiciones, se opuso al boicoteo de las elecciones por la izquierda uniéndose a los otros tres obispos salvadoreños, todos conservadores, en la emisión de una carta pastoral, la cual se leyó desde todos los púlpitos del país y que estableció que los católicos tenían el deber moral de votar.

Unos días después de la elección, Rivera y Damas sostuvo una conferencia de prensa. La docena de periodistas, poco más o menos, que se presentó fue fácilmente acomodada alrededor de una mesa de juntas. Era más alto, de unos 180 cm, de lo que parecía ser cuando presidía en la catedral. Su rostro era sencillo, rellenado por la carne de la edad madura. Llevaba anteojos, y el perfil de su cuero cabelludo estaba retrocediendo. Con el traje gris para el trópico, la camisola morada y el cuello clerical de obispo y su aire de cautela serena, daba la impresión de un vendedor de seguros para la vida después de la muerte.

Rivera y Damas afirmó que interpretaba los resultados de la elección como un repudio a los guerrilleros, que no pensaba que la gente había votado por temor a los militares y que esperaba que el nuevo gobierno continuara las reformas iniciadas por Duarte. Negó que hubiera tensión alguna entre él y el Vaticano. Dijo que la misa para Romero no se había cancelado, sino celebrada en privado, para evitar la posibilidad de trastornos serios en un tiempo en el cual las emociones estaban exaltadas. Alguien quiso saber qué estaría haciendo Romero de seguir todavía con vida.

Él replicó:

—Las cosas son muy distintas ahora de lo que eran en el tiempo del arzobispo Romero.

En efecto lo eran. En primer término, tantos sacerdotes misioneros habían sido expulsados o habían abandonado el país bajo amenaza, que el 40 por ciento de las parroquias rurales se encontraba cerrado. Las "comunidades de base" establecidas en la época de Romero virtualmente habían dejado de funcionar. Cientos de "delegados de la palabra" (ministros legos) habían muerto.

Cuando se hizo patente que los demócrata cristianos no controlarían la Asamblea Constituyente y que, de hecho, serían afortunados si no los excluían del gobierno, Duarte anunció que estaba dispuesto a ceder el poder que todavía ejercía. Así se volvió un espécimen de museo: un político latinoamericano que, por conducir una elección honesta, había creado las circunstancias de su derrota. Dado el hecho de que en ese momento parecía que D'Aubuisson u otro personaje igualmente desagradable iba a hacerse cargo, Duarte, más que nunca, adoptaba el carácter de un Don Quijote que se le había escapado a Cervantes, encontrándose otra vez en el país equivocado y el siglo incorrecto: un caballero andante perdido que trataba de rescatar a la bella dama Democracia.

El jueves siguiente a la elección, Duarte pronunció su discurso de despedida a la prensa. Al entrar en el gran salón del Palacio Presidencial con el pecho sacado y una sonrisa en el rostro, afirmó:

—Regresé del exilio para trabajar por la democracia y éste es sólo el primer peldaño de la escalera de la misma. Mi deber y mi responsabilidad no han terminado aún. No puedo simplemente desvanecerme. Hice una promesa hace más de 20 años, y todavía no la cumplo. Falta un millón de tareas que terminar, y ustedes verán mucho de Napoleón Duarte en el proceso. Si mi partido quiere postularme para presidente, ahí estaré. Si quiere que continúe las reformas, que mantenga en funcionamiento la democracia, que proteja los derechos humanos, eso estaré haciendo. Hasta entonces estoy aceptando la responsabilidad de ser, humildemente, el líder de la gente que tiene fe en la democracia.

Dijo que la Asamblea tendría dificultades si tratara de suspender o de invertir la reforma agraria, que era el precio que le había cobrado al gobierno de Carter por asumir el poder en marzo de 1980. Dijo que se oponía a negociaciones con los insurrectos hasta que sus acciones indicasen que habían aprendido que no podían ganar a través de la violencia. Duarte parecía creer que su propia buena fe al abandonar la presidencia debía persuadir al Frente Revolucionario Democrático de la buena fe del nuevo gobierno.

Siempre complaciente, sereno, ansioso por explicar, percibiendo, quizá, que pasaría mucho tiempo antes de que los 10 equipos de televisión y los 100 miembros de la prensa mundial se reunieran para hacerle preguntas, Duarte habló demasiado tiempo. Mucho antes de que terminara la conferencia de prensa, dos tercios de su público se había ido.

Poco antes de abandonar El Salvador, cené con un hombre que había sido de infatigable ayuda para mí desde mi primera visita y con la mujer que entonces era su prometida y que más avanzado el año se convirtió en su esposa. Era bien conocido como partidario de la izquierda democrática, lo cual lo hacía, en cuanto tocaba a los escuadrones de la muerte, nada mejor que un comunista. No obstante, permanecía en el país, dando clases y administrando un centro de documentación que reunía material impreso acerca de la insurrección. Era importante que alguien lo hiciera, afirmaba. A partir de la independencia, lagunas y grandes brechas en los documentos impedían el estudio de la historia centroamericana. Había muchas razones para ello: los frecuentes cambios de gobierno, una actitud relajada hacia los registros, las continuas guerras y rebeliones en las cuales tales archivos ya existentes eran destruidos a menudo, la insuficiencia de las bibliotecas y la honda corrupción, que volvía sospechosos los informes y los documentos existentes.

Estábamos a la mitad de la cena cuando ocurrió una ligera conmoción entre los meseros y los comensales. Nos volvimos para ver. Se conducía a un grupo de ocho personas a una mesa. El jefe del comedor y dos meseros bailaban obsequiosamente, dando pasos saltitos, alrededor de uno de ellos, un hombre corpulento de aspecto tosco que llevaba un traje sport de un azul pálido. Un gran anillo de oro y diamantes destellaba sobre un dedo grueso y velludo.

—Es el coronel [Francisco Adolfo] Castillo, el ministro suplente de la Defensa —susurró mi amigo—. Hay una calle aquí que llaman la "avenida de los coroneles" porque tantos viven en ella. No ganan lo suficiente en 10 años para comprar una casa ahí, pero de algún modo se las arreglan.

(Tres meses más tarde, el estilo de vida del coronel se modificó bruscamente. Los guerrilleros le derribaron el helicóptero a balazos y lo hicieron prisionero).

Durante dos semanas antes de la elección y una semana después, los escuadrones de la muerte, que habían matado cuando menos a 25 000 personas, se tomaron un descanso, poniendo así de manifiesto que era posible controlar a los matones y que no eran de la izquierda. Los equipos de televisión no tuvieron la oportunidad de filmar los cadáveres que en otras épocas podían hallarse al amanecer todos los días. Uno de los sitios preferidos para la eliminación era un lugar llamado "El Playón", literalmente una playa grande, a unos 25 kilómetros al este de San Salvador. Durante mucho tiempo se usó como basurero. El Playón es un área de roca y cenizas volcánicas pardas y grises, de unos ocho kilómetros de largo y 800 metros de ancho, expulsado por una grieta en la superficie de la tierra hace decenas de miles de años. Su desolación es todavía más severa por los campos verdes que lindan con él de ambos lados.

Los buitres eran quienes presidían en El Playón. Yo los había visto ahí, las alas de un oxidado color negro medio desplegadas, los cuellos desnudos extendidos hacia adelante mientras desgarraban los cuerpos o las partes de los cuerpos que ahí se dejaban. La gente iba a El Playón para buscar a un hijo o una hija o un esposo perdido sólo como último recurso. Mientras rastreaban, temiendo lo que pudieran encontrar, los buitres agitaban las alas, brincaban y cojeaban a unos metros de distancia, la mirada fija e implacable desde los ojos amarillos. Para los escuadrones de la muerte, éste no era castigo suficiente. Las mujeres y las muchachas, algunas apenas entradas en la adolescencia, e incluso algunos hombres jóvenes, habían sido violados. Los cuerpos con frecuencia llevaban las marcas de la tortura. No era nada exquisito: los dedos y las articulaciones trituradas por golpes de martillo, la carne quemada con soplete, grandes áreas de piel desprendidas por el cuchillo del desollador. Luego, por último, el asesinato por la bala o el machete y, finalmente, la mutilación del cadáver. En El Playón podían hallarse brazos y piernas cortadas, torsos sin miembros, incluso cuerpos partidos longitudinalmente. Había cabezas cortadas con las bocas inmovilizadas en una posición abierta por el terror y ojos que miraban fijos hasta que los buitres se los comían.

La carretera de Santa Ana divide la extensión de El Playón en dos partes, y una mañana cuando René y yo pasábamos en coche en el camino a Juayúa, el pueblo donde comenzó el levantamiento que condujo a la matanza de 1932, descubrimos una camioneta "pickup" estacionada al borde de la carretera. Un hombre, una mujer y dos niños, formando una fila paralela al camino, caminaban lentamente, con las cabezas agachadas. Nos detuvimos y el hombre nos informó que no estaban buscando a un ser querido, sino recogiendo metal de desecho. La fábrica donde él trabajaba había cerrado, y se encontraba sin otra entrada. Llevaba a su familia a El Playón unas dos veces a la semana, indicó. En un buen día podrían ganar 8 o 10 dólares. Lástima que no había mercado para los huesos. Al dar una patada, puso al descubierto parte de una caja torácica que se encontraba debajo de un montón de basura. Unas semanas antes, declaró, los soldados habían enterrado los restos que quedaban ahí, y desde entonces no habían llevado nuevos.

—Estuvo bien —dijo—. Éste —despeinó a un niño de unos ocho años— los vería y tendría pesadillas.

Le pedimos que nos señalara uno de los lugares de entierro, y nos dirigió a una pendiente natural a unos 30 metros de la carretera. Caminamos tropezando en las piedras redondeadas y resbalosas, y entonces nos llegó el fuerte e intenso hedor de la putrefacción que salía con todo su poder del suelo, como impulsado desde las calderas del infierno mismo. Al ver en la imaginación lo que yacía debajo de 30 centímetros de piedra y cenizas, sentí que estaba a punto de vomitar. Contuve el aliento, me volví y regresé corriendo a la carretera. El viejo sargento mayor corrió con la misma velocidad. Llegando al coche rentado, recobramos el aliento y luego gritamos nuestro "adiós" a la familia de pepenadores. El hombre nos contestó con un movimiento de la mano. Hizo un ademán exagerado de estarse tapando la nariz y se rió.

La temporada de sequías estaba acercándose a su fin. El sol todavía ardía durante todo el día; pero en las mañanas y las tardes había una insinuación de humedad en el aire y caían unas cuantas gotas de lluvia. Las chicharras cantaban fortísimo todo el día, como suelen hacerlo cuando se acerca la Semana Santa. La gente dice que los tres puntos negros sobre el carapacho del insecto simbolizan los clavos utilizados en la crucifixión.

2

BAJO LA BANDERA DE ESPAÑA

EN JULIO DE 1502, en su cuarto y último viaje al Nuevo Mundo, Cristóbal Colón descubrió Centroamérica. Era una conclusión modesta, por no decir todo lo contrario a culminante, para una gran carrera. Colón, que no sabía más que 10 años antes, estaba seguro de que la costa húmeda de Honduras, donde hizo su recalada, era la Península de Malaya y que, finalmente, hallaría el paso a la India costeándola hacia el sureste durante una o dos semanas. El 23 de diciembre, su escuadra de cuatro buques echó anclas en un excelente puerto en la desembocadura de un río de veloz corriente. La ciudad que ahora se eleva ahí lleva el nombre de "Colón". Forma la terminación oriental del Canal de Panamá. El Océano Pacífico, desconocido por Colón, se situaba a menos de 80 kilómetros de distancia, del otro lado de los espesos y palúdicos pantanos y las montañas cubiertas de selvas del istmo.

Para entonces Colón estaba confrontando todos los viejos y familiares problemas. A sus buques los carcomía la "broma", las velas estaban pudriéndose, la comida se acababa, las tripulaciones estaban amotinándose y él se estremecía con la malaria. Había llegado la hora, decidió, de regresar a España. Al surcar el Caribe, se perdió primero un barco y luego otro. En el viaje entre Cuba y Jamaica, el tercero empezó a hundirse. Colón logró varar ambos navíos en una ensenada jamaiquina. Ahí estuvo desamparado durante más de 12 meses.

Cuando finalmente arribó a Sevilla en noviembre de 1504, averiguó que la reina Isabel, su patrocinadora, había muerto dos semanas antes. Solicitando el desagravio de numerosos motivos para queja, reales o imaginados, permaneció en la corte real durante 12 meses mientras viajaba de ciudad en ciudad. El rey Fernando, que nunca participó del entusiasmo de su difunta esposa por el explorador genovés, rechazó la mayor parte de sus demandas. En Valladolid, Colón enfermó y murió en mayo de 1506, a la edad de 55 años.

En 1508 se estableció una colonia en Panamá. Estaba a punto de disolverse cuando Vasco Núñez de Balboa se presentó como polizón en un buque de carga desde Santo Domingo. Al cabo de algunos meses había destituido al gobernador y asumido él mismo el mando. Trataba a los indígenas humanamente, y a la manera de los sencillos salvajes por todo el mundo, felices cambiaban perlas y oro por cuentas y percal. Balboa también había oído relatos acerca del gran océano que se encontraba cerca. En 1513, encabezó una expedición a través del istmo. Tomó posesión del Océano Pacífico, que él llamó "Mar del Sur", y de todas las tierras que bañara, para España. El descubrimiento de Balboa finalmente enterró la noción de que las islas del Caribe se encontraban en algún lugar próximo a Asia.

En España, Fernando, al oír la queja del gobernador expulsado, ordenó la deposición de Balboa. La llegada de la noticia de su gran descubrimiento, así como de la parte del rey, el quinto real, del oro y las perlas, hicieron que el monarca cambiara de opinión. Balboa fue ratificado como gobernador del lado Pacífico del istmo. Un cortesano, Pedro Arias de Ávila, fue enviado para gobernar el lado del Atlántico. Por un tiempo Balboa y Arias se llevaron tan bien como podían hacerlo dos hidalgos arrogantes y ambiciosos. Balboa incluso se casó con la hija de Arias de Ávila. Sin embargo, cuatro años más tarde, Arias empezó a sospechar traición de parte de Balboa. Arias lo indujo a viajar al lado propio del istmo, lo arrestó, lo juzgó, lo encontró culpable, le negó su derecho de apelar a la Corona y lo mandó decapitar.

En 1519, Hernán Cortés, encabezando a una fuerza de 508 hombres, con caballos y cañones, desembarcó en el puerto sobre el litoral mexicano que él llamó "Veracruz". Al cabo de dos años, asistido por sus aliados indígenas, había destruido el imperio azteca. Después de eso, la Conquista se desarrolló rápidamente. Cortés mandó a Pedro de Alvarado hacia el Sur, a través de Guatemala y El Salvador, que éste conquistó oponiendo a las tribus de la antigua nación maya, que estaban en guerra, la una contra la otra. En El Salvador, se encontró con Ávila de Arias, que marchaba hacia el Norte. Los dos combatieron. Probablemente hubiera menos de 1 000 españoles sobre la Tierra Firme, pero ya les resultaba demasiado pequeña.

Para mediados del siglo XVI, México, Centroamérica, la actual Colombia, Venezuela y el Perú se encontraban bajo el dominio español. Los indígenas estaban esclavizados en todos los sentidos menos de nombre. (Su condición era el asunto de eruditos debates en la corte española). Bajo el látigo trabajaban las grandes haciendas que Fernando y sus sucesores concedían a los conquistadores y a los funcionarios designados por ellos y minaban la plata y el oro que le permitieron a España volverse defensora de la ortodoxia católica frente a la Reforma protestante y el Islam.

Con la ascensión de Isabel en 1558, Inglaterra tomó la ofensiva. Los corsarios, de los cuales Sir Francis Drake era el más temible, se apoderaban de los galeones con los tesoros y saqueaban los puertos desde los cuales se embarcaba el oro. También se llevaba una guerra económica. España trató de monopolizar el comercio con las colonias, pero siguió siendo un país atrasado y feudal. Había que comprar en otras partes de Europa la mercancía que les vendía. La derrota por parte de Drake de la Armada española en el Canal de la Mancha en 1588, salvó a Inglaterra de la invasión y le costó a España el control de los mares. Después de eso, Inglaterra, los Países Bajos y Francia, con el permiso tácito de los funcionarios coloniales corruptos, vendían sus telas, artículos de ferretería, quesos y vinos finos de manera directa, eliminando al intermediario español.

Entretanto, la población indígena, y con ella la economía colonial, era destruida por el cruel trato y las enfermedades, como el sarampión y la viruela, que antes de la Conquista eran desconocidas y para las cuales los indígenas no contaban con resistencia. Entre 1500 y 1620, la población indígena fue aniquilada en Cuba y la Española. En Centroamérica y México, que tenían una población estimada de entre 25 000 000 y 50 000 000, ésta se desplomó hasta 1 000 000 y se recuperó sólo lentamente.

A partir de mediados del siglo XVI en adelante, la escasez de mano de obra, el agotamiento de muchas minas y las depredaciones de los piratas, los corsarios y las armadas contrarias, continuamente redujeron la cantidad de oro y de plata que llegaba a España.

Al disminuir el tesoro, también decaía el poder español. Con todo, España siguió gobernando sus dominios de la misma vieja manera. Sólo los "peninsulares", los hombres españoles por nacimiento, podrían ocupar los puestos gubernamentales arriba de la posición de escribano. Los funcionarios de alto rango tenían que comprar sus puestos a la Corona, para volverse ricos en cinco o diez años, por medios ilegales, y luego regresar a España y darles la oportunidad a otros.

La promoción clerical también estaba en venta, pero sólo a los peninsulares. La Iglesia se hizo rica de los ingresos de enormes extensiones de tierra. El Nuevo Mundo representaba un gran filón de riqueza para el clero español. Para mediados del siglo XVIII, de la población de 60 000 de la ciudad de México, no menos de 8 000 pertenecían a la orden sacerdotal.

Un objetivo de este sistema de gobierno era impedir que los funcionarios se identificasen como mexicanos o guatemaltecos, digamos, antes que como españoles. Era costoso en otros aspectos, pero sobre ese nivel funcionó durante 250 años. No obstante, para mediados del siglo XVIII, los "criollos", es decir, las personas nacidas en el Nuevo Mundo de padres irrefutablemente europeos, estaban estrepitosamente oponiéndose a esta discriminación. A partir del tiempo de las revoluciones francesa y estadounidense, se oía hablar con mayor frecuencia sobre la independencia en las posesiones españolas.

Ni los peninsulares ni los criollos se interesaban remotamente siquiera en el bienestar de los indios y los mestizos que formaban la mayoría aplastante de la población. Desde los días de los conquistadores, los mestizos, un término que deriva del verbo "mestizar", o sea, cruzar, eran la descendencia de las uniones no consagradas entre los hombres españoles, que se llevaban a muy pocas mujeres de España, y las mujeres indígenas. Los mestizos permanecieron al margen de la sociedad hasta mucho después de la independencia. Hoy en día, con la disminución en el número de los indios no asimilados, se considera que las personas con alguna mezcla de sangre indígena constituyen algo como el 90 por ciento de la población de México, Centroamérica y los estados septentrionales de América del Sur. Se ha llamado a los mestizos "la raza nueva". Esto puede o no ser así, pero las personas que con verosimilitud pueden alegar un abolengo enteramente europeo todavía dominan en el gobierno y la sociedad, los negocios y las profesiones.

España estaba en guerra, recobrándose de la guerra o preparándose para ella durante la mayor parte del siglo XVIII, y casi nunca salió victoriosa. En 1762, por ejemplo, España invadió Portugal, que era un aliado de la Gran Bretaña. Ésta, que ya estaba en guerra con Francia, le declaró la guerra a España y venció a ambos países. Francia le cedió el Canadá a Inglaterra. España, a fin de recuperar La Habana, que una flota inglesa había tomado, renunció a sus derechos en todas las tierras ubicadas al este del Mississippi. A manera de compensación, Francia cedió a España el territorio de Louisiana, situado al oeste del Mississippi. En 1793, Inglaterra persuadió a España de que le declarara la guerra a la Francia revolucionaria. Por ello España perdió la parte oriental de la Española, la actual República Dominicana. En 1796, España se alió con Francia contra Inglaterra, perdió otra vez, y tuvo que ceder a Trinidad y Tobago. En 1799, Napoleón persuadió a España de que devolviera la Louisiana a cambio de su promesa de extender el ducado de Parma, que entonces era una posesión española.

Y así siguió, con España rebotando entre Inglaterra y Francia y perdiendo algo con cada cambio de bando. En 1807, Napoleón ocupó Portugal y algunas partes de la España septentrional. Al año siguiente, una rebelión contra los franceses obligó a Carlos IV a abdicar en favor de su hijo, Fernando VII. Una tropa francesa ocupó Madrid. Napoleón, deslumbrando al mundo con su diplomacia, compelió a Fernando a abdicar en beneficio de Carlos, que entonces fue persuadido de que renunciara a favor de Napoleón, que a su vez hizo lo mismo a favor de su hermano José.

Con un usurpador corso sobre el trono español, muchos funcionarios coloniales decidieron, como cuestión de lealtad hacia el monarca depuesto, que no tenían alternativa más que buscar algún tipo de independencia. Consideraron encotrar a un rey propio entre los principillos desempleados de Europa. Los criollos, por otra parte, que tomaban a Estados Unidos como modelo, empezaron a hablar no sólo de la independencia, sino también de un fin al absolutismo real y clerical. Uno de los líderes criollos era un venezolano llamado Simón Bolívar, quien estudió en España, Francia e Italia y presenció de primera mano el ascenso de Napoleón al poder. Bolívar regresó a Caracas por vía de Estados Unidos para unirse al movimiento de independencia.

En 1812, los ingleses expulsaron a los franceses de España.

Fernando fue devuelto al trono. Juró sostener una nueva constitución que limitaba sus poderes, pero después de Waterloo cambió de opinión y restauró un despotismo sangriento. En la América hispana, sin embargo, los peninsulares no pudieron volver el reloj atrás. En México, una rebelión encabezada por un cura, Miguel Hidalgo y Costilla, había estallado en 1810. Él fue hecho prisionero y fusilado, pero el levantamiento se extendió a través del país. Los indios y los mestizos, a los que se prometió dar libertad y justicia, se unieron a la lucha. Fernando envió tropas para suprimir la insurrección, y para 1815, después de haber asolado gran parte del México central, obtuvieron éxito.

Venezuela, dirigida por Bolívar, declaró su independencia en 1811, pero la rebelión fue sofocada al cabo de un año. La razón de la derrota, según Bolívar escribió en su "Carta de Cartagena", fue más bien la disensión entre sus camaradas que el poder español. "Nuestros conciudadanos todavía no se encuentran en condiciones para ejercer sus derechos, escribió, pues carecen de las virtudes políticas que caracterizan una verdadera república y que no pueden adquirirse nunca bajo un gobierno absolutista".

En 1814, Bolívar se retiró a Jamaica, donde trató, sin éxito, de conseguir el apoyo de los ingleses. En su "Carta de Jamaica", escribió que esperaba que algunas grandes repúblicas surgieran en Hispanoamérica, pero que temía que hubiera muchas y débiles. Para 1817, Bolívar había vuelto a la Tierra Firme, donde organizó un ejército. Muchos de sus elementos eran voluntarios ingleses e irlandeses. En 1819, Bolívar entró triunfalmente en Bogotá y proclamó la república de la Gran Colombia, que comprendía Colombia, Venezuela y el Ecuador, con él mismo como presidente y dictador militar provisional.

Fernando, como la mayoría de los borbones españoles, había resultado extremadamente estúpido además de despótico. (El famoso retrato de Goya representa a una figura deforme envuelta en terciopelo y armiño, macrocéfalo, con una mandíbula prognata y los ojos opacos y recelosos). Despidió a los ministros que le decían que España carecía de la fuerza para someter las rebeliones desde Buenos Aires hasta la ciudad de México y que sólo al compartir el poder con las colonias tal vez pudiera conservarlas. El ejército, consciente de la imposibilidad de la tarea que se le encomendó, se volvió contra el rey. En 1820, los oficiales subalternos de un cuerpo expedicionario se amotinaron en Cádiz. La rebelión se extendió y, al cabo de algunos meses, los liberales volvieron al poder y adoptaron nuevamente la Constitución de 1812.

Para 1822, Bolívar y José de San Martín, el comandante en Argentina y el Uruguay, habían conseguido la victoria casi en todas partes. Cuando los dos héroes, finalmente, se conocieron, se odiaron a primera vista y San Martín partió para Europa, para nunca volver. En 1825, Bolívar y su lugarteniente, Antonio José de Sucre, vencieron a las tropas españolas en el Perú, su último baluarte. Años antes Bolívar había escrito que le temía más a la paz que a la guerra y, una vez más, resultó que tuvo razón. En menos de un año, la Gran Colombia había comenzado a disolverse en una solución corrosiva de envidia y codicia, ambiciones personales y rivalidades regionales. En un esfuerzo por salvar su creación, Bolívar otra vez asumió el poder dictatorial, y estalló la guerra civil. En 1829, Venezuela se separó de la Gran Colombia. En un esfuerzo final por unir nuevamente a la nación, Bolívar convocó un congreso en Bogotá y llamó a Sucre de su retiro para que le asistiera. El congreso fracasó, y Sucre fue asesinado al regresar a casa.

Enfermo ya de tuberculosis, Bolívar decidió partir para Europa. Mientras esperaba en la costa para embarcarse, recibió un ruego por parte de un viejo compañero de armas, el general Juan José Flores, para regresar a Bogotá. Al negarse, expresó un cáustico veredicto sobre la gente por la cual había ganado la independencia. "Después de luchar durante 20 años, escribió, he llegado a algunas conclusiones definitivas. En primer lugar, América es imposible de ser gobernada por nosotros. En segundo, servir a una revolución es arar los mares. En tercero, lo único que puede hacerse en América es emigrar. Este país caerá en las manos de una multitud indisciplinada y luego bajo el dominio de tiranos despreciables".

De manera diferente de los estados de América del Sur, que lucharon por ella, México obtuvo la independencia por medio de la duplicidad. En febrero de 1821, empleando un envío de plata robada al gobierno como capital, Agustín de Iturbide, el comandante del ejército realista que estaba cazando a Vicente Guerrero, uno de los últimos rebeldes todavía en campaña, proclamó la independencia de México como una monarquía que sería gobernada por un príncipe borbón. Guerrero se unió a él y en septiembre entraron en la ciudad de México sin hallar resistencia. Iturbide se autonombró jefe interino del gobierno. Decidiendo que él servía igual que cualquier borbón, se proclamó a sí mismo Emperador Agustín I en mayo de 1822. En marzo de 1823, Guerrero y Guadalupe Victoria, otro de los líderes rebeldes, lo obligaron a abdicar y proclamaron una república. Iturbide fue exiliado. Intentó regresar en 1824, pero rápidamente fue hecho prisionero y fusilado.

En España, el gobierno liberal pronto fue reducido a facciones pendencieras. En 1823, el primo de Fernando, Luis XVIII, mandó a un ejército para salvarlo de las garras del constitucionalismo. Un nuevo reino de terror comenzó. Muchos miembros de las Cortes, el cuerpo legislativo, fueron ejecutados. El jefe de la rebelión militar fue ahorcado, destripado y descuartizado. Fernando todavía esperaba poder restaurar su poder en las Américas. Francia y Rusia, sus confederados en la llamada Santa Alianza de monarquías absolutistas, accedieron a ayudar.

George Canning, el secretario del Exterior británico, comunicó las objeciones inmutables de su país a las tres potencias. Conferenció con Richard Rush, el embajador de Estados Unidos. En Washington su primo, Stratford Canning, el embajador inglés, se reunió con el secretario de Estado John Quincy Adams. La Gran Bretaña, que estaba dominando ya el comercio con las nuevas naciones, procuró una declaración conjunta de oposición a cualquier intento por parte de España de imponer nuevamente su poder. Adams no creía que las nuevas naciones llegaran a tener jamás mucha importancia. Al argumentar, con buen éxito, a favor de la neutralidad durante las guerras de independencia de éstas, había declarado que él no veía "ninguna perspectiva de que establecieran instituciones de gobierno libres o liberales. El poder arbitrario, militar y eclesiástico, estaba grabado en sus costumbres y todas sus instituciones. La disensión cívica estaba infundida en todos sus principios primordiales".

Previendo que Inglaterra pudiera algún día querer izar su bandera sobre las naciones débiles y anárquicas, Adams le dio instrucciones a Rush para que tratara de obtener una garantía conjunta contra *toda* interferencia europea. Entretanto, Francia le aseguró a la Gran Bretaña que no haría nada para ayudar a España. La Santa Alianza no pudo competir con la Marina Real británica que tenía la supremacía desde la derrota que infligió a la flota franco-española en Trafalgar en 1805. Con la declaración francesa, terminó la amenaza de una invasión.

El presidente James Monroe se inclinaba a aceptar la propuesta inglesa. Adams decidió que la fijación de un curso independiente no pondría en peligro sus posibilidades de llegar a la presidencia al año siguiente. En una junta del gabinete en noviembre de 1823, Adams expresó, según escribió en su *Diary* ["Diario"]: "Sería más sincero, así como más digno, que explícitamente manifestáramos nuestros principios ante Rusia y Francia, en lugar de entrar como una chalupa atrás del buque de guerra británico". Monroe estuvo de acuerdo y dijo que anunciaría la nueva política en una comunicación dirigida al Congreso.

En el discurso, pronunciado el 2 de diciembre de 1823, Monroe señaló que Estados Unidos se había apartado de las disputas entre las potencias europeas. No mencionó que otro proceder cualquiera hubiera resultado absurdo y peligroso. Estados Unidos todavía era una nación pobre y escasamente poblada, sin una marina digna de mención y con un ejército permanente más o menos del tamaño de la guarnición de una plaza fuerte europea. Continuó para afirmar: "Debemos, por lo tanto, a la sinceridad y a las relaciones amistosas que existen entre Estados Unidos y aquellas potencias, la declaración de que consideraríamos cualquier intento, por su parte, de extender su sistema a cualquier porción de este hemisferio como un peligro para nuestra paz y seguridad...". Monroe indicó que los estados europeos podían conservar las colonias que poseyeran ya, pero que el intento realizado por cualquier potencia europea para oprimir a los estados autónomos del hemisferio sería juzgado "como la manifestación de una inclinación hostil hacia Estados Unidos".

En Europa, según Dexter Perkins lo apunta en *A History of the Monroe Doctrine* ["La historia de la Doctrina Monroe"], dada la falta de medios de Estados Unidos, el discurso fue considerado como mera palabrería. Por otra parte, señala, las naciones recién independizadas probablemente temían más la intervención de Estados Unidos que un regreso de la Santa Alianza. Ya habían estado tanteando a la Gran Bretaña como su guardián frente a ambos. Durante los 15 años posteriores a la alocución de Monroe, Washington optó por preterir varios casos de intervención europea. En 1833, por ejemplo, Inglaterra le quitó las Islas Malvinas a Argentina, y en 1838 extendió el territorio de Honduras Británica a expensas de Guatemala. En ninguna de las dos ocasiones protestó Washington. No fue sino hasta la mitad del siglo que la declaración de Monroe adquirió la condición casi religiosa de una doctrina.

Centroamérica permaneció en contemplación, con cierta indiferencia rústica, durante las guerras por la independencia. San Salvador, que, incluso entonces, era conocida como la ciudad más descontentadiza de la región, formaba el centro de la agitación contra los españoles. Sus líderes eran José Matías Delgado y el sobrino de éste, Manuel Jasé Arce. Delgado, un cura, que por ser criollo, no era elegible para obispo, pensó que sus posibilidades mejorarían con la independencia.

Cuando Iturbide se proclamó a sí mismo emperador de México, los centroamericanos empezaron a preocuparse. Como el sucesor de los virreyes, era posible que reclamara autoridad sobre ellos. Una rápida declaración de independencia parecía proveer la mejor probabilidad de impedir que eso sucediera. Por lo tanto, en septiembre de 1821, Guatemala, que hablaba en nombre de los estados de la capitanía general, rompió sus lazos con España y México. Delgado y Arce se opusieron. No querían que los gobernara España, México ni, menos que cualquiera, Guatemala. Así que, una semana más tarde, proclamaron la independencia de El Salvador de todos los demás. Cuando Sonsonate y Santa Ana, las poblaciones principales de la región occidental, se negaron a asociarse con ellos, Delgado y Arce enviaron tropas para hacer cumplir el decreto, pero un cuerpo militar guatemalteco, mandado para proteger las ciudades, las ahuyentó.

Cuando en 1821 Iturbide anunció que estaba a punto de invadir Centroamérica, Guatemala rápidamente accedió a la anexión por México del territorio de la capitanía general. Delgado y Arce una vez más se negaron a permitir que Guatemala decidiera su futuro por ellos. Cuando Iturbide efectivamente envió tropas a Guatemala, Arce y Delgado, agarrándose de un pelo, mandaron una petición urgente a Washington. Pidieron el establecimiento de un protectorado o, en caso de no ser posible, la anexión franca.

Los soldados mexicanos pronto llegaron a la ciudad de Guatemala y siguieron marchando. Cuando arribaron a San Salvador, Arce, anticipándose a los acontecimientos, le advirtió al comandante que probablemente se encontrase ilegalmente dentro del territorio de Estados Unidos. El comandante se quedó ahí donde estaba. Cuando transcurrieron varios meses sin respuesta de Monroe, Arce decidió exponer personalmente el caso. Apenas hubo zarpado cuando Iturbide fue derrocado. Las tropas mexicanas se retiraron, Guatemala reclamó su independencia y Arce se embarcó en el siguiente navío rumbo a casa.

Para entonces Centroamérica, que todavía no sabía que la protegían la Gran Bretaña y Estados Unidos, estaba preocupada por la posible llegada de un ejército español. La unión parecía ofrecer su única esperanza para la supervivencia. Así fue que el 1 de julio de 1823 los delegados se reunieron en la ciudad de Guatemala y proclamaron la formación de las Provincias Unidas de Centroamérica, las cuales abarcaban Guatemala, El Salvador, Honduras, Nicaragua y Costa Rica. En 1824 se redactó una constitución. Thomas L. Karnes, en *The Failure of Union: Central America, 1824-1960* ["El fracaso de la unión: Centroamérica, 1824-1960"], hace notar que ostentaba sorprendentes similitudes con la Constitución de Estados Unidos. El documento cambiaba el nombre del nuevo país a "República Federal de Centroamérica", instituía un Congreso y una Suprema Corte y promulgaba una carta de derechos. Fueron abolidos la esclavitud, los títulos de nobleza, la Inquisición y las más onerosas de las contribuciones españolas.

No obstante, la República resultó tener tres defectos fatales. El primero era que sus principales ciudadanos, tanto en aquel entonces como ahora, no relacionaban la adopción de las leyes con la observancia de las mismas. El segundo era que la constitución describía los cinco componentes anteriores de la capitanía general como estados soberanos más bien que como partes de un estado soberano. El tercero era que la República centroamericana no reemplazó las contribuciones españolas descontinuadas con otras propias. Tenía autorización para emitir moneda, pero casi no disponía de fuentes de ingreso. La República de Centroamérica, en resumen, no era una nación y continuaría así hasta su disolución en 1839.

Por el momento, la República podía pasar por alto estos problemas. En 1825, Arce, que para entonces estaba llamándose liberal, fue elegido como su primer presidente. Su rival derrotado, un conservador guatemalteco, hizo sonar, por lo tanto, la voz que desde entonces ha estado reverberando a través de la región. Afirmó que le habían hecho un fraude y suscitó un levantamiento. Arce, que no contaba con otros medios para sufragar los costos de suprimir la revuelta, por no hablar de los gastos ordinarios del gobierno, negoció un préstamo con una casa bancaria londinense. Esta transacción también sería repetida muchas veces hasta la actualidad. Debido al riesgo que implicaba, la cantidad de dinero efectivo proporcionada por el prestamista fue considerablemente menor al importe nominal del préstamo y la tasa de interés, usurera. Por otra parte, el préstamo no fue devuelto y la institución bancaria quebró.

En medio de la confusión, Arce no se olvidó de su tío, pero Roma se negó a hacerlo obispo a él o a otra persona cualquiera en San Salvador. Bajo la creencia de que el Papa León XII había sido despistado por enemigos en la ciudad de Guatemala, Arce persuadió a la Asamblea salvadoreña de que tenía poder para crear el obispado y colocar a un Delgado en el puesto. Al hacer esto provocó una guerra breve e irresoluta con Guatemala. Delgado siguió usando sus dudosas vestiduras hasta 1826, cuando el Papa declaró que él y Arce serían excomulgados y todo El Salvador sometido a un interdicto a no ser que suspendiera su conducta escandalosa e impía. Delgado cedió, pero una vez provocada, la ira papal tardó mucho en enfriarse. El obispado no fue concedido hasta 1842, cuando los conservadores estaban en el poder.

En 1826, la República de Centroamérica empezó su deslizamiento de la confusión al caos. Arce abandonó a los liberales y se alió con los conservadores. La guerra entre El Salvador y Guatemala se reanudó, y la guerra civil estalló en Nicaragua. Los liberales encontraron un nuevo líder en un terrateniente hondureño llamado Francisco Morazán. Éste venció a los conservadores en la ciudad de Guatemala, su plaza fuerte, y se convirtió en el presidente de la República en 1829. Los líderes conservadores fueron fusilados o exiliados, y la capital fue trasladada a San Salvador.

Morazán, un fiero opositor al clero, expulsó al arzobispo de Guatemala, suprimió a tres órdenes monásticas que afirmó habían caído en hábitos indolentes y concupiscentes, se apoderó de los fondos de la Iglesia y fundió la plata de los altares para la acuñación. El diezmo fue abolido; y el matrimonio civil, así como el divorcio, legalizados. Durante los siguientes ocho años, las contiendas brotaban esporádicamente por toda la República excepto en Costa Rica. En 1831, los conservadores tomaron San Salvador, pero pronto fueron expulsados. Morazán pasaba la mayor parte de su tiempo en la silla de montar, a la cabeza de las expediciones militares reunidas apresuradamente que comprendían, quizá, 50 oficiales blancos, los hijos de los primeros liberales, y a mil o dos mil mestizos e indios harapientos armados de machetes y mosquetes oxidados. Las luchas eran tanto salvajes como primitivas. Entonces, al igual que ahora, no pocas veces los prisioneros, incluso los heridos, eran muertos de un tiro o cortados en pedazos.

En 1837, una epidemia de cólera cayó sobre Guatemala. Los curas les dijeron a los crédulos indios que los liberales habían envenenado el agua. Uno de los que escuchó, y tal vez creyó el rumor, fue el comandante de un puñado de tropas, llamado Rafael Carrera. Era un mestizo de unos 25 años que apenas sabía leer y escribir. Diez años antes había sido el niño del tambor en el ejército guatemalteco que se opuso a Morazán. A la cabeza de una turba de indios iracundos y atemorizados, se abrió camino luchando a la ciudad de Guatemala. El aspecto de un mestizo al mando de cualquier tipo de cuerpo militar daba miedo tanto a los conservadores como a los liberales, todos los cuales eran, o fingían ser, de descendencia europea pura. Otorgaron 1 000 dólares a Carrera y distribuyeron 10 000 entre sus tropas con la condición de que aceptara el gobierno del distrito remoto de donde había venido.

Apenas se hubo retirado Carrera cuando Morazán apareció a la cabeza del ejército liberal. En su hora de peligro, los conservadores acudieron a Carrera. Fue promovido a general, convocó a su ejército y empezó una campaña contra Morazán. Las dos bandas harapientas se trabaron en escaramuzas, sin poder llegar a una decisión, durante el resto de 1838, pero en enero de 1839 Morazán derrotó terminantemente a Carrera, entró una vez más en la ciudad de Guatemala y restauró a los liberales en el poder. Mientras Morazán estaba ocupado de esta manera, las facciones conservadoras dominantes en Nicaragua y Honduras, alentadas por Guatemala, invadieron El Salvador. Mientras Morazán defendía El Salvador, Carrera nuevamente ocupó la ciudad de Guatemala. En marzo de 1840 pasó a Morazán. Carrera la tomó otra vez al día siguiente. Para entonces, había desaparecido todo apoyo para Morazán y la República, incluso en El Salvador. Perseguido apremiantemente por Carrera, logró llegar a la costa del Pacífico y tomó un barco para Panamá.

En 1842, Morazán respondió a una petición de ayuda, por parte de Costa Rica, para destituir a un dictador proclamado por sí mismo de por vida. Cuando Morazán lo consiguió, fue nombrado presidente. De inmediato empezó a proyectar la reanudación de la lucha por la federación. Cuando los costarricenses averiguaron lo que estaba tramando, lo depusieron del puesto. Morazán organizó una rebelión, pero fracasó, y él fue detenido y ejecutado.

La mejor relación de los acontecimientos de 1839-1840 es proporcionada por *Incidents of Travel in Central America, Chiapas, and Yucatán* ["Incidentes de viaje en Centroamérica, Chiapas y Yucatán"] de John L. Stephens. El autor, un abogado y escritor neoyorquino, prestó servicios como representante diplomático especial de Estados Unidos en la República de Centroamérica. Arribó a la ciudad de Guatemala al poco tiempo de que Carrera hubo derrotado a Morazán por lo que resultó ser la última vez. Después de asistir a una reunión de la Asamblea, la cual, sin debatir, impuso de nuevo el diezmo, Stephens escribió: "La política sólo posee una cara en Guatemala. Ambos partidos tienen una hermosa manera de producir la unanimidad de las opiniones expulsando del país a todos los que no están de acuerdo con ellos. De haber algunos liberales, no los conocí, o no se atrevieron a abrir la boca".

Carrera se convirtió en el primer caudillo de la región. Gobernó Guatemala desde 1839, con una interrupción de tres años, hasta su muerte en 1865. También utilizó su control sobre el estado más rico y poblado de Centroamérica para ayudar a los conservadores a permanecer en el poder, durante gran parte del mismo periodo y durante muchos años después, en El Salvador, Honduras y Nicaragua.

Desde Guatemala, Stephens avanzó hacia el Este, penetrando en El Salvador en busca de Morazán, donde por regla general llegaba a cada lugar un día o dos después de que éste había partido. En el curso de su búsqueda, Stephens dio con un oficial retirado de la Marina Real de la Gran Bretaña, que había sido retenido por la República de Centroamérica para deslindar la ruta para un canal que atravesara Nicaragua. El hombre, que se quejaba de que no le hubiesen pagado, le enseñó sus mapas, elevaciones y cortes transversales a Stephens. Éste, persuadido por él, escribió que el buque de vapor hacía inevitable un canal por el istmo.

Al cabo de siete meses de estar buscando a alguien a quien pudiera presentar su cometido presidencial, Stephens decidió volver a casa. "No pude ocultarme a mí mismo que el gobierno federal estaba disuelto, escribió. No existía la más mínima perspectiva de que fuera restaurado jamás ni de que, por mucho tiempo todavía, fuera organizado otro cualquiera en su lugar".

En 1845, John L. O'Sullivan, un abogado y editor neoyorquino, al argumentar a favor de la anexión de Texas, escribió que era el "destino manifiesto", claro, inconfundible y obvio, de Estados Unidos expandirse hasta el Pacífico. El término se hizo popular y se convirtió en una guía para la acción. Un año más tarde, Estados Unidos adquirió el territorio de Oregon, que se extendía desde la frontera de California hasta el actual límite del Canadá, por negociación con la Gran Bretaña, y en 1848, al concluir la guerra con México, California y el Suroeste fueron incluidos bajo la bandera de las barras y las estrellas. En 1849, comenzó la fiebre de oro de California, y Cornelius Vanderbilt, el "comodoro" de Staten Island que transformó un esquife de puerto en un imperio del transporte, empezó a promover un atajo a la costa del Pacífico. Los buques de vapor hacían el viaje desde Nueva York hasta San Juan del Norte, sobre la Mosquitia, o Costa de los Mosquitos, de Nicaragua. Desde ahí, los pasajeros y la carga eran llevados por vapores más pequeños río arriba por el San Juan y cruzaban el Lago de Nicaragua. Los últimos 45 kilómetros hasta la costa del Pacífico, donde otro vapor les esperaba, eran cubiertos por diligencia.

Decenas de miles de cazadores de fortunas, de los cuales sólo unos pocos no gastarían mucho más oro del que hallarían, estaban fluyendo hacia el Oeste. Sin importar el pasaje cobrado por Vanderbilt, era seguro que su ruta sería más barata y más rápida que la desviación de 12 800 kilómetros alrededor de América del Sur. No obstante, para poner en marcha el proyecto, necesitaba la aprobación de la Gran Bretaña, la potencia dominante por todo el litoral caribeño de Centroamérica, y viajó a Londres para obtenerla. Al hacerlo, encolerizó al presidente James K. Polk. El presidente no pensaba que la aprobación inglesa fuera necesaria para crear la ruta más conveniente a California y Oregon a través de lo que, al fin y al cabo, se suponía era un país independiente. Con el aliento de Polk, se formó un sindicato rival. Polk también instruyó al secretario de Estado, John M. Clayton, para decirle al ministro británico, Henry Bulwer, que al agrandar sus territorios en el hemisferio, Inglaterra no estaba cumpliendo la doctrina de Monroe. Ésta parece haber sido la primera vez que la doctrina fue, en efecto, invocada. La Gran Bretaña se inclinaba a ser conciliatoria, y en abril de 1850 se firmó el tratado Clayton-Bulwer. Los dos gobiernos acordaron ejercer un control conjunto sobre cualquier canal centroamericano y abstenerse de establecer colonias o imponer su autoridad a cualquiera de los estados de la región. En 1860, después de algunas evasivas, la Gran Bretaña transfirió las Islas de la

Bahía a Honduras y renunció formalmente a su protectorado sobre la Costa de los Mosquitos, aunque de hecho continuó durante otros 30 años.

En 1850, John Lloyd Stephens formó un sindicato de banqueros y comerciantes neoyorquinos que contribuyó con el dinero para una vía férrea a través del istmo de Panamá, haciéndole competencia a la ruta de vapores y diligencia nicaragüense de Vanderbilt. La concesión otorgada a la compañía de Stephens por Colombia, de la cual Panamá formaba parte entonces, también cubría otros medios de transporte sobre el istmo. Stephens se hizo cargo, personalmente, de la construcción. Como otros miles, fue derribado por las fiebres virulentas que ahí reinaban con furia y murió en 1852. El ferrocarril fue terminado hasta 1855, con tres años de atraso. Costó 8 000 000 de dólares por 76 kilómetros de vía sencilla, seis veces la cantidad estimada. Resultó, con todo, enormemente productivo. Durante los primeros seis años de su operación recuperó virtualmente todo el costo. El buen éxito del ferrocarril y el trabajo de sus topógrafos, que demostraba que había una brecha en la división continental de sólo 83 metros sobre el nivel del mar, la mitad de la altura estimada previamente, sirvieron de estímulo al interés en Panamá como el posible emplazamiento de un canal.

Pese al tratado Clayton-Bulwer, las intrigas entre la Gran Bretaña y Estados Unidos continuaron en Nicaragua, donde los primeros usaron como instrumento a los conservadores; y los últimos, a los liberales. Al igual que todos los partidos fuera del poder, a lo largo de la historia de Centroamérica, los liberales estaban tramando una rebelión. Washington los alentó. Luego los liberales contrataron a un tipo extraño, llamado William Walker, para que los ayudara a tomar el poder. Walker, un nativo de Tennessee, conocido por el sobrenombre de “el hombre de los ojos grises del destino”, había fracasado hacía no mucho tiempo en un intento por establecer una república independiente al norte de México. Con 56 hombres reclutados en San Francisco y que fueron armados y pagados por los rivales de Vanderbilt, Walker desembarcó en Nicaragua, por el litoral del Pacífico, en 1855.

Asistido por un cuerpo de liberales, tomó Granada, la plaza fuerte de los conservadores, e instaló a un presidente liberal, el cual fue reconocido de inmediato por Estados Unidos. Siguiendo las instrucciones de Walker, el presidente confiscó el negocio de Vanderbilt y lo entregó al otro bando. Es posible que los liberales hayan supuesto que Walker recogería su cheque y se iría a casa, pero se colocó como ministro de la Defensa y mandó un mensaje a Estados Unidos de que tierra y gloria estaban esperándoles a hombres que estuvieran dispuestos a luchar por ellas. Más de 2 000, muchos de ellos veteranos de la guerra con México, respondieron a su llamado. Nadie está seguro de lo que Walker tenía pensado. Algunos historiadores opinan que esperaba que Nicaragua fuera admitida a la Unión norteamericana como un estado esclavista. Más probable resulta que quisiera convertirse en el soberano de Nicaragua y tal vez de toda Centroamérica, como el virrey de Estados Unidos.

La fantasía de Walker empezó a perder su brillo en 1856. Los otros estados centroamericanos, los cuales contaban con gobiernos conservadores, enviaron tropas para combatirlo. La Gran Bretaña proporcionó las armas y el dinero. Cuando el presidente títere renunció, Walker se autonombró para el puesto. Asombrosamente, fue reconocido por Estados Unidos. Con la esperanza de estimular el apoyo de los estados del Sur, Walker impuso de nuevo la esclavitud.

Con las armas y la munición disponibles desde el extranjero, la lucha fue más larga y severa de lo que era usual en Centroamérica. La durabilidad de la coalición contra Walker no tenía precedente. Un bloqueo británico cortó los suministros de Walker, y el cólera estalló entre sus hombres. En mayo de 1857, Walker y los últimos voluntarios estadounidenses se rindieron y abordaron un buque de guerra estadounidense para regresar a Estados Unidos.

Dos veces más Walker regresó a Centroamérica, la última en 1860. La Gran Bretaña acababa de acceder a devolver las Islas de la Bahía a Honduras. Los habitantes, que no querían irse, solicitaron su ayuda para establecer una república independiente. Walker reunió una pequeña tropa y ocupó un pueblo del litoral hondureño. Desembarcaron infantes de marina ingleses y él fue hecho prisionero, entregado a las autoridades hondureñas y ejecutado.

3

HACIA EL ISTMO

ENTRE 1860 Y 1890, más o menos, mientras Estados Unidos estaba preocupado con la Guerra Civil y la Reconstrucción, la expansión hacia el Oeste, la inmigración europea y el desarrollo industrial, Centroamérica tuvo que arreglárselas por cuenta propia. No le fue mal. La ocurrencia anual de guerras, rebeliones, expediciones punitivas, venganzas, golpes de Estado, plagas y terremotos siguió siendo más o menos la misma, y los terratenientes hallaron un cultivo con el que podían ganar dinero. Se trataba del café, por el cual Europa y Estados Unidos estaban desarrollando un gusto implacable. El café y Centroamérica estaban hechos el uno para la otra. La altura de la meseta central fluctuaba entre 600 y 1 800 metros, a la cual el café se da mejor. También cuenta con un clima libre de heladas, con un fértil suelo volcánico, con cerros para sombra y el gran potencial laboral requerido para recoger la cosecha. Ésta se incrementó casi sin interrupción desde 1860 hasta el comienzo de la Primera Guerra Mundial. Aun así, la oferta no rebasó la demanda. El precio siguió ascendiendo, y las ganancias eran enormes.

El repentino auge del café hizo de Centroamérica, por primera vez, una parte significativa de la economía mundial. Los antiguos terratenientes, incluyendo la Iglesia, habían tardado en preverlo. Se quedaron dormitando, mientras administraban haciendas autosuficientes, como lo habían hecho desde que se colonizara la tierra. Surgió una nueva clase de hombres, la cual sabía de mercados y programas de embarques y, lo cual era más importante, tenía acceso al crédito europeo. Arreglaron compras de tierra, construyeron los beneficios donde se elaboraba el café, los muelles y los almacenes, y establecieron los bancos y las compañías mercantiles. En cada uno de los cinco países, los "nuevos hombres" pronto ganaron el control sobre el viejo partido liberal, y para la década de los setentas del siglo XIX, los liberales estaban ejerciendo el poder. Los nuevos liberales se oponían al clero, pero a diferencia de Morazán y de los liberales de la generación anterior, su oposición a la Iglesia era práctica antes que filosófica. Es posible que algunos hayan invocado el positivismo, el darwinismo social y el progresismo, pero lo que querían era la tierra de la Iglesia.

Los "nuevos hombres" argumentaban que había llegado la hora de quitar la mano muerta del clero no sólo de su control sobre la educación y la censura, el matrimonio y el divorcio, sino también de la agricultura. La ineficaz administración de las propiedades clericales, declararon, estaba manteniendo pobre a Centroamérica. Se promulgaron leyes, se emitieron decretos, y las expropiaciones fueron llevadas a cabo. Cuando la tierra fue puesta en venta, los "nuevos hombres", por regla general, terminaban con las mejores parcelas, y a precios extraordinariamente razonables.

Algo semejante sucedió con los ejidos, la tierra ocupada en común por las comunidades indígenas. Hasta los ochentas del siglo XIX, estas tenencias no despertaban la codicia de nadie. Generalmente se ubicaban lejos de los centros de población y eran montañosas y menos fértiles que las tierras de la meseta central. No obstante, eran particularmente adecuadas para el café. Los "nuevos hombres" argumentaban que los ejidos también eran anticuados. La tierra, afirmaban, debía repartirse entre los miembros de cada comunidad. De esta manera, estimulados por el móvil de las ganancias, los indios finalmente podrían ganar un poco de dinero. La dificultad radicaba en que los indios no comprendían necesariamente el principio de la propiedad privada. Carecían de capital, entendían poco español, eran imprevisores, tenían una debilidad fatal por el alcohol, y los "nuevos hombres" controlaban al gobierno y los tribunales. Bajo las circunstancias, difícilmente era de sorprender que gran parte de la tierra repartida pronto fue perdida, vendida por los indios para obtener un rápido dinero en efectivo, ejecutándose una hipoteca debido a deudas o, simplemente, ocupada por los pistoleros de los "nuevos hombres".

Con la dispersión de los ejidos, la sociedad indígena empezó a desintegrarse, excepto en las tierras altas de Guatemala. Los indios llegaron a depender completamente de la buena voluntad de los dueños de las fincas de café. Podían considerarse afortunados si conseguían un trabajo durante todo el año, que les proporcionara una choza y un lote sobre el cual pudieran cultivar maíz y frijoles. Dado que estos puestos se habían vuelto deseables, los dueños de las plantaciones gradualmente fueron abandonando el sistema de los peones. No había necesidad del mismo. Para obtener la mano de obra de temporada que les hacía falta para la recolección, los "nuevos hombres" promulgaron lo que ellos llamaban "leyes de vagancia", las cuales requerían que el ejército de campesinos sin tierras dedicara cierto número de días al año a trabajar para ellos.

El primer caudillo liberal de Guatemala llegó al poder en 1873. Se llamaba Justo Rufino Barrios, un abogado y comandante de tropas durante la larga lucha por el poder que siguió a la muerte de Carrera. Carrera había enaltecido al clero; Barrios lo perseguía. Expulsó a los jesuitas, que eran extranjeros, y cuando el arzobispo protestó contra la confiscación por Barrios de las tierras en posesión de la Iglesia, Barrios lo expulsó a él también. Deseaba la unificación, y puesto que Guatemala era la nación más grande y más fuerte en Centroamérica, estaba preparado para promoverla por medio de la fuerza, en caso de ser necesario. En 1876, convocó a una reunión en Guatemala para debatir el asunto. Por su desaprobación de la actitud del delegado salvadoreño, invadió El Salvador y desalojó al gobierno. No importó en absoluto. Los otros gobiernos eran unos maestros de la evasión. En principio, los acuerdos eran firmados con sus iniciales, sometidos para la ratificación, discutidos, enmendados, rechazados a favor de propuestas suplentes, las cuales eran puestas sobre la mesa para la discusión ulterior, hasta que las cucarachas se hubieran comido o la humedad desintegrado el mismo pergamino sobre el cual estaban escritas.

Barrios compró un cargamento entero de rifles y de cañones de campaña, estableció una academia militar y contrató a los guerreros más eminentes de Europa como cuerpo docente. En 1885, emitió un ultimátum: la unificación voluntaria, o sufrirían las consecuencias. Sólo Honduras, que estaba pasando por un periodo de golpes de Estado en cadena, lo apoyó. El Salvador, Nicaragua y Costa Rica formaron una alianza defensiva y clamaron ayuda. Porfirio Díaz, el dictador mexicano, que no tenía interés alguno en quedar inserto entre Estados Unidos y una Centroamérica potencialmente menos débil y dividida, movilizó tropas en la frontera con Guatemala. Estados Unidos mandó cinco buques de guerra a la costa guatemalteca del Pacífico. Barrios no fue disuadido. Invadió El Salvador a la cabeza de sus tropas y estaba marchando triunfalmente sobre San Salvador cuando fue muerto por la bala de un francotirador. Los salvadoreños contraatacaron, y los guatemaltecos, ya sin comandante, no pararon de correr hasta que estuvieron otra vez en casa.

En 1889, las cinco naciones anunciaron que la República de Centroamérica, finalmente, había sido creada y que se volvería efectiva al año siguiente. Unos meses más tarde, el presidente de El Salvador, un partidario del plan, fue asesinado. Su sucesor se retiró del proyecto, éste se vino abajo y Guatemala otra vez invadió El Salvador. En 1895, El Salvador, Nicaragua y Honduras proclamaron la Gran República de Centroamérica, de la cual ellos mismos eran los miembros. Se envió a un embajador a Washington para solicitar el reconocimiento. La administración de Cleveland estaba dispuesta a acceder, en cuanto se solucionara el pequeño asunto de las deudas externas de los tres países. ¿Quién iba a pagar? Por esta cuestión, fracasó la unidad.

Aunque todo enfoque y combinación imaginable de países había sido ensayado sin éxito, los ministerios centroamericanos del Exterior siguieron convocando a reuniones acerca de la unificación. De cuando en cuando anunciaban que estaban al borde de un adelanto significativo. No era cierto, pero los funcionarios de gobierno tenían la oportunidad de parecer ocupados y de sentirse importantes y, en ocasiones, de irse de casa a expensas del gobierno.

Del mismo modo, cada otoño, mientras esperaban que madurara el café, o en la primavera, después de la recolección, los miles de coroneles y de generales de los ejércitos de los países centroamericanos reunían a sus milicias descalzas y salían para vindicar el honor nacional contra la nación o naciones cercanas que más recientemente lo hubiera ultrajado. El número de combinaciones que pueden formarse con cinco ejércitos, uno contra uno, dos contra uno, tres contra uno, cuatro contra uno y tres contra dos, figura entre los cientos. Un vistazo e incluso una lista incompleta de los conflictos centroamericanos sugiere que todos se han intentado por lo menos una vez. En su obra *El Salvador,* por ejemplo, Alastair White cita un estudio hecho por un historiador salvadoreño que contó 42 conflictos, sin los levantamientos internos, en los cuales su país estuvo involucrado, desde la independencia hasta la "Guerra del Futbol" contra Honduras en 1969.

Entre 1870 y 1875, Estados Unidos mandó siete expediciones a Centroamérica para estudiar las posibles rutas para un canal. Tanto la del río San Juan-Lago de Nicaragua como la del istmo de Panamá contaban con partidarios. Pero no se tomó ninguna medida y en 1878, el gobierno colombiano vendió la concesión de Panamá a una compañía organizada por Ferdinand de Lesseps, el constructor del canal de Suez, y financiada principalmente por la venta de acciones al público francés.

Apenas hubo comenzado la construcción, cuando Estados Unidos empezó a inquietarse. En varias ocasiones se habían enviado tropas estadounidenses, con el permiso del gobierno colombiano, para proteger la vía férrea de Panamá durante los periodos de alteración civil. Parecía probable que en algún punto de Lesseps también necesitaría tropas y estaría más inclinado a solicitarlas a París en lugar de a Washington. Anticipándose a esta posibilidad, el presidente Rutherford B. Hayes declaró, en 1880, que Estados Unidos no "renunciaría" al control del canal a cualquier potencia o potencias europeas, pasando por alto el hecho de que Estados Unidos no podía renunciar a lo que no poseía.

"Un canal interoceánico formaría el gran paso oceánico entre nuestros litorales del Atlántico y del Pacífico, y virtualmente una parte de la costa de Estados Unidos, declaró Hayes. Nuestro interés, meramente comercial, en él es mayor que el de todos los demás países, mientras sus vínculos con nuestro poder y prosperidad como nación, con nuestro medio de defensa, nuestra unidad, paz y seguridad, son asuntos de sumo cuidado. . .".

El gobierno francés hizo patente su disgusto, pero de Lesseps rebosaba de alegría. Interpretó la declaración de Hayes en el sentido de que Estados Unidos estaba dispuesto a defender el canal, supuestamente sin costos, en cuanto se hubiera atendido a la formalidad de construirlo. Para 1882, se habían enviado las grandes excavadoras a Panamá, se había contratado a decenas de miles de obreros, principalmente antillanos y chinos, y había comenzado la construcción. De Lesseps continuó irradiando optimismo, pero quedó claro, al cabo de unos años, que el canal estaba en problemas. El planeamiento había sido defectuoso; el financiamiento, insuficiente; y el número de muertes, causadas principalmente por la fiebre amarilla, era desastrosamente alto. Para 1887 la compañía, después de haber gastado 287 000 000 de dólares, se declaró en quiebra total.

Para Estados Unidos, el impedir que otra potencia cualquiera controlara un canal en el istmo resultó ser un asunto de mayor urgencia que la construcción de uno. Se nombró a nuevas comisiones para considerar las ubicaciones y para discutir el proyecto de construcción. En 1890, Alfred Thayer Mahan publicó *The Influence of Sea Power Upon History* ["La influencia del poderío marítimo sobre la historia"], una obra que atrajo la atención mundial. Mahan afirmó que el Caribe era "el Mediterráneo de Estados Unidos", y que un canal era esencial, si el país había de cumplir su sino como una potencia mundial. Cuando Estados Unidos finalmente tuviese la oportunidad de construirlo, decía, se necesitarían bases en el Caribe para su defensa.

El "Mediterráneo estadounidense" estuvo sujeto a reyertas políticas, especialmente en las inmediaciones de la Española. Una guerra civil ininterrumpida sacudía a Haití y a la República Dominicana. Los préstamos negociados por gobiernos anteriores se atrasaron, llevando a cobradores desde Alemania y Francia, que llegaban en buques de guerra. Cuba, a la que Washington estaba echando un ojo codicioso desde los cuarentas del siglo XIX, estaba volviéndose cada vez más insatisfecha con el gobierno español autocrático e ineficaz. Los levantamientos armados llegaron a ser frecuentes en la década de los cincuentas. Los políticos de los estados sureños de la Unión norteamericana propugnaban con insistencia la anexión de Cuba, con sus millones de esclavos negros, como un contrapeso al Norte. En 1868, después de que un intento de conseguir reformas en Madrid hubo fallado, la isla se rebeló. Los insurgentes no estaban unidos en su objetivo. Algunos buscaban la autonomía dentro del imperio español; otros, la independencia; otros más, llegar a formar parte de Estados Unidos.

Los combates se sostuvieron durante 10 años y costaron 200 000 vidas. España, finalmente, concedió las reformas, incluyendo la abolición de la esclavitud, en 1886. La rebelión volvió a estallar en 1895. Fue provocada, en parte, por un pánico financiero en Estados Unidos que condujo a la revocación de una preferencia arancelaria por el azúcar cubana. El gobierno colonial no estuvo en situación de proporcionar un remedio para el desempleo repentino y severo en la isla. Los rebeldes, otra vez, organizaron una lucha guerrillera, y las autoridades españolas tomaron la venganza espeluznante de costumbre. Se incendiaron los cultivos de caña y los molinos de azúcar. Los intereses estadounidenses no formaban un objetivo, pero inevitablemente hubo destrucciones y pérdidas de vidas. Para entonces el comercio cubano-estadounidense alcanzaba los 100 000 000 de dólares al año, una cantidad muy grande en esa época, y las posesiones de las sociedades anónimas estadounidenses se estimaban en 50 000 000. Miles de estadounidenses vivían y trabajaban ahí. El *American* neoyorquino de William Randolph Hearst y el *World* de Joseph Pulitzer comenzaron a utilizar las atrocidades en Cuba, reales e inventadas, para aumentar la circulación. El presidente Grover Cleveland, un demócrata, hizo caso omiso de las demandas editoriales de guerra contra España y ordenó una patrulla naval de la isla para impedir que les llegara armamento a los insurgentes.

El presidente William McKinley, un republicano, que entró en funciones en 1897, fue menos tolerante. Cuando los disturbios estallaron en La Habana en diciembre del mismo año, envió al acorazado *Maine* para proteger las vidas y las propiedades estadounidenses. El 15 de febrero de 1898, mientras el *Maine* estaba fondeando frente a La Habana, se le quebró el fondo por una explosión y se hundió, perdiéndose 260 vidas. La prensa de Hearst vociferó que las fuerzas españolas habían destruido al *Maine* con una mina o un torpedo, una acusación para la cual faltaba toda prueba. Madrid afirmó que, de no haber sido una explosión interna sobre el barco, los rebeldes eran indudablemente los responsables. La fiebre de guerra reventó los termómetros en Estados Unidos. España rechazó la demanda de McKinley de un armisticio con los rebeldes y la designación de Estados Unidos como mediador. Entonces McKinley solicitó al Congreso la autoridad para utilizar las fuerzas armadas, a fin de pacificar a Cuba. El Congreso lo aprobó y, además, una resolución a favor de la independencia cubana. El orgullo español triunfó sobre el buen juicio y el 24 de abril de 1898 España le declaró la guerra a Estados Unidos.

El conflicto duró sólo dos meses y medio. Cuando hubo terminado, la mitad de la armada española se encontraba en el fondo de la Bahía de Manila y la otra mitad en el fondo del mar, a la altura de Santiago de Cuba. Theodore Roosevelt abandonó su puesto como secretario asistente de Marina para organizar un regimiento de caballería de voluntarios, los "Rough Riders" ["jinetes rudos"]. Luchando como infantería en su única operación significativa, el regimiento tomó el Cerro de San Juan, en las afueras de Santiago. La prensa, desesperada por encontrar un héroe en una guerra que, evidentemente, era dispareja, convirtió lo que en esencia fue una escaramuza rápida en una lucha titánica de la clase de Termópilas o Waterloo.

La guerra costó a España lo que restaba del imperio ultramarino conquistado 400 años antes. Cuba se convirtió en un protectorado de Estados Unidos; y las Filipinas, Puerto Rico y Guam, posesiones. Roosevelt, que fue elegido para gobernador de Nueva York con base en su habilidad marcial, fue escogido como el compañero de campaña de McKinley en 1900. Cuando éste fue asesinado al año siguiente, Roosevelt lo sucedió en la presidencia.

El resultado de la guerra entre España y Estados Unidos, en la cual todas las batallas importantes tuvieron lugar en el mar, al parecer confirmaba las teorías de Mahan. La significación que para Estados Unidos tenía un canal en el istmo fue demostrada durante cada segundo de los 67 días que tardó el nuevo acorazado *Oregon* en navegar los 19 200 kilómetros desde San Francisco alrededor del Cabo de Hornos para unirse a la escuadra que estaba esperando que la flota española saliera de la Bahía de Santiago. Llegó, pero apenas a tiempo. Roosevelt había llegado a creer en Mahan y en un canal en el istmo, mientras prestaba servicios en el Departamento de Marina. En 1900, fue uno de los líderes de la oposición a un tratado entre Estados Unidos y Gran Bretaña respecto al canal. Como David McCullough lo apunta en su excelente estudio de la construcción del canal, *The Path Between the Seas* ["La ruta entre los mares"], la Gran Bretaña renunció, en el nuevo acuerdo, a su derecho a la posesión y operación conjuntas de un canal, las cuales se habían previsto en el tratado de 1850. Inglaterra estaba dispuesta a considerar a Centroamérica y el Caribe, excepto las propias posesiones, como un área de influencia estadounidense, y parecía haber quedado relegado al pasado el tiempo en el que los dos países hubieran podido luchar entre sí. Además, como dueña de lo que por mucho eran el imperio, la marina y la flota mercante más grande, la Gran Bretaña esperaba ganar mucho con la construcción del canal.

Roosevelt, que consideraba esencial el control estadounidense, alabó esa parte del tratado, pero se opuso vigorosamente a la que decía que el canal estaría "libre y abierto en tiempos de guerra, así como de paz, a buques de comercio y de guerra de todas las naciones, bajo condiciones de igualdad completa". Señaló que de haber estado operando el canal sobre esas bases en 1898, Estados Unidos hubiera estado obligado a permitir que los buques de guerra españoles lo usaran. Prevaleció el punto de vista de Roosevelt, y el Senado rechazó el acuerdo. Una segunda versión, que suprimía las partes ofensivas, fue entonces negociada, firmada y ratificada.

Existía el acuerdo general de que el canal debiera construirse en Panamá y que había de ser una empresa gubernamental en lugar de privada. Un ferrocarril, que era esencial para la construcción, ya existía, y el 10 o 20 por ciento de la obra de excavación ya había sido terminada por los franceses. La costosa maquinaria todavía se encontraba en el lugar y estaba bien mantenida. El precio representaba el problema. La compañía del canal estaba pidiendo 100 000 000 de dólares por la concesión y el equipo. Los negociadores estadounidenses estaban ofreciendo 40 000 000. Pagar más, decían, elevaría el costo de la ruta de Panamá hasta tal punto que la de Nicaragua sería preferible. Los franceses, fingiendo indignación, afirmaron que habían pagado 20 000 000 a los dueños estadounidenses tan sólo por el ferrocarril y abandonaron la mesa.

Los negociadores estadounidenses enfrentaban otro irritante problema. Colombia se negó a ir más allá de las condiciones de la concesión original cediendo el control completo, previsto por el tratado, entre la Gran Bretaña y Estados Unidos. Los estadounidenses que, por lo menos esa vez, estaban cuidando el dinero público como si fuera el propio, entonces iniciaron negociaciones formales con Nicaragua. Se trataba de una farsa, pero ni los franceses, que sabían que había pocos clientes potenciales para palas mecánicas gigantes y sistemas transportadores de cangilones en la selva de Panamá, ni los colombianos podían estar seguros. Refunfuñando acerca de la "piratería yanqui", los franceses, finalmente, aceptaron los 40 000 000 de dólares. El embajador colombiano, después de una extensa correspondencia con Bogotá, firmó un tratado en enero de 1903, el cual cedía a Estados Unidos, a cambio de un pago de 10 000 000 de dólares y una renta anual de 250 000, el control sobre una zona de 9.6 kilómetros de ancho a través del istmo por 100 años.

Roosevelt decidió que el canal sería su monumento. Por lo tanto, su júbilo al haberlo puesto en marcha se volvió un grado correspondiente de ira cuando el gobierno colombiano intentó echarse atrás en el trato. Decía que el embajador había excedido su autoridad y que, en todo caso, el precio era enteramente inadecuado. En agosto de 1903, el Senado colombiano rechazó el tratado unánimemente. La famosa sonrisa de Roosevelt se convirtió en un ceño de mal agüero. Opinó que Colombia estaba tratando de atropellarlo, y puede que tuviera razón. Por otra parte, Colombia estaba apenas saliendo de una de sus guerras civiles, un conflicto de tres años en el cual se decía que 100 000 personas habían muerto, y su gobierno probablemente estuviera más desorganizado que de costumbre.

Roosevelt no estaba dispuesto a mejorar el acuerdo, aunque hubiera sido tanto justo como prudente hacerlo. Tampoco trató de persuadir a Colombia con dulces palabras de que aceptara las condiciones originales ni de repartir sobornos donde hubieran sido más útiles. En cambio, decidió fomentar una revolución para separar a Panamá, que siempre había constituido una provincia remota e inquieta de Colombia. Para septiembre de 1903, uno de los tres panameños elegidos para encabezar la lucha por la independencia se encontraba en Nueva York, recibiendo instrucciones del hombre a quien se había escogido como intermediario. Se trataba de William Nelson Cromwell, uno de los fundadores de Sullivan & Cromwell, una destacada firma jurídica de Wall Street; un influyente en el partido republicano y, no por casualidad, el abogado de la compañía francesa del canal.

No obstante, uno de los panameños resultó ser un doble agente. Después de una reunión con el secretario de Estado John Hay, contó al embajador colombiano lo que estaba planeándose. Éste puso sobre aviso a su gobierno, que empezó a reunir tropas para enviarlas a Panamá. Roosevelt, enterándose de esta medida, ordenó que unos buques de guerra ocuparan posiciones a unos días de navegación de Colón, en el litoral atlántico de Panamá, y de Balboa, en el Pacífico. Mientras tanto, los conspiradores leales se hallaban embarcados de regreso a Panamá con la promesa de un reconocimiento por Estados Unidos y de una prima de 100 000 dólares para ellos mismos en cuanto comenzara la rebelión. El 5 de noviembre de 1903, bajo los cañones protectores del crucero *Nashville,* los disturbios comenzaron en Colón según estaba planeado. Al día siguiente desembarcaron 400 infantes de marina, manifiestamente para proteger las vidas y las propiedades estadounidenses, y se proclamó la independencia de Panamá.

Antes de abandonar Washington, se persuadió a los luchadores panameños por la libertad de que se designara a Philippe Bunau-Varilla, el representante de la compañía francesa del canal en Estados Unidos, como su agente diplomático interino. Dándose cuenta tardíamente de que el zorro estaba cuidando el gallinero, enviaron cables para revocar su autoridad. Bunau-Varilla optó por hacer caso omiso de ellos, y el 18 de noviembre firmó, en nombre de Panamá, un tratado con Estados Unidos que era en todos los aspectos inferior al que Colombia había rechazado. Ensanchaba la zona de 9.6 a 16 kilómetros, daba a Estados Unidos el derecho de tomar tierra adicional, sobre toda la cual gobernaría "como si fuera el soberano", y no por 100 años, sino a perpetuidad.

Cuando los panameños se enteraron de las estipulaciones del tratado, amenazaron con rechazarlo. En ese caso, advirtió Hay, Estados Unidos retiraría el reconocimiento, dejándolos que enfrentaran, con toda probabilidad, un pelotón de fusilamiento colombiano. Es casi seguro que estaba fingiendo, pero los aturdidos panameños capitularon y el tratado fue aprobado. Esta fue la cadena de acontecimientos sobre la cual Panamá más tarde fundaría el argumento de que Estados Unidos estaba ocupando ilegalmente la zona del canal.

Roosevelt estaba seguro de haber hecho un trabajo excelente, pero tuvo que admitir que algunas personas no estaban de acuerdo. Pidió al ministro de Justicia, un abogado de corporación llamado Philander Knox, que estableciera una defensa para sus acciones. "Oh, señor presidente, dicen que Knox replicó, no permita que un logro tan grande sufra cualquier mácula de legalidad". En otra ocasión, se afirma que Roosevelt proporcionó una extensa justificación al gabinete. Luego preguntó a su secretario de Guerra, Elihu Root, si había respondido adecuadamente a quienes lo criticaban. Según lo cita McCullough, Root contestó: "Ciertamente, lo ha hecho, señor presidente. Demostró que se le había acusado de seducción, y usted probó concluyentemente que fue culpable de una violación".

Estas anécdotas fueron puestas en extensa circulación. Los pensadores liberales condenaban el despotismo de Roosevelt, y el Senado discutió acaloradamente el tratado antes de ratificarlo en febrero de 1904. El país, sin embargo, parecía inclinado a tomar a risa el asunto de Panamá o, por lo menos, a decidir que los males que pudiera haber sufrido Colombia eran excedidos en mucho por el valor que para el mundo tenía una gran empresa que, de otro modo, quizá no se hubiera llevado a cabo por muchos años o tal vez nunca. Tres días después de la ratificación, Bunau-Varilla renunció al servicio diplomático panameño y regresó a Francia con una gran comisión en el bolsillo. Sullivan & Cromwell se convirtió en la asesora legal para la República de Panamá y fue contratada por muchas compañías que hacían negocios en Latinoamérica, entre ellas la United Fruit Company. John Foster Dulles entró en la firma en 1911 y fue seguido por su hermano menor, Allen. En 1953 se hicieron secretario de Estado y director de la Agencia Central de Inteligencia, respectivamente, y no en perjuicio de sus clientes anteriores. En 1914, el canal fue inaugurado triunfalmente. En 1921, Estados Unidos pagó 25 000 000 de dólares a Colombia para tranquilizar su conciencia. Fue una recompensa bastante pequeña por lo que, en algunos aspectos, era el recurso natural más valioso del país.

4

MANDEN A LOS "MARINES"

AL CONVERTIRSE en propietario en Centroamérica, Roosevelt pronto se dio cuenta de que no estaba de acuerdo con sus vecinos. Una cosa era recrearse con los informes periodísticos de sus payasadas, y otra muy distinta tratar de dormir mientras el señor El Salvador acusaba de infidelidad a la señora Guatemala a voz en cuello, Nicaragua y Honduras ebriamente debatían misteriosos puntos de la ley internacional con machetes, y la señorita Costa Rica amenazaba sacarle los ojos a la señorita Panamá con las uñas. Además, estaban manteniendo sus malos hábitos pidiendo prestado irreflexivamente. Todos los funcionarios en Centroamérica, desde el presidente hasta el alguacil pueblerino, tenían el mismo concepto del servicio público y seguían el mismo código de conducta, a saber: robar lo más posible lo más rápidamente posible. El soborno y la expoliación eran los viejos recursos dignos de confianza, pero las comisiones por los préstamos extranjeros y los premios sobre lo que este dinero se utilizaba para comprar correspondían a cantidades mayores. El resultado fue que banqueros irritables, muchos de ellos de Europa, estaban llegando en buques de guerra a toda la región para tratar de cobrar los préstamos vencidos.

Estados Unidos ya había asumido la tutela financiera y política de Cuba, y en 1904, en la campaña por un periodo completo en la Casa Blanca, Roosevelt declaró que estaba dispuesto a hacerse responsable de la misma carga a través de todo el hemisferio. Su único deseo, afirmó, era ver a sus vecinos "estables, tranquilos y prósperos". Poco después esclareció todavía más su mensaje. "Una fechoría brutal o impotencia que resulte en el aflojamiento general de los lazos de la sociedad civilizada, declaró, pueden, finalmente, requerir la intervención de alguna nación civilizada, y en el hemisferio occidental Estados Unidos no puede pasar por alto este deber".

Roosevelt fácilmente ganó en las elecciones, y en su discurso anual de 1904 expuso de nuevo el tema, agregando que Estados Unidos estaba meramente cumpliendo "el deber internacional que de manera obligatoria implica la confirmación de la Doctrina Monroe". Esta declaración llegó a conocerse como el Corolario de Roosevelt a la Doctrina Monroe. Su posición de ninguna manera servía enteramente a los propios intereses. Al fin y al cabo, la región había estado hundida en brutalidad e injusticia y empapada de sangre desde el tiempo de los conquistadores. No obstante, el corolario tenía poco que ver con la Doctrina Monroe. Pese a la referencia hecha por Roosevelt a todo el hemisferio, el corolario en la práctica sólo se aplicaba a los estados de Centroamérica y el Caribe. La Gran Bretaña dominaba las economías de las naciones principales de la América meridional y siguió haciéndolo hasta la Segunda Guerra Mundial.

En su primera aplicación, en 1906, el corolario tuvo el efecto de una cataplasma curativa. Un ejército de exiliados invadió Guatemala desde El Salvador y Honduras. Estaba tartando de derrocar a Manuel Estrada Cabrera, un caudillo que había sujetado al país con puño de hierro durante ocho años. Los combates fueron extraordinariamente reñidos y las bajas sumaban miles. En conformidad con México y Costa Rica, Roosevelt mandó un crucero a las aguas salvadoreñas. Los representantes de las naciones en estado de guerra fueron invitados a subir a bordo con términos nada inciertos. Se les indicó que ahí permanecerían hasta que firmaran una tregua. Lograron un acuerdo en un solo día, al menos en parte, porque el mar estaba turbulento y los delegados eran muy susceptibles a mareos, y cesó la carnicería.

Poco tiempo después, Roosevelt convocó a una conferencia de reconciliación centroamericana en San José, Costa Rica. Nicaragua, que era gobernada por un caudillo hostil a los "gringos" llamado José Santos Zelaya, permaneció en casa, pero los logros de los otros más que compensaron su ausencia. Aseguraron que ya no permitirían que sus territorios fueran utilizados para fomentar rebeliones en otros países, una práctica a la que todos se habían abandonado habitualmente desde los días más tempranos de la independencia. A instancia de Estados Unidos, establecieron una Agencia Centroamericana para el servicio de sus intereses comunes, así como un tribunal permanente para arbitrar las disputas.

Centroamérica disfrutó la bendición de la paz durante un año entero. Entonces Honduras invadió Nicaragua, acusando a este país de alentar una rebelión. A pesar de que no asistió a la conferencia ni firmó el acuerdo, Zelaya llevó el caso ante el nuevo tribunal. Éste ordenó que ambos lados se desarmaran a lo largo de la frontera. Ganado el caso, Zelaya rechazó el fallo. Seguro de que Honduras violaría el acuerdo, se negó a retirarse, y la guerra se reanudó. Nicaragua consiguió un rápido triunfo y luego se preparó para atacar a El Salvador, al que acusó de haber ayudado a Honduras.

Roosevelt convocó otra reunión, esa vez en Washington. Quiso exponer a los centroamericanos a las instituciones democráticas. El cambio de lugar pareció ayudar. Los delegados dejaron en descrédito los propios logros anteriores. Establecieron un Tribunal de Justicia centroamericano con un poder mucho mayor que el del tribunal de arbitrio, solemnemente prometieron suspender de una vez por todas su interferencia en los asuntos los unos de los otros, y asignaron a la Agencia Centroamericana la tarea de promover la unificación. Andrew Carnegie, el magnate del acero y filántropo, proporcionó 100 000 dólares para la construcción de un edificio para el tribunal en San José. En el primer caso que llegara ante éste, Zelaya acusó a El Salvador y Guatemala de conspirar para derrocar al hombre que él había puesto en el poder en Honduras. El tribunal, que otra vez decidió a su favor, ordenó a El Salvador y Guatemala que se detuvieran y desistieran. Cuando en efecto lo hicieron, Roosevelt anunció que un nuevo día había amanecido en Centroamérica.

Sin embargo, el nuevo día no duró mucho. Cuando William Howard Taft entró en la Casa Blanca, la política intervencionista de Roosevelt fue despojada de sus vestigios de benevolencia y sometida a objetivos más ruines. Fue un periodo en el cual los intereses estadounidenses, particularmente en cuanto a plátanos, minería y la industria maderera, se encontraban en rápida expansión. El Corolario de Roosevelt fue empleado únicamente para proteger y promoverlos. Philander Knox, que entonces era secretario de Estado, decidió que la mejor manera de impedir que los buques de guerra europeos cobraran los préstamos vencidos era el refinanciamiento de los mismos en Estados Unidos, que entonces podía hacer uso de la propia flota para ajustar cualquier morosidad. Los críticos censuraban esta política como "la diplomacia del dólar" y "la diplomacia del cañonero", pero dio el fundamento sobre el cual Estados Unidos trató con Centroamérica y el Caribe durante los siguientes 25 años.

Otra vez más, Zelaya, de Nicaragua, decidió causar dificultades. En 1909, obtuvo un préstamo en Londres, exactamente como si Estados Unidos nunca hubiera dicho nada. Al cabo de pocos meses, y no por casualidad, estaba enfrentando una rebelión. Dos estadounidenses, hechos prisioneros mientras luchaban con los rebeldes, fueron ejecutados. El gobierno de Taft aprovechó este acontecimiento como pretexto para interrumpir las relaciones. Para entonces los rebeldes estaban acorralados en Bluefields, sobre la Costa de los Mosquitos, rodeados por las tropas de Zelaya. Cuatrocientos infantes de marina desembarcaron de los buques de guerra estadounidenses para protegerlos de todo perjuicio. A partir de entonces los rebeldes fueron generosamente abastecidos de armas y dinero por compañías estadounidenses, y al cabo de pocas semanas controlaban el país.

No obstante, el sustituto de Zelaya resultó ser tan irritante como este mismo. En un arrebato de patriotismo descaminado, se negó a ceder el control sobre la recaudación de los derechos de aduana de Nicaragua a los banqueros estadounidenses. Se fomentó un segundo levantamiento, y un contador de una compañía minera estadounidense, cierto Adolfo Díaz, salió como presidente. Accedió a todo, incluyendo un tratado que establecía un protectorado estadounidense. El Senado, donde los demócratas ganaban mayor influencia, rechazó el tratado en 1911, pero Díaz continuó como presidente y la autoridad de Estados Unidos siguió siendo suprema.

Las mil personas que poco más o menos representaban la opinión pública nicaragüense se enfurecieron por la manera en la cual los infantes de marina mantenían el orden. Era ya bastante malo que los diplomáticos y los banqueros de Estados Unidos les negaran el derecho a cierta informalidad fiscal y comercial, pero mucho peor que los infantes de marina los privaran de la libertad consagrada por el tiempo de matarse los unos a los otros sin interferencia. Antes de pasar mucho tiempo ocurrieron manifestaciones y trastornos y luego rebeliones locales. Díaz, por la insistencia de

Washington, despidió a Emiliano Chamorro, que encabezaba la oposición del cuerpo legislativo, y el país se alzó desafiante. Díaz solicitó, o se le pidió que solicitara, ayuda a Estados Unidos para la protección de vidas y propiedades. Knox y Taft enviaron otra vez a los infantes de marina, en esta ocasión a un batallón entero de 800 hombres. Un destacamento desembarcó en Corinto, sobre el litoral del Pacífico y, marchando hacia el interior, ocupó Managua y León, la plaza fuerte de los liberales. El otro desembarcó en Bluefields, sobre la costa del Atlántico. Los nicaragüenses continuaron peleándose entre ellos, y los infantes de marina sufrieron bajas al tratar de separar a los combatientes. Washington aumentó la fuerza a 2 700. Mirando los cañones de los fusiles de estos hombres musculosos y rubicundos, Emiliano Chamorro, el jefe de la rebelión, accedió a ser consolado con el nombramiento de embajador en Washington. Entonces, con Estados Unidos como supervisor de las elecciones, Díaz fue elegido para presidente.

En 1916, Chamorro y William Jennings Bryan, el populista de las praderas del Oeste que desempeñaba el cargo de secretario de Estado de Woodrow Wilson, firmaron el tratado que lleva sus nombres. Estados Unidos recibió el derecho exclusivo de construir un canal por Nicaragua, lo cual no tenía mucho valor puesto que el Canal de Panamá se había inaugurado dos años antes, el derecho de establecer una base naval en el Golfo de Fonseca, sobre el litoral del Pacífico, y el arriendo de las Islas del Maíz, en el Caribe. Otras partes del tratado, respecto a finanzas y derechos de intervención militar, hacían de Nicaragua no sólo un protectorado, sino virtualmente una colonia. El Senado aprobó el tratado sólo después de que se hubo eliminado las cláusulas más agraviantes.

Costa Rica y El Salvador comparecieron ante el Tribunal de Justicia centroamericano, a fin de protestar porque el tratado violaba sus respectivos derechos sobre el río San Juan, que formaba el límite entre Costa Rica y Nicaragua y que sería parte de cualquier canal, sin importar lo improbable de su construcción, y en el Golfo de Fonseca, que El Salvador compartía con Nicaragua. Cuando el tribunal, fundado por Theodore Roosevelt, decidió a su favor, Estados Unidos optó por hacer caso omiso del veredicto. Nicaragua, con la aprobación de Washington, se retiró del tribunal. La utilidad de éste claramente había terminado, y en 1918, al final del periodo de 10 años por el cual se estableció originalmente, en silencio dejó de funcionar.

En 1920, las cinco naciones originales de Centroamérica realizaron otro intento más de unirse. Esperaban estar en situación de proclamar la federación en 1921, el centésimo aniversario de su independencia de España. Probablemente no hubieran tenido mayor éxito que en el pasado, pero ahora que todos ellos, hasta uno u otro punto, eran vasallos económicos y que la importancia estratégica de la región se había incrementado mucho por la inauguración del canal, Estados Unidos ya no alentó tales esfuerzos. La cuestión del tratado de Bryan y Chamorro y su relación con la capacidad de Nicaragua de llegar a formar parte de tal unión surgió en la conferencia para la unificación. Nicaragua se retiró de ella, pero los otros participantes anunciaron la formación de la Federación Centroamericana. Washington puso de manifiesto su desaprobación anunciando que apostaría siete cruceros con infantes de marina en la zona del canal, si la unificación de hecho se llevaba a cabo. Después de haber pellizcado el pico del águila y sacado una pluma de su cola, los centroamericanos abandonaron el tema de la unificación, según resultó, para siempre.

Con los infantes de marina estadounidenses haciendo servicio en Nicaragua durante la mayor parte de la década, los años veintes del presente siglo fueron generalmente pacíficos y prósperos en Centroamérica, por lo menos para los que ocupaban una posición idónea para prosperar. El precio del café se mantuvo alto, y la apertura del canal redujo los costos del transporte a Estados Unidos y a Europa desde los puertos del Pacífico. Bajo la mirada fría y atenta de los banqueros estadounidenses, se pagaron las deudas. El Salvador, que siempre había sido el país más provldente de la región, se halló con un excedente en el Tesoro. Los magnates del café vivían con gran magnificencia, reunían a coristas en Manhattan, de preferencia rubias y altas, y se convirtieron en personajes familiares en las mesas de bacará de la Riviera. Pero sin importar cuán altas fueran las ganancias, los trabajadores comúnmente ganaban los mismos 15 centavos de dólar diarios, o lo que en ese momento fuera la cifra que apenas bastaba para impedir que ellos y sus familias se muriesen de hambre.

Para entonces, otra gran industria agrícola, el cultivo del plátano, estaba prosperando en Centroamérica. A diferencia del café, que se hallaba mayormente en las manos de los terratenientes locales, la industria del plátano fue establecida y era controlada por capital estadounidense. La United Fruit Company, por mucho el cultivador y transportador más grande, era más rica y más poderosa que cualquiera de los países en los cuales operaba. Además de millones de hectáreas de tierra, poseía ferrocarriles, las mejores instalaciones portuarias, una flota de 100 barcos, el sistema comercial de radio y de cable y mucho más, y en tres o cuatro países era, por mucho, la mayor fuente de empleo. Las gratificaciones de la United Fruit enriquecieron a generaciones de políticos y de oficiales militares centroamericanos, y en las raras ocasiones en las cuales la compañía daba con un funcionario honesto o tan sólo pendenciero, podía acudir en busca de ayuda a sus buenos amigos en Washington.

En 1928, Herbert Hoover, el presidente electo, visitó la América Latina. Lo único que escuchó fueron quejas acerca de la diplomacia del cañonero. Cuando entró en funciones, dio a conocer que el Corolario de Roosevelt era letra muerta. En 1931, declaró que los infantes de marina abandonarían Haití, donde habían estado apostados la mayor parte de 15 años, para 1934. En enero de 1933, unos meses antes de ceder el puesto a Franklin Delano Roosevelt, los retiró de Nicaragua. Roosevelt fue más lejos. Los demócratas en principio siempre se habían opuesto al intervencionismo, aunque Wilson, el único presidente demócrata hasta el momento en el siglo XX, lo había practicado con el mismo entusiasmo como cualquier republicano. A partir de entonces, Roosevelt declaró en su discurso inaugural de la toma de funciones, Estados Unidos sería "un buen vecino". Al año siguiente, Roosevelt abolió el acuerdo de 1902 que permitía la intervención en Cuba y, como Hoover lo había prometido, retiró a los infantes de marina de Haití. Por primera vez desde hacía años, no había tropas estadounidenses apostadas en los países de Centroamérica o del Caribe, a excepción de la base naval en la Bahía de Guantánamo de Cuba, que ha permanecido en manos estadounidenses hasta la actualidad.

Sin embargo, en la época en la cual fue anunciada la "política del buen vecino", cuatro de las naciones centroamericanas eran gobernadas por unos caudillos de extraordinaria crueldad: Jorge Ubico de Guatemala, Maximiliano Hernández Martínez de El Salvador, Tiburcio Carías Andino de Honduras, y Anastasio Somoza, que dominaba Nicaragua entre bastidores como el comandante de la Guardia Nacional. Perseguían a los antiguos partidos liberal y conservador y encontraron muchos aspectos dignos de admiración en Adolfo Hitler y Benito Mussolini. Los precios del café y de otros géneros de exportación se habían desplomado, y el hambre en el ambiente rural se expresaba, de cuando en cuando, en levantamientos que la mayoría de las veces servían simplemente de ocasión para apoderarse del maíz y los frijoles de algún comerciante. Tales manifestaciones de bolchevismo eran suprimidas rápidamente y castigadas sin piedad, de lo cual el ejemplo más extremo es la matanza de 1932 en El Salvador. Junto con el mejoramiento gradual en la economía mundial, sin embargo, estas insurrecciones casi cesaron.

En 1944, los hastiados súbditos expulsaron a Ubico y a Martínez. Guatemala llegó al grado de tener una elección honesta y de nombrar como presidente a un profesor universitario exiliado, de conceptos liberales, llamado Juan José Arévalo. Se adoptó una nueva constitución, redactada según el modelo de la de México. Por primera vez disponía beneficios sociales y daba a la clase obrera el derecho de organizarse y declararse en huelga. En 1950 Arévalo fue sucedido por un protegido, el coronel Jacobo Arbenz Guzmán. En 1952, éste expropió 85 000 hectáreas de tierra ociosa de la United Fruit Company para su distribución a campesinos sin ella. Unos meses más tarde se apoderó de otras 71 000 hectáreas. Eso dejaba a la United Fruit con sólo 66 000 hectáreas en Guatemala, aunque todavía poseía por lo menos 404 700 hectáreas en otras partes de Centroamérica. Arbenz afirmó que pagaría como 6 dólares por hectárea de tierra. Era la valoración que la compañía había hecho para efectos fiscales. La United Fruit dijo que el valor fiscal era una cosa y el verdadero otra. Arbenz podía tener toda la tierra que quisiera por 150 dólares la hectárea. Cuando Arbenz opuso que prefería su propio precio, la compañía fue a ver a sus amigos en Washington. United Fruit significaba dinero de Boston con tradición, dinero de Cabot y Lodge, y cuando se quejaba, el gobierno de Eisenhower hacía caso.

Considerándolo todo, la reforma agraria por sí sola tal vez no hubiese bastado para derribar a Arbenz. Hubiera podido argumentar que se vio obligado a hacerlo para detener el avance del comunismo. Al igual que Arévalo, Arbenz era un reformista antes que un radical. No obstante, se admite, generalmente, que su esposa, una salvadoreña, simpatizaba con el comunismo. Utilizó la considerable influencia que tenía sobre él para introducir a personas que tenían las mismas ideas en el gobierno y las posiciones de mando de los sindicatos. Estaban inclinadas a tener mayor interés en la denuncia del imperialismo, que en proporcionar una mejor vida para los pobres. La retórica que acompañaba la expropiación era candente e inútilmente provocadora.

En 1954, temiendo la intervención estadounidense, Guatemala trató de modernizar su ejército. Incapaz de adquirir armas en otra parte, las compró en Checoslovaquia y así dio al secretario de Estado, John Foster Dulles, el antiguo socio de Sullivan & Cromwell, el pretexto que necesitaba para la intervención. Éste pasó el caso a cargo de su hermano Allen, el director de la Agencia Central de Inteligencia. Al cabo de algunos meses, Arbenz fue derribado. Su dócil sucesor devolvió la tierra a la United Fruit y abolió una irritante ley que permitía la existencia de los sindicatos obreros. Nadie lo mencionó, pero el Corolario de Roosevelt estaba otra vez en vigor.

Los líderes latinoamericanos señalaron que, inevitablemente, ocurrirían más episodios semejantes a menos que Estados Unidos proporcionara una ayuda económica y militar significativa. A la larga, afirmaban, sería más económico que montar operaciones secretas. También apuntaron, con más tristeza que ira, que Estados Unidos había extendido decenas de miles de millones de dólares en ayuda por toda Europa y Asia desde el final de la Segunda Guerra Mundial, como resguardo contra el comunismo, pero que ellos no habían recibido casi nada. Washington no dejaba de decir que el dinero llegaría "mañana", pero alguien continuaba olvidando enviar el cheque al correo. En 1958, el vicepresidente Richard M. Nixon fue enviado en su lugar. Como gira de buena voluntad, dejó mucho que desear. Fue granizado con piedras y bolsas de desperdicios casi en cada lugar que visitó. Sus anfitriones pidieron disculpas. ¿Qué podían hacer? preguntaban. No era como si no hubieran tratado de advertir a Estados Unidos acerca del amenazante peligro. Arteros agitadores, pagados con oro de Moscú, estaban obteniendo cierto éxito en descaminar a los menos inteligentes y sofisticados de sus pueblos.

El 1 de enero de 1959, Fidel Castro entró en La Habana. Había jurado que, a pesar de las apariencias, él no era comunista, pero eso sucedió cuando se encontraba en la Sierra Maestra y necesitaba ayuda. A los tres meses de su victoria, comenzó a resplandecer con un tono rosado, por lo menos en cuanto tocaba a los hermanos Dulles, y al cabo de un año se había puesto un congestionado color rojo revolucionario. Un tentáculo comunista se retorcía y palpitaba a sólo 144 kilómetros de Key West. Allen Dulles recibió el encargo de recortarlo, y la United Fruit, International Nickel y las otras grandes corporaciones estadounidenses se pusieron a contar los días hasta que recobraran la posesión de las vastas y altamente lucrativas propiedades de las que Castro se había apoderado. Mientras la CIA reclutaba y entrenaba al ejército de emigrados que vencería rápidamente al usurpador, se anunció, tardíamente, un programa de ayuda para América Latina. El Banco para el Desarrollo Interamericano fue establecido con un capital de 350 000 000 de dólares. Se asignó un total de 500 000 000 para otra ayuda. Se creó un Mercado Común Centroamericano para el estímulo al comercio regional, así como un acuerdo internacional del café, a fin de estabilizar el mercado.

Cuando John F. Kennedy entró en la Casa Blanca, en enero de 1961, descubrió que las preparaciones para la invasión de la Bahía de Cochinos estaban muy adelantadas. Decidió proseguir con ella, pero nerviosamente. Una de las cosas que lo preocupaba más que la posibilidad del fracaso, era la reacción en Latinoamérica al apoyo que Estados Unidos estaba dando a los secuaces del dictador depuesto, Fulgencio Batista, los cuales encabezaban la invasión. Con el propósito de equilibrar los sentimientos adversos que pudieran surgir, Kennedy decidió extender considerablemente el programa de ayuda de Eisenhower. El banco para el desarrollo y lo demás constituían un paso en la dirección indicada, reconocieron los consejeros de Kennedy, pero por su falta de alcance ejemplificaban la mentalidad estrecha de miras, boba y tacaña de los hombres alrededor del afable general.

Con este espíritu expansivo, Kennedy anunció la Alianza para el Progreso en marzo de 1961, dos meses después de su toma de poder y uno antes del desembarco en Cuba. Su finalidad primordial, declaró, era incrementar el ingreso *per capita* en América Latina en un mínimo del 2.5 por ciento anual durante 10 años. Construiría suficientes escuelas para proporcionar al menos seis años de educación gratuita para todos los niños, eliminando de este modo el analfabetismo para 1970. Una mejor alimentación y cuidado de la salud agregaría cinco años a las expectativas de vida en el mismo periodo. La Alianza también se encargaría de la construcción de fábricas, donde los desempleados pudieran hallar trabajo, de viviendas de bajo costo, donde pudieran vivir, y una amplia lista de otras cosas buenas. Kennedy afirmó que se requeriría de una inversión anual de capital de 10 mil millones de dólares, o un total de 100 mil millones. Parecía mucho dinero, pero el presidente señaló que las naciones latinoamericanas habían prometido reunir el 80 por ciento ellas mismas. Estados Unidos concedería o garantizaría préstamos que ascendieran al 50 por ciento de los restantes 20 mil millones, o 1.2 mil millones al año. Subvenciones y préstamos de bajo interés de otros gobiernos y la inversión privada completarían el saldo.

Al esbozar su plan, Kennedy declaró: "A menos que se hagan generosamente las reformas sociales necesarias, incluyendo la reforma agraria y fiscal, a no ser que ensanchemos la oportunidad para toda la gente, a menos que la gran masa de americanos comparta la mayor prosperidad, nuestra alianza, nuestra revolución, nuestro sueño y nuestra libertad fracasarán".

Jefes de Estado que, salvo una o dos excepciones, hubieran bajado desastrosamente el tono moral e intelectual en Alcatraz de haber estado recluidos ahí, respondieron con entusiasmo. Algunos de los miembros de mayor colorido de este panteón eran Rafael Trujillo de la República Dominicana, quien se entretenía con niños, daba de comer a los tiburones con sus enemigos y estaba él mismo a punto de ser asesinado por la CIA, una acción que de una minúscula manera justificaba la existencia de ésta; "Tacho" Somoza, quien se contentaba con ser el dueño de no más del 25 o 30 por ciento de Nicaragua; "Papa Doc" Duvalier, quien como el papa de la Iglesia del vudú era el gobernante tanto espiritual como temporal del Haití; y el general Alfredo Stroessner del Paraguay, quien contaba como amigos íntimos a muchos nazis fugitivos.

Ellos y sus colegas, la agrupación usual de ladrones y asesinos, tomaron a pecho las palabras de Kennedy. Cuán claro lo había expuesto, el joven y apuesto "gringo", del padre rico, la hermosa esposa y todas las bellas amigas. ¡Comprendían ya que lo que ellos y sus predecesores habían hecho estaba ¡mal, mal, *mal!* Mientras se secaban las lágrimas de arrepentimiento de las arrugadas mejillas, preguntaron cuándo podrían empezar a recibir el dinero, que no era tanto si se consideraba de cuántos modos había que dividirlo.

Resultó ser aún menos de lo que habían esperado. El Congreso, con loable escepticismo respecto a cómo se gastaría el dinero, nunca consignó tanto como Kennedy quería. Según Juan de Onís y

Jerome Levinson apuntan en su excelente estudio *The Alliance That Lost Its Way* ["La alianza que perdió el camino"], la mitad de lo que sí dio fue directamente a los bancos estadounidenses para pagar las deudas retrasadas. Del saldo hubo que deducir los salarios y generosos viáticos de los cientos de burócratas que llegaron desde Washington para administrar el programa. El acta de habilitación requería, además, que la tubería, las bombas, los motores y las tejas para los proyectos modelo de viviendas, las escuelas de barrios pobres y las plantas de eliminación de aguas negras, se compraran todos en Estados Unidos. Kennedy había puesto énfasis correctamente en la importancia de la reforma agraria y de una estructura fiscal más justa, pero el Congreso se negó a hacer depender subvenciones del progreso en estas áreas. El cabildeo por las corporaciones multinacionales también lo condujo, de hecho, a prohibir el uso de los fondos de la alianza para pagar por tierra expropiada o para proporcionar garantías por bonos de reforma agraria.

La invasión cubana fracasó desastrosamente, por supuesto, haciendo más importante que nunca la alianza, pero apenas se hubo puesto en marcha cuando Kennedy fue asesinado. El interés de su sucesor, Lyndon B. Johnson, no se extendía mucho más lejos que los latinoamericanos que votaban en Texas. Una cosa de la que tenía cuidado era del peligro político de permitir a los comunistas encontrar otro punto de apoyo en el Caribe, de modo que no requirió de mucha persuasión para enviar a 20 000 tropas a la República Dominicana en 1965 para acabar con una intriga bolchevique que al parecer existió sólo en los cerebros febriles de los antiguos asociados de Trujillo, las corporaciones estadounidenses que poseían grandes partes del país, y el Pentágono. Un mes antes, Johnson había dado los primeros pasos torpes hacia la catástrofe enviando tropas estadounidenses de combate a Viet Nam del Sur. Después de eso, hubo cada vez menos tiempo de pensar en Latinoamérica y cada vez menos dinero para la Alianza para el Progreso.

No obstante, Centroamérica se mantuvo tranquila durante la mayor parte de los sesentas. Los precios mundiales por sus exportaciones, particularmente el café, eran altos. Las operaciones secretas de la CIA dejaban a Cuba a la defensiva. El Mercado Común Centroamericano estaba funcionando bien. La industria ligera creció rápidamente en El Salvador y Guatemala, a menudo asociada con firmas comerciales estadounidenses o alemanas. Guatemala sofocó con facilidad un levantamiento que se decía fue inspirado y dirigido por comunistas. En Nicaragua un puñado de rebeldes, que se llamaban sandinistas en honor de Augusto César Sandino, quien había encabezado la resistencia a la ocupación por Estados Unidos 50 años antes, estaba siendo cazado implacablemente por la Guardia Nacional. Los partidos demócrata cristiano cobraron fuerza en El Salvador, Guatemala y Honduras, aunque los militares continuaron gobernando. La democracia prosperó en Costa Rica bajo el gobierno de José Figueres. En Panamá, el general Omar Torrijos tomó el poder como un caudillo relativamente ilustrado.

Los días felices terminaron en 1969. Los precios de los productos bajaron, los ingresos disminuyeron y aumentó la intranquilidad social. El Salvador y Honduras sostuvieron una guerra de cuatro días, la primera en Centroamérica en 60 años. Fue un conflicto inútil y, pese a su brevedad, perjudicó en serio la economía de ambas naciones y destruyó el Mercado Común. Los problemas que se habían ocultado otra vez empezaron a surgir por toda América Latina. Tanto la derecha como la izquierda echaron la culpa a Estados Unidos. La derecha afirmaba que la alianza había dado menos de lo prometido. La izquierda declaraba que sólo había resultado otro plan imperialista gringo más. El nombre de la alianza se prestaba al humor negro. "Para" es también la tercera persona del presente del verbo "parar". Por lo tanto, la Alianza Para el Progreso. Fin del chiste.

Al poco tiempo de entrar en la Casa Blanca, Richard M. Nixon pidió a Nelson Rockefeller, entonces gobernador de Nueva York, que hiciera una gira por Latinoamérica. En vista de su propio viaje en 1958, es improbable que Nixon haya pensado que estuviera haciéndole un favor a su antiguo rival en la política nacional. No obstante, Rockefeller emprendió la misión con entusiasmo. No había figura política mejor calificada. Rockefeller podía hablar con los dueños de América Latina en términos de iguales y algo más, y podía hacerlo en español. Había pasado la Segunda Guerra Mundial en seguridad y agradablemente, encargándose de asuntos latinoamericanos en el Departamento de Estado. Rockefeller también tenía un interés personal en la región. Poseía un enorme rancho en Venezuela, y Petróleos Criollos, que en su mayor parte extraía del petróleo venezolano, había formado parte del monopolio Standard Oil de la familia.

Rockefeller evitó muchas dificultades al omitir las triunfales caravanas en coche de Nixon. En algunos países llegó al punto de mantener en secreto su llegada. En otros, sus conferencias tuvieron lugar en la sala para viajeros importantes del aeropuerto. Pese a estas precauciones, escuchó muchos abucheos. En su informe a Nixon, Rockefeller afirmó que la "relación especial" de Estados Unidos con Latinoamérica corría peligro por negligencia y por la penetración comunista, que había comenzado a seducir a los sindicatos obreros, a los estudiantes, e incluso a la Iglesia Católica Romana.

"Evidentemente, declaró, la opinión en Estados Unidos de que el comunismo ya no representa un factor serio en el hemisferio occidental está completamente equivocada". Por ese motivo, afirmó Rockefeller, había que incrementar el entrenamiento de las "fuerzas de seguridad" latinoamericanas, uno de los beneficios menos divulgados de la Alianza para el Progreso, y la venta de equipo militar a ellas. Señaló que los oficiales que asistían a cursos en la intercepción de líneas telefónicas y telegráficas, la interrogación y semejantes en Estados Unidos o incluso en las instalaciones secundarias de la Zona del Canal en Panamá, podían neutralizar mejor la influencia marxista debido a su exposición "a los logros fundamentales del estilo de vida estadounidense".

Nixon aceptó el informe de Rockefeller, supuestamente hizo con él lo que Eisenhower había hecho con el suyo, y luego volvió su atención sobre las partes del mundo que lo interesaban más, que era casi otro lugar cualquiera. La única excepción notable a esta indiferencia presidencial era Chile, donde el imperialismo desde hacía mucho representaba un punto sensible. Chile no era una república bananera. Tenía una larga historia de gobierno democrático; su población era, en su mayoría, de ascendencia europea; su clima, templado, con viñedos en las tierras altas y posibilidades de esquiar en las montañas. Sin embargo, el cobre, su más valioso recurso natural, producía enormes ganancias sólo para Kennecott y Anaconda.

El rozamiento era aumentado, según Seymour M. Hersh lo apunta en su *The Price of Power: Kissinger in the Nixon White House* ["El precio del poder: Kissinger en la Casa Blanca de Nixon"], por el hecho de que Nixon no simpatizaba con el presidente de Chile, Eduardo Frei. No se trataba de que Frei fuera un izquierdista peligroso. Era, de hecho, un cristiano demócrata, un conservador moderado que silenciosamente había aceptado dinero para su campaña de la industria estadounidense. En efecto, la sensibilidad de Frei acerca de este punto lo condujo a pedir a Rockefeller que omitiera a Chile de su programa de viaje. Frei no estaba más feliz que la mayoría de los chilenos acerca del dominio de los "gringos" sobre su economía, pero como un creyente en la empresa privada y amigo de Estados Unidos, podía hacer poco más que tratar de persuadir a las compañías de cobre de que escucharan razones. Éstas no estaban dispuestas a hacerlo.

Estados Unidos hubiera estado feliz de que Frei permaneciera indefinidamente en el poder, pero la constitución chilena prohibía los gobiernos consecutivos. Una elección estaba proyectada para 1970, y parecía que el ganador iba a ser Salvador Allende, un socialista que había jurado restaurar el patrimonio nacional por medio de la expropiación, si las negociaciones fracasaban. (El patrimonio nacional, debe decirse, siempre se ve mucho mejor después de hacerse las inversiones, correrse los riesgos y cuando las ganancias entran a raudales).

A Nixon y su Consejero de Seguridad Nacional, Henry Kissinger, no les agradaba tal perspectiva. Temían, además, que Allende estuviera sólo haciéndose pasar por un socialista democrático y que una vez en el poder revelara su espantoso semblante leninista. Conforme discutían la amenazante crisis, Chile, aunque por lo común era sinónimo de lejanía, cobró una vasta importancia geopolítica. Sólo los Andes, unas meras colinas de 6 000 metros de altura aproximadamente, lo separaban de las fértiles pampas de Argentina. Formaba un puñal de dos puntas que señalaba hacia el Norte, al corazón del Perú y de Ecuador, y hacia el Sur, a la Antártida. Dominaba la ruta de transportes del Cabo de Hornos, y sería efectivamente un valiente capitán el que tratara de pasar su bergantín por el Estrecho de Magallanes bajo sus culebrinas hostiles.

Las dos mentes maestras decidieron que había que impedir la elección de Allende por cualquier medio necesario. Kissinger produjo un donaire para la ocasión: "No veo por qué hemos de hacernos a un lado y observar cómo un país se vuelve comunista debido a la irresponsabilidad de su propio pueblo", dijo. No obstante, sus esfuerzos, restringidos mayormente a subvenciones secretas para el opositor de Allende, resultaron inadecuados. Allende ganó la elección, pero sin una mayoría, llevándola al Congreso. Temiendo que ahí también ganara, la CIA trató de organizar un golpe militar. El general René Schneider, jefe del estado mayor, se negó a unirse a la intriga y fue asesinado.

Allende ganó la carrera final, tomó el poder y, con el apoyo del Congreso, puso en ejecución las leyes de expropiación. Aún peor, cambió a sectores principales de la economía a la propiedad del Estado. La Gran Bretaña y Francia podían cometer socializaciones impunemente, pero en América Latina estaban estrictamente prohibidas. Nixon y Kissinger, que también estaban aguantando muchas bromas de los muchachos de Anaconda e ITT, que poseía el sistema telefónico de Chile, redoblaron sus esfuerzos. Finalmente, en septiembre de 1973, obtuvieron éxito. Allende fue derrocado y asesinado. El general Augusto Pinochet, su sucesor, era una reversión a los caudillos de los treintas que admiraban a Hitler y a Mussolini. Pinochet ejecutó a cientos de izquierdistas y encarceló a miles. No obstante, incluso a él le faltaba la desvergüenza de devolver el cobre, aunque se lo pagó generosamente a los antiguos dueños.

Con tantos acontecimientos, casi no era de sorprender que al parecer Nixon y Kissinger no objetaran ni se dieran cuenta siquiera, del resultado de la elección presidencial en El Salvador en febrero de 1972. El gobierno militar robó la victoria a un demócrata cristiano llamado José Napoleón Duarte. La renuncia, en septiembre de 1972, del presidente del Comité Inter-Americano para la Alianza para el Progreso, Carlos Sanz de Santamaría, de Colombia, tampoco dio lugar a comentarios. De hecho, no apareció ni siquiera en los periódicos hasta que un funcionario de la campaña para la presidencia del senador George McGovern, la sacó a lucir unas semanas más tarde. Sanz afirmó que la alianza estaba estancándose y que continuaría haciéndolo hasta que aceptara "una pluralidad de ideologías" en el hemisferio.

Para entonces, en todo caso, el periodo de 10 años en el cual la alianza debió haberle dado la vuelta a Latinoamérica había terminado, y no había sucedido casi nada. El fracaso de un programa de Kennedy no pudo haber afligido mucho a Nixon, pero aun así no era motivo de aplausos. Se permitió que la alianza dejara de funcionar en silencio, y sus programas fueron transferidos a la Agencia para el Desarrollo Internacional.

No hubo autopsia pública, pero las causas del fracaso de la

alianza parecían bastante claras. El plan fue apresuradamente diseñado por miembros menores del equipo de la Casa Blanca, ninguno de los cuales sabía mucho acerca de Latinoamérica. Las metas de la alianza eran, por mucho, demasiado ambiciosas. Con una o dos excepciones, las naciones de América Latina no abrigaban intención de intentar siquiera poner en ejecución las reformas domésticas que concebía, y no se hizo mucho para movilizar el apoyo del Congreso o del público estadounidense. (James Reston, el eminente columnista, escribió una vez que los estadounidenses harían cualquier cosa por Latinoamérica menos leer acerca de ella. Es un apotegma gracioso, pero sólo cierto a medias. Tampoco harán nada). Finalmente, el asesinato de Kennedy dejó a la alianza sin su creador justamente cuando estaba poniéndose en marcha. Resulta dudoso que hubiera mantenido su interés en Latinoamérica. Ningún presidente, desde Theodore Roosevelt, ha sido capaz de ello, y el interés principal de éste radicaba en el canal de Panamá antes que en la tierra seca de ambos lados del mismo.

Durante 450 años o más, la Iglesia Católica Romana había aconsejado a las multitudes desdichadas de Latinoamérica la necesidad de la sumisión a la autoridad temporal y espiritual, la aceptación paciente de lo inescrutable de los designios de Dios, y la certeza de la recompensa o el castigo en el más allá. No obstante, en 1968, en un discurso pronunciado en Bogotá, el Papa Pablo VI declaró: "Deseamos encarnar al Cristo de un pueblo pobre y hambriento". Fue una aserción revolucionaria y ha seguido reverberando a través de toda la región.

Pablo, que estaba realizando la primera visita papal a la América Latina, se inspiró en las encíclicas del Papa Juan XXIII, en el *Mater et Magistra* de 1961 y el *Pacem in Terris* de 1963, en las deliberaciones del Segundo Concilio del Vaticano, de 1962 a 1965, y en su propio *Populorum Progressio* de 1967. Estos documentos mitigaban las doctrinas rígidas y la disciplina de la Iglesia. Sobre todo, las encíclicas decían que la humanidad tenía el derecho inalienable de la justicia social de este lado del más allá.

Cuando habló en Bogotá, el Papa se encontraba en el camino a Medellín, en la meseta colombiana, para inaugurar una reunión de la Conferencia de Obispos Latinoamericanos. Los prelados podían concordar en que la Iglesia se hallaba en crisis en Latinoamérica, pero discrepaban en cuanto a la causa. Los tradicionalistas decían que era el materialismo y el comunismo ateísta. Los modernistas lo atribuían a la aceptación pasiva, por parte de la Iglesia, de la tiranía, la injusticia y la pobreza exagerada. Cualesquiera que fueran las razones, los resultados estaban a la vista. Más o menos la mitad de los 700 000 000 de católicos del mundo vivía en la América Latina, pero ni la décima parte de ellos jamás ponía el pie dentro de una iglesia, salvo para una boda o funerales. La pobreza y la piedad ya no se guardaban el paso. Un tercio de los hijos de Dios en Latinoamérica era desesperadamente pobre, y otro tercio del todo indigente. Debieron haber estado rezando de día y de noche pidiendo ayuda, pero no estaban haciéndolo, al menos no en la iglesia. El número y la calidad de los hombres y las mujeres que ingresaban en las órdenes sagradas habían bajado al punto de que misioneros extranjeros componían la tercera parte del clero. Muchas iglesias rurales recibían sólo visitas mensuales o incluso anuales de un cura. En tierras donde 100 años antes el culto protestante estuvo prohibido, las sectas evangélicas de Estados Unidos estaban ganando a millones de conversos. El catolicismo latinoamericano se había vuelto una cosa inconexa, un sepulcro blanqueado, gastado y corrupto, dominado por hombres ignorantes y estrechos de miras, que predicaban la perversidad de Lutero, Voltaire y Marx a ancianas encorvadas en sus catedrales que se convertían en polvo y que asiduamente servían a las pretensiones de codiciosos oligarcas y césares de aserrín.

Había excepciones, por supuesto: prelados y curas que se enfrentaban a gobiernos y terratenientes hostiles en beneficio de los desamparados. Notables entre ellos eran los cardenales Aloisio Lorscheider y Paulo Evaristo Arns y el arzobispo Dom Helder Cámara, todos ellos del Brasil, quienes habían argumentado persuasivamente en el Concilio del Vaticano que el catolicismo debía otra vez llegar a ser, como no lo era desde sus principios, una Iglesia de los pobres.

Con el impulso del Concilio del Vaticano, con el apoyo del Papa y con el control de la maquinaria de la conferencia, los prelados modernistas arrebataron el resto de la conferencia. Adoptó programas reformadores que trataban la educación, la organización de la clase obrera y la participación lega en los asuntos eclesiásticos. Bajo el influjo del *Pacem in Terris,* accedió a lo que en algunos aspectos era una crítica marxista del capitalismo y del imperialismo y, por inferencia, una defensa del socialismo. Los documentos de la conferencia proporcionaron el margen doctrinal de lo que llegó a conocerse como la Teología de la Liberación.

Un asunto de la mayor importancia, el control natal, fue omitido en el programa de Medellín. (La oposición de la jerarquía había también impedido su inclusión en la Alianza para el Progreso). A pesar de que una comisión de estudios del Vaticano había votado arrolladoramente por eliminar, bajo ciertas circunstancias, la prohibición de la Iglesia contra los medios artificiales de anticoncepción, la *Humanae Vitae* encíclica de Pablo la retenía. La decisión, que el Papa reconoció lo había atormentado, no fue provechosa para América Latina. Se había logrado un progreso económico considerable en la región durante los sesentas, pero fue borrado por el altísimo índice de natalidad. Al mismo tiempo, la agricultura estaba siendo mecanizada, obligando a millones de familias de campesinos a abandonar el campo y ocupar las barriadas pobres que se extendían por kilómetros alrededor de las principales ciudades. Las poblaciones se duplicaban cada 20 años, sin perspectiva remota alguna de obtener trabajos, escuelas o siquiera comida o agua. Las proyecciones para el año 2000 eran horripilantes.

Con la eliminación de Allende y el sosiego de Castro, Kissinger, quien siguió prestando sus servicios al gobierno del presidente Gerald R. Ford, estuvo en situación de volver su atención a otras partes con una buena conciencia, confiado en que la historia se mantendría inmóvil en Latinoamérica hasta que él tuviera la oportunidad de echar otro vistazo. No obstante, para principios de los setentas los años dorados del orden social estaban comenzando a desvanecerse. Dictadores militares gobernaban todas menos unas cuantas naciones. Se trataba con crueldad a la subversión izquierdista, lo cual incluía las elecciones faltantes. Los caudillos sabían que Estados Unidos no iba a objetar, no cuando estaba ayudando a entrenar a los expertos contrainsurgentes, pero no reconocieron el nuevo espíritu que animaba a sus opositores.

En el discurso de su toma de poder en 1977, Jimmy Carter declaró: "Nuestro sentido moral dicta una preferencia inequívoca por las sociedades que con nosotros comparten un respeto constante a los derechos humanos individuales". En su primera alocución ante las Naciones Unidas dijo: "Todos los firmantes de la carta de las Naciones Unidas han prometido observar y respetar los derechos humanos fundamentales. Por lo tanto, ningún miembro de las Naciones Unidas puede alegar que el maltrato de sus ciudadanos sea únicamente de su propia incumbencia".

Los presidentes estadounidenses llevaban años diciendo lo mismo, pero siempre estuvieron refiriéndose a Rusia, a Europa oriental, Viet Nam, Cuba, etcétera, no a Irán, África del Sur, Filipinas, Corea del Sur ni a las dictaduras de Latinoamérica. Se habían adjudicado certificados de democracia honoraria a estos países y otros en los cuales no florecían los derechos humanos. Algunos eran aliados de un tipo u otro. Otros estaban situados estratégicamente o, como China, tenían enemigos comunes con Estados Unidos.

Carter se persuadió de que tales distinciones eran hipócritas y, a la larga, contraproducentes. Las celdas de prisión comunistas y anticomunistas tenían el mismo aspecto por dentro. Estados Unidos, pudo haber pensado, tenía el deber moral de tratar de incrementar la cantidad total de libertad existente por todo el mundo, antes que en partes escogidas del mismo. El asunto podía incluso argumentarse, según términos de un estrecho egoísmo nacional. Como aliados, otras democracias probablemente fueran más confiables que dictaduras. El problema era que, aparte de Estados Unidos, la Comunidad de Naciones Británicas, Europa occidental y el Japón, no había muchos países en los cuales se le permitiera a la gente reunirse para maldecir al gobierno y todavía menos que se le diera una oportunidad honesta para cambiarlo en las urnas electorales. Además, los países más deficientes en cuanto a derechos humanos, como en América Latina, también eran los menos probables en modificar sus costumbres.

Denodados, los afanosos jóvenes activistas que se unieron a la División de Derechos Humanos del Departamento de Estado viajaron velozmente de país en país, haciendo sus estudios y publicando sus condenas. El Salvador, donde se había privado a los demócrata cristianos de otra elección presidencial en 1977, y Guatemala, donde la presidencia había sido sustraída al mismo partido en 1976, así como Argentina, el Brasil y Uruguay, figuraban entre las primeras naciones a las que se advirtió que la ayuda sería suspendida si no realizaban reformas. Como era de esperarse, indicaron a Estados Unidos que se quedara con la ayuda, que no ascendía a mucho, y continuaron imponiendo el orden público como siempre lo habían hecho.

La cuestión de Nicaragua acosó a Carter durante todo su periodo de gobierno. El país estuvo gobernado por la tiranía de la familia Somoza por más de 40 años. Cuando, finalmente, fue derrocada en julio de 1979 y Anastasio Somoza huyó a Miami, Carter fue censurado por los conservadores por haber negado la ayuda que pudo haber salvado a uno de los anticomunistas más consagrados del hemisferio, y por los liberales por haber hecho muy poco para sacar a Somoza. El problema era que nadie sabía si los jefes del Frente Sandinista de Liberación Nacional, que eran marxista-leninistas, cumplirían su promesa de libertades democráticas y un pluralismo económico cuando ocuparan el poder. Para cuando Carter dejó la presidencia, empezaba a parecer que no lo harían.

Las ondas de choque causadas por la caída de Somoza radiaron con mayor fuerza en El Salvador. En octubre de 1979, unos jóvenes oficiales y personas civiles de simpatías centristas y de izquierda moderada, derribaron a un gobierno militar poco popular. No obstante, la oligarquía del país, apoyada por oficiales de derecha, fue capaz de impedirles que llevaran a efecto su programa de reforma. Entonces las fuerzas guerrilleras de la izquierda militante empezaron una insurrección. Como en Nicaragua, el gobierno de Carter tuvo dificultad en decidir de qué lado se encontraba. Se suspendió y reanudó y suspendió la ayuda, en un esfuerzo no del todo con éxito por influir en el gobierno salvadoreño. En enero de 1981, durante las últimas semanas de Carter en la Casa Blanca, los guerrilleros, armados al menos en parte de equipo que se les había llevado de contrabando desde Nicaragua, iniciaron una "ofensiva final". Temiendo que pudiera tener buen éxito, Carter restituyó la ayuda militar sin condiciones.

El único gran éxito del gobierno de Carter en Latinoamérica fue la ratificación del tratado del canal de Panamá y la promulgación de la legislación habilitadora, a pesar de la intensa oposición de la derecha republicana y de fuertes elementos en su propio partido. Algo tenía el canal que todavía estimulaba regocijo en los estadounidenses. La participación de S. I. Hayakawa, el renombrado semasiólogo, en el Senado de Estados Unidos, posiblemente hubiera pasado desapercibida a no ser por su oxímoron durante el debate sobre el canal. "Es nuestro, afirmó. Lo robamos honrada y abiertamente". No obstante, Ronald Reagan, cuyo pecho juvenil se había hinchado de orgullo cuando Teddy Roosevelt inauguró el canal, no consideró que el "regalo" del mismo fuera un asunto de risas. Encabezó la oposición antes de que tuviera lugar y basó su campaña por la presidencia sobre la misma cuestión después.

La Primera Conferencia Latinoamericana de Obispos desde Medellín se congregó en Puebla, México, en enero de 1979. Durante los once años intermedios, los conservadores habían recuperado el control de la burocracia y el orden del día de la conferencia. En todos salvo unos pocos países, los obispos conservadores determinaron la composición de sus delegaciones nacionales. El prelado de más alto rango en El Salvador, el arzobispo Óscar Arnulfo Romero, de San Salvador, considerado por sus colegas como un peligroso radical, no fue elegido. Asistió a la conferencia como representante de una organización lega, pero sin *status* oficial.

Juan Pablo II, quien fue elevado al papado sólo tres meses antes, hizo su primer viaje al extranjero para asistir a la reunión. Su discurso ante la conferencia parecía ser un rechazo inexorable al activismo implícito en la Teología de la Liberación. "Ustedes no son instructores políticos o sociales", declaró el Papa contundentemente. Condenó la representación de Jesucristo "como una figura política, un revolucionario, el hombre subversivo de Nazaret".

Pero cuando su gira triunfal por México lo llevó al Sur, de gran pobreza, la sección del país que más estrecho parecido tenía con la América central, según *Cry of the People* de Penny Lernoux, desechó los discursos preparados para él por sus consejeros conservadores. En Oaxaca, un estado en el cual las lenguas indígenas se hablan mucho más extensamente que el español, dijo a un enorme público: "Tiene el derecho de derribar las barreras de la explotación".

Dirigiéndose a los ricos, declaró: "No es correcto, no es humano, no es cristiano mantener situaciones tan claramente injustas. . . Si la Iglesia defiende el derecho legítimo de la propiedad privada, enseña con igual claridad que siempre pesa una hipoteca social sobre tal propiedad, que los bienes del mundo fueron destinados por Dios para el bien de todos. Y si el bien común lo requiere así, no cabe duda que la expropiación es la mejor medida".

Durante los años siguientes, sin embargo, el Papa pareció avanzar firmemente hacia la derecha. Aparentemente, decidió que la oposición al comunismo y la Teología de la Liberación, que al parecer inspiraba la revolución, eran incompatibles.

Aunque es posible que Ronald Reagan haya decepcionado a sus seguidores más fieles cuando entró en la Casa Blanca, en enero de 1981, por no enviar de inmediato a un cuerpo expedicionario para recuperar el canal de Panamá, dejó claro que no estaba preparado para retroceder ni un paso en otro lugar cualquiera de Centroamérica. Prometió proporcionar toda la ayuda necesaria a El Salvador y publicó la primera de muchas demandas de que Cuba y Nicaragua suspendieran los envíos de armas desde el bloque soviético a los guerrilleros ahí. El general Alexander M. Haig, Jr., su secretario de Estado, llegó a sufrir convulsiones de belicosidad. En una ocasión declaró: "La actividad cubana ha alcanzado un tope que ya no es aceptable en el hemisferio". Si continuaba, dijo amenazadoramente, "Se arreglará en su fuente".

Para Haig, el diminuto El Salvador adquirió la misma significación vital que Chile a principios de los setentas, cuando, como un mero coronel, era el lacayo de Kissinger en el Consejo Nacional de Seguridad. Fijando la mirada en un mapa de la región ladeado a cierto ángulo a la luz brillante del sol, pudo hacerse creer que El Salvador era ahora la pieza clave en el rompecabezas latinoamericano.

La ayuda militar del gobierno de Carter a El Salvador había incluido helicópteros, estrictamente para el transporte, antes que para propósitos de ametrallar, según se decía. Diecisiete militares, instructores de vuelo y de mantenimiento, arribaron con ellos. Reagan rápidamente aumentó esta misión de entrenamiento a 56 hombres, incluyendo a 15 miembros de las Fuerzas Especiales. El Pentágono subrayó que éstos no acompañarían a sus estudiantes en la batalla. Sugirió a la prensa que, por lo tanto, tal vez se describieran más exactamente como "entrenadores", lo cual tenía agradables alusiones a vestidores deportivos, antes que como "consejeros", que hacía recordar las tempranas fases de la complicación de Estados Unidos en Viet Nam del Sur.

En febrero de 1981, el Departamento de Estado publicó una "Hoja Blanca", en efecto un folleto propagandístico, *Communist Interference in El Salvador* ["La interferencia comunista en El Salvador"]. Aseveraba que "durante el año pasado la insurrección en El Salvador se ha transformado progresivamente en otro caso de agresión armada indirecta contra un pequeño país del Tercer Mundo por potencias comunistas que obran a través de Cuba".

Lo que la teoría de la agresión armada indirecta implicaba era que una insurrección en la cual cualquiera de los jefes fuera comunista de uno u otro tipo sería juzgada como bajo el control soviético y que Estados Unidos se reservaba el derecho de oponerse a ella por todos los medios a su disposición. La "Hoja Blanca" no mencionaba la Doctrina Monroe ni su Corolario de Roosevelt, casi nadie lo hizo, pero parecía bastante claro que ambos seguían en vigor. Tuvieron lugar intervenciones en Latinoamérica durante cuatro de los siete periodos de gobierno desde la Segunda Guerra Mundial. Podía razonablemente suponerse que el único motivo por el cual Truman y Ford no habían hecho nada, era porque no había nada que necesitaran hacer. De hecho, el gobierno de Carter fue único en haberse abstenido de intervenir en Nicaragua del lado del anticomunismo.

5

EL MÁS PEQUEÑO DE TODOS

NO LO OÍ una vez sino 50: que la gente de El Salvador era la más lista y vigorosa que podía hallarse entre el canal de Panamá y el río Bravo, y posiblemente más allá de éste. Por supuesto, siempre se lo oí a salvadoreños, pero eso no anula la proposición. La teoría es que, para sobrevivir y prosperar, las pequeñas naciones tienen que ser más astutas que las grandes. Puesto que El Salvador, indudablemente, es el país más pequeño de la Tierra Firme del hemisferio y, hasta hace unos cuantos años, en todo caso, poseía más que su cuota de riqueza, se puede considerar que el caso está probado. (Si de este libro se hiciera una película, Herve Villechaize, el diminuto ayudante de Ricardo Montalbán en la serie de televisión *La isla de la fantasía,* sería el más apropiado para el papel de El Salvador).

Como evidencia de apoyo, los salvadoreños señalan que, mientras su país ha tenido su parte de golpes de Estado, rebeliones y guerras, sólo una vez cargó con el gobierno de un caudillo que repetidamente se ha impuesto a Guatemala, Nicaragua y Honduras por décadas a la vez. Permitió que los extranjeros construyeran y fueran los dueños de sus ferrocarriles y servicios públicos por un tiempo, pero nunca les vendió ni un metro de tierra agrícola. Cuando pidió prestado en el extranjero, lo hizo con discreción y casi siempre pagó sus deudas a tiempo. Como resultado, nunca sufrió el oprobio de contar con los infantes de marina estadounidenses como huéspedes no invitados. En los cincuentas y los sesentas del presente siglo, cuando El Salvador emprendió la manufactura ligera, empezó a llamarse el "Taiwán de Latinoamérica", el único país donde "mañana" realmente significaba eso.

La oligarquía salvadoreña afirma que quizá sus miembros han sido siempre demasiado listos y eficaces para su propio bien. Constituye un artículo de fe entre ellos que el Kremlin echara una mirada maléfica sobre su pequeño paraíso en una época tan remota como los veintes. (A menudo se hace referencia a la oligarquía como "los catorce", las 14 familias, un término que posee el timbre de la historia, pero que al parecer fue utilizado por primera vez por la revista *Time* apenas en 1958. Muchos se han casado entre ellos a través de dos o tres generaciones, y su número se acerca más a 100 que a 14).

Según esta interpretación, Stalin y sus esbirros decidieron que la existencia de El Salvador, donde los campesinos pasaban la recolección del café cantando y bailando, quitaba toda significación a las doctrinas dc Marx y de Lenin. Por ese motivo, lo eligieron como el lugar para estimular lo que la oligarquía describe como el primer levantamiento armado comunista del hemisferio. Al cabo de años de preparación finalmente estalló, en enero de 1932. El Salvador halló un jefe capaz de habérselas con la tarea en Hernández Martínez, y sofocó la rebelión con toda la severidad necesaria. Pero los comunistas tienen buena memoria, dicen los oligarcas, y nunca dejaron de maquinar contra el país que los había humillado. Casi 50 años más tarde, ayudados por las medidas descaminadas del gobierno de Carter y la traición de unos sacerdotes, atacaron de nuevo.

Un relato más objetivo, quizá, apuntaría quc después del derrumbe de los precios del café en 1929, la oligarquía utilizó su control del gobierno y de los bancos para exprimir a los pequeños terratenientes, que se habían extendido demasiado, y para agregar estas tierras, por ejecución de hipoteca y adquisición, a sus propiedades, ya muy grandes. No obstante, los desacuerdos, mayormente triviales y personales, dentro de la oligarquía produjeron un campo de cinco candidatos en la elección de 1931. El presidente del momento, el cual había sido insultado por la familia Quiñónez Meléndez, que lo había puesto en el poder, estaba tan enfadado que permitió una elección honesta. El resultado extraordinario fue la victoria de un socialista fabiano.

Se trataba de Arturo Araújo, miembro de una familia de terratenientes. Había estudiado ingeniería en Suiza y trabajado durante un tiempo en Inglaterra, donde tuvo lugar su conversión política. El corazón de Araújo estaba en el lugar indicado, pero era un mal administrador e incapaz de reunir la crueldad necesaria para hacerse obedecer en una parte del mundo en la cual las leyes y las constituciones no son acatadas. Esto sigue siendo, según Duarte averiguó, un impedimento constante para la reforma.

La oligarquía impidió, en un esfuerzo común, que Araújo lograse nada, antes que todo una reforma agraria, a la que él aspiraba. El tesoro estaba vacío y, siendo incapaz de pagar al ejército, perdió su apoyo. En diciembre de 1931, después de sólo seis meses en el poder, fue derribado. Su suplente fue el vicepresidente, Hernández Martínez, quien fue elegido de manera independiente. Un mes después de haber entrado en funciones, un levantamiento campesino estalló en la parte occidental del país. Entre los participantes había muchos de los 75 000 indios no asimilados del país. Al igual que los indígenas por toda Latinoamérica y en gran parte de Estados Unidos hasta tiempos recientes, eran los más pobres de los pobres. Los blancos y los mestizos de igual manera habitualmente se referían a ellos como "chanchos", o cerdos.

El hombre que ha pasado a la historia como el organizador y el jefe de la rebelión es Agustín Farabundo Martí. Entregó la hacienda que había heredado a sus obreros, luchó brevemente con Sandino en Nicaragua y fundó el partido comunista de El Salvador. No obstante, también se ha argumentado que el papel de Martí y de su puñado de seguidores es exagerado por históriadores izquierdistas y que fueron las cofradías, las hermandades indias, las que originaron el levantamiento. En todo caso, Martí y sus dos asociados más cercanos, detenidos con documentos incriminadores en su posesión, ya se encontraban en la cárcel cuando comenzó la rebelión. Permanecieron ahí hasta que fue aplastada y la represalia, que los salvadoreños llaman "la matanza", había empezado. Entonces fueron sacados y fusilados.

Como Thomas P. Anderson lo apunta en *Matanza,* su estudio de la revuelta y las secuelas, la rebelión se extendió de pueblo en pueblo como un reguero de pólvora. Una turba de unos 1 000 campesinos descalzos y medio muertos de hambre, la mayoría de ellos indios, marchó a Sonsonate, el mercado más cercano. Unos cuantos portaban armas de fuego, pero el resto sólo contaba con sus machetes de hoja ancha y filosos como navajas. Algunos miembros de la pequeña guarnición de Sonsonate se amotinaron. Cuando llegó la multitud, arrolló a las tropas leales. Hubo muertes, y el pueblo fue saqueado. Poblaciones ubicadas entre Sonsonate y San Salvador se unieron al levantamiento. Se formó otro tropel y caminó dispersado hacia la capital.

Hernández Martínez asumió el mando del ejército, que probablemente no consistía en más de 500 hombres y unas cuantas ametralladoras. Expulsó a los rebeldes de Santa Tecla, ocho kilómetros al oeste de San Salvador, y avanzó rápidamente sobre Sonsonate. Los campesinos se esparcieron a sus pueblos y de ahí a los montes. Al cabo de una semana se habían suspendido los combates. La matanza comenzó y continuó por más de un mes. Los terratenientes y sus vasallos vagaron por la mitad occidental del país, matando conforme avanzaban. La vestimenta o la lengua india tradicional era juzgada como una señal de complicidad, y se considera que la matanza produjo la disolución final de la sociedad india en El Salvador.

Cuando estalló la rebelión, informes alarmistas indujeron a Estados Unidos y el Canadá a enviar buques de guerra a las aguas salvadoreñas. Sus capitanes tenían órdenes, según Anderson, para desembarcar a los infantes de marina, si así lo requería Hernández Martínez, a fin de proteger las vidas y propiedades de extranjeros. Para cuando llegaron, él se encontraba en situación de rehusar la oferta con agradecimiento. Afirmó que el levantamiento había sido aplastado y 4 800 traidores "liquidados". En ausencia de crónicas adecuadas, Anderson estima el total de los muertos entre 8 000 y 10 000. La derecha comúnmente acepta la cifra de Hernández Martínez, mientras la izquierda prefiere la versión comunista oficial de 30 000. Los rebeldes, según el gobierno, mataron a 35 civiles y a 30 soldados y policías.

Hernández Martínez se encontraba ya firmemente en el poder, más firmemente de lo que pudo haber deseado la oligarquía. Suprimió los partidos políticos, exilió a los rivales potenciales, y gobernó por decreto. Desconcertó a la oligarquía distribuyendo lotes simbólicos de tierra en posesión del Estado a campesinos y quitándoles el poder para manipular la moneda. Se abandonó a sus excentricidades. Éstas incluían el espiritismo y una creencia en la reencarnación, que condujeron a que se le llamara "El Brujo".

Pareció que Hernández Martínez podría gobernar de por vida, pero en 1944 todo el mundo de súbito se había hartado de él. Hubo desórdenes que aumentaron hasta una huelga general. Las fuerzas armadas hicieron caso omiso de sus órdenes. Hernández Martínez se fue calladamente, pero sólo hasta Honduras, donde esperó una llamada a regresar. Nunca se produjo. Compró una hacienda y vivió sosegadamente hasta 1966, cuando fue asesinado por un empleado. Después de la deposición de Hernández Martínez, su jefe de policía, el coronel Osmín Aguirre Salinas, uno de los principales verdugos de la matanza, ocupó brevemente la presidencia. En 1981, fue asesinado de un balazo por asesinos izquierdistas al encontrarse delante de su casa con sus nietos. Los salvadoreños tienen buena memoria.

La farsa de una elección, ganada por un general, fue montada en 1945. Fue derribado en 1948 por un golpe realizado por jóvenes oficiales. Uno de éstos ganó la elección en 1950. Impuso un régimen duro. Fue derrocado por unos oficiales de conceptos reformistas. Éstos fueron suplantados al cabo de sólo un año en el poder porque, en el apogeo de la repentina prosperidad del café después de la guerra, cuando los cultivadores estaban ganando fortunas todos los años, decretaron un día libre con goce de sueldo para los obreros.

Durante la bonanza de los cincuentas, la creciente clase media del país cobró conciencia de su falta de poder político. Los desaires de los oligarcas y el ejército enfurecían a los médicos, los abogados, los contadores y los ingenieros. Según ellos veían la situación, el antiguo sistema de explotación y represión no podía seguir funcionando indefinidamente. Si no se hicieran reformas, con el tiempo se produciría una rebelión, y era probable que tuviera mayor éxito que la de 1932. Los oligarcas podían irse, pero la clase media no disponía de cuentas bancarias en Nueva York y Zurich ni de mansiones en Miami. La clase media halló un vehículo de reforma capitalista en el partido cristiano demócrata, que ya había sido trasplantado con éxito desde la Alemania occidental e Italia, Venezuela, Colombia y Chile.

En noviembre de 1960, unas cuantas semanas después de la elección de John F. Kennedy para presidente, ocho hombres fundaron el partido cristiano demócrata de El Salvador. Uno de ellos, José Napoleón Duarte, ingeniero civil y contratista que se había graduado de la Universidad de Notre Dame en Indiana, se convirtió en secretario general. En su primera declaración pública, el partido advirtió los peligros de la penetración comunista en el Caribe, pero también pidió la reforma agraria, mejores escuelas y cuidado de la salud, y una fijación equitativa de impuestos.

Los cristiano demócratas presentaron su candidatura por primera vez en 1962 y fueron eliminados. Dos años después fue diferente. Duarte fue elegido alcalde de San Salvador, y el partido ganó otras 36 alcaldías y 14 de los 52 escaños en la Asamblea, ocupando el segundo lugar sólo después del Partido de Conciliación Nacional, el PCN, que había dominado la política de manera tan cabal, desde el derrocamiento de Hernández Martínez, que se conocía como el "partido oficial".

Como alcalde, Duarte transformó un puesto principalmente ceremonial en un trabajo de tiempo completo. Puso en práctica sus teorías sociales formando 60 organizaciones de ayuda propia, la Acción Comunitaria, en los distritos más pobres de la ciudad. Instaló alumbrado público en toda ella. San Salvador no contaba con un poder independiente para recibir préstamos, de modo que Duarte persuadió al gobierno federal de que aprobara un préstamo de 6 000 000 de dólares del Banco Inter-Americano para el Desarrollo, a fin de construir nuevos mercados municipales. Puesto que también le faltaba la autoridad para imponer nuevos impuestos, se concentró en recaudar los atrasos que llevaba décadas amontonándose. En 1966, Duarte fue reelegido por una mayoría de dos por uno, y en 1968, de tres por uno. En dicho año los cristiano demócratas también pusieron a los alcaldes de 79 ciudades y pueblos, incluyendo Santa Ana y San Vicente, la segunda y tercera ciudad más grande del país. Aumentaron su representación en la Asamblea al punto que los partidos de minoría en conjunto poseían más escaños que el PCN.

Al empezar los cristiano demócratas los preparativos para la elección de 1972, en la que Duarte, evidentemente el hombre más popular del país, sería su candidato, el periodo de 25 años de paz y creciente prosperidad, al que el partido debía gran parte de su éxito, estaba llegando a su fin. Los precios del café, el algodón y el azúcar bajaron por el segundo año consecutivo. El auge había terminado. Peor aún, en 1969 El Salvador se halló, como resultado de un aflujo de patriotismo enfurecido al cerebro, en una guerra contra Honduras.

Para los estadounidenses, la causa inmediata del conflicto, el acosamiento del equipo nacional de futbol salvadoreño durante un encuentro en Tegucigalpa, preliminar a la Copa del Mundo, hubiera parecido absurdamente trivial. No obstante, en la mayor parte del mundo, el futbol es menos un deporte que una pasión nacional. En Latinoamérica, es menos una pasión que una obsesión. Además de eso, la cólera salvadoreña había estado fermentando por más de un año debido a un asunto mucho más importante. Éste era la expulsión de miles de salvadoreños que habían ocupado las tierras ociosas en las regiones fronterizas de Honduras. El gobierno hondureño afirmaba que necesitaba la tierra para distribuirla entre sus propios campesinos sin ella. Los salvadoreños opinaban de otro modo. Según ellos lo veían, los hondureños, que tenían más tierra de la que sabían aprovechar, estaban acerbamente celosos de los inmigrantes salvadoreños, cuya inteligencia, trabajo duro y economía habían hecho florecer áreas desoladas.

Se intercambiaron notas diplomáticas. Se hicieron y rechazaron demandas de disculpas y reparaciones. Hirvió la sangre salvadoreña, algo que sucede rápidamente en Latinoamérica. Las fuerzas armadas fueron movilizadas. Dos cabezas de ataque, compuestas de unas cuantas docenas de antiquísimos vehículos blindados y tanques ligeros y quizá 1 500 hombres cruzaron chacoloteando la frontera a Honduras. Cuatro días de combate intermitente, en el cual la mayoría de las bajas recaían en civiles, agotaron las capacidades militares de ambos bandos. Después de haber satisfecho el honor nacional con una penetración en la selva hondureña de 32 kilómetros en algunos puntos y la ocupación de unos cuantos pueblos, El Salvador aceptó encantado un cese al fuego y una retirada arreglada por la Organización de Estados Americanos. Honduras, que no tenía perspectiva de expulsar a los salvadoreños, accedió.

Los salvadoreños de todas las afiliaciones se habían unido tras la guerra. Duarte, los demócrata cristianos y las 60 asociaciones de Acción Comunitaria vitorearon tan fuertemente como otro cualquiera. Su entusiasmo por la guerra era en parte sincero y en parte una réplica a acusaciones de tener inclinaciones izquierdistas y pacifistas. Cuando terminaron los aplausos, El Salvador tenía una cuenta de decenas de millones de dólares por su momento de gloria. La Guerra del Futbol, como se llamaba, también arruinó, a grandes expensas de El Salvador, el Mercado Común Centroamericano. Honduras embargó las manufacturas salvadoreñas, para las cuales había representado el cliente más grande, y cerró la Carretera Panamericana a los envíos salvadoreños para Costa Rica y Panamá.

El diminuto partido comunista salvadoreño, que se había mantenido quieto desde la crisis de los misiles cubanos, también apoyó la guerra, una decisión que lo dividió. En 1970, Salvador Cayetano Carpio, el secretario general y un líder del sindicato de panaderos, renunció a manera de protesta. Formó las Fuerzas Populares de Liberación, las FPL, y pasó a la clandestinidad. Eso marcó el principio de la insurrección que para 1980 se había vuelto una contienda abierta.

Un mes antes de las elecciones municipales y de la Asamblea de 1970, los demócrata cristianos convocaron un congreso de reforma agraria. El espíritu orientador era Enrique Álvarez, un miembro de una familia de la oligarquía y el ministro de Agricultura. Para consternación de los grandes terratenientes, el coronel Fidel Sánchez Hernández, presidente de la república, asistió a las sesiones y no se manifestó públicamente en desacuerdo con la conclusión de que la reforma era perentoria.

El Salvador es la nación más pequeña de Latinoamérica, con un área de 21 400 kilómetros cuadrados, más o menos igual que la de Nueva Jersey, en Estados Unidos, pero desde los cincuentas su población se había incrementado a la velocidad de aproximadamente el 3 por ciento anual. Era ya, por mucho, el país más densamente poblado en Latinoamérica, más densamente poblado, para el caso, que China o la India, que siempre han sido prototipos de poblaciones apiñadas y prolíficas. La población de El Salvador entonces se ubicaba en 4 200 000, y desde esa época ha crecido, pese a la guerra, a 5 000 000 o más. Nueva Jersey también está más densamente poblada que la India, pero a diferencia de El Salvador, es predominantemente urbana y suburbana antes que agrícola.

El Salvador también sobresalía en primer lugar en Latinoamérica en su concentración de la propiedad de la tierra y su proporción de campesinos sin ella. Por otra parte, es posible que las estadísticas salvadoreñas fueran menos precisas que las de otros países. En todo caso, el 1 por ciento de la población poseía el 50 por ciento de la tierra, y para colmo la mejor, y el 2 por ciento contaba con el 60 por ciento. De la población rural, el 35 por ciento no tenía tierra en absoluto, ni en renta ni en propiedad, y trabajaba como jornalero o no trabajaba. De los que poseían o rentaban tierra, sólo el 4 por ciento cultivaba más de 4.8 hectáreas, el mínimo para la autosuficiencia de una familia. Además, el incremento de la población y la conversión de la tierra utilizada para maíz y frijoles, en pasto para ganado vacuno para carne, azúcar y algodón para la exportación aumentaban el número de campesinos sin tierra año por año. El producto nacional bruto de El Salvador aumentaba a una velocidad de más del 5 por ciento anual durante los sesentas, el doble de la meta fijada por la Alianza para el Progreso, y la distribución de las rentas mejoraron un poco en el sector industrial de la economía, pero en la agricultura, en parte debido al excedente de mano de obra, había empeorado.

Álvarez, que entregó su hacienda a los obreros para que la operaran como cooperativa, propugnó la adopción de una ley de expropiación que hiciera lo mismo con todas las grandes fincas del país. Otros delegados preferían dividirlas en lotes familiares. Sánchez Hernández y la Asamblea Nacional, bajo la intensa presión de la oligarquía, rechazaron ambas propuestas. En cambio, la Asamblea pasó una ley que ponía límites al tamaño de las propiedades que sacaban provecho de los proyectos públicos de irrigación. No tuvo casi nada de efecto en cuanto a la reducción del tamaño de los predios.

El congreso para la reforma agraria no ayudó a los demócrata cristianos en las urnas electorales. Sin Duarte, que había decidido prepararse para la elección presidencial de 1972 antes que buscar un cuarto periodo como alcalde, apenas lograron conservar a San Salvador. Perdieron 70 de sus 79 municipios y tres de sus 19 escaños en la Asamblea Nacional. Una excesiva confianza, el empeoramiento de la economía, el prestigio de los militares en el resplandor remanente de la Guerra del Futbol y con toda probabilidad algunas irregularidades en la cuenta de los votos, en conjunto, jugaron un papel en la derrota. No obstante, el partido estaba menos abatido de lo que pudiera estar, convencido de que Duarte encabezaría un retorno de ahí a dos años.

En febrero de 1971, un miembro de la familia más rica, y socialmente más eminente de El Salvador fue obligado a salir de su coche y secuestrado cerca de su mansión en Escalón. La víctima era Ernesto Regalado Dueñas. Las familias unidas (Dueñas era el apellido de soltera de la madre de Ernesto, que por lo general, aunque no invariablemente, se agrega al del padre) tenían vastas propiedades y se pensaba que controlaban hasta el 15 o 20 por ciento del comercio de la nación. Su riqueza era estimada en 500 000 000 de dólares. Tanto la familia Regalado como la Dueñas habían dado presidentes a la república. El padre de Ernesto era famoso por sus complicados festines y más de una vez había rentado aviones de líneas comerciales para llevar a sus invitados a España o al sur de Francia.

Ernesto dedicaba su tiempo completo a administrar los negocios de la familia. Llevaba una vida sosegadamente opulenta con su esposa, una estadounidense, y sus hijos. Los oligarcas representaban una presencia mayormente inadvertida en lo que atañía al resto de la población. Sus residencias en San Salvador a menudo ocupaban grandes manzanas enteras, rodeadas por altos muros de piedra o, en el montuoso Escalón o San Benito, se situaban tan arriba del nivel de la calle que resultaban invisibles tras una pantalla de árboles y arbustos.

Los secuestradores pedían un rescate de 1 000 000 de dólares. Ocho días más tarde, antes de que pudiera pagarse, el cuerpo de Ernesto Regalado Dueñas fue hallado. Estaba acribillado de balazos y mostraba señales de tortura. El secuestro-asesinato fue el crimen del siglo en el que todavía era un país relativamente pacífico. Siguió un gran número de otros secuestros de miembros de la oligarquía, hombres de negocios extranjeros y diplomáticos, a través de varios años consecutivos. A veces las víctimas aparecían ilesas, después de haberse pagado el rescate, y en ocasiones resultaban muertas o no aparecían.

No cabe duda de que grupos izquierdistas cometieron casi todos los secuestros, en algunos casos anunciando su responsabilidad, y que utilizaron el dinero de los rescates para comprar pertrechos para la próxima insurrección armada. No obstante, el rapto y asesinato de Ernesto Regalado Dueñas sigue siendo no sólo el primero, sino también el más enigmático de estos crímenes. Varios miembros de un grupo radical en la Universidad Nacional, el cual se había separado de los demócrata cristianos, fueron acusados del delito, pero sólo uno arrestado, y éste, con el tiempo fue absuelto.

A la cabeza de su defensa se encontraba Rubén Zamora, que entonces pertenecía al cuerpo docente de la universidad y que ahora sirve en la Comisión Diplomática del Frente Democrático Revolucionario-Frente Farabundo Martí para la Liberación Nacional, el FDR-FMLN, la organización que reúne a los insurgentes moderados y militantes.

—Fue asombroso —me dijo Zamora—. No había evidencia, y tuvimos un juez honesto y un jurado valeroso.

La familia Regalado Dueñas estuvo lo bastante escéptica respecto a la versión oficial de los acontecimientos para contratar a ex agentes del Departamento Federal de Investigación Criminal a fin de investigar el caso. El hermano menor del muerto, Raúl, publicó un folleto con un seudónimo, *The Regalado Case* ["El caso Regalado"], el cual complicaba al presidente Fidel Sánchez Hernández y al general José Alberto Medrano, quien tuvo el mando del cuerpo expedicionario en la guerra contra Honduras. Ernesto, según se apuntaba, encabezó un comité que reunió millones de dólares para la compra de nuevo equipo para las fuerzas armadas. No se dio cuenta de gran parte del dinero, y se decía que Ernesto había acusado al presidente, y posiblemente a Medrano, de haberlo robado. Raúl, que tenía antecedentes de drogadicción, se suicidó no mucho después. Su padre murió en 1974. La causa de la muerte fue dada a conocer como un ataque cardiaco, pero también se decía que se había suicidado.

Conforme se aproximaba la elección presidencial de 1972, resultó patente que en muchos aspectos sería una repetición de la de 1931. La economía estaba debilitándose, ejerciendo una tensión extraordinaria sobre el rígido marco político y social del país. Los demócrata cristianos, como se esperaba, nombraron a Duarte. Atendiendo a la teoría de que cada voto ayuda, formaron una coalición con dos diminutos partidos de la izquierda. Éstos eran el Movimiento Nacional Revolucionario, el MNR, el equivalente de los demócrata sociales de Europa, y la Unión Democrática Nacional, la UDN, el vehículo político del partido comunista. La UDN, puesto que estaba casi inactiva, todavía era tolerada por el gobierno. Guillermo Ungo del MNR, hijo de un fundador de los cristiano demócratas, se convirtió en candidato para la vicepresidencia.

La derecha política estaba dividida, como en 1931, esta vez en tres partes. Una apoyaba al PCN, el partido oficial, que nombró al coronel Arturo Armando Molina como candidato. Otra, compuesta principalmente de cultivadores de café, respaldaba a Medrano. Otra más, tan a la derecha que consideraba el PCN como socialista, favorecía a un abogado llamado José Rodríguez Porth. Diez años más tarde, se pensaba, generalmente, que Porth era el hombre que controlaba el partido de la ARENA de D'Aubuisson desde Miami.

Duarte emprendió una campaña extraordinariamente vigorosa

en cada rincón del país, en todos los 224 por 112 kilómetros del mismo. Continuó llevándola incluso después de que un asesino, apuntándole a él, dio muerte a su chofer. Duarte expuso el programa "comunitario": la planeación económica, la industrialización, asistencia a los pequeños negocios, y democracia. Prometió una reforma agraria, un salario mínimo forzoso, el derecho de formar sindicatos y mejorès escuelas y servicios de salud. Pronunció más de 600 discursos durante la campaña de tres meses. Trabajó arduamente para convertirse en el tipo de orador que a las multitudes salvadoreñas les agradaba escuchar: florido, emotivo y verboso.

Un salvadoreño, que entonces era admirador de Duarte, pero que ya no lo es, me indicó: "No sólo era un ganador, sino también una figura muy atractiva. A las mujeres, especialmente, les encantaba. Era apuesto y vigoroso. Todo el tiempo caminaba entre las multitudes, estrechando las manos y abrazando a los electores. Ninguno de los coroneles hacía ese tipo de cosas".

Sus opositores atacaron a Duarte, a los demócrata cristianos y a la coalición por comunistas que recibían órdenes de Fidel Castro. El PCN fue incapaz de adaptarse a tener una oposición seria, y los demás candidatos estaban compitiendo a manera de ejercicios. Molina, que fue secretario de Sánchez Hernández, visitaba las principales ciudades y poblaciones por helicóptero, pasaba la mayoría de las tardes en casa y las noches en su propia cama, y dejaba al partido conseguir el voto, pagar por él y contarlo.

* * *

La última oportunidad que quizá tuvo El Salvador para transformarse más o menos pacíficamente de una oligarquía administrada por los militares en una democracia que funcionara, se presentó y se fue con ese día de elecciones, el 20 de febrero de 1972. La concurrencia fue grande por todo el país, y ya nadie disputa seriamente el hecho de que Duarte ganó. No entró, sin embargo, en funciones. El gobierno, que controlaba el sistema electoral, permitió que se repartieran decenas de miles de boletas fraudulentas, sobre todo en el campo. Cuando el voto de San Salvador y de las otras ciudades principales, que apoyaba arrolladoramente a Duarte, mostró que estas precauciones habían sido inadecuadas, el gobierno dejó de anunciar los resultados. Las urnas electorales llenas, o "tamales", fueron llevadas a la sede de la Comisión Central de Elecciones en la capital. Ahí hubo suficientes recuentos creativos para dar la victoria a Molina por un estrecho margen.

Puesto que ninguno de los candidatos contaba con una mayoría, la decisión se tomó por voto de la Asamblea Nacional, que era controlada por el PCN. La Asamblea se reunió tres días más tarde, y mientras los miembros demócrata cristianos protestaban contra el fraude, declaró que Molina había ganado. Muchos de los colegas de Duarte pidieron que se negara a someterse a un robo tan descarado. Algunos lo instaron a convocar un paro general. Otros hablaron de tomar las armas. Duarte aconsejó paciencia y fe en el triunfo final del proceso democrático.

La cuestión todavía estaba siendo debatida cuando el 25 de marzo el coronel Benjamín Mejía, un oficial del ejército de reputación liberal, intentó su propio golpe. Como comandante de las barracas del Zapote, un recinto amurallado que ocupa un cerro con vista al Palacio Presidencial, se encontraba en una fuerte posición táctica. Mejía se proclamó mandatario del país, acribilló con fuego de artillería el palacio y las áreas cercanas, y arrestó a Sánchez Hernández, cuyo periodo de gobierno no vencía hasta el 30 de junio.

Duarte, que no se había enterado de lo que estaba preparándose, fue implorado para que apoyara a Mejía. Después de un examen de conciencia de varias horas, lo hizo, al menos hasta el punto de hacer una transmisión radiofónica, en la cual pidió a los escuchas que esparcieran clavos sobre las carreteras para impedir los movimientos de las tropas partidarias del gobierno. Para entonces los convoyes de las plazas fuertes distantes estaban ya entrando en San Salvador, y el golpe fue reprimido rápidamente.

Sánchez Hernández juró venganza. Mejía escapó de sus garras, hallando asilo con el nuncio apostólico, y recibiendo luego un salvoconducto a Costa Rica, de modo que se apoderó del desafortunado Duarte, de Ungo y de muchos de sus partidarios. Duarte fue golpeado mientras estaba detenido. Se le fracturaron la nariz y ambos pómulos. Fue acusado de alta traición, pero en lugar de un juicio o de una ejecución sumaria, fue deportado a Guatemala. De ahí se trasladó a Venezuela donde, bajo la protección del gobierno cristiano demócrata, pasó los siguientes siete años y medio como exiliado.

Pese a una protesta oficial hecha por los demócrata cristianos, Washington no tomó nota oficial de la elección robada. La cobertura por la prensa fue poco informativa. Un reportaje del servicio cablegráfico de noticias publicado en *The New York Times* describió a Duarte como "un político izquierdista" y sólo mencionó de pasada las acusaciones de fraude. El golpe fracasado de Mejía sólo mereció unos dos párrafos.

Después de cobrar conciencia de su impotencia absoluta, el centro político, que abarcaba desde la izquierda moderada hasta la derecha moderada, cayó en una larga decadencia. A no ser por la renuencia de la humanidad a abandonar sus ilusiones preferidas, el centro se hubiera desintegrado de inmediato. Por primera vez la izquierda radical, cuya influencia nunca había llegado más allá del terreno de la Universidad Nacional, halló reclutas en los barrios pobres, las fábricas y el ambiente rural.

Nuevos líderes surgieron entre la izquierda, tan intoxicados como la extrema derecha por estrategias sangrientas e intransigentes. Muchos viajaron a Cuba para estudiar la insurrección. Se establecieron organizaciones rivales de las FPL de Carpio sobre la base de diferencias respecto a oscuros puntos de la teología comunista. Desde el principio, las FPL siguieron la estrategia de la "Guerra Prolongada del Pueblo", como proclamada por Mao Tsetung y Ho Chi-minh. Requería una organización y adoctrinamiento pacientes, el establecimiento de centros de poder en el campo, la obtención de influjo en los sindicatos, las escuelas y otras organizaciones, y el desarrollo de apoyo secreto en las fuerzas armadas y el gobierno. Sólo entonces, y sólo en situaciones en las cuales pareciera seguro el éxito, se desenvolverían los ataques inesperados, las emboscadas y las retiradas rápidas en contiendas abiertas, primero en la periferia y luego, conforme se desorganizaba el enemigo, en el centro de su poderío.

En 1971, la organización de militantes de la Universidad Nacional, la cual se llamaba "El Grupo" y que fue acusada del secuestro de Regalado Dueñas, se transformó en el Ejército Revolucionario del Pueblo, con ERP como siglas. Al cabo de unos años se dividió en dos facciones. La una, encabezada por Joaquín Villalobos, quien todavía tiene su mando, prefería intrépidos golpes "insurgentes" al corazón del gobierno. La otra, uno de cuyos líderes era Roque Dalton, un poeta y polemista que regresó a El Salvador en 1973, después de 13 años de exilio en Cuba y Europa, apoyaba la estrategia de Carpio.

La disputa hirvió lentamente hasta 1975, cuando la facción de Villalobos acusó a Dalton de ser un espía para la CIA. Dalton y otro hombre fueron asesinados, según se dice por Villalobos mismo. Las obras literarias de Dalton y su larga residencia en Cuba y la Europa oriental habían hecho de él, en casa y en el extranjero, la figura más sugestiva de la revolución. Su asesinato por los propios camaradas fue un motivo de considerable vergüenza. Entonces, la facción de Dalton abandonó el ERP para formar las Fuerzas Armadas de Resistencia Nacional, o FARN. El número total de miembros de los tres grupos probablemente ascendiera a unos cientos, y ninguno fue capaz de obtener un apoyo popular significativo hasta que el gobierno respondió a los secuestros y bombardeos con el uso indistinto de contraterror.

Durante sus primeros meses en funciones, Molina realizó los gestos rituales de conciliación, decretando un salario agrícola mínimo de 1.10 dólares al día, que los propietarios generalmente pasaban por alto, y estableciendo el Instituto Salvadoreño de Transformación Agraria, el ISTA, para llevar a efecto una reforma agraria ampliamente divulgada. Ésta resultó en la venta de unas cuantas miles de hectáreas de tierra en posesión del gobierno. La supresión de la izquierda fue emprendida con más entusiasmo. Se impuso la ley marcial. Cientos de personas, muchas más, con toda probabilidad, que los miembros de todos los grupos subversivos en conjunto, fueron encarceladas sin juicio. La Universidad Nacional, la cual se sospechaba que era, y es probable que correctamente, un foco de traición, fue cerrada después de una batida realizada por las fuerzas de seguridad, en la cual murieron 50 estudiantes. Conforme se hacían más frecuentes las huelgas y las manifestaciones, también lo llegaba a ser la matanza de los participantes. A los escuadrones de la muerte, compuestos de policías fuera de servicio y de pistoleros independientes, fue concedida una temporada de caza libre de todo el año sobre sospechosos de izquierda.

Duarte estaba todavía en el exilio cuando llegó la elección presidencial de 1977. Los demócrata cristianos, desorganizados y divididos acerca del asunto de presentar siquiera a un candidato, eligieron, finalmente, a un oficial del ejército que no era un miembro del partido. Se trataba del coronel Ernesto Claramount, quien comandó un batallón blindado en la Guerra del Futbol. Lo que lo recomendaba, aparte de conceptos reformistas, era el hecho de que difícilmente se le podía acusar de ser comunista. El candidato del PCN era el general Carlos Humberto Romero, quien fue ministro del Interior de Molina. (La constitución salvadoreña, como otras muchas en Latinoamérica, prohíbe que un presidente gobierne durante periodos consecutivos. A diferencia de otros muchos artículos de dicho documento, éste ha sido observado sin excepción desde 1945).

El PCN arregló la elección todavía más abiertamente que en 1972. Para algunas secciones del país, los resultados oficiales no enumeran cifras. Claramount, al contrario de Duarte, por lo menos hizo algo. Él y algunos cientos de partidarios ocuparon una iglesia y permanecieron ahí hasta que sus compañeros oficiales amenazaron matar a su familia. Se rindió y fue al exilio en Costa Rica. Al entrar en funciones, Romero ni siquiera observó las formalidades de portarse de manera conciliatoria. Al cabo de meses la represión se había vuelto tan salvaje y tan fortuita que El Salvador recibió la clasificación más baja en cuanto a derechos humanos de Amnistía Internacional y fue condenada por la Organización de Estados Americanos. El gobierno de Carter advirtió a Romero que se suspenderían las ventas de armas si no empezaba a mostrar más preocupación por sus ciudadanos. Romero simplemente comenzó a comprar en Europa.

Gracias a la represión de Romero, la izquierda empezó a atraer a partidarios. Tomaron la forma de lo que llegó a conocerse como "organizaciones de masas", comprendiendo grupos de sindicalistas, estudiantes, maestros, ocupantes de barrios pobres, campesinos y otros parecidos. Los curas destacaban entre los líderes. Para principios de 1979, afirmaban sumar un número total de 100 000 personas. Las organizaciones de masas proporcionaban los cuerpos vivos para las manifestaciones, las huelgas y otras ostentaciones de poder izquierdista, lo cual también significaba servir de víctimas fáciles a las fuerzas de seguridad.

Después del derrocamiento de la dinastía de Somoza en Nicaragua, en julio de 1979, el gobierno de Carter adoptó una política más dura contra El Salvador. Para entonces, Romero estaba perdiendo el apoyo de la comunidad de los negocios. Incluso algunos grandes terratenientes estaban preguntándose si resultaba prudente confiar su futuro a un gobierno que parecía empeorar cada problema. Incluso el ejército, particularmente los oficiales subalternos que todavía no perdían su idealismo juvenil, no estaban felices con Romero.

En agosto, al empezar a parecer inminente la caída de Romero, los demócrata cristianos y la izquierda no violenta, incluyendo al partido comunista y algunos elementos de las organizaciones de masas, formaron una coalición llamada el "Foro Popular". En octubre, un grupo de jóvenes oficiales pidió al coronel Adolfo Arnoldo Majano, quien era conocido como moderado, y al coronel Jaime Abdul Gutiérrez, que encabezaran un golpe. Romero se sometió sin luchar y se fue a Miami. Los dos coroneles invitaron a tres civiles a unirse a ellos con objeto de formar una junta. Dos de ellos, Guillermo Ungo, el compañero de campaña de Duarte en 1972, y Román Mayorga, el rector de la Universidad Centroamericana, eran líderes del Foro Popular.

La junta retiró o despidió a unos 100 oficiales de las fuerzas armadas y de la policía, que se pensaba tenían vínculos con la extrema derecha y los escuadrones de la muerte. La mayoría de ellos pronto fue restaurada, pero uno que no lo fue era Roberto D'Aubuisson, un mayor del servicio de inteligencia del ejército y protegido de Medrano. La junta también ordenó la dispersión de ORDEN, fundada por Medrano a principios de los sesentas. La sigla nominalmente representaba una fuerza policiaca rural auxiliar; también funcionaba como un grupo de vigilantes y de extorsión para cazar a los subversivos.

Un programa social amplio, progresivo y no del todo realista fue anunciado por la junta. Puesto que tanto progreso era inminente, dos de los cuerpos guerrilleros accedieron a una tregua de 30 días. La violaron unos días más tarde, cuando se supo que 300 prisioneros políticos, cuya liberación se había prometido, habían "desaparecido" de sus celdas. Se suponía que habían sido asesinados por las fuerzas de seguridad de Romero, pero se hallaron pocos cuerpos. También resultó que la junta, a pesar de incluir a los dos coroneles, no podía asumir el control de las fuerzas armadas ni poner en ejecución su programa por encima de la oposición de la oligarquía. El principal obstruccionista era el ministro de la Defensa, el coronel José Guillermo García. En diciembre, la junta lo despidió. García, apoyado por los comandantes de la Guardia Nacional y la Policía Nacional, permaneció en funciones.

En diciembre, cinco miembros del gabinete, incluyendo a Enrique Álvarez, el oligarca que fungía como ministro de Agricultura, renunciaron en protesta. Salvador Samayoa, el ministro de Educación, lo hizo en una conferencia de prensa. Terminó cuando unos guerrilleros enmascarados y armados entraron en la habitación. Samayoa se fue con ellos, diciendo que ya había pasado el tiempo de hablar. Unas semanas después, Ungo y Mayorga dijeron que ellos también renunciarían, si García no se hacía a un lado. García se negó a moverse, y el 2 de enero de 1980 tanto ellos como todos los demás miembros del gabinete, la mayor parte del subgabinete y varios jueces de la Suprema Corte abandonaron el gobierno.

Está aceptado, generalmente, que el gobierno de Carter, según afirmaba, no tuvo nada que ver con la expulsión de Romero aparte de mostrar su desaprobación hacia él. También hizo poco o nada para ayudar a la junta en su prueba de fuerzas con García. Majano y Gutiérrez nombraron a José Antonio Morales Ehrlich, que sucedió a Duarte como alcalde de San Salvador, y a Héctor Dada Hirezi, que fue ministro del Exterior, como los nuevos miembros de la junta. Ambos eran demócrata cristianos. Otros varios miembros del partido que abandonaron el gobierno junto con Ungo y Mayorga decidieron intentarlo de nuevo. Entre ellos se encontraban Mario Zamora, que volvió a ocupar su puesto como procurador general, y su hermano menor Rubén, el ministro de la Presidencia, o sea, de coordinación con los demás departamentos. Duarte, que había vuelto del exilio después del derrocamiento de Romero, quedó sin intervenir. Él y los líderes del partido concordaron en que sería el candidato presidencial en una elección que se esperaba tendría lugar al cabo de un año.

El mismo día que los nuevos miembros de la junta fueron investidos del cargo bajo juramento, los tres grupos guerrilleros y las organizaciones de masas establecieron un cuerpo conjunto de planificación llamado "Coordinación Político-Militar". El partido comunista, volviéndose militante tardíamente, se unió a ellos. Shafik Handal, el líder del partido, pronto se convirtió, debido a sus conexiones con el Kremlin, en una de las figuras más importantes. (Handal pertenece a una familia acomodada de comerciantes, de descendencia libanesa cristiana, una de muchas en Centroamérica que empezaron como buhoneros. De manera colectiva e incorrecta, todavía se hace referencia a ellos como "turcos").

En febrero de 1980, el grupo de coordinación organizó una marcha de protesta en el centro de San Salvador. Como de costumbre, la policía le disparó. El número de víctimas fue fijado entre 20 y 50, dependiendo de quién estaba contando, y el número de heridos en hasta 250. Tales sucesos tuvieron lugar muchas veces.

Los izquierdistas crearon a mártires, y la policía y las tropas tenían el placer de matar a balazos a los subversivos que no disponían de nada para devolver el fuego. Pocas noches pasaban en las cuales los escuadrones de la muerte no reclamaban al menos de cinco a diez víctimas. Durante las primeras 10 semanas de 1980, según la Comisión Salvadoreña de Derechos Humanos, 689 personas murieron, de las cuales todas menos unas cuantas eran izquierdistas y casi ninguna de los guerrilleros armados.

Más avanzado el mes de febrero, D'Aubuisson públicamente denunció a Mario Zamora, el procurador general, como miembro secreto del partido comunista. En sus esfuerzos por averiguar qué había pasado con los 300 prisioneros políticos desaparecidos, un tema acerca del cual es posible que D'Aubuisson haya sabido una o dos cosas, Zamora estaba enterándose de lo limitados que eran los poderes de investigación del funcionario legal en jefe del país. Dos noches más tarde, varios hombres se introdujeron a la casa de Zamora durante una reunión con cena. Pidieron a los hombres allí presentes que se identificaran. Cuando Zamora lo hizo, lo mataron de un balazo.

La policía seguía un procedimiento rutinario en tales casos; es decir, no hacía nada en absoluto. Luego Héctor Dada renunció a la junta. Rubén Zamora dejó el gabinete y formó el Movimiento Social Cristiano Popular, lo cual dividió lo que quedaba del partido demócrata cristiano. Washington fue asido por la ley de la gravedad diplomática. Es decir, su determinación de salvar a El Salvador del comunismo aumentaba en proporción con cada suceso que disminuía su posibilidad de hacerlo. El gobierno de Carter decidió que Duarte tendría que asumir un papel activo. En cambio, él exigió que se pusieran en ejecución inmediata las reformas, en primer lugar la reforma agraria, que los militares y la oligarquía habían estado obstruyendo durante años.

La embajada estadounidense indicó a García, y al resto de los coroneles de línea dura, que la aceptación de Duarte y su programa era el precio de la continuación de la ayuda. Aunque es posible que los coroneles hayan sospechado que Washington estaba simulando, eligieron a Duarte, razonando que podrían aprovechar para su propia ventaja la reducción del poder de la oligarquía. Por lo tanto, el 6 de marzo de 1980, inmediatamente después de que Duarte se unió a la junta, lanzaron tres decretos. El sistema bancario y la exportación del café, que eran manipuladas por la oligarquía en provecho propio, fueron nacionalizados. Más importante fue la expropiación de todas las haciendas de más de 500 hectáreas y su conversión en cooperativas operadas por los trabajadores. (Una hectárea equivale a 10 000 metros cuadrados, o 2.47 acres). Esto se llamó la "fase I" de la reforma agraria. En la fase II, para la cual no se fijó fecha alguna, habían de expropiarse las haciendas de entre 100 y 500 hectáreas. La fase III, que fue convertida en ley en abril de 1980, dio a los agricultores arrendatarios el derecho de comprar la tierra que rentaban hasta un máximo de siete hectáreas.

Dado que Luis Chávez y González, el arzobispo de San Salvador, acogía favorablemente las reformas propuestas en Medellín, no fueron pasadas por alto de manera tan total en El Salvador como en la mayoría de otros lugares de Centroamérica. Pero incluso con las bendiciones calificadas del arzobispo, sólo pocos curas, casi todos ellos misioneros extranjeros y, particularmente, los jesuitas, abrazaron la Teología de la Liberación. Según estos sacerdotes activistas, los pobres de las ciudades y del ámbito rural eran impotentes para mejorar su sino porque no estaban organizados. Puesto que los pobres no tenían experiencia para formar organizaciones y hacer protestas, los padres les ayudaban. Estas actividades establecían el contacto y a menudo la colaboración entre ellos y la izquierda militante. Se creó una comunidad de intereses. Los curas empezaron a considerar el conflicto, según términos marxistas, como resulta fácil hacer en Latinoamérica, donde los capitalistas, los imperialistas, sus lacayos y las masas en sufrimiento son retratados en imágenes gráficas e inconfundibles.

Cuando Chávez se retiró en 1977, el año en el cual la presidencia le fue robada a Claramount, fue sucedido por su obispo auxiliar, Óscar Arnulfo Romero. Los sacerdotes activistas temían que el nuevo arzobispo, a quien se conocía como tradicionalista, pudiera oponerse a ellos. Y es posible que lo hubiera hecho, pero tres semanas después de su elevación uno de los curas más distinguidos de su diócesis, el reverendo Rutilio Grande, y dos de sus parroquianos fueron asesinados. Grande, un jesuita, era el párroco de la iglesia en Aguilares, a unos 40 kilómetros al norte de la capital. Se había hecho de enemigos ahí por ayudar a organizar una huelga que tuvo éxito en un ingenio azucarero. Después de la muerte de Grande, los otros 54 jesuitas en El Salvador recibieron la advertencia de que también serían asesinados si permanecían en el país. La amenaza fue pasada por alto.

Romero se enfureció por el asesinato de Grande. Cerró las escuelas de la Iglesia durante tres días. En la recordación del "noveno día" de la muerte de Grande, se cancelaron todas las misas en el país excepto la suya. Romero también informó al presidente Molina que la Iglesia no tomaría parte en las actividades gubernamentales oficiales hasta que se "esclarecieran" las circunstancias de la muerte de Grande. Esto nunca se cumplió, y en el mes de julio de ese año, pese a súplicas y amenazas, el arzobispo se negó a asistir a la toma de funciones del presidente Romero, con el que no estaba emparentado.

Las denuncias de la represión gubernamental hechas por el arzobispo desde el púlpito se volvieron más frecuentes y despiadadas. La oligarquía y sus compañeros obispos, de los cuales todos menos uno se oponían a él, se quejaron en Roma de sus actividades "comunistas". Los inspectores de la Iglesia, llamados "visitantes apostólicos", llegaron a San Salvador. El nuncio apostólico, hablando en nombre del Papa, lo instó a bajar la voz. Cuando no lo hizo, fue llamado a Roma "para consultas".

En noviembre de 1978, otro sacerdote fue muerto a balazos bajo circunstancias que sugerían que estuvo acompañando a una unidad de las Fuerzas Populares de Liberación, el grupo de Carpio. Romero asistió al funeral. Al abandonar la iglesia declaró, según es citado en *Archbishop Romero: Martyr of Salvador* ["El arzobispo Romero: mártir de El Salvador"], del reverendo Plácido Erdozaín: "Cuando una dictadura viola seriamente los derechos humanos y ataca el bien común de la nación, cuando se vuelve insuficiente y cierra todos los conductos de diálogo, de comprensión o de lo racional; cuando esto sucede, la Iglesia habla del derecho legítimo de violencia insurrecta".

En marzo de 1980, al poco tiempo de regresar de la conferencia de Puebla, Romero, en su sermón dominical en la catedral de San Salvador, manifestó: "Quiero dirigir una súplica especial a los soldados, los guardias nacionales y los policías: hermanos, cada uno de ustedes es uno de nosotros. Somos el mismo pueblo. Los campesinos a los que matan son sus propios hermanos y hermanas. Cuando escuchen las palabras de un hombre que les dice que maten, recuerden, en cambio, las palabras de Dios: "No matarás". La ley de Dios debe prevalecer. Ningún soldado está obligado a obedecer una orden contraria a la ley de Dios. Es hora de que vuelvan a sus cabales y obedezcan a su conciencia antes de ejecutar una orden pecaminosa. La Iglesia, defensora de los derechos de Dios, la ley de Dios y la dignidad de cada ser humano, no puede permanecer en silencio en la presencia de tales abominaciones".

Romero sabía que las fuerzas armadas verían esta exhortación como lo que era: una incitación a la rebelión. Dos días más tarde, mientras celebraba una misa conmemorativa en la capilla de un hospital para pacientes de cáncer, un hombre con un rifle apareció en la entrada y lo mató de un solo tiro.

Muchos prelados extranjeros asistieron al funeral. Entre ellos se hallaba el presidente de la Conferencia Nacional de Obispos Católicos, que había apoyado a Romero. No obstante, sólo uno de los cinco obispos salvadoreños, el protegido de Romero, Arturo Rivera y Damas, se hallaba presente. Decenas de miles se reunieron en la plaza delante de la catedral para escuchar el rito por altavoces. Mientras estaba realizándose, se inició un tiroteo desde los edificios aledaños, y se hicieron estallar explosivos. Los más próximos a la iglesia trataron de forzar el camino hacia el interior. En la muchedumbre, un gran número de personas fue echado por tierra y pisoteado. Entre 25 y 100 personas, dependiendo, como de costumbre, de la fuente de la estimación, fueron muertas, por balazos o en la confusión.

La catedral neobarroca, donde Romero predicaba y donde está sepultado, se encuentra sin terminar y es probable que así se quede. Cuando la construcción comenzó, a finales de los cincuentas, la jerarquía contaba con la generosidad de la oligarquía, que se hallaba entonces en la cúspide de la riqueza y el poder político. No obstante, para los ricos de Latinoamérica, más marcadamente que en la mayoría de los lugares, la caridad empieza y termina en casa. Son los pobres los que siempre han apoyado a la Iglesia.

Al cabo de unos cuantos años, la construcción iba más lenta por falta de dinero. Para principios de los setentas ya se había suspendido. En ese punto, el arzobispo Chávez, lleno del espíritu de Medellín, anunció que los fondos disponibles, a partir de entonces, se gastarían "en la Iglesia antes que en iglesias".

Y así la catedral incompleta se eleva en el centro de San Salvador, un feo armazón gris de hormigón armado. Sin duda se vería mejor si se quitara el andamiaje de tubería de fierro, si se forrara, como estaba planeado, de piedra caliza por fuera y mármol por dentro, si las aberturas para las ventanas encerrasen vitrales en lugar de plástico corrugado translúcido, y si estuviera iluminada por candelabros antes que por tubos fluorescentes. No obstante, estos dispositivos cosméticos no lograrían ocultar el hecho de que la estructura es demasiado grande para el lugar y tan mal proporcionada que parece tanto restringida como cavernosa, inflada y opresiva. Se ha vuelto un símbolo del fin de la larga era "triunfalista" en la historia eclesiástica de Latinoamérica.

La Universidad Centroamericana fue fundada por la Sociedad de Jesús en 1965. Una vez más, la oligarquía apartó la mirada cuando se hizo la colecta. En efecto, la universidad no se hubiera construido en absoluto sin un préstamo a largo plazo y bajo interés del Banco Inter-Americano para el Desarrollo.

Los terrenos universitarios están ubicados sobre la alargada ladera de un cerro, en los suburbios de la capital. Simboliza la era de la renovación, de la cual hablaba Pablo VI, tanto como la catedral representa al pasado. Sus edificios, construidos de hormigón sin adornar, son de proporciones modestas y diseño armonioso: elementos geométricos sencillos vinculados por rampas cubiertas y pozos de escaleras cilíndricas abiertos. La religión forma una parte menor del plan de estudios, la mayoría de los profesores son legos y la gran mayoría de los 5 000 estudiantes reciben asistencia financiera. Al clausurarse la Universidad Nacional, se convirtió en la única institución importante de educación superior en el país. Parece haber poca actividad política, menos aún agitación revolucionaria, en la ciudad universitaria, teniendo los jesuitas más interés en mantener abierta la universidad que en utilizarla para promover teoría social o acción radical.

En mi primer viaje a El Salvador, en marzo de 1981, hablé ahí con un jesuita español. Era un hombre apuesto, de mediana edad, de frente ancha, ojos grises hundidos, una nariz recta y prominente y un mentón fuerte. Cuando habló fue con una ironía y furia tan deliberadas y elocuentes que sus palabras parecían como rayos y el estruendo de truenos.

Recordó que los jesuitas fueron expulsados de El Salvador en 1885 por fomentar la agitación demasiado vigorosamente contra las confiscaciones de las tierras de la Iglesia, pero que fueron invitados a regresar en 1916, para establecer una escuela de enseñanza media, el Colegio de San José.

—Quizá fue un error que lo hiciéramos puesto que resultó una escuela para los hijos de la oligarquía —afirmó—. En esos días nos agradaba demasiado sentarnos a las mesas de los ricos. Fuimos incapaces, en todo caso, de convertir a nuestros alumnos al verdadero cristianismo. Tal vez no lo lográsemos porque nosotros mismos no estábamos convertidos.

Se detuvo para encender otro cigarro, y le tembló la mano.

—Después del Concilio del Vaticano y de Medellín, la Iglesia pensó bien acerca de sí misma —declaró—. Reconoció sus errores y comprendió que su misión debía ser la promoción de la fe y de la justicia, y que es imposible separar las dos cosas. Primero la gente tiene que vivir, y sólo entonces ser cristianos. Por nacimiento y educación soy conservador, pero en mis 15 años en El Salvador me he radicalizado, aunque no me gusta este término. La línea divisoria, para mí, está en si uno tiene o no una sensibilidad humana. Le diré lo anticomunista que fui: *Lamenté* que la invasión a la Bahía de Cochinos no obtuviera buen éxito. Me sentí *feliz* cuando sus infantes de marina desembarcaron en la República Dominicana. Ni siquiera me molestó cuando Allende "se suicidó", según dijo su gobierno.

"Ahora me siento humillado al pensarlo —indicó—. Admito que estuve equivocado. Y le diré otra cosa. ¡Quisiera que los gringos fueran vencidos aquí! ¡No los llamaré «norteamericanos»: ¡Los llamaré «gringos»! Y le diré que la política del Departamento de Estado gringo está maldita. ¡Maldita! En español es una palabra muy fuerte. ¡La única más fuerte sería decir que todos son unos hijos de perra! Es cierto que apoyo a los pobres contra los oligarcas. Estoy en contra de la violencia, pero todavía más en contra de la violencia injusta. Hablé ayer con una monja en Chalatenango. Me dijo que siete guerrilleros que se rindieron bajo la amnistía fueron sacados de inmediato y fusilados. Si la solución a esto es el marxismo, que venga, antes de lo que hay aquí".

—¿Aunque significara —pregunté— la supresión de la Iglesia?

—Aun así —replicó—. ¿Qué se pierde? ¿La libertad de expresión? ¿La libertad de viajar? ¿La libre empresa? ¿Quién lo pierde? ¡Los campesinos no! —Se detuvo de nuevo, contemplando el techo a través del humo del cigarro—. Pero no creo que esto suceda —prosiguió—. Los más fuertes entre los grupos guerrilleros están en contra de los soviéticos. Lo que preveo para este país es un socialismo independiente como el de Polonia.

Esta conversación tuvo lugar, por supuesto, antes del ascenso y caída de Solidaridad y Lech Walesa.

En abril de 1980, la oposición moderada en El Salvador formó el Frente Democrático Revolucionario. Su presidente era Enrique Álvarez, el oligarca idealista. El Movimiento Social Cristiano Popular de Rubén Zamora fue un socio fundador. Más o menos al mismo tiempo, D'Aubuisson formó el Frente Amplio de Oposición, el cual representaba a la extrema derecha. En mayo, él y 20 aliados fueron arrestados por las tropas leales a Majano y la junta en una hacienda fuera de San Salvador. Se confiscaron documentos comprometedores, y fueron acusados de tramar un golpe. Los partidarios de alto nivel de D'Aubuisson impidieron su enjuiciamiento y pronto fue liberado.

Al mes siguiente las facciones guerrilleras, cuyo número aumentó de tres a cinco con la adición de las Fuerzas Armadas de Liberación, afiliadas al partido comunista, y el diminuto Partido Centroamericano de Obreros Revolucionarios, encabezado por un estudiante llamado Roberto Roca, formaron la Directiva Revolucionaria Unificada y anunciaron su alianza con el Frente Democrático Revolucionario de Álvarez. En este punto, incluso colectivamente, los guerrilleros no constituían una fuerza impresionante. Su poder combinado probablemente no ascendiera a más de 1 500. Estaban mal armados y entrenados, y habían participado en pocas luchas efectivas. Con todo, la directiva proclamó las áreas montañosas, cerca de la frontera hondureña, en las cuales habían establecido sus campamentos de base, como "el Territorio Libre de El Salvador".

El ejército salvadoreño por fin sabía dónde buscar. Las tropas invadieron el territorio libre, incendiando los pueblos y matando a cualquier cosa que anduviera sobre dos pies. En junio de 1980, un misionero católico de Brooklyn, el reverendo Earl Gallagher, informó que 600 campesinos desarmados, la mayoría de ellos mujeres y niños, fueron muertos al huir sobre el río Sumpul a Honduras. El gobierno salvadoreño al principio negó el informe, pero más tarde admitió que habían muerto 135 personas, que describió como guerrilleros y sus asistentes. Tales matanzas ocurrieron muchas veces durante los siguientes tres años.

En agosto, la directiva convocó a otro paro general, hubo uno en marzo, que inmovilizó al país durante dos días. En cuanto hubo terminado, atacaron los obreros de la electricidad, oscureciendo al país. Las fuerzas armadas se vengaron ocupando los terrenos de la Universidad Nacional y, según la izquierda, matando a 20 estudiantes. La universidad, a la que se le permitió abrir otra vez las puertas después del derrocamiento de Romero, fue cerrada de nuevo, y todavía no se volvía a abrir a fines de 1983.

Conforme avanzaba el año, el número de muertos se elevó a un promedio de 1 000 mensuales, una cifra terrible en un país de sólo 5 000 000. Tal vez el 5 por ciento, funcionarios de gobierno, miembros de las fuerzas de seguridad, sospechosos de delatar y otros semejantes, eran víctimas de la izquierda. Es posible que los homicidios apolíticos hayan constituido otro 5 por ciento. El restante 90 por ciento casi indiscutiblemente fue muerto por las fuerzas de seguridad, los escuadrones de la muerte y los militares. Efectivamente, las ocupaciones de los muertos: campesinos, estudiantes, maestros, sindicalistas, trabajadores religiosos legos, técnicos de la reforma agraria, miembros de las organizaciones de masas y sus familias, no dejaban lugar a dudas respecto a ello.

En noviembre, los líderes del Frente Democrático Revolucionario se encontraban reunidos en el Colegio de San José, de los jesuitas, cuando las tropas rodearon el edificio. Hombres enmascarados, vestidos de civil, entraron a punta de pistola y secuestraron a Álvarez y a otros cinco. Los cuerpos mutilados fueron hallados al día siguiente. Un grupo que se llamaba "Brigada Maximiliano Hernández Martínez", nombrado, por supuesto, por el líder de la matanza, se adjudicó la responsabilidad.

Robert E. White, el embajador de Estados Unidos, calificó los asesinatos de "un crimen abominable". Y así fue, pero más tarde me sorprendí preguntándome por qué todos esos izquierdistas moderados e incluso centristas, a los que no les podía quedar la menor duda respecto a que sus vidas siempre se encontraban en peligro, no portaban armas o buscaban a guardaespaldas dignos de confianza. No se les paga lo suficiente a los pistoleros en El Salvador, se dice que el salario normal es de 400 dólares al mes, para correr riesgos serios. También es posible que tenga algo que ver con el fatalismo, que fluye hondo en Latinoamérica, y con el haber crecido escuchando sermones acerca de las glorias del martirio.

Ungo fue elegido como el sucesor de Álvarez. Estuvo viajando por Estados Unidos y Europa en nombre del frente y se hallaba en Nueva York al suceder los asesinatos. No regresó a El Salvador sino estableció la sede del frente, con el permiso del presidente

José López Portillo, en la ciudad de México. Algunos de los líderes sobrevivientes del mismo, incluyendo a Rubén Zamora, se unieron a él ahí. Los que permanecieron en El Salvador pasaron a la clandestinidad. Más o menos al mismo tiempo, los cinco grupos guerrilleros sufrieron lo que resultó ser su último cambio de identidad, llamándose el Frente Farabundo Martí para la Liberación Nacional, conocido como el FMLN, a la vez que conservaban sus identidades y autonomía individuales.

El primero de todos esos miles de asesinatos que atrajo la atención prolongadamente en Estados Unidos tuvo lugar en diciembre de 1980. Cuatro mujeres estadounidenses, misioneras católicas, fueron secuestradas al trasladarse del aeropuerto internacional a San Salvador. Sus cuerpos fueron hallados dos días más tarde en sepulturas poco profundas. Tenían las manos atadas, se les había disparado a quemarropa y había indicios de que se había abusado sexualmente de ellas. Dos de las mujeres muertas, las hermanas Ita Ford y Maura Clarke, pertenecían a la orden de Maryknoll; una, la hermana Dorothy Kazel, era ursulina, y la cuarta, Jean Donovan, era una trabajadora lega.

Todas las circunstancias sugerían que el crimen había sido cometido por las fuerzas de seguridad o los escuadrones de la muerte. Carter, que había sido derrotado por Ronald Reagan un mes antes, de inmediato embargó los pertrechos de armas "letales" hasta que se arrestara a los asesinos. También envió a agentes del Departamento Federal de Investigación Criminal para asistir a la policía en el esfuerzo que estuviera realizando por encontrar a los asesinos.

Una semana después de las muertes, Duarte llevó a cabo una visita silenciosa a Washington. El 13 de diciembre, después de su regreso, la junta anunció que se había reconstituido. Duarte era ahora el presidente y el jefe del ejecutivo de El Salvador, y Gutiérrez, el vicepresidente. Morales Ehrlich continuaba como el tercer miembro. Majano, el coronel que estaba a favor de negociaciones con la izquierda, fue excluido. "El gobierno fue entregado a los civiles", declaró Duarte al entrar en funciones. No del todo. Pronto se puso de manifiesto que todavía no tenía control sobre las fuerzas armadas: la única autoridad que vale la pena tener durante una rebelión.

Unas semanas antes del viaje de Duarte, D'Aubuisson también

había visitado discretamente Estados Unidos. Se reunió con sus partidarios entre la oligarquía en Miami y luego siguió a Washington para conferencias con los miembros del equipo de transición de Reagan y con integrantes del personal de su gran patrocinador, el senador Jesse Helms de la Carolina del Norte. Era bueno conocer a Helms. Era el guardián de la conciencia conservadora de Reagan y estaba a punto de hacerse presidente del Subcomité de Asuntos Inter-Americanos del Comité de Relaciones Exteriores del Senado. Según dio la casualidad, D'Aubuisson entró y abandonó ilegalmente Estados Unidos. El embajador White dispuso la cancelación de su visa de múltiples entradas unos meses antes.

El 2 de enero de 1981, dos jóvenes especialistas en reforma agraria de la Agencia para el Desarrollo Internacional, Michael P. Hammer y Mark David Pearlman, estaban almorzando con el jefe del Instituto de Transformación Agraria, José Rodolfo Viera, en el café del hotel Sheraton. Dos hombres sacaron las pistolas, mataron a los tres hombres y partieron sin prisa por vía de la cocina. Ninguno de los muchos guardias del hotel los persiguió.

Después de una semana hubo que hacer a un lado estos asuntos. El 10 de enero, los líderes del Frente Farabundo Martí para la Liberación Nacional dieron una conferencia de prensa en la ciudad de México para anunciar que había comenzado la "ofensiva final". Uno de ellos declaró confiado: "Creo que el señor Reagan encontrará una situación irreversible en El Salvador para cuando llegue a la presidencia". Los rebeldes atacaron, y Carter levantó el embargo. Helicópteros, armas de infantería y municiones fueron llevados rápidamente a El Salvador para igualar el arsenal que Washington decía que las naciones comunistas estaban proporcionando a los guerrilleros. El ataque comenzó atrevidamente. Los guerrilleros ocuparon brevemente algunas áreas de las afueras de San Salvador y se abrieron camino luchando a varias ciudades capitales de distritos. Sin embargo, no ocurrió el paro general y el levantamiento popular que habían pedido. Al cabo de pocos días, comenzaron a escabullirse otra vez a los cerros.

El gobierno de Reagan entró en funciones al extinguirse gradualmente la lucha. De inmediato afirmó que "marcaría un límite" en El Salvador contra lo que describía como "actividad intervencionista" por parte de Cuba y la Unión Soviética, y envió a los 56 "instructores". El embajador White, que públicamente había criticado al equipo de transición de Reagan, los hombres que habían recibido a D'Aubuisson, por socavar sus esfuerzos por producir negociaciones, fue despedido.

6

EN CASA CON DUARTE

EL CLUB INTERNACIONAL DE PRENSA fue establecido en el hotel Camino Real en San Salvador, en marzo de 1981, mientras yo estaba alojado allí. A fin de marcar la ocasión, la gerencia del hotel proporcionó bebidas gratuitas. Fue un acto de generosidad tan completamente sin precedente en la historia del hotel que se paró el reloj del vestíbulo.

La fiesta llevaba una hora más o menos cuando Duarte llegó inesperadamente. Se encontraba en un estado de ánimo exaltado. Los guerrilleros estaban lamiéndose las heridas, la población había demostrado su lealtad al gobierno, y las armas y los consejeros necesarios para suprimir la rebelión estaban llegando con cada avión. Durante 40 minutos Duarte respondió, vigorosa, pero amablemente, a las preguntas. Cuando hubo terminado y estaba sorbiendo un escocés, me presenté, le dije que estaba escribiendo un largo artículo acerca de El Salvador para *The New Yorker* y solicité una cita.

—¿Qué le parece ahora? —preguntó—. Acompáñeme a mi casa.

Inquirí si podía invitar a dos colegas, y accedió. Abandonamos el hotel poco después de las 9:00 de la noche, en un convoy de tres sedanes y camionetas blindadas, escoltado por cuatro policías motociclistas. El toque de queda acababa de sonar y las calles bañadas por la luz de la luna estaban vacías y silenciosas. Los buenos ciudadanos estaban sentados tras las puertas cerradas con llave y las cortinas corridas, viendo los programas estadounidenses de entrevistas, doblados al español, o las telenovelas mexicanas en la televisión. En sus chozas, los pobres se acostaban sobre sus petates en la oscuridad y rezaban por vivir para ver la luz de la mañana.

Duarte vivía sobre una calle bordeada de árboles en Escalón. La casa se encontraba oculta tras un muro de ladrillos de cuatro metros y medio de altura, rematado con alambre de púas. Estaba iluminada por luces de proyector y guardada por soldados. Duarte nos condujo al interior, nos presentó a su esposa, una de sus hijas y unos nietos, y luego nos acompañó al patio. Era una vivienda agradable y amplia, pero sólo un humilde refugio en comparación con las mansiones de los oligarcas en los alrededores.

En esa época se había escrito poco acerca de Duarte, y no mucho desde entonces. Le pedí que empezara por el comienzo de su vida y que siguiera a partir de ahí.

—El comienzo es que nací en San Salvador en noviembre de 1925 —afirmó, al sorber un escocés y Coca que su ayudante militar le había servido—. Fui el segundo hijo. Mi padre provenía de un pequeño pueblo en Chalatenango. Era aprendiz de un sastre y recibía los boletos en un cine por la noche. Mi madre era —¿cómo se dice?— una *modista,* una costurera. Era de Santa Ana, en la parte occidental del país. Habían venido a San Salvador para forjarse una mejor vida. Se conocieron y se casaron. Para cuando yo nací, mi padre había abierto su propio taller de sastrería hecha a la medida. Estaba exactamente enfrente del Casino Salvadoreño, el mejor club de caballeros en la ciudad. Muchos de los miembros eran sus clientes. Sabían que sus trajes estaban hechos con la misma calidad que cualquiera que pudiesen comprar en Londres o en Nueva York.

"En 1928, mi padre fue elegido presidente de la Sociedad de Artesanos de San Salvador —prosiguió—. No era un sindicato, sino una asociación de artesanos. La sociedad era principalmente social y filantrópica, pero las condiciones eran muy malas en 1932, y los miembros decidieron respaldar a Arturo Araújo en la elección presidencial ese año. Cuando Hernández Martínez tomó cargo, arrestó a todos los partidarios principales de Araújo, incluyendo a mi padre. Cientos de ellos estuvieron en la cárcel durante semanas. Todos los días los guardias sacaban a un grupo de prisioneros y les decían que los fusilarían, pero sólo mataban a uno o dos y mandaban a los demás de regreso a sus celdas. Después de unas semanas de eso, mi padre y los otros que no habían sido fusilados fueron liberados. Trató de abrir otra vez su sastería, pero Hernández Martínez mandó a dos policías a colocarse en la puerta. Todo el mundo tuvo miedo de entrar. Mi padre perdió a su clientela y tuvo que volver a empezar desde cero.

"Lo que hizo fue que él y mi madre comenzaron a preparar dulces en una pequeña estufa en la cocina —continuó Duarte—. Dulces duros, melcocha, cosas así. Las envolturas tenían pequeños dichos o divisas. Nadie lo había hecho antes y vendían muy bien. Fue capaz de aumentar su capital poco a poco. Compró maquinaria para hacer dulces y contrató a gente para que trabajara para él".

A los padres les fue lo bastante bien para mandar a sus tres hijos, Rolando, que le lleva un año y medio, a José Napoleón, y Alejandro, al Liceo Salvadoreño, que era administrado por los Hermanos de la Santa Cruz y era el segundo en prestigio en la ciudad, después de la escuela jesuita.

—Estaba en el último año, en 1944, cuando el pueblo finalmente decidió que quería deshacerse de Hernández Martínez —afirmó Duarte—. Todo el mundo se declaró en huelga, y nosotros dijimos que también lo haríamos. Nuestros maestros nos advirtieron que si lo hacíamos nos castigarían, pero de cualquier modo proseguimos. Marchamos en las manifestaciones, y nada nos pasó. Mi padre, sin embargo, permaneció en casa. Declaró que estaba harto de la política.

"Nuestros padres tenían muchas ambiciones para nosotros —continuó Duarte—. Mi padre siempre decía: «Quiero que sean grandes hombres, que sobresalgan». Sabía que si uno quería ser alguien en nuestro mundo, en El Salvador, se tenía que aprender el inglés y estudiar en el extranjero. Quería que aprendiéramos algo acerca de las instituciones y los negocios estadounidenses. El rector del liceo dijo que pensaba que podríamos conseguir becas en Notre Dame. Rolando fue allí en 1943. Al año siguiente le seguí.

"Diré esto por Notre Dame: me enseñó a tener agallas. Rolando y yo no hablábamos ni una palabra de inglés cuando llegamos, de modo que tuvimos que estudiar lo doble. Al mismo tiempo, yo trabajé en la lavandería. Más adelante serví en la cafetería, y luego lavé platos. Me levantaba a las cinco de la mañana y me acostaba a medianoche. Incluso me sometí a las pruebas para el equipo de futbol de primer año. Había jugado futbol y basquetbol en el liceo, pero no futbol americano. Una razón por la que quería ir a Notre Dame era que el equipo de futbol solía aparecer en los noticieros que veíamos aquí. En todo caso, salí al campo y me lanzaron el balón. Lo atrapé y corrí como 20 metros, y luego —¡huum!— me pegó un tipo enorme".

Se dio un sonoro golpe con el puño en la palma de la mano para ilustrar su arrasamiento debajo de uno de los "tacles" de 100 kilos de la región del carbón en Pensilvania, a quienes los "Irlandeses Luchadores" solían reclutar.

—¡Buum! —repitió y se rió—. Ése fue el final de mi futbol.

Para colmo, Duarte tiene la figura de un jugador de futbol o de un obrero en una cervecería. Mide como 175 centímetros y pesa 86 kilos, de hombros anchos y un pecho profundo. Ha desarrollado una pequeña panza, que puede ser la razón por la cual usa guayabera, una fina camisa de mangas cortas que se viste fuera del pantalón. Su cabeza es grande y colocada sobre un cuello grueso. Tiene los ojos color café hundidos debajo de cejas pronunciadas hacia arriba. Posee una nariz espléndidamente arqueada y un mentón granítico con la insinuación de un hoyuelo. Sus pómulos son anchos y altos. Las heridas que sufrió en 1972 fueron corregidas por cirugía plástica. El cabello de Duarte todavía es grueso y negro azabache, y su piel tiene un muy débil lustre cobrizo. Casi todo salvadoreño posee al menos una pizca de sangre indígena y mientras, en general, la apariencia de Duarte es muy española, estos detalles sugieren que él probablemente también la tenga. Su inglés tiene un ligero acento y es idiomático, aunque a veces le hace falta buscar *le mot juste*.

Mencioné que en algún lugar había oído que su padre financió su entrada en el negocio de los dulces con un gran premio de la lotería nacional.

—No exactamente —replicó—. Ya se encontraba en el negocio de los dulces y le iba muy bien cuando ganó la lotería. Fue en 1944, el año que me fui a Notre Dame. Ganó 40 000 colones [como 16 000 dólares]. Entregó el boleto a su amigo más íntimo, José María Durán, y le dijo: "Toma, ve a cobrar el dinero por mí. Es mi nueva casa". Don José también era un muchacho pobre del campo. Empezó como carpintero y se convirtió en contratista de mucho éxito. También era mi suegro; él ya falleció. Cuando regresé de Notre Dame con mi diploma en ingeniería civil, me casé con su hija Inés y me asocié con él. Su familia vivió junto a nosotros durante todo el tiempo que estuve creciendo. Yo le llevo dos años a ella, de modo que, honestamente, puedo decir que la he conocido de toda la vida.

Si los hijos o los primos de la oligarquía hubieran sido ingenieros y contratistas, Durán-Duarte, como se llamaba la firma, hubiera estado construyendo gallineros, pero no lo eran, de modo que la compañía tuvo la oportunidad de obtener contratos importantes, y prosperó. Entre sus proyectos, indicó Duarte, se encontraba el Banco Central, una estructura de cinco pisos al estilo del Arte Nuevo; el hospital Bloom, una de las pocas instituciones caritativas sostenidas con donaciones privadas del país; y la catedral no terminada.

Duarte acostumbraba afiliarse a asociaciones y fomentarlas, y fueron sus actividades comunitarias, que de ningún modo se emprenden con la misma frecuencia en Latinoamérica que en Estados Unidos, las que con el tiempo lo llevaron a la política.

—Pertenecí a los Niños Exploradores, y sigo siendo un miembro del comité internacional de entrenamiento —afirmó—. Cuando entré a los Niños Exploradores, presté juramento, y me causó una gran impresión. Desde entonces no he dejado de interesarme por el servicio cívico. Antes fui miembro activo de la Cruz Roja, de la Sociedad Antituberculosis e incluso de los bomberos voluntarios. Viajé por toda Centroamérica fundando organizaciones locales para el Club Veinte-Treinta. Es como el Kiwani y los Rotarios, dedicados al servicio, pero para hombres de entre 20 y 30 años.

"Fue porque siempre he sido un hombre de conceptos y principios que decidí entrar en la política. Un día en 1960, me invitó un amigo mío a asistir a una junta de un grupo que discutía las doctrinas sociales de la Iglesia que podían hallarse en las encíclicas como *Rerum Novarum,* de León XIII. Empecé a comparar lo que estaba diciéndose con lo que yo creía y con lo que veía a mi alrededor. En este país, que entonces tenía una población de 3 000 000, menos de 100 000 personas gozaban de privilegio alguno. Había menos de 2 000 maestros en la nación entera. A partir de entonces, decidí formar una fuerza política que buscara una solución a los problemas del país.

Esta fuerza resultó ser el partido demócrata cristiano. Su modelo eran los partidos capitalistas reformistas de ese nombre que existían en la Europa occidental.

—Debe darse cuenta de que hasta entonces no había soluciones políticas, ningún partido político verdadero, en El Salvador, sólo golpes de Estado —indicó Duarte—. Los demócrata cristianos representábamos una solución electoral. Todos los intelectuales políticos decían que estábamos locos, pero decidimos tomar parte en las elecciones de 1962, contra la maquinaria entera del gobierno. Ellos recibieron 450 000 votos, nosotros 37 000. . . algo así. No nos rendimos. Seguimos trabajando y lo intentamos de nuevo en 1964. Ganamos 37 alcaldías, incluyendo San Salvador, donde yo gané por 500 votos.

"Hice cosas por el pueblo. Fui con la compañía de electricidad, que en ese entonces se encontraba en posesión de unos canadienses. Les dije que quería alumbrado público para todo el mundo, pues sólo lo teníamos en muy pocas partes de la ciudad. Les demostré cómo se lo podríamos pagar con los impuestos que estaba recaudando. Dijeron que no. De modo que fui con un amigo mío y le pedí que estableciera una fábrica para producir los postes y los accesorios. Cuando la compañía de electricidad vio lo que estaba haciendo, cambió de opinión. Cuando las luces entraron en servicio, la gente salió a las calles a bailar. Fue como una fiesta. Bailaron toda la noche. Las luces transformaron por completo la actitud de la gente. Después de eso, cada ciudad y todos los pequeños pueblos del campo también se pusieron a exigir alumbrado público.

"Quise construir un edificio central de mercado —prosiguió—. Nunca tuvimos uno. Cuando el gobierno nacional se enteró de lo que iba a hacer, me lo quitaron y lo hicieron ellos mismos, para tratar de obtener el crédito por ello. Lo mismo sucedió con la organización de Acción Comunitaria. Fui con la gente pobre. Le escuché. Traté de ayudar. Cuando el gobierno comprendió cuánto éxito tenía, lo convirtieron en parte de las funciones presidenciales y empezaron a hacer algo".

Este programa de descentralización de la autoridad, la creación de organizaciones de vecindario capaces de llevar a cabo proyectos de ayuda propia, es la base de la doctrina del comunitarismo que fue desarrollada por un filósofo chileno, Jaime Castillo. Duarte publicó un libro con ese título. Otro de sus exponentes es Luis Herrera Campíns, el presidente de Venezuela. En Estados Unidos, la junta del pueblo y la cooperación entre vecinos se remontan a los primeros inmigrantes de Inglaterra, pero el comunitarismo era una doctrina revolucionaria en Latinoamérica, donde el autoritarismo es mucho más común, corrupto y violento de lo que jamás ha sido en Estados Unidos, y donde está basado en lealtades familiares y personales. Desde los días coloniales, ha sido usual que un líder político local, o cacique, acceda a ser el padrino de un gran número, tal vez de cientos de niños. El padrinazgo establece una relación de patrón y cliente que a menudo continúa a través de generaciones.

—La pregunta es "¿Qué es una comunidad?" —continuó Duarte, al explicar el comunitarismo—. Una familia es una comunidad, pero un pueblo es sólo una zona a menos que los habitantes estén ligados entre sí en alguna forma. Si se proporciona las facilidades, de modo que la gente pueda unirse al tratar los problemas sociales, se ha creado una comunidad. La idea es que hagan todo lo que puedan y que dejen al municipio sólo los servicios, como la eliminación de la basura, y las inversiones de capital, como los mercados públicos o el alumbrado de las calles, que ellos no puedan realizar con eficacia o porque son demasiado caras.

"Revisé los libros, y averigüé que la familia Regalado Dueñas, la familia más rica del país, no había pagado sus impuestos de basura ni de agua en 30 años —afirmó Duarte—. Había muchas familias así. Fui a cobrarles —a veces lo hacía yo mismo— y utilicé el dinero para la acción comunitaria. Cuando les presentaba las cuentas, se enojaban mucho conmigo. Decían: «El señor Duarte sufrirá porque nos está *tocando*».

"Durante la campaña para mi segundo periodo de gobierno, Tomás Regalado [el padre de Ernesto] me invitó a su casa. Nunca había ido allí. Nadie que yo conociera tampoco. Estaban ahí tres o cuatro de los hombres más ricos de la ciudad. Me dieron una gran copa y conversamos durante un rato. Entonces, don Tomás me pidió que lo acompañara arriba. Dijo que quería enseñarme un cuadro, pero lo que quería era hablar conmigo acerca de cómo podía servirles a los oligarcas. ¿Cuánto pedía por renunciar y aceptar un trabajo con ellos? Lo que necesitara, me lo darían. Sólo pedían una cosa: que dejara la política. Contesté: «Gracias por la oferta, pero no. . .». Abandoné la casa y jamás regresé".

Al hablar de la elección de 1972, Duarte dijo, entre sorbos de otro escocés:

—Sabíamos que el partido oficial [el PCN] trataría de engañarnos, y lo hicieron, pero cometieron un error. Trajeron a expertos en el escrutinio, como ustedes los tienen en Estados Unidos. Los expertos dijeron que recibiríamos como 200 000 votos, de modo que calcularon su fraude con base en eso. Pensaron que 300 000 les darían una gran victoria. Pero nosotros obtuvimos 324 000, y tuvieron que dejar de contar los votos y regresar a todos los pueblos y las aldeas donde contaban con el control completo. Aun así sólo tenían 316 000, de modo que simplemente nos quitaron 9 000 y se los dieron a sí mismos. Cuando mi gente se enteró de lo sucedido, se reunió en las calles. Una palabra mía y hubieran incendiado la ciudad, pero les dije: «Creo en la democracia. No creo en la agitación ni en las soluciones violentas. Deben ser pacientes».

Duarte, obviamente, no disfrutó al hablar sobre el intento de golpe de Estado de Mejía. Una sombra le oscureció los animados ojos color café. Se mostró evasivo, nada característico en él, y en algunos puntos, inexacto en la descripción de su papel. La razón pudo haber sido que ahora estaba de acuerdo en que debió haber actuado de manera más resuelta.

—La policía violó el privilegio diplomático al arrestarme —afirmó Duarte—. Me sacaron arrastrando de la casa de un diplomático venezolano y me llevaron a la jefatura central de policía con las manos esposadas a la espalda. Tenía los ojos vendados y la boca cubierta de cinta adhesiva. Me dejaron en el coche por un tiempo, y luego regresaron, uno por uno, sin que nadie pronunciara una palabra, y empezaron a golpearme. Usaron los puños, cachiporras, nudillos de latón, la culata de una pistola. Sentía la forma de lo que fuera con lo que me estuvieran pegando. En completo silencio me dejaron inconsciente. Luego me arrastraron, con los ojos vendados aún, a una celda. Cuando volví en mí, se pusieron a interrogarme. Querían saber cómo conseguimos el dinero para la campaña. ¿Lo proporcionaban los comunistas? Dado que ellos habían gastado millones, pensaban que nosotros habíamos gastado millones. Creí que al final me matarían, pero me arrojaron a un avión y me llevaron a Guatemala.

Fue sólo después de llegar a Caracas que se reunió con su esposa y sus hijos más pequeños. Se sometió a cirugía plástica para las heridas faciales, y aparte de una insinuación de contusiones en los pómulos y de cicatrices que se pierden entre las arrugas del rostro, no lleva marcas obvias de la golpiza. La mayor parte de la última articulación de los tres dedos de en medio de su mano izquierda faltan. Existe el tenaz rumor de que fueron cortados mientras estuvo detenido, aunque parece demasiado sutil por mucho para la policía salvadoreña, como técnica de tortura. Duarte nos aseguró que las había perdido a consecuencia de un accidente en una construcción en el interior de Venezuela.

—En 1974, se me informó que podía regresar a El Salvador —prosiguió—. Cuando llegué al aeropuerto aquí, cientos, tal vez miles de amigos míos estaban ahí para recibirme. Volví a Caracas para ayudar a la familia a empacar. Entonces recibí otro mensaje de nuestra embajada: después de todo no podía regresar. ¿Por qué cambiaron de opinión? Porque creían que para entonces estaría olvidado, pero cuando vieron lo que pasó en el aeropuerto, se dieron cuenta de que no era así.

"En la elección de 1977, decidimos intentar una nueva fórmula para demostrar a los militares que no estábamos en contra de ellos —afirmó—. Por lo tanto, nombramos a Claramount para presidente y a Morales Ehrlich para vicepresidente. Una vez más sabíamos que el otro lado trataría de robarnos el triunfo. En esta ocasión no fui tan ingenuo. Si el gobierno de Estados Unidos estuviera dispuesto a decir algo, podría significar una diferencia. Fui a Washington y me reuní con el senador Kennedy y el vicepresidente Mondale. Ninguno pudo dedicarme mucho tiempo. Con Mondale fue «Hola», y luego apareció un fotógrafo".

La voz de Duarte se tornó distante e irónica, e imitó el encuentro de los dos hombres, las sonrisas falsas, el apretón de manos y el repentino fulgor deslumbrante de las luces estroboscópicas.

—Después de eso, "Adiós". Todavía tengo las fotografías. Traté de arreglar una cita con los asistentes administrativos de los miembros del Congreso. Me dicen que son muy influyentes. Los republicanos se negaron a hablar con nosotros. Pero esperábamos a 20 o 30 demócratas en la junta. Hubo. . . ¡tres! Un almuerzo para la gente de la prensa. . . ¡cinco! Tratábamos de hacernos oír; pero nadie quiso escuchar, y el fraude fue completo esa vez.

Duarte regresó a Washington para protestar por el robo. Recibió una audiencia ante el Comité de Asuntos Exteriores de la Cámara, pero para todo el bien que le hizo a él o a los demócrata cristianos hubiera podido de igual manera hablar con las paredes de su habitación en el hotel. En su testimonio, Duarte señaló lo obvio: que la no intervención equivalía al apoyo para un gobierno corrupto y represivo.

—Estados Unidos, en este momento —prosiguió—, tiene un deber histórico: apoyar los principios fundamentales que forman la base del llamado estilo de vida estadounidense.

La primera vez que un funcionario estadounidense se puso en contacto con él, afirmó Duarte, fue en agosto o septiembre de 1979, lo cual era, y no por casualidad, un mes o dos después del triunfo de los sandinistas en Nicaragua y en una época cuando el gobierno de Romero en El Salvador ya se estaba tambaleando. Recibió una visita en Caracas, según dijo, de Viron P. Vaky, entonces secretario asistente de Estado para Asuntos Inter-Americanos. Duarte declaró que Vaky discutió con él la probabilidad del derrocamiento de Romero. (Vaky me indicó más tarde que él no tenía idea de que se estuviera planeando algún golpe). Duarte afirmó que puso de manifiesto su oposición, como una cuestión de principios, a los golpes de Estado, y propuso un programa propio.

—Dije que contaba con una fórmula para que Romero aceptara un diálogo y que los demócrata cristianos esperaríamos hasta las elecciones para la Asamblea Nacional de 1980. Entonces todos los partidos entrarían en el gobierno, y nos prepararíamos para una elección presidencial en 1982.

Duarte aseveró que su plan fue frustrado por los izquierdistas, que representaban el elemento civil dominante en la primera junta, y por la Iglesia, particularmente los jesuitas, quienes eran los consejeros en los que más confiaba el arzobispo Romero. Su objetivo, según Duarte, era impedir la posibilidad de un arreglo con el centro, como lo ejemplificaba su parte de los demócrata cristianos, y con la derecha moderada. Expresó la acusación de que la primera junta renunció después de sólo tres meses en funciones, a fin de provocar una crisis.

—Encontré unos documentos que explicaban por qué lo habían hecho —afirmó Duarte, sin más descripción—. Querían terminar con el pluralismo, destruir todas las posibilidades democráticas, y crear una confrontación entre civiles y militares al dejar gobernar a estos últimos, que era lo que creían que pasaría. Nosotros [los demócrata cristianos] no queríamos eso, de modo que aceptamos el reto de tratar de gobernar. El señor Ungo ha perdido la razón. Ha perdido sus conceptos democráticos. Se niega a aceptar alternativas. Rechazó una invitación de los demócrata cristianos para permanecer en el gobierno. La izquierda ha perdido al pueblo, pero la guerra tendrá que seguir hasta que el pueblo aparte tanto a la extrema izquierda como a la extrema derecha.

Duarte negó la opinión expresada por Ungo y otros funcionarios del Frente Democrático Revolucionario, muchos de los cuales eran antiguos amigos suyos, en el sentido de que su largo exilio lo había dejado irremediablemente desligado de la evolución en El Salvador y de que prefería hacer caso omiso del hecho de que los demócrata cristianos se encontraban divididos a la mitad. Desde su punto de vista, la vanidad, de la cual Duarte, como la mayoría de los hombres de la vida pública, posee una cantidad suficiente, había provocado una reacción con la desilusión, para producir un compuesto corrosivo que había hecho estragos en su juicio.

—Estoy llevando a cabo el cambio político, pero lo hago con inteligencia, y es imposible lograrlo de un día al otro —declaró—. El ejército, como institución, está dispuesto a aceptar las soluciones políticas, pero los otros, la Guardia Nacional y la Policía Nacional, han recibido entrenamiento desde hace 50 años para solucionarlo del otro modo, y tomará tiempo cambiarlos.

Duarte afirmó que percibía ya un descenso en el apoyo que los campesinos estaban dispuestos a dar a los guerrilleros.

—La diferencia radicó en la reforma agraria —explicó—. Hablé a favor de ella hace tanto tiempo, desde que el presidente Kennedy anunció la Alianza para el Progreso. El concepto político es sencillo: quitar el poder a los dueños de las haciendas y entregarlo a los campesinos. Tanto la extrema derecha como la izquierda trataron de detener la reforma agraria, pero fracasaron, y si uno considera los lugares donde los guerrilleros son fuertes ahora, las regiones a lo largo de la frontera hondureña, se descubre que también son los lugares donde había pocas haciendas qué expropiar.

Terminó una copa e impidió que su ayudante le sirviera otra.

—No existe tal cosa como lo inevitable o el determinismo histórico —declaró, subrayando las palabras haciendo descender el puño y deteniéndose al recordar que la superficie de la mesa era de vidrio—. Es posible cambiar las leyes de la historia teniendo las personas indicadas en el lugar correcto haciendo lo conveniente. Creo que fui elegido por mi pueblo para ser el presidente en 1972. Ahora tengo una segunda oportunidad. La situación es muy distinta. Tengo más enemigos, y gran parte del mundo está en contra mía, pero creo que lo lograremos.

PONIENDO EN PRÁCTICA LA REFORMA AGRARIA

LA REFORMA AGRARIA en la cual Duarte basaba tanta esperanza fue la más completa y la más rápida jamás emprendida en Latinoamérica. También fue la primera que se intentara durante una insurrección y por encima de la oposición tanto de los terratenientes como de los revolucionarios. Incluso en el momento más oportuno, el impacto en un país agrícola como El Salvador hubiera sido enorme. El que Duarte haya insistido, como lo hizo, en llevarla a efecto bajo circunstancias tan adversas, y al mismo tiempo que la nacionalización de los bancos del país y de su comercio internacional del café, puede haber parecido arriesgado hasta el punto de la temeridad, pero, según me indicó Duarte, él y sus compañeros cristiano demócratas no veían otro curso de acción posible. Estos tres cambios fundamentales en la economía del país habían formado piedras angulares en el programa del partido desde su fundación, y su promulgación resultaba esencial, si el poder de la oligarquía había de romperse.

Estados Unidos, asimismo, se había adherido a la reforma agraria durante los años posteriores a la Segunda Guerra Mundial. En el Japón y Corea del Sur, durante su ocupación, así como en Taiwán después de la retirada del gobierno de la República Popular de China en 1949, las grandes fincas fueron apropiadas y divididas entre los campesinos que no dispusieran de tierra. Los dos objetivos principales, que fueron logrados, eran el incremento de la producción de alimento, en la suposición de que los campesinos trabajarían más duro y con mayor eficiencia para ellos mismos que para un patrón, y la creación de una clase conservadora y anticomunista de propietarios campesinos.

Estos buenos éxitos no se han logrado, desafortunadamente, en ningún otro lugar. Los políticos mexicanos nunca dejan de encarecer la reforma agraria iniciada en 1917, pero de algún modo la oligarquía, los funcionarios públicos, actuales y antiguos, y las empresas agrícolas siguen en posesión de la mejor tierra. Los resultados han sido mixtos en el Perú y Bolivia. En su mayor parte, Honduras ha repartido las tierras baldías propiedad del Estado. La reforma agraria representó un elemento principal en el programa de "construcción nacional" de Viet Nam del Sur, durante todo el periodo de la complicación estadounidense. El gobierno de Saigón, dominado por intereses de propiedad, no dejó de prometer que haría algo al respecto, pero no fue hasta principios de los setentas, del presente siglo, que empezó a promover, en lugar de impedir, la reforma agraria, y para entonces la guerra estaba casi perdida.

Si Washington no se mostró totalmente entusiasta en cuanto a la reforma agraria salvadoreña, fue porque se basaba sobre principios comunitarios. En lugar de dividirse en granjas familiares, las grandes fincas habían de convertirse en cooperativas, las cuales se desarrollarían como pueblos ejemplares, con escuelas, clínicas, tiendas y centros deportivos y culturales. Washington tuvo motivos para preguntarse si sería posible confiar en los miembros de las cooperativas para que observaran la doctrina anticomunista, cuando ya estaban practicando una forma de socialismo. Aparte de todo ello, el asunto entero sonaba bastante utópico. En Estados Unidos y otros países desarrollados, los agricultores a menudo formaban cooperativas para la venta de sus cosechas, pero las cooperativas de productores agrícolas nunca han funcionado muy bien.

Las grandes fincas de El Salvador, además, producían café, azúcar, algodón y ganado vacuno para carne. A diferencia del arroz del Japón, Corea del Sur y de Taiwán, que se consume dentro del país, se trataba de productos para la exportación. Sin importar cuánto sirviera para levantar los ánimos, el sistema bajo el cual se cultivaran tendría que producirlos a precios que pudiesen competir con los del resto del mundo. Los castigos por los pequeños errores de decisión o sencillamente por mala suerte eran muy severos, y nadie negaba que los oligarcas salvadoreños y sus administradores y agrónomos hubieran sido agricultores sumamente eficientes.

Estas consideraciones casi no eran útiles para Duarte y sus colegas. Las cooperativas se habían convertido en un artículo de fe antes que de razón. En conjunto eran muchachos de la ciudad, sin experiencia alguna de primera mano en la agricultura. De la misma manera, Washington predicaba los méritos de la granja familiar, a la vez que observaba cómo disminuían en número año por año. El desacuerdo terminó con una avenencia. El Salvador, según fue decidido, tendría cooperativas *además de* granjas familiares, y Washington proveería a ambas de asistencia financiera y técnica.

En conjunto, se tomaron 326 haciendas de 500 hectáreas o más bajo la primera fase de la reforma agraria. Equivalían a un total de 223 806 hectáreas, o más o menos el 12 por ciento de la tierra cultivable del país. Estas cifras deben tomarse como aproximaciones. El Instituto Salvadoreño dc Transformación Agraria (ISTA) nunca publicó dos veces la misma serie de números.

De un día al otro, en marzo de 1980, justo al terminar la recolección del café, entre 30 000 y 35 000 aturdidos colonos, la fuerza laboral permanente de las haciendas, se volvieron los propietarios de grandes empresas agrarias. Desde hacía unas semanas habían corrido rumores de la expropiación inminente de San Salvador. Muchos propietarios apresuradamente despojaron sus tierras de la maquinaria y del ganado, que transportaron en camión a Guatemala y Honduras, e incluso el material de los cercados. Algunos, sin duda, también se hubieran llevado la tierra de haber podido encontrar un lugar dónde dejarla. Los colonos, ha de decirse, no prometían como madera de administradores. La mayoría de ellos era analfabeta y había pasado la vida escuchando decir a los capataces que se les pagaba por trabajar, no por pensar. Pocos entre ellos tenían siquiera la noción más vaga de lo que pudiese ser una cooperativa.

El ISTA envió al campo a los pocos agrónomos y contadores que logró contratar, para ayudar a las nuevas cooperativas. A la manera de las burocracias, estableció cursos de entrenamiento, no para los colonos, sino para jóvenes de las ciudades. Cuando éstos llegaron a las fincas, la mayoría era, en el mejor caso, inútil, y en el peor, una fuente de confusión y contiendas. En muchas de las haciendas expropiadas se quedaron los capataces y los contadores, por falta de otros empleos. Pocos se unieron a las cooperativas, lo cual los hubiera colocado en un mismo pie de igualdad con los hombres que con anterioridad se habían presentado ante ellos con el sombrero en la mano, sometiéndose con docilidad a las patadas y los golpes. En el conocimiento de que eran indispensables, al menos por lo pronto, exigieron y recibieron los mismos salarios que les había dado "el patrón".

La reforma agraria llevaba 12 meses en vigor cuando realicé mi primera visita a la sede del ISTA, en marzo de 1981. Una bomba había estallado frente al edificio un mes antes. No ocurrieron desgracias serias, pero era como si el personal pudiera leer la escritura sobre los paneles pandeados de aluminio de la fachada y en los vidrios rotos. Nadie se había ofrecido para ocupar el lugar de Viera, víctima de un asesinato, a la cabeza de la entidad. Sin jefe, se encontraba hundida en profundo letargo.

Los hombres que ahí trabajaban eran figuras vagas en trajes muy ajustados. Las mujeres eran rollizas, usaban fajas y *manicure*, y tenían el pelo teñido y ondulado. Llevaban vestidos de estampados y colores chillantes que nunca pasan de moda en Latinoamérica. Charlaban entre ellos en la penumbra de las ventanas obstruidas y el inadecuado alumbrado fluorescente, sostenían prolongadas conversaciones telefónicas o fijaban las miradas en las manos, mientras los montones de expedientes juntaban polvo sobre los escritorios y el piso.

Los campesinos que venían de las cooperativas pasaban horas en cuclillas, apoyados en las paredes, esperando que alguien advirtiera su presencia. Los arrugados rostros cobrizos, la ropa raída y los maltratados sombreros de paja les daban la apariencia de figuras ajenas entre los fláccidos oficinistas. Durante mis visitas a las granjas, se me aseguró que lo único más difícil que mantener los cuervos fuera del maíz era gestionar las solicitudes de crédito y otro papeleo en el ISTA y los bancos nacionalizados. Las siembras eran demoradas y reducidas por la falta de créditos para la compra de semilla, fertilizante e insecticidas.

También existían otros problemas. Algunos funcionarios y oficiales militares se habían apoderado de las tierras de las cooperativas y las cultivaban como si fueran suyas. En algunos casos, el ejército pedía pagos a cambio de protección contra los guerrilleros. Las cuentas de muchas cooperativas estaban turbias y había casos de disminuciones inexplicables de dinero efectivo y de las cosechas. Casi todas las cooperativas eran morosas en el pago de préstamos de cosechas e hipotecas. Un gran número de técnicos del ISTA y de colonos que se convirtieron en funcionarios de sus cooperativas fueron asesinados, con mayor frecuencia por los escuadrones de la muerte, pero en ocasiones también por los guerrilleros, que tenían sus propias razones para oponerse a la reforma agraria.

La fase III de la reforma agraria, el programa de "tierra para quien la cultiva", también era administrada por el ISTA, con la ayuda del Instituto Americano para el Desarrollo del Trabajo Libre, el órgano, financiado por el gobierno federal, de la AFL-CIO. Puesto que el gobierno salvadoreño no había querido la fase III desde el principio, el ISTA se dio gusto hablando de sus problemas. Duarte me indicó, de hecho, que sólo accedió a ella bajo fuerte presión y después de recibir la promesa de que el Congreso consignaría 10 000 000 de dólares para comenzar a pagar la tierra que había de expropiarse. Sin embargo, el dinero nunca apareció, y el programa se había atascado desde el principio.

Otra de las razones para su falta de éxito, según se me dijo, era la inmensa cantidad de papeleo que implicaba. A pesar de que la fase III sólo comprendía un total de 178 056 hectáreas, 45 000 menos que la fase I, abarcaba algo como 150 000 lotes separados. Durante los primeros 12 meses, la ley permaneció en los libros, hubo relativamente pocas reclamaciones de derechos y no se tramitaron casi ningunas, y la situación no había mejorado un año más tarde. Algunos campesinos, que trataron de hacer valer sus derechos sobre la tierra que rentaban, fueron asesinados, y esto, indudablemente, moderó el entusiasmo del resto por el programa. Otros arrendatarios no querían poseer lo que la mayoría de las veces eran lotes marginales sobre los flancos de las colonias, mientras consideraban que existía la posibilidad de rentar algo mejor. Los empleados del ISTA también señalaron que, al menos en un aspecto, la fase III era injusta. Toda la tierra arrendada estaba sujeta a la expropiación, y no influía si la propiedad total del dueño ascendía a dos o a 2 000 hectáreas. Para un número determinado de campesinos viejos, el arriendo que cobraban por sus pequeñas granjas significaba el único ingreso.

Las propiedades más importantes, tanto respecto al área total como a la productividad, eran las tierras de la fase II, las 1 739 fincas de entre 100 y 499 hectáreas. Equivalían a 342 877 hectáreas, vez y media más que las tierras de la fase I, y producían del 80 al 85 por ciento del café, el 60 por ciento del algodón, y el 45 por ciento del azúcar. El hecho de que estas propiedades permanecieran, por lo general, en manos de particulares, se tomó como una admisión de que los dueños, de los cuales muchos tenían estrechas conexiones con los militares y a menudo eran personas de gran influencia en sus distritos, disponían del poder necesario para impedir la expropiación.

Entre los otros asuntos que el ISTA no llegó a atender durante el primer año de la reforma, y que apenas había empezado a tratar a fines del tercero, figuraba el pago de las tierras expropiadas. Los pagos, cuando finalmente se hicieran, no serían espléndidos. El precio era fijado por la tasación fiscal de la tierra. En El Salvador, los dueños hacen sus propias valoraciones, las cuales siempre se hallan muy por debajo de su valor en el mercado. Los nuevos dueños de la fase III habían de recibir hipotecas de bajo interés a 30 años. Los anteriores supuestamente recibirían el pago completo al quitárseles las propiedades, pero al parecer nadie sabía cuál sería el costo total del programa ni de dónde saldría el dinero.

Las tierras de la fase I debían ser pagadas con bonos de un vencimiento de 20 a 30 años, con un interés anual del 6 por ciento. Dada la inestabilidad del gobierno salvadoreño y una tasa de inflación muchas veces más alta, los bonos no llenaban los requisitos para inversiones de primer orden. Todos los dueños anteriores, excepto unos cuantos, se negaron a consentir en la expropiación mediante la aceptación del pago, cuando finalmente les fue ofrecido. Tampoco ejercieron su derecho, según la ley, de retener entre 100 y 150 hectáreas, según el tipo de tierra, de cada propiedad expropiada.

Puesto que sólo 35 000 familias de colonos, apenas la décima parte de la población rural, se hicieron miembros de las cooperativas por derecho, el ISTA los alentó a admitir a 42 000 empleados "semipermanentes" y sus familias en las mismas haciendas. Se decía que algunas cooperativas lo estaban haciendo, pero otras no. En todo caso, más de la mitad de los campesinos que, por un motivo u otro, habían sido incapaces de comprar o arrendar tierra antes de la reforma, todavía no disponían de ninguna. Siguieron siendo trabajadores de temporada, ya no bajo un sistema que al menos parecía inevitable e invariable, sino trabajando, en algunos casos, para patrones que un año antes apenas habían sido más acomodados que ellos mismos.

Duarte describió la reforma agraria como "irreversible", y tal vez hubiera sido así de haberse ejecutado a los antiguos dueños y sus familias, o si la expropiación de la tierra hubiera sido el resultado de las leyes promulgadas por un gobierno de incuestionable legitimidad y confirmadas por los tribunales más altos del país, o si las fuerzas armadas de la nación hubieran estado dispuestas a defenderla hasta la muerte. Por el contrario, la junta que la puso en vigor había llegado al poder después de un golpe de Estado, la lealtad de los militares era insegura, y los antiguos dueños estaban muy vivos y radicados en sus segundas y terceras casas en la Florida o Guatemala.

Era concebible, por supuesto, que algunos de los oligarcas estuvieran contentos con sus bonos, pero dadas las fuertes emociones que probablemente suscitaron la pérdida de unas fincas que en algunos casos habían estado en posesión de las familias por más de un siglo, que tenían un valor, en conjunto, de cientos de millones de dólares, y que eran sumamente lucrativas, parecía más verosímil que los dueños hicieran casi cualquier cosa para recuperarlas.

—Los campesinos no van a expresarlo —me comentó un consejero estadounidense para la reforma agraria—, pero deben estarse preguntando si uno de estos días el patrón no se presentará con la Guardia Nacional para recobrar su tierra y castigarlos por haberse atrevido a pensar que era suya.

Sucedió en mi primera visita a El Salvador que por casualidad conocí a Juan Hernández, como yo lo llamé: el hombre que cuidaba los intereses de una familia de la oligarquía que había ido a vivir en la Florida. Tuvo la bondad de permitirme que lo acompañara en una de sus visitas regulares a la propiedad principal de la familia, una finca de café a 25 minutos, poco más o menos, al oeste de San Salvador. Hicimos el viaje en una camioneta con tracción en las cuatro ruedas, a la que se habían adaptado ventanillas a prueba de balas y planchas de blindaje.

En el camino, Hernández mencionó que el tamaño de la finca era de unas 800 hectáreas, sembradas todas durante los pasados 20 años por un costo de 1 000 000 de dólares. Pregunté cómo la familia había evitado la expropiación.

—Esta gente es muy lista —replicó—. Cuando el presidente Molina primero estableció el ISTA en 1975, decidieron jugarla a la segura, lo cual no significa que pensaran que algo fuese a suceder. Dividieron sus tierras, al menos en el papel, entre muchos nombres diferentes, apellidos y de empresas. Lo único que perdieron, de hecho, fue una hacienda contigua. Alguien cometió un error al medirla, y resultó ser de un poco más de 500 hectáreas.

Hernández dijo que opinaba que la creencia ampliamente aceptada de que los oligarcas tenían la culpa de la rebelión estaba equivocada.

—Algunos andan por ahí como si fueran los dueños del mundo, pero los que yo conozco son personas decentes que trabajan tan duro como yo —prosiguió—. Reciben toda la culpa por el modo como se trataba a los campesinos, pero la verdad es que por lo general los trataban bastante bien. Fueron los 500 o 600 terratenientes más pequeños, que estuvieron tratando de *volverse* oligarcas, quienes realmente los explotaban.

Eso pareció un alegato especial, pero llegué a la conclusión de que en esencia tenía razón. No había muchos terratenientes salvadoreños que dieran un trato realmente bueno a sus trabajadores, pero los oligarcas no tenían que exprimirles hasta la última gota de sudor, y a veces no lo hacían.

Pregunté a Hernández qué clase de ganancia producía la finca.

—La regla empírica es que, si uno posee 100 hectáreas de café y es un cultivador eficiente, debe obtenerse una ganancia neta de 100 000 dólares en un buen año —contestó—. No estamos consiguiendo nada semejante este año, porque los precios del café están muy bajos. De hecho, apenas estamos quedando iguales.

Eso significaba, comenté, una ganancia de 800 000 dólares, o el 80 por ciento de la inversión original, para la familia. Un agricultor estadounidense tendría que encontrar petróleo para ganar semejante cantidad de dinero. ¿Por qué, pregunté, no era posible que la familia para la que él trabajaba y los otros oligarcas tomaran un poco menos y pagaran un poco más a los trabajadores?

Hernández hizo unos cálculos rápidos y meneó la cabeza. Según él lo computaba, afirmó, 400 000 dólares al año, la mitad de la ganancia, divididos entre los colonos y las miles de personas que recogían el café, resultaba en más o menos media tortilla diaria.

—No significaría ninguna diferencia real en su forma de vivir —declaró—, y los dueños no serían capaces de crear reservas para mejoras, para proveer para los malos años, etcétera.

La carretera seguía la meseta, el cinturón de suelo volcánico fértil que corre aproximadamente del Noroeste al Suroeste a través de la mayor parte de Centroamérica. Los campos de ambos lados de la carretera eran anchos y planos. Aunque era la temporada de sequía, la irrigación mantenía el color verde esmeralda del pasto para el ganado que ahí se apacentaba. Los campos de caña y de maíz estaban cubiertos de rastrojo pardo. El humo se elevaba desde los fuegos que lo quemaban, como preparación para las nuevas cosechas. Aquí y allá en los campos y al borde de la carretera había árboles esbeltos que ostentaban flores desde el rosado más pálido hasta el más intenso rojo. Se trataba de la "maquilishuat", me indicó Hernández, la flor nacional que brota antes de llegar las lluvias.

A unos 24 kilómetros de Santa Ana, se desvió de la carretera y siguió por un camino desigual de terracería que se elevaba y torcía entre los cerros por cinco o seis kilómetros. Los cafetos crecían a ambos lados. La cosecha había terminado unos dos meses antes. Las hojas de color verde oscuro perdían su brillo, volviéndose grisáceas, pero ya empezaban a aparecer las pequeñas flores blancas de la siguiente cosecha.

El camino llegaba a su fin entre un grupo de edificios de un solo piso, pintados de amarillo. El administrador, un hombre ceñudo y barrigón, que llevaba un sombrero de paja de ala ancha y un revólver calibre .45 en la cadera, y su asistente, más alto y más joven, quien portaba un machete en una funda de cuero de elaborada hechura y fleco, nos recibieron en la calle y nos condujeron al despacho. Hernández revisó los libros mayores, los cuales demostraban, entre otras cosas, que los colonos estaban recibiendo de 2 a 3 dólares diarios, además de comida y alojamiento gratuito.

Del despacho pasamos a la clínica. La presidía un hombre regordete y simpático en una bata blanca manchada, el cual, según me indicó Hernández, tenía entrenamiento de paramédico. Nadie estaba esperando tratamiento, y él estaba descansando en las habitaciones contiguas a la clínica cuando entramos. Había frascos de aspirina, antiácidos y otros remedios sencillos, un esterilizador, vendas y otras cosas parecidas. Sin que se le pidiera, sacó los registros. El pequeño número de nombres correspondientes a algunas semanas previas decía mucho a favor de la salud de los colonos y sus familias. Al lado de la clínica se hallaba la escuela de la finca. No había clases, y considerando la apariencia del único salón, hacía bastante tiempo que no se usaba.

De ahí seguimos a la cocina. En el oscuro interior, fuegos hechos con madera ardían en dos hogares de ladrillo de dos metros y medio de cada lado. Estaban cubiertos por láminas de hierro sobre las cuales se cocían las tortillas y hervían las ollas de frijoles. Dos mujeres estaban tomando puñados de la masa preparada de maíz molido y rápidamente le daban forma, amasando y pegándola. No eran las tortillas tostadas y delicadas que se sirven en los restaurantes mexicanos, sino discos esponjosos de un centímetro de grueso y un diámetro de 20. Hernández afirmó que cada trabajador recibía tres de ellas y un cucharón lleno de frijoles tres veces al día. Ésta es la dieta invariable del campesino, sazonada a veces con chiles picantes y en ocasiones incrementada, aunque no por el dueño de la finca, con un poco de carne, un huevo o un trozo de queso.

Los colonos y sus familias, dos adultos y cuatro o cinco niños, tal vez más, vivían en un alargado edificio de un piso. Cada familia disponía de un cuarto de unos tres metros por lado, más o menos. Una cortina de baño de plástico, extendida sobre la puerta, proporcionaba una semblanza de intimidad. Gran parte del interior estaba ocupada por el bastidor de una cama atravesado con cintas de cuero, sobre las cuales por la noche se ponían petates. Colocadas en forma paralela a la fachada del edificio, separadas de éste por un camino y cubiertas por un techo, se hallaban las estufas de carbón, que le llegaban a uno hasta la cintura, en las cuales cada familia cocinaba. En la parte de atrás, acomodados de la misma manera, estaban los lavaderos. Los excusados estaban construidos a 15 metros por la ladera del cerro y hubieran podido encontrarse tan sólo por el olor en la más oscura de las noches. No obstante, tanto los excusados como los lavaderos tenían vistas magníficas sobre el lago Izalco, 300 metros más abajo, el cual llenaba el cráter de un volcán extinto con agua cristalina.

Hernández, quien quizá percibió mi desaprobación, afirmó que esos alojamientos eran los primeros que se habían construido en la finca y que los nuevos eran mejores. Una vez más nos subimos a la camioneta y nos fuimos traqueteando por otra calle un kilómetro y medio, más o menos. Ocho o diez ranchitos, que es como se llaman, se encontraban en un claro en medio de los cafetales. En efecto eran más grandes, de unos cuatro metros por lado, construidos de ladrillos, con techos corrugados de asbestos y terrazas de unos dos metros de ancho. Tratándose de residencias para la mano de obra agrícola en El Salvador, no estaban mal, pero los muebles eran pobres y escasos y el ambiente estaba caracterizado por la desesperanza y la suciedad.

Una anciana estaba sentada delante de uno de los ranchitos.

Tenía el tobillo y la pierna izquierda vendados con trapos hasta la mitad de la pantorrilla. Afirmó que pensaba que el tobillo pudiera estar fracturado. Hernández le preguntó si había ido a ver al paramédico. Contestó que no, pues era incapaz de ir cojeando hasta la clínica, y él, al parecer, no hacía visitas domésticas. Una mujer más joven se encontraba sentada en una hamaca frente a otro ranchito. A su lado estaba una cuna, improvisada con una canasta. En ella yacía un bebé, inmóvil. Tenía la panza hinchada, y los miembros y el rostro estaban tan delgados que la piel parecía translúcida. Hernández preguntó qué tenía.

—Es su estómago —afirmó la mujer—. La comida no le sirve. —Dijo que había llevado al niño con un médico, pero que le había explicado que no se podía hacer nada. Tenía la voz vaga y monótona, como si el hablar abrumara intolerablemente sus energías.

—No creo que lo haya llevado siquiera —afirmó Hernández, cuando volvimos a la camioneta—. Puede que parezca terrible, pero la muerte infantil es tan común que la aceptan. No es nada extraordinario para esta gente.

Nos detuvimos para observar a un equipo de ocho hombres, que colocaban los granos blancos del café en hileras precisas de tres, dentro de bancales de siembra impecablemente preparados. Los cuadros se encontraban a la sombra de una techumbre de paja que se conserva mojada durante el día. El cabo, según se llama al capataz, nos saludó, pero los hombres no alzaron la vista ni interrumpieron el trabajo siquiera un momento. Fue un ejemplo del tipo de disciplina laboral que no se ha visto en Estados Unidos desde hace mucho tiempo. Más tarde Hernández comentó que se elegía a los hombres ya mayores para ese tipo de trabajo, porque no resultaba físicamente cansado.

Al cabo de unos meses, explicó, las plantas de semillero serían transplantadas a viveros y de ahí a las áreas de cultivo. Era un proceso continuo que implicaba a un número aproximado de 200 000 plantas al año, puesto que el rendimiento de un cafetal, que es como se clasifica botánicamente, empieza a disminuir después de 10 o 12 años.

—Resulta muy caro estarlos reemplazando así —afirmó Hernández—, pero es una de las maneras de las cuales es posible distinguir una finca eficiente de una que no lo es. La mayoría de las fincas salvadoreñas son muy eficientes.

Salimos del estrecho camino para dejar pasar una carreta, con ruedas sólidas de madera de un diámetro de unos 120 centímetros.

La arrastraba un par de bueyes uncidos. Un niño caminaba al lado de ellos, incitándolos al movimiento con un palo de punta muy aguda. Con el precio del diesel por las nubes, indicó Hernández, muchas fincas han comenzado a usar animales otra vez.

El zumbido de las cigarras llenaba el ambiente, pero, a manera de contrapunto, podía escucharse el sordo estruendo de metal al caer sobre madera. Unos hombres armados de machetes estaban podando los pepetos, los árboles que crecen entre los cafetales para darles sombra, protegiéndolos de los rayos directos del sol. Los hombres trabajaban en pares. Antes de cortar una rama, el hombre que estaba subido en el árbol le ataba una cuerda, de modo que el hombre que se hallaba en el suelo pudiese bajarla, evitando así todo daño a los cafetales. Entonces las ramas se llevaban al camino, donde eran cortadas en trozos y utilizadas como combustible en las cocinas.

De ahí bajamos al valle para visitar la hacienda expropiada. Hernández me contó que la familia no había sacado los tractores ni el resto del equipo, y que incluso dejó varios miles de costales de maíz desgranado.

—Hemos tratado de obtener el pago por ello o de conseguir que la cooperativa lo devuelva a través de los próximos años —afirmó—. La cooperativa admite que nos lo debe, pero el ISTA no permite que nos pague hasta que haya liquidado la deuda que tiene con ellos.

En el despacho de la hacienda, Hernández saludó al administrador y al contador, quienes habían trabajado para la familia. Mientras hablaban llegó el tesorero de la cooperativa, un hombre moreno y menudo. Se sentó y se puso a escuchar en silencio respetuosamente, como si nunca hubiera tenido lugar el cambio de dueños.

Entendí una parte de la conversación, y Hernández me explicó el resto mientras volvíamos a la finca.

—Dicen que todavía no reciben los préstamos del gobierno y que el trabajo no marcha bien. Todo el mundo lo interrumpe a las 10 de la mañana, todos los días, para una junta. Nadie trabaja duro. Le daré un ejemplo. En la finca, los trabajadores reciben una cuota por trasplantar 100 cafetales al día. La cooperativa también tiene un poco de café, y el administrador me dijo que sólo están trasplantando 35 árboles diarios. Los miembros de la cooperativa están confundidos. Los salvadoreños no saben cómo trabajar juntos, así como hay que hacerlo en una cooperativa. Lo que realmente quieren es su propio pedazo de terreno. Así como está ahora, nadie cree ser el dueño de nada.

¿No era probable, pregunté a Hernández, que las quejas del administrador y del contador fueran tan exageradas como las historias de grandes éxitos que oía al visitar las cooperativas que se encontraban bajo los auspicios del ISTA?

—No sé nada acerca de las otras, pero estos tipos están diciendo la verdad —replicó—. He tratado de ayudarles: reparamos su único tractor en nuestro taller, y les pasamos agua cuando les escasea. Así que estoy enterado de lo que sucede, y no trato de criticarlos ni de decirles que la reforma agraria no sirve. Están haciendo lo mejor posible, pero realmente tienen problemas.

Una partida de ocho guardias nacionales se encontraba en el despacho de la finca cuando volvimos. Todos tenían una edad de entre 25 y 40 años; eran hombres de aspecto duro e inexpresivo que daban a las tropas salvadoreños que yo había visto la apariencia de Niños Exploradores. Llevaban cascos de acero de copa alta que ostentaban el escudo de armas nacional en un metal de color plateado, ajustadas túnicas de color verde oscuro con botones de latón, pantalones de montar y polainas negras de cuero. Cada uno portaba un rifle automático. La Guardia es una tropa de voluntarios de largo servicio. Sus miembros reciben dos o tres veces el pago de los soldados. Al verlos ahí, pregunté a Hernández si había guerrilleros en los alrededores.

—Diablos, no —replicó—. Han ocurrido tantos asaltos en la carretera que nos traen el dinero para el pago de los sueldos de la finca desde San Salvador. Siempre están cerca. Durante la temporada de la recolección, cuando tenemos a 2 500 personas aquí, hay 10 guardias apostados en la finca y 30 el día de pagos, para que las peleas y las apuestas y lo demás no salga fuera de control.

Me da la impresión, dije, de un extraño arreglo, eso de usarlos como guardias particulares.

—Me imagino que tiene razón —admitió—, pero así ha sido siempre.

Aunque en ese momento era nominalmente inferior a la junta gobernante, por lo general se consideraba que el coronel José Guillermo García, el ministro de la Defensa, era la persona más poderosa en el gobierno salvadoreño, pero él negó que fuera cierto cuando fui a verlo.

—Me reúno con la junta por lo menos una vez al mes —indicó, lo cual, cuando uno reflexionaba, no era muy a menudo—. Les doy consejos en cuanto a la política militar y acepto su dirección. En los asuntos referentes a la política me hago completamente a un lado. Ese departamento es de ellos.

García tenía 47 años en ese entonces, pero su aspecto era de un hombre mayor. Era regordete, cetrino y canoso con un conspicuo lunar en el mentón. Su uniforme verde oscuro de campaña estaba arrugado y le quedaba mal, y a sus zapatos les hubiera servido una boleada. Su porte era modesto, y carecía, en un grado notable, de la desenvoltura que uno esperaba de un oficial superior en un ejército latinoamericano. Si la apariencia de García hacía pensar más en Sancho Panza que en Don Quijote, pudo haber sido porque, como la mayor parte de los oficiales del ejército salvadoreño, era de los estratos más bajos de la clase media. Los hijos de la oligarquía o de las clases profesionales en El Salvador, o en otro país cualquiera de Latinoamérica, para el caso, rara vez eligen al ejército como carrera.

—Quise ser médico, pero mi padre, que era un empleado de gobierno, no disponía de los medios para ello —afirmó García—. La única educación gratuita que pude recibir después de la preparatoria fue en la academia militar, de modo que presenté el examen. Me gradué en el primer lugar de mi generación en 1956, y más tarde asistí al colegio del estado mayor mexicano, y recibí el entrenamiento para Fuerzas Especiales con el ejército de ustedes en la zona del canal.

Así como los oficiales del ejército salvadoreño son de la clase media baja, los soldados sin rango son campesinos. En aquellos días, se podía buscar por todas partes a cualquier uniformado que fuese de las ciudades. El ejército depende de lo que llama "reclutamiento", pero en otro lugar cualquiera se calificaría de leva. Cuando una cuadrilla de reclutamiento invade un pueblo, cualquier joven de aspecto prometedor, incapaz de comprobar que tiene un trabajo, y a veces incluso si puede hacerlo, se halla en la parte trasera de una vagoneta, a punto de iniciar dos años de servicio militar.

—Es una antigua tradición —explicó García cuando hice mención del tema—. Ayuda a integrar a los muchachos campesinos a la sociedad. Pueden aprender a leer y escribir, y tienen la oportunidad de ahorrar un poco de dinero. En todo caso, los jóvenes de las ciudades no quieren interrumpir sus estudios para el servicio militar.

Al recorrer una cortina, García reveló un mapa en la pared, con una cubierta de plástico, el cual indicaba la posición de sus tropas, la ubicación sospechada de los fuertes guerrilleros, y las cruces y las flechas de costumbre, hechas con lápiz de grasa rojo y azul, las cuales señalaban las áreas donde estaban llevándose a cabo devastaciones y operaciones de reconocimiento y destrucción. Éstas, declaró, estaban obteniendo "resultados positivos", empujando a los guerrilleros más al interior de su área de base. Aún más importante, indicó García, señalando con el indicador, era el hecho de que los 3 000 o 5 000 guerrilleros de tiempo completo estuvieran perdiendo la lealtad de los campesinos, debido a sus exacciones de alimento, dinero y hombres.

—Los campesinos vienen y nos dicen dónde se esconden los guerrilleros y dónde aterrizan los aviones que traen armas de Cuba por vía de Nicaragua y Costa Rica —explicó—. Yo lo llamo "el radar del pueblo".

Al igual que el discurso de Richard Scammon ante la Cámara de Comercio, eso ya lo había oído también en Viet Nam.

García siguió despertando mis recuerdos al decir que era sólo la falta de movilidad lo que impedía a sus tropas exterminar a los guerrilleros. Al señalar las áreas de operaciones de las cinco brigadas de infantería del ejército en el mapa, señaló que era imposible concentrar a las fuerzas adecuadas para un ataque aplastante antes de que los guerrilleros se esparcieran, porque podían estallar combates casi en cualquier lugar del país. No obstante, ayudaría la fuerza de reacción rápida de 1 200 hombres que estaban entrenando los consejeros estadounidenses. Dispondría de 10 helicópteros Huey, capaces de transportar a 10 o 12 hombres cada uno, y de sus propios vehículos de ruedas y con orugas.

García no hizo caso de un comentario hecho para recordarle que estas tácticas no habían tenido un éxito arrollador en Viet Nam.

—Las fuerzas armadas de ustedes han analizado el problema de Viet Nam y descubierto los errores que se cometieron —replicó—. Siempre sucede así. El arte de la guerra es, para mí, como tocar la guitarra. Entre más se toca, más se da uno cuenta de que no se sabe tocar bien. Si Napoleón despertase, le daría gusto venir aquí, a El Salvador, para aprender.

Las marcas sobre el mapa de García eran densas en las inmediaciones de Suchitoto, que se ubica a unos 40 kilómetros al norte de San Salvador, y lo visité unos días más tarde. Los guerrilleros habían penetrado en la población durante la ofensiva de enero. Muchos edificios quedaron destruidos por las luchas.

La mayoría de los habitantes huyó después del ataque guerrillero, y no había vuelto. El trazado del pueblo era típico de la región. La iglesia y el ayuntamiento se encontraban la una enfrente del otro en los lados opuestos de una plaza rectangular empedrada. Tiendas y cantinas bordeaban sus largos costados, con las banquetas cubiertas de columnatas.

Había "jeeps", camiones y dos coches blindados estacionados en fila en la plaza. Un centro de operaciones militares se encontraba establecido en la delegación de policía. El comandante, el mayor Benjamín Ramos, afirmó que había ocurrido un ligero contacto con los guerrilleros el día anterior en un pueblo del camino a Aguilares, el pueblo donde fue asesinado el reverendo Rutilio Grande, y sobre las faldas del Volcán de Guazapa.

—Mis tropas llevan muchos días subiendo por las faldas —indicó—. Hemos matado a 30 o 40 de ellos durante los pasados tres o cuatro días, nos han matado a 10 hombres, y todavía nos falta mucho para llegar a la cima. Los guerrilleros están enterrados tan profundamente que los ataques aéreos resultan inútiles. Cuentan con morteros y lanzacohetes, y creo que también deben tener rifles de francotirador, pues muchas de nuestras bajas se han debido a tiros únicos a la cabeza o el cuello, disparados a gran distancia. [Los guerrilleros seguían ahí dos años y medio más tarde].

"La guerra será larga al paso que vamos —prosiguió—. Los guerrilleros tienen la ventaja de conocer el terreno como la palma de su mano. Algunos de ellos llevan más de un año allá afuera. Tienen un buen conocimiento de las tácticas para unidades pequeñas, pero desperdician mucha munición. Enviamos a camiones con altavoces para instarlos a aceptar la amnistía y a recordar que ésta pudiese ser su última noche allá arriba, que tal vez se mueran mañana. Hasta la fecha no ha habido desertores ni hemos tomado prisioneros. Mis propias tropas son buenas, pero muchos de ellos son muy jóvenes y sólo han tenido dos semanas de entrenamiento. Pero eso no importa. La mejor manera de aprender es en el campo de batalla.

Los soldados estaban repantigados a sus anchas en la sombra sobre las banquetas, esperando el almuerzo. Eran de un tipo uniforme: tenían más o menos 168 centímetros de estatura, y piel morena; los rostros francos y amistosos de muchachos del campo, y algunos decían tener tan sólo 15 o 16 años. Sus botas y uniformes de combate, fabricados por el ejército de Estados Unidos, mostraban señales de mucho uso. La mayoría portaba rifles automáticos M-16, algunos de manera tan torpe o descuidada que hacían a uno desear que estuvieran puestos los seguros. Contestaron a mis preguntas encogiéndose de hombros y con palabras breves y evasivas, mirándose unos a otros en busca de confirmación. ¿El ejército? No estaba mal. ¿Los combates? Duros, pero estamos ganando. ¿Los oficiales? Bien. ¿La comida? Bastante buena y mucha. Las cacerolas golpeaban ruidosamente desde el otro lado de la plaza, donde las tropas estaban formándose frente a un camión con la comida. Un sargento, de mirada iracunda se aproximó a nosotros, y los soldados se colgaron los rifles, se pusieron los cascos, y con pasos cómodos cruzaron la plaza para comer.

Bob Adams, del *St. Louis Post-Dispatch,* y René Cárdenas, con el cual yo estaba viajando, decidieron detenerse en La Bermuda, una hacienda donde vivían 200 o 300 adultos y tal vez unos 600 niños. Por lo común se les describía como "refugiados", pero nos dijeron que eran sospechosos de simpatizar con los guerrilleros y que venían de los pueblos cercanos. La Guardia Nacional los había alejado de sus tierras y quemado sus casas.

La Bermuda era una extraña elección para tal campamento. Se trataba de un casa restaurada del siglo XVII, sombreada por altos pinos. Los que llegaron primero vivían en ella. Los demás construyeron chozas de bambú partido y adobe, llamado "barenque", y techadas con hojas de plátano. Muchos llevaron consigo a su ganado. Una docena de vacas y becerros, una yunta arisca de bueyes y unos cuantos caballos de tiro estaban atados apenas saliendo del camino. Una marrana, rodeada por una aglomeración de cerditos, estaba sujeta a un tronco por una pata trasera. Unos gallos jóvenes se pavoneaban, las crestas de color tan vivo como la bandera de la revolución. Había muchos perros, la mayoría tan flacos que, al acostarse, se veían como si estuvieran dibujados sobre el polvo con un palo.

Mientras las mujeres cocinaban las inevitables tortillas y frijoles, los hombres permanecían en cuclillas o se acostaban en hamacas, los ojos sombreados por sombreros de paja.

—Algunos entre nosotros volvíamos a nuestros campos temprano por la mañana —comentó un hombre—. Eso fue porque los soldados nos obligaron a dejarlos antes de haber recogido todo el maíz. Un día los soldados me agarraron. Me forzaron a tenderme. Uno de ellos colocó el pie sobre mis hombros y me puso el rifle aquí.

El anciano, que iba agitándose conforme contaba la historia, se tocó en la parte de atrás de la cabeza.

—Dijo que iba a matarme. A dispararme a la cabeza. Supliqué: "Antes de que me mates, déjame pronunciar tres palabras". El cabo preguntó: "Bueno, pues, ¿de qué se trata?" Contesté: "Regresé a mis campos con el permiso del jefe del campamento". De modo que me soltó, pero me indicaron que no volviera otra vez, o seguramente me matarían.

Habíamos hecho el viaje en una camioneta de la Cruz Verde, la cual proporcionaba algo parecido a servicios médicos en el campamento. (La organización forma un retoño cismático de la Cruz Roja salvadoreña, la cual no parecía muy activa). Acabábamos de regresar a la carretera cuando se nos hizo señal de parada. Un joven yacía, sangrando, en el suelo. El conductor y sus asistentes se bajaron de un brinco, lo alzaron y lo colocaron sobre el banco en la parte de atrás de la camioneta. Su madre y hermano también subieron.

Las heridas resultaron no poner en peligro su vida. Las largas cuchilladas en el cráneo y el hombro y brazo derecho sangraban abundantemente, pero no se había cortado ninguna arteria. El joven afirmó que era un jornalero y que se llamaba Jesús Villalobos. No se trataba, como suponíamos, de una víctima de los militares o los guerrilleros. Según relató los acontecimientos, él y un amigo habían pasado la tarde emborrachándose juntos, puesto que era domingo. Riñeron, y Jesús perdió el conocimiento. El amigo volvió con su machete, el platillo especial de las noches de sábado y las tardes dominicales en El Salvador, y se puso a cortar.

—Una vez un campesino, siempre un campesino, —comentó Cárdenas—. Dale a un campesino tres colones diarios, y gastará dos y medio en aguardiente [un licor fuerte, normalmente destilado ilegalmente, hecho de maíz o de caña de azúcar]. Dale cinco colones diarios, y gastará cuatro y medio. Un año, El Salvador salió en el *World Almanac* por tener la cuota más alta de asesinatos en el mundo. [Las estadísticas que yo encontré ponían a México en primer lugar, mientras El Salvador y Colombia competían por el segundo]. Cualquier tipo de problemas, y en su mayoría son de dinero o de mujeres, y los campesinos se ponen a tomar y deciden arreglarlo con los machetes.

Este estereotipo es cierto, al menos en parte, y el resultado, así como en los barrios pobres de Estados Unidos, donde la vida es paradisiaca en comparación, es una alta frecuencia de nacimientos fuera de matrimonio, de deserción paternal, abuso de mujeres, alcoholismo, asesinatos y otros crímenes.

Regresamos a La Bermuda unos días después para investigar los informes acerca de que la Guardia Nacional se había llevado a 15 hombres del campamento. Era cierto, afirmó uno de los jóvenes de la Cruz Verde.

—Se presentaron ayer con dos hombres enmascarados —indicó—. Éstos señalaron a los hombres. La Guardia se los llevó en sus camiones, con los pulgares atados en la espalda.

El hombre de la Cruz Verde señaló a las esposas de varios de ellos. Tenían la mirada vaga, los rostros inmóviles, congelados en una expresión de dolor desesperado. Era una mirada que había visto antes entre la gente pobre e impotente, que tal vez haya supuesto que ya no tenía nada que perder, y que, de pronto, se enteró de que estaba equivocada.

—Creo que ya están muertos —declaró una de las mujeres, con los ojos fijos en el polvo debajo de sus pies descalzos.

La embajada de Estados Unidos en San Salvador representa un monumento a las frustradas esperanzas de la Alianza para el Progreso. Consiste en un cubo de cuatro pisos, con ventanas en fila continua colocadas entre enjutas anchas, con un declive hacia el interior, de hormigón color crema de acabado liso. Cuando se inauguró, no ha de haber hecho pensar en nada tanto como en la sede suburbana de, digamos, una pequeña firma farmacéutica. Más recientemente, había adoptado la apariencia de una fortaleza sitiada. Se elevaron muros de bloques de hormigón tras la cerca de estacas puntiagudas de hierro pintadas de negro. Escudos contra explosiones protegían las entradas. Emplazamientos reforzados con sacos de arena y guarnecidos de infantes de marina se encontraban sobre las cuatro esquinas de la azotea de la embajada, y había guardias apostados también sobre las azoteas de los edificios cercanos. La recepcionista estaba sentada dentro de una cabina de plástico a prueba de balas. Aunque las ventanas supuestamente también eran a prueba de balas, un tiro disparado desde un coche al pasar, una semana antes, había penetrado por el vidrio, de un grueso de 2.5 centímetros, y hecho un agujero en la pared arriba del escritorio del embajador.

Las opiniones que oí expresar allí, en marzo de 1981, eran quizás aún más belicosas e intransigentes que las de Haig. Se había eliminado por completo la posibilidad de negociaciones con la izquierda, incluso con la izquierda no marxista del Frente Democrático Revolucionario.

—Esta guerra terminará cuando un lado deje de pelear —afirmó un funcionario de alto rango—. Lo que constituya la victoria es una cuestión aterradora. Los jesuitas, usted no tiene idea de cuánto los odian en este país, han dicho que hay que preparar para la muerte a decenas de miles. Es posible que no estén equivocados por mucho.

Guillermo Ungo, el líder del frente, no era nada menos que "un agente pagado por los cubanos", indicó el funcionario.

—La posición mexicana es: "Habrían de permitir a estos tipos tener su revolución" —continuó—. Nosotros creemos tener el derecho de oponernos del modo que sea a una revolución que crearía un campamento armado y hostil cerca de nuestros litorales. El Salvador sería dominado por Cuba, no lo dude, si la revolución triunfara.

En esos días, reinaba el optimismo.

—La situación ha mejorado mucho —opinó el mismo funcionario—. La izquierda ya no es la fuerza política y militar que alguna vez fue.

Si esto fuera así, observé, tal vez sería porque tantos partidarios no combatientes de la misma ya han sido asesinados.

Replicó que estaba exagerando y se inclinó hacia adelante para exponer lo que llamó una evaluación "realista" del número de muertes civiles, que entonces se estimaba en 15 000 desde el principio de 1980.

—Según nosotros lo vemos, el 25 por ciento de los asesinatos fue cometido por la derecha, lo cual lamentamos y estamos tratando de lograr que se reduzca —indicó—. El 25 por ciento sin duda alguna corresponde a la izquierda, y no deje que nadie intente engañarlo al respecto. El resto pudiera ser el acto de cualquiera. Muchos son sólo asuntos de Hatfield-McCoy. [Eso fue una alusión a la propensión salvadoreña a la violencia]. Sólo se catalogan bajo las rúbricas de "derecha" e "izquierda" por las implicaciones internacionales.

8

VOCES SALVADOREÑAS

ANTES DEL AMANECER del 7 de abril de 1981, en Soyapango, un distrito pobre en las afueras de San Salvador, la policía fiscal sacó arrastrando a 30 hombres, mujeres y niños de sus casas y los asesinó. La mayoría fue muerta ahí donde se encontraba. Los cuerpos del resto se hallaron más avanzado el día en El Playón. El suceso fue inusitado sólo en un sentido: los equipos estadounidenses de televisión llegaron a Soyapango antes de que se recogieran los cadáveres. La película, que yo vi en Nueva York, causó gran impacto en Estados Unidos. Fue citada una fuente del ministerio de Estado, que decía que la policía fiscal estaba "fuera de control". (El principal deber oficial de la misma es poner fin a la destilación y venta del aguardiente por el que no se recibieran impuestos. Representa un gran negocio en un país donde la gente es pobre y trata de emborrarcharse tan a menudo como es posible. Cuando no estaba cazando a los contrabandistas de licor, se sospechaba que la policía fiscal se dedicaba a un segundo empleo con los escuadrones de la muerte).

El 15 de abril, el ministerio de Estado anunció el arresto de dos salvadoreños, uno en Miami y el otro en San Salvador, en conexión con los asesinatos de Viera, Hammer y Pearlman, los expertos en reforma agraria. Uno de ellos, Ricardo Sol Meza, un miembro de una familia de la oligarquía, era uno de los dueños del hotel

Sheraton, donde habían tenido lugar los asesinatos. El otro, Hans Christ, de ascendencia alemana, era su cuñado, el dueño de una empresa para el empaquetamiento de carne y el hijo de un ex presidente de la Asociación Salvadoreña de la Industria.

No parecía improbable que este arranque de actividad estuviera relacionado con el hecho de que el Congreso estaba considerando un proyecto de ley, que se convirtió en tal, que requeriría, como condición para la ayuda militar ulterior para El Salvador, una certificación presidencial de que se estuviera progresando en asuntos de derechos humanos. De ser cierto, ocurrió demasiado tarde, porque el mismo día, el 29 de abril, el proyecto fue aprobado por el Comité de Asuntos Exteriores de la Cámara, por una votación de 29 a 7.

El 11 de mayo, el coronel García declaró que se había arrestado a seis miembros inferiores de la Guardia Nacional, el mismo día, el 29 de abril, en relación con el asesinato de las cuatro misioneras. Se encontraban de guardia cerca del aeropuerto al ocurrir los secuestros.

Para entonces, El Salvador era ya el tercer recipiente más grande de ayuda financiera de Estados Unidos, después de Egipto e Israel. Para el año fiscal que terminó el 30 de septiembre de 1981, recibió 143 000 000 de dólares en ayuda económica y 35 500 000 en ayuda militar, y esta aportación se ha incrementado cada año desde entonces. Un informe de la Agencia para el Desarrollo Internacional estimó que el total pudiera muy bien superar los mil millones de dólares dentro de cinco años.

En junio, la Casa Blanca anunció que estaba trabajando en un programa de ayuda económica y militar de 350 000 000 de dólares para las naciones del Caribe y de Centroamérica. Como la Alianza para el Progreso, su propósito era la anulación del influjo comunista en la región por medio de la mejora del nivel de vida bajo el sistema capitalista.

El mismo mes, el *Wall Street Journal* informó que el analista del ministerio de Estado que había reunido y evaluado el material de origen para la "Hoja Blanca" acerca de El Salvador admitió, al enfrentarse con críticas detalladas, que tal vez, en efecto, hubiera sido "engañosa" y "demasiado adornada". Afirmó que también incurría en francos errores y bastante "extrapolación", en lo cual un sinnúmero de conclusiones, en cuanto a la "agresión armada indirecta" de los comunistas, se balanceaba sobre muy poca evidencia real.

El presidente José López Portillo, de México, que había llamado las opiniones expresadas en la "Hoja Blanca" "un insulto a la inteligencia", llegó a Washington para dos días de pláticas con Reagan. Un portavoz de López Portillo afirmó que dijo a Reagan que el plan de ayuda, que se llamaba "Iniciativa de la Cuenca del Caribe", no debía tener aspecto militar alguno, que no debía concebirse como un plan para la lucha contra el comunismo y que tampoco debía excluir a ninguna nación del área, una referencia obvia a Cuba y Nicaragua. Aparte de eso, se decía que le agradaba a López Portillo. No era posible afirmar lo mismo en cuanto a las camarillas de cabilderos de los agricultores, los fabricantes y los obreros organizados. Éstas se oponían a la disminución de las barreras arancelarias del azúcar y otros productos agrícolas, así como de algunos artículos manufacturados. Los demócratas liberales manifestaron que la propuesta resultaba del todo inadecuada. Este tipo de críticas era infeccioso, sobre todo durante una depresión económica cada vez más severa. La Casa Blanca pareció perder el entusiasmo por el programa, y el nonagesimoséptimo Congreso se clausuró en diciembre de 1982 sin haber tomado medidas al respecto.

Guillermo Ungo, el estafado candidato para la vicepresidencia en 1972, un miembro de la primera junta, social-demócrata y el presidente de la Comisión Diplomática del Frente Democrático Revolucionario-Frente Farabundo Martí para la Liberación Nacional, con frecuencia viajaba a Estados Unidos desde su sede en la ciudad de México y su hogar en Panamá. La mayoría de los miembros de la comisión viajaban constantemente en busca de apoyo financiero y moral en Latinoamérica, Europa y Estados Unidos, y cabildeaban en las Naciones Unidas y otras corporaciones internacionales y regionales. Por otra parte, se decía que Cayetano Carpio y otros líderes guerrilleros pasaban gran parte de su tiempo en el campo de batalla. Sus viajes eran clandestinos. Rara vez hablaban con la prensa no marxista. Y eran ellos quienes se encargaban de todas las luchas.

Toqué este asunto con Ungo durante una conversación sostenida en Nueva York. ¿Por qué estaba él tan seguro, pregunté, de que los guerrilleros compartirían el poder si, con el tiempo, ganaran?

—Por más de un año y medio hemos tenido una alianza pluralista, lo cual significa una práctica ídem —declaró—. Tenemos que adherirnos a las reglas de la democracia, a fin de lograr nuestros objetivos. Además, la diferencia entre un revolucionario y un demócrata en un trance no es tan grande. A partir de 1972 hemos aprendido que, puesto que no conocemos la democracia en El Salvador, tenemos que mantenernos unidos para conseguir nuestras metas comunes. La gente no lucha por éste o aquel partido. Lucha porque quiere cambiar la estructura, la estructura oligárquica, y porque quiere elecciones libres, que nunca ha tenido. Hemos enunciado claramente un programa que exige una economía mixta: propiedad de Estado, propiedad social y propiedad particular. Lo que no nos agrada es la propiedad oligárquica, que principalmente significa la tierra. La reforma agraria que están realizando en El Salvador no representa un cambio estructural de ninguna manera verdadera porque ha sido suspendida, porque la fase II nunca se pondrá en ejecución.

Mencioné que quienes no eran comunistas en Nicaragua habían creído tener la misma clase de arreglo con los sandinistas. Replicó que el caso de El Salvador era diferente.

—En El Salvador existen muchas fuerzas políticas, y en Nicaragua sólo una: los sandinistas, en sus tres tendencias, que ahora se han unido. Esto sucedió porque el partido conservador, un partido nominalmente en contra de Somoza, siguió el juego del sistema de éste y lo legitimizó.

Ungo, que entonces tenía 50 años de edad, habló con voz débil y seca, ligeramente irritada. Era un abogado y no parecía estar en el papel apropiado para él, como uno de los líderes, aunque no violento, de una rebelión. Carecía de la fuerza de presencia y la personalidad de un Duarte, un D'Aubuisson o, según lo que había oído, de un entrecano viejo Carpio. Es un hombre pálido de estatura mediana. Su rostro tiene una forma marcadamente triangular. Tenía la frente crecida por la pérdida de cabello, usaba anteojos sin armazón y tenía una boca pequeña e irritable.

Ungo había afirmado que la disposición de Duarte a servir como el presidente de la junta revelaba una "obsesión personal con el poder y un anticomunismo primitivo".

—Si sigue jugando a la política de modo cada vez más parecido al del coronel García, no tendrá mucho que ver con ningún arreglo político. Depende de él. Constantemente afirma que si renunciara, lo supliría alguien peor que él. Está equivocado. Si se saliera, las cosas seguirían iguales, sólo que más claras y más abiertas. No comprendo qué tiene de democrático *este* gobierno.

En Washington, la Comisión Diplomática estaba representada por Rubén Zamora, el ministro de la Presidencia en la primera junta. En nuestra primera reunión, en julio de 1981, pregunté por qué la junta había renunciado de manera tan precipitada.

—Fue causada por una acumulación de cosas —declaró—. Estuve enterado de la mayoría de ellas. Por ejemplo, cada vez que discutíamos nuestro programa legislativo con García y Vides Casanova [el coronel Eugenio Vides Casanova, comandante de la Guardia Nacional y el sucesor de García como ministro de la Defensa en 1983] y los demás comandantes, decían: "Excelente, pero ahora tenemos que convencer al resto de los oficiales". Majano y Gutiérrez y los oficiales jóvenes que los apoyaban contaban con muy poco influjo en estos asuntos. Luego nada pasaba durante semanas y semanas y semanas. ¡Nada sucedía *jamás!*

"A principios de diciembre, enviamos un memorándum a los militares que decía: «Esto no funciona». La última gota cayó en una junta con ellos. Dijimos: «No pueden andar disparando contra los manifestantes. Así no funciona la democracia». Vides Casanova era quien más se encargaba de hablar por los militares. Nos replicó: «No dejaremos de hacerlo. Esa gente es subversiva. Tenemos que defender al país. No se olviden de que cuando queramos deshacernos de ustedes, lo haremos»".

Zamora debatió también la aseveración de Duarte de que las intrigas de la izquierda lo mantuvieron fuera de la primera junta.

—De hecho, el Foro Popular sugirió su nombre a Majano y los otros oficiales —declaró—, pero Duarte, que todavía estaba en Venezuela, trató de convencer a los cristiano-demócratas de no participar en el gobierno y de convocar a elecciones inmediatas. Por supuesto él, iba a ser el candidato. ¡Estaba loco! ¡No había posibilidad alguna de lograr nada! ¡Todos esos antecedentes de fraude! ¡Toda esa violencia! ¡Incluso el registro de electores era totalmente incorrecto y estaba atrasado! Simplemente no existían las condiciones para unas elecciones. Se lo dijimos a Duarte, y afirmamos que trataríamos de estabilizar la situación un poco y que *entonces* habría elecciones. Pero cuando Duarte regresó en noviembre, insistió en su propia línea, y se desarrolló la contienda dentro del partido.

Zamora también indicó que eran erróneos los informes de que

Fidel Castro hubiera ejercido presión sobre los guerrilleros para emprender la ofensiva de enero.

—No hubo presión por parte de Cuba ni de ningún otro lado —declaró—. Simplemente estimamos demasiado en alto nuestra fuerza en las ciudades. Seis meses no fue suficiente tiempo para construir un movimiento clandestino.

En cuanto a la cuestión de dónde venían las armas de los guerrilleros, Zamora confirmó mi teoría de que el gobierno sandinista, al igual que los otros gobiernos en circunstancias similares, incluyendo a Estados Unidos, *oficialmente* hacían caso omiso del hecho de que las armas estuvieran metiéndose y sacándose de contrabando de Nicaragua por los guerrilleros. Indicó que los sandinistas se lo habían comunicado a Thomas O. Enders, el secretario auxiliar de Estado para Asuntos Inter-Americanos, cuando éste visitó Managua en el verano de 1981. También se decía que lo informaron de que no tratarían de poner fin al tráfico.

No obstante, Zamora comentó que se exageró mucho la importancia de Nicaragua como una fuente de armas. La mayor parte, por mucho, era adquirida, principalmente con el dinero obtenido por secuestradores, en el mercado negro internacional de armas. Me incliné a creerle, y los acontecimientos posteriores sugirieron que estaba diciendo la verdad.

Zamora persuasivamente estableció la necesidad de negociaciones inmediatas. La guerra estaba paralizada, afirmó. El ejército salvadoreño, con la ayuda de Estados Unidos, no podría ser derrotado, pero tampoco le sería posible eliminar a los guerrilleros. El único resultado de la continuación de los combates, señaló, sería mayor devastación y más pérdidas de vidas. Entretanto, como en Nicaragua, los guerrilleros cobrarían mayor influencia a expensas de los elementos moderados y no marxistas, con cada mes que permanecieran en el campo de batalla. Esto, a la larga, según opinó Zamora, imposibilitaría unas negociaciones hechas de buena fe.

En Nueva York también hablé con Jorge Pinto, el director-editor de *El Independiente,* el único periódico en El Salvador que apoyó a la izquierda, hasta que fue obligado al silencio por una bomba en enero de 1981. Lo primero que me contó fue que el arzobispo Romero estaba diciendo una misa de difuntos para su madre al ser asesinado.

La versión dada por Pinto del golpe de Estado intentado por

Mejía, del que yo había oído muchas narraciones conflictivas, tenía el son de la verdad.

—Aunque personalmente no me agradaba Duarte, lo respaldé en la elección y destaqué notablemente sus alegatos de fraude en mi periódico —afirmó—. Cuando se negó a hacer entrar en acción a sus partidarios, los perdió. Todo el mundo pensó que era un cobarde. Mejía fue a verme. Lo conocía hacía mucho. Era un oficial extraordinario, muy progresista. Incluso solía leerles poesía a sus tropas. Mejía decidió organizar un golpe, no para Duarte sino para él mismo. Después de haber arrestado a Sánchez Hernández, el presidente que iba de salida, los jóvenes oficiales que apoyaban a Mejía opinaron que debía fusilarlo, pero se negó a hacerlo porque prácticamente era pacifista. Ni siquiera permitía que se utilizara veneno para ratas en las barracas.

"Mejía y los otros cometieron lo que pudiera llamarse un error táctico —continuó—. Hicieron estallar la central eléctrica, y luego se dieron cuenta de que no podían comunicarse los unos con los otros ni con sus amigos en las zonas rurales. Cuando comprendieron que estaban perdiendo, decidieron tratar de convencer a Duarte de que los ayudara. Había una estación radiofónica que estaba transmitiendo todavía, porque contaba con su propio generador de corriente. Duarte habló por ella, pero era tan débil que dudo que alguien lo haya oído. Mejía y los demás escaparon, pero Duarte fue hecho prisionero. Sánchez Hernández estaba tan enojado que iba a mandar fusilar a Duarte. De no haber sido por Hesburgh, el rector de Notre Dame, esto hubiera sucedido.

Pinto sabía algo más acerca de este acontecimiento hasta entonces no registrado. Llamé por teléfono al reverendo Theodore M. Hesburgh, de suyo una eminente figura pública, esperando oír que la historia era un mero rumor. En cambio, recibí una confirmación de la misma.

—Esa noche tuve una llamada de Rolando Duarte más o menos a las diez y media —afirmó—. Conocía muy bien a ambos hermanos, porque habían asistido juntos a la primera clase que jamás di en Notre Dame, ética cristiana, en 1945. Rolando me contó lo sucedido y dijo que le iban a hacer un juicio legítimo a "Nappy" y fusilarlo al amanecer. De inmediato establecí contacto con el nuncio papal, que se encontraba en la ciudad de Guatemala, con el Vaticano y con los presidentes de Venezuela y Panamá. El presidente de Venezuela, que también era un cristiano-demócrata, se comunicó con el presidente de El Salvador. Le advirtió que su gobierno lo consideraría como un asunto muy serio si algo le sucediera a Duarte. También envié un cable al secretario de Estado Kissinger, pero para cuando me contestó, Duarte se encontraba a salvo fuera del país.

Después de su despedida como embajador, Robert White se hizo miembro de la Fundación Carnegie para la Paz Internacional y empezó a escribir y a hablar en contra de la política de Reagan. White, un robusto irlandés, de ojos hundidos, de Boston, me indicó que la pregunta que con mayor frecuencia se le hacía era si El Salvador podía convertirse en otro Viet Nam.

—Solía decir que no, pero ya no estoy tan seguro —señaló—. Este gobierno no logra abordar la realidad. Continúa culpando a Rusia, Cuba y Nicaragua cuando los verdaderos villanos son la injusticia, el hambre y la dictadura. Mi teoría es que la política seguida por Estados Unidos hacia Latinoamérica desde la Segunda Guerra Mundial ha sido orientada por el temor a la revolución. Es una necedad que Latinoamérica sea incapaz de la democracia. De lo que no es capaz es de establecerla cuando Estados Unidos se opone a ello, y eso es lo que hemos hecho durante años.

A principios de agosto de 1981, una fuerza guerrillera, un puñado de hombres intrépidos, según Radio Venceremos, e innumerables cientos, según el gobierno, invadió el pueblo de Perquín en el rincón noreste de El Salvador. Expulsaron a la pequeña guarnición, tomando prisioneros a varios soldados y miembros de la fuerza local de autodefensa. Pese a que 400 tropas estaban apostadas a sólo 32 kilómetros de distancia, en San Francisco Gotera, el ejército no realizó esfuerzo alguno por recobrar Perquín durante más de una semana. Cuando las tropas finalmente estuvieron listas para un ataque, los guerrilleros se escabulleron. El ejército declaró que los había expulsado.

Más o menos una semana después, probablemente no por casualidad, México y Francia emitieron una declaración conjunta que reconocía a los guerrilleros salvadoreños como "una fuerza política representativa". Los dos países explicaron su acción diciendo que el conflicto significaba "una amenaza potencial para la estabilidad y la paz de toda la región". Un funcionario mexicano aclaró a continuación: "No estamos interviniendo en los asuntos de El Salvador; sólo estamos reconociendo a un movimiento de liberación".

Washington opinó que la acción era "poco beneficiosa", pero

apuntó que la declaración al menos reconocía que los guerrilleros eran "beligerantes", lo cual les hubiera permitido establecer relaciones diplomáticas con las dos naciones. De hecho, el efecto de la declaración fue mayormente intangible.

Cuando Duarte visitó la Casa Blanca en octubre de 1981, recibió algo que la prensa describió como una bienvenida distintamente templada. Duarte afirmó que no quería tropas estadounidenses ni más consejeros. Lo que su ejército necesitaba, indicó, eran radios de campaña, helicópteros y camiones, y Reagan le prometió que los recibiría. Duarte también se dirigió a la asamblea general de las Naciones Unidas. Ahí su recepción tampoco fue entusiasta. Para el bloque comunista era un enemigo. Para el Tercer Mundo e incluso los gobiernos social-demócratas de Europa, representaba una creación de Estados Unidos. Para los gobiernos de los caudillos latinoamericanos, no era mejor que un comunista.

Ese mismo mes, los guerrilleros hicieron explotar el Puente de Oro, que fue construido con un préstamo del Banco Mundial. Se extendía sobre el único río importante del país, el Lempa, a 48 kilómetros al este de San Salvador, y ligaba la capital al tercio oriental del país. El ministerio de la Defensa insistió en que hombres rana cubanos habían llevado a efecto la operación.

Los guerrilleros estaban tratando de despejar el camino a la victoria con bombas cuando volví a El Salvador en noviembre de 1981. El museo etnográfico, una sucursal bancaria y varios edificios de oficinas fueron dañados. Las torres de transmisión eléctrica y los centros de conmutación telefónica estaban estallando más rápidamente de lo que podían ser reemplazados. Unas cuantas bombas de tiempo explotaron en coches en movimiento, presuntamente al ser llevados a los lugares donde debían ser detonados. Sucedió una tarde sobre un bulevar a un kilómetro y medio, más o menos, del Camino Real. Yo me encontraba en un taxi como 400 metros detrás del carro cuando explotó la bomba.

La explosión esparció los pedazos del coche, un Volkswagen sedán, del conductor y de cualquiera que lo hubiese acompañado sobre un diámetro de 15 metros o más. No quedaron partes humanas identificables, pero trocitos de carne color gris rosáceo y de grasa amarillenta moteaban el pavimento. Hubo otra víctima: un joven sobre una bicicleta. El coche estaba rebasándolo cuando estalló la bomba. Su torso desmembrado y decapitado estaba tendido en el suelo. Un fotógrafo vomitó después de hacer sus tomas. La multitud que se congregó tenía los estómagos más fuertes. Los hombres, las mujeres y los niños miraban, atónitos, ese pobre bulto de carne ennegrecida.

Ya había tenido que tachar un nombre de la lista de las personas que pensaba entrevistar. Se trataba del coronel Benjamín Mejía, el líder del golpe intentado en 1972. Él y su esposa fueron fusilados en julio, casi seguramente por la derecha. Dadas las circunstancias, me apresuré a concertar otra cita con Duarte y a reunirme con otras dos personas que tal vez tendrían dificultad para comprar un seguro de vida. Ellas eran D'Aubuisson, que en esa época estaba surgiendo como la esperanza política de la extrema derecha, y el coronel Ernesto Claramount, el candidato cristianodemócrata para la presidencia en 1977.

Mario Redaelli arregló la entrevista con D'Aubuisson. Tuvo lugar en la residencia de Redaelli en Escalón, desde donde todavía estaban dirigiendo su nuevo partido, la Alianza Republicana Nacional, o ARENA. D'Aubuisson habló en español. Lo que no entendí fue explicado por Redaelli, que se crió en Los Ángeles, y por Bob Rivard, el corresponsal centroamericano del *Times-Herald* de Dallas, quien me acompañó.

D'Aubuisson, pálido, de mejillas hundidas, obviamente de descendencia enteramente europea, habló y fumó un cigarro tras otro con intensa calma, con la energía comprimida del resorte que impulsa el pelo de las armas de fuego o que hace estallar una bomba. Llevaba una camisa deportiva, pantalones de caqui y botas de vaquero. Él y Redaelli portaban pistolas en los cinturones de sus pantalones: la Browning de 9 milímetros, cuyo cargador de 14 tiros la convierte en la preferencia de la gente que yerra, o mata, mucho.

—No defiendo a los ricos —declaró—. Defiendo principios. En primer lugar, el sistema constitucional. Creemos en la democracia representativa en la cual el poder se encuentra en las manos del público. Creemos en un mercado libre y los derechos humanos. Ocurren muchas más violaciones a los derechos humanos hoy que bajo el gobierno militar. Ya no los hay para el sector privado. El sistema puesto en efecto por Duarte promueve la corrupción, la violencia y el caos económico.

Las opiniones de D'Aubuisson eran predecibles como las de un antiguo oficial que había estudiado la revolución y la contrarrevolución, según nos indicó, en Taiwán, en la Escuela Internacional de Policía en Washington, en la Escuela de las Américas de la zona del canal, en Chile y en Uruguay. Pero también era posible imaginárselo defendiendo opiniones radicalmente diferentes pues, como había averiguado en otra parte, provenía del sector más inestable de una sociedad como la del Salvador, al igual que Redaelli. Ambos hombres eran los parientes pobres de familias ricas. D'Aubuisson asistió a la academia militar porque faltaba el dinero para la colegiatura universitaria. El padre de Redaelli, un inmigrante italiano, estuvo ligado a la familia D'Aglio de oligarcas. Era un comprador de café para ellos cuando fue muerto en el levantamiento de 1932.

—Con D'Aubuisson, creo que se trata de una especie de complejo de inferioridad —me indicó un salvadoreño de conceptos conservadores—. La política le da la oportunidad de tratar a la oligarquía y, quizá, de poner las manos sobre algunos de los millones que están poniendo a disposición de la ARENA.

Desde su regreso del exilio en Costa Rica, el coronel Ernesto Claramount había vivido tranquilamente y sin tomar parte ya en la política. Representaba una figura olvidada. Su casa era más pequeña que la de cualquier coronel retirado. Claramount nos condujo a unos sillones cómodos en la pequeña sala de estar, llena de demasiados muebles. Nos presentó a su esposa e hija. Evidentemente la fiera defensora del honor de su padre, la hija se sentó en el sofá y tomó notas de nuestra conversación.

René Cárdenas, quien me acompañaba, señaló que se habían conocido 15 años antes, cuando él formaba parte de las Fuerzas Especiales y el coronel estuvo asistiendo a un curso de comunicación en la zona del canal.

—Por supuesto —admitió Claramount vagamente—. Fue un curso excelente, muy útil.

Claramount era un caballero obsequioso y amigable de la vieja escuela. Su traje gris estaba gastado, pero era de buen corte. Se sentó con la espalda erguida y hablaba un español melodioso. Tenía el cabello cano, pero la tez tersa. Su mirada era directa, y la larga nariz era subrayada por un llamativo bigote de soldado de caballería.

En efecto, afirmó, era un graduado de la famosa escuela de

caballería del ejército mexicano, el campeón de salto de Centroamérica como teniente, y un jugador de polo de renombre durante la mayoría de sus años pasados en uniforme. Su abuelo materno, indicó, era el Comt. de Rozeville, un noble francés que acompañó al emperador Maximiliano a México. Después de la ejecución de éste en 1867, fue a El Salvador y compró tierra. Se casó con una sobrina del general Gerardo Barrios, que fue elegido presidente en 1860. Su padre, continuó Claramount, era el general Antonio Claramount, quien había competido sin éxito por la presidencia tres ocasiones. Era uno de los candidatos que se habían opuesto a Arturo Araújo en 1931. Después de que Hernández Martínez se hubo apoderado del poder, pasó ocho años en el exilio. Buscó la presidencia otra vez en 1945, en la primera elección después de derrocado el caudillo, y, según su hijo, fue despojado de la victoria al contarse los votos.

—Yo era un niño cuando su padre se encontraba en campaña —comentó René—. Una vez me acarició la cabeza.

Claramount sonrió, encendió un puro largo y delgado y continuó la narración. La propia carrera había alcanzado su cenit, indicó, cuando mandó el batallón blindado de ataque durante la Guerra del Futbol. Pidió a su hija que fuera por el álbum de fotografías. Ahí estaba, el bigote negro todavía, ostentando también una barba corta y cuadrada, una boina negra en la cabeza, la fusta bajo el brazo, de pie junto con algunos miembros de su escolta, delante de un letrero que identificaba el pueblo hondureño de Nueva Ocotepeque, el punto más adelantado del avance salvadoreño.

—En 1972, me abordó el coronel Molina para que tomara parte en su campaña presidencial —prosiguió—. Me negué, diciendo que legalmente no podía hacerlo mientras estaba en servicio. Molina se enfadó mucho y en 1974 me incluyó en la lista de inactivos. Cuando los cristiano-demócratas me pidieron ser su candidato en 1977, acepté. Nunca había sido un cristiano-demócrata. Fundamentalmente era político, pero me inquietaba la corrupción en las fuerzas armadas y la complicación de éstas en la política. Puse una condición. Ésta fue que ni yo ni otro candidato de la coalición atacara a las fuerzas armadas. Sabía que eran necesarias las reformas, pero no quise dañar en forma alguna a los hombres con los que había servido.

Su hija alzó la mirada del cuaderno de notas e inclinó la cabeza con insistencia.

—Nuestra encuesta mostró que recibiríamos el 78 por ciento del voto, frente al 15 por ciento para el Partido de Conciliación Nacional, el partido oficial que siempre había estado en el poder, pero los resultados fueron bastante diferentes, —declaró, con un fino tono de ironía en la voz—. A las siete de la mañana, cuando se abrieron los lugares de votación, nuestros observadores informaron que muchas de las urnas ya estaban llenas. Decenas de miles de personas muertas votaron. Alguna gente votó cinco o 10 veces. La elección había terminado antes de comenzar.

Cuando fueron pasadas por alto sus protestas formales ante la comisión electoral, convocó a sus seguidores a una manifestación en la Plaza Libertad.

—El primer día fuimos 30 000 —contó, adquiriendo su voz un tajante tono militar—. El segundo día hubo 60 000, exigiendo todos la invalidación del voto. La mayoría durmió en la plaza esa noche. Hubo protestas por todo el país. El domingo, una semana después de las elecciones, más de 100 000 personas acudieron a la plaza. Molina estaba bastante preocupado ya. Envió a tropas y a la policía para dispersar a la gente. Dispararon sobre la multitud. Cundió el pánico. Mientras todo el mundo corría, volvieron a disparar. Para cuando se hubo esparcido la muchedumbre, había 800 muertos y heridos. Tuvieron que llamar a los bomberos para lavar la sangre del pavimento. [Las cifras oficiales de seis muertos y 80 heridos probablemente sean demasiado bajas, pero más próximas a las reales].

"A la una y media de la madrugada del lunes, quienes quedábamos nos refugiamos en la iglesia del Rosario, para escapar al gas lacrimógeno, y ahí permanecimos. No habíamos comido ni tomado nada durante todo el día, y teníamos las gargantas muy adoloridas por el gas lacrimógeno. A las tres y media de la madrugada, varios oficiales se abrieron paso a la iglesia. Muchos entre ellos eran viejos amigos míos. Me advirtieron que si no me rendía, matarían a todos en la iglesia. Pude ver que lo decían en serio. Mi hijo se encontraba conmigo, así como el obispo Rivera y Damas. No estaba preocupado por mí mismo, pero comprendí que no tenía opción.

Claramount ya no estaba hablando de esa manera militar desapasionada. Era la primera vez en muchos años, nos indicó, que alguien le preguntaba acerca de ello.

—Me dijeron que tenía que acompañarlos a Santa Tecla [un pueblo suburbano]. Rivera y Damas y el presidente de la Cruz Roja insistieron en ir conmigo. Ahí, varios oficiales superiores colocaron un documento delante de mí y me ordenaron que lo firmara. Decía que había abandonado la iglesia por mi propia voluntad. Les contesté que no era cierto, y que no lo firmaría. Opusieron que si no lo hacía, matarían a toda mi familia. De modo que firmé.

Claramount fijó la mirada en un punto directamente enfrente de él. Tenía lágrimas en los ojos. No eran bandidos ni guerrilleros los que le habían hecho eso, sino oficiales hermanos, camaradas de armas, compañeros de toda la vida.

—Entonces llevaron a mi esposa. Nos preguntaron a qué país queríamos ir, y dije que a Costa Rica. Tuvimos que pasar allá casi tres años antes de que se nos permitiera regresar.

Desde entonces, afirmó, pasaba el tiempo administrando una hacienda de unas cien hectáreas, propiedad de su esposa, en la provincia de Chalatenango, al norte de la capital.

—Me gusta estar ahí —declaró—. Tenemos ganado y caballos, de modo que tengo la oportunidad de montar un poco. Sin embargo, principalmente, trato de desempeñar bien mi trabajo —le sonrió a su hija— para que no me despidan.

Duarte me recibió, en esta ocasión, en el Palacio Presidencial. Mis preguntas de seis meses antes habían sido, en su mayoría, biográficas, señalé. Esta vez quería tratar cuestiones de gobierno, tanto prácticas como teóricas. Pregunté, por ejemplo, si resultaba del todo realista fiarse de que la buena voluntad y las nociones democráticas prevalecieran sobre las armas y el fanatismo de la derecha y la izquierda.

Duarte se inclinó hacia adelante y colocó las palmas de las manos sobre las rodillas.

—Hablando en forma simplista, tiene usted toda la razón —replicó—. Pero a Gandhi no le hicieron falta armas. Expuso sus razones, su análisis y, finalmente, éste prevaleció. Tengo la teoría de que no puede haber revolución en ningún sentido si la gente no la desea. Por lo tanto, creo que la mejor arma con la que cualquiera puede contar es la voluntad del pueblo.

Desde hacía 450 años, indiqué, los gobiernos latinoamericanos se habían especializado en frustrar la voluntad del pueblo.

—Es usted demasiado pragmático —replicó Duarte—. Soy un idealista. Cristo llegó al mundo, no para imponerse a la gente, sino para hablar con ella y convencerla. Estaré satisfecho si ayudo a mi pueblo a comprender que no hay solución en la violencia ni en aprovecharse de los demás.

Dije que Mahatma Gandhi y Jesucristo hubieran durado como 15 minutos en El Salvador, que ningún presidente podía esperar gobernar un país en estado de guerra con una rama de olivo, y que a la larga su idealismo pudiera causar más daño que bien.

—Estoy de acuerdo con usted, y ése es el conflicto que enfrento —afirmó—. Hubiera resultado fácil para mí no aceptar ningún puesto en el gobierno. Lo único que hubiera tenido que hacer era quedarme en Venezuela porque, al final, sabía que habían de acudir a mí. Pero el permitir a mi pueblo matarse los unos a los otros hasta ese momento no representaba una solución aceptable. Por lo tanto, tuve que regresar y aceptar un sino que no quería. Por ejemplo, siendo el presidente sin ser electo, soy un hombre ilegítimo en el poder, y la gente comete el error de querer que actúe como si fuera el dueño legítimo del poder que tengo.

Estaba yo diciendo que por lo menos contaba con la legitimidad retroactiva de haber sido elegido para la presidencia en 1972, cuando el sonido de una explosión sacudió las ventanas tras las cortinas corridas. Duarte llamó a uno de sus auxiliares para averiguar qué había sucedido. Éste devolvió la llamada para explicar que había estallado otro segmento del sistema telefónico.

Como contestación a mi punto acerca de su elección en 1972, dijo:

—Estoy de acuerdo con usted, pero eso resulta sentimental, no realista. Cuando entré en funciones, no fue porque el *pueblo* me hubiera llamado. Hablé con el ejército para tratar de conseguir su cooperación. Eso significó un trato, una concesión, desde el mismo principio. Un gobierno electo siempre puede lograr más.

¿Por qué no utilizaba su influencia en Washington, pregunté, para obtener el control sobre las fuerzas armadas?

—Eso no puede hacerse, porque el alto mando no necesariamente lo controla todo —replicó—. En este momento, estoy tratando de convencer a García de que debe extender *su* control hacia abajo. Mientras tanto, procuramos ejercer nuestra autoridad sobre cualquiera que esté intentando socavar nuestra política. Ése fue el error que cometió la primera junta. Lo quería todo o nada, y cuando no obtuvo lo que quería, renunció. Yo hubiera podido amenazar con lo mismo en muchas ocasiones. Quizá hubiera funcionado, pero también hubiera podido fallar. No estaba dispuesto a apostar el futuro del país en un juego tan arriesgado como ése.

Un fotógrafo entró en el despacho. Duarte se puso de pie y me señaló que me colocara a su lado. El fotógrafo se agachó, disparó la luz estroboscópica una. . . dos. . . tres veces, y salió al desvanecerse el deslumbramiento. Me hizo recordar el encuentro de Duarte con Mondale en 1977.

—Una estrategia es la de *tomar* el poder por la violencia o por negociaciones —empezó, juntando las puntas de los dedos de una mano con las de la otra, al organizar sus pensamientos—. La otra es la de *entregar* el poder. Ésta es nuestra estrategia [la de los cristiano-demócratas]. Queremos entregárselo al pueblo, para que disponga de él como juzgue conveniente a través de las elecciones. Ahora bien, analicemos a la izquierda. Sólo ha presentado una fórmula, de tres puntos. Primero, quieren imponer sus propios conceptos de gobierno. Segundo, quieren que sus milicias tomen el poder militar. Tercero, quieren ejercer el poder de veto sobre el gobierno. Eso equivale a la rendición. La izquierda se niega a tomar parte en las elecciones porque sabe que perderá. Ungo jamás recibirá voto alguno.

No era propio de la naturaleza de Duarte mostrarse totalmente severo respecto a alguien, pero su expresión y entonación manifestaron desdén al pronunciar el nombre de su antiguo compañero de campaña. ¿Cuál era la perspectiva, pregunté, para Centroamérica como totalidad?

—Es muy débil —replicó—. Todos somos embestidos por los totalitarios de derecha e izquierda. Estados Unidos nunca pensó en nosotros, no nos dio nada, nunca nos permitió una oportunidad real de progresar. Dejaron que el Japón les vendiera coches, dejaron que China les vendiera materiales textiles, pero nosotros sólo podíamos venderles materias primas. Podíamos venderles café verde, pero no tostado ni instantáneo, azúcar en bruto, pero no refinada. Colocaron Coca-Cola sobre nuestras mesas, y ahora nuestro pueblo prefiere tomar una Coca que comer un mango. Los precios del petróleo lo han empeorado todo para nosotros. Una libra de café antes servía para comprar algo, pero ahora requiere de 10 libras. Nos dan sus conceptos de libertad y justicia, pero no nos proporcionan los medios para darles existencia. Los comunistas cuentan con una estrategia para Centroamérica, para toda Latinoamérica, pero Estados Unidos no tiene ninguna.

"No hay justicia en nuestros países. El que tiene el poder tiene los derechos. Éste es el fundamento de lo que llamo la «indisciplina social» de El Salvador y los otros países. La continuación de esta opresión a través de los siglos ha creado cierto estado de ánimo, de violencia simplista. La frustración se transforma en odio".

—La temporada de la recolección del café es como una fiesta —declaró Juan Hernández, mientras avanzábamos por la carretera para hacer otra visita a la finca que administraba para una familia de la oligarquía.

Oh, por supuesto, pensé.

—Es tan fácil que muchos hombres se niegan a hacerlo —continuó—. Lo llaman trabajo para mujeres.

Eso también lo dudé.

—Familias enteras vienen a cortar el café —explicó—. Así es como se dice en español, "cortar", pero se usan los dedos. Pones a una familia a recoger, y puede ganar algo de dinero.

—¿Cuánto? —pregunté.

—La cuota es de 11 colones por un saco de 45 kilos de granos —indicó—. Los capataces me informan que los adultos promedian 20 colones diarios [8 dólares, según el tipo de cambio oficial]. Hay 2 500 recolectores. Nunca tenemos dificultad para conseguir mano de obra, muchos lugares sí la tienen, porque mantenemos nuestros árboles en buen estado y rinden bien.

Cuando llegamos a una de las áreas de recolección, nos bajamos del coche y dimos vueltas entre los cafetos. Vi que, en efecto, era casi un tipo ideal de cosecha. El día era seco, soleado y relativamente fresco; había sombra bajo los árboles; prácticamente no había insectos; y casi todos los granos se encontraban al alcance del brazo estirado de un adulto. Los que crecían más alto eran recogidos por niños de 10 o 12 años, subidos en las horquillas de las ramas que no soportaban un peso mayor.

Los granos son recogidos cuando han pasado de verde a rojo. Crecen en racimos, pero no maduran al mismo tiempo. Se requiere de una vista aguda para distinguir los colores en la profunda sombra. Los recolectores colocan los granos en canastas poco profundas de unos 45 centímetros de diámetro que se cargan por medio de cintas alrededor de la cintura y el cuello. Cuando la canasta está llena, el recolector la vacía en un costal de arpillera que es cuidado por un niño aún más pequeño.

Al pasar Hernández los dedos por los costales, dio expresión al lamento tradicional del capataz:

—Demasiados granos verdes. —Enseñándome tres o cuatro en.

la palma abierta, afirmó—: No debiera haber más del uno por ciento de verdes.

El trabajo del día terminó más o menos a las cuatro y media, cuando la luz empezó a desvanecerse. Los obreros llevaron sus sacos a las básculas colocadas al lado de la carretera. Hernández me contó que un experto podía recoger hasta 90 kilos de granos al día, los cuales producirían 18 kilos de café.

Recorrimos la fila de cientos de hombres, mujeres y niños que esperaban pesar la cosecha del día. En efecto era una escena alegre. Había risas y plática. Tocaban los radios portátiles. Los vendedores de helados y de refrescos pregonaban su mercancía. Hernández llamó mi atención sobre hombres solos con dos costales llenos, y familias de cuatro personas con tres o cuatro.

—¿Son tuyos? —preguntó Hernández a un joven que estaba colocando dos costales sobre las básculas.

Sonrió e inclinó la cabeza en señal de asentimiento.

—Buen trabajo —dijo Hernández.

—Bastante bueno —replicó el hombre espontáneamente.

Al apartarnos, comenté, en tono medio jocoso, que había supuesto que un humilde recolector rápido se hubiera quitado el gastado sombrero de paja, sosteniéndolo en ambas manos, cuando el patrón se dignase dirigirle la palabra.

—Los buenos recolectores son muy independientes —explicó—. Saben que todas las fincas buscan a hombres o mujeres que trabajen con rapidez y no metan granos verdes en los costales.

En El Salvador, la cosecha del café dura de fines de noviembre hasta fines de marzo. Durante este periodo, cada uno de los 3 500 000 cafetos de la finca es repasado tres veces. La demanda de trabajo de la temporada, dependiendo de cómo se mire, representa una bendición, por proporcionar la mayor parte del efectivo que una familia necesita para existir por el resto del año, o una maldición, por condenar a una gran parte de la población rural que no dispone de tierras, a un empleo sólo intermitente durante los otros ocho meses, más o menos.

Para fines de 1981, los asesinatos y las desapariciones se habían estabilizado en unos constantes 1 000 mensuales. Los escuadrones de la muerte hacían bien en evitar un desliz. Para entonces, los candidatos obvios para la tortura, el asesinato y la desaparición habían sido atendidos, se habían unido a los guerrilleros o habían huido del país, e incluso sus parientes, amigos y conocidos habían sido casi eliminados.

Las únicas cifras regularmente fidedignas disponibles en cuanto a las bajas civiles eran compiladas por el Socorro Jurídico de la arquidiócesis. No recibía ayuda del gobierno, y sus propios trabajadores voluntarios en ocasiones terminaban en los gruesos libros de los muertos y los desaparecidos. René y yo visitamos sus oficinas, en un edificio prefabricado que se encontraba detrás de la cancillería.

Tres mujeres, las madres, según averiguamos, de hombres jóvenes que habían desaparecido, estaban entregando las descripciones y las fotografías de éstos a los jóvenes empleados, quienes tratarían de encontrarlos entre las descripciones y las fotografías que ya se hallaban en sus expedientes. Unas copias de los retratos serían enviadas a *La Prensa* y *El Diario,* los dos periódicos principales, que publicaban varias todos los días.

Resultó imposible dedicarnos simplemente a observar y escuchar con discreción. Una mujer, que casi estaba llorando, nos enseñó la fotografía de su hijo cuando se graduó de la preparatoria. Afirmó que unos hombres enmascarados lo habían detenido dos noches antes, delante de la casa de la familia, arrojándolo a la parte de atrás de una camioneta.

—Mi marido y yo no nos encontrábamos en casa —afirmó, con un tono de autoacusación en la voz—. Los vecinos nos lo contaron cuando volvimos. ¡Cómo pudieron hacerlo! Sólo tenía 17 años. Tenía un trabajo. No estaba metido para nada en la política.

Un día o dos más tarde, Juan Vásquez, de *Los Angeles Times*, Ray Bonner, de *The New York Times,* y yo visitamos Perquín. El pueblo, que fue tomado por los guerrilleros en agosto, había estado vedado a la prensa desde su reocupación. Perquín se ubica en las montañas del noreste del país, a unas tres horas de la capital.

En San Francisco Gotera, el cuartel general militar para la región, el coronel, el único que podía firmar nuestros pases, nos advirtió que sólo era posible pertrechar a la guarnición de Perquín por helicóptero, que la carretera probablemente estuviera minada, que los guerrilleros eran particularmente agresivos y que nos tendrían en las miras de sus rifles desde el momento en que abandonáramos el lugar.

A ocho kilómetros del pueblo, la carretera se convirtió en una cinta pálida de hormigón y silencio que se elevaba entre los grupos susurrantes de pinos. Pasamos caseríos de ocho o 10 chozas, una cantina ocasional, y los bastidores sobre los cuales se colocaban los troncos de pino para aserrarlos. Al aminorar la velocidad en una horquilla del camino, vimos una zanja de unos 45 centímetros de profundidad y 30 de ancho abierta hábilmente a través de todo el ancho del camino. De un lado había un barranco y del otro un empinado muro de piedra y una cuneta apenas lo suficientemente ancha para permitirnos el paso. Sacamos una toalla blanca por una de las ventanillas, seguimos lentamente y, por fin, llegamos al pueblo.

Perquín era un lugar sombrío, sin distintivos y ruinoso, colocado en una cuenca entre los cerros. La mayor parte de la población había huido. Unos morteros habían hecho cráteres en la plaza empedrada, y algunos edificios habían explotado o se habían incendiado, pero no había señal alguna de la lucha épica descrita por los comunicados del gobierno.

Encontramos al comandante del destacamento del ejército, un teniente de comando, acostado sobre su catre en una habitación oscura y con una compresa sobre los ojos. Dijo que padecía un grave caso de conjuntivitis aguda.

—Está tranquilo ahora —afirmó—. Sólo algunos tiros desde los escondites en los montes. Cuento con 30 hombres aquí, y hay 20 de la Guardia Nacional. Antes del ataque guerrillero, sólo había 30 en total. Antes vivían aquí 2 000 personas, pero ahora quedan unas 300. No hay electricidad, y muy poca comida.

Se puso unos anteojos para el sol, teñidos casi de negro, y nos llevó a una gira por el pueblo.

—No es lo que pudiera llamarse una posición con posibilidades de defensa —declaró, señalando los cerros por tres lados—, pero mi turno aquí termina dentro de un mes. Creo que se mantendrá tranquilo hasta entonces. Al fin y al cabo, no hay razón para que los guerrilleros ocupen de nuevo Perquín.

El teniente que mandaba la unidad de la Guardia Nacional era también el alcalde interino del pueblo. Se trataba de un hombre barrigón de más de 40 años. Le hacía falta rasurarse. Sobre su escritorio se encontraba una botella a medio consumir de escocés Black Label. Una pistola calibre .45 estaba junto a ella.

Sentadas en un rincón del despacho había dos mujeres. Usaban un maquillaje muy colorido, joyas charras de fantasía, y vestidos de grandes escotes. El teniente no las presentó a ellas ni a sí mismo. Tuvo poco qué decirnos acerca de la situación táctica, y pronto nos despedimos.

En el camino, de regreso al coche, preguntamos al teniente del comando si por casualidad una compañía salvadoreña para la diversión de los soldados estaba presentándose en Perquín.

—¿Se refieren a las muchachas? —replicó—. La Guardia las trajo por helicóptero desde San Miguel. Entretienen, pero sólo a cambio de dinero.

En diciembre de 1981, el gobierno estadounidense anunció que las tropas salvadoreñas serían entrenadas en Estados Unidos. Un mes más tarde, perdió aceptación la teoría de que la guerra estaba paralizada. En un ataque realizado antes del amanecer, los guerrilleros penetraron en el aeropuerto de Ilopango, justamente fuera de la capital, y destruyendo la mayor parte de la fuerza aérea salvadoreña. La lista abarcaba 12 helicópteros Huey, ocho cazabombarderos pequeños de propulsión a chorro, por lo menos tres aviones de transporte impulsados por hélices, y cuatro de observación. El gobierno de Estados Unidos anunció que reemplazaría lo perdido, agregando algunas unidades adicionales.

Una revista mexicana, *Por Esto,* publicó una entrevista con Cayetano Carpio, a quien llamó "el Ho-Chi-minh de Latinoamérica". Carpio afirmó que fueron sus hombres quienes hicieron estallar el Puente de Oro. Indicó que, pese a su edad, 62 años, pasaba la mayor parte del tiempo en el campo de batalla y que apenas en octubre había logrado escapar a la captura por una unidad del ejército mandada por un consejero estadounidense. Señaló que estaba creciendo la fuerza de los guerrilleros, pero negó que estuviesen recibiendo armas de Cuba o de Nicaragua.

—Muchas de nuestras unidades siguen luchando con rifles muy usados, con armas de fabricación casera, con armas y munición arrebatadas a las tropas de la tiranía, incluso con las uñas —declaró.

El "monte Haig", el sexto volcán activo de El Salvador, otra vez empezó a hacer erupción, vertiendo su ardiente lava, retórica y el humo negro de la confusión. El 2 de febrero informó al Comité de Relaciones Exteriores del Senado que Estados Unidos y sus aliados harían "lo que fuera necesario" para impedir el derrocamiento del gobierno salvadoreño. Se explayó acerca de este tema con su claridad de costumbre.

—No estoy a punto de exponer una letanía [*sic*] de acciones que pueden o no tener lugar —declaró—. Estamos considerando toda una gama de opciones —políticas, económicas y de seguridad— en respuesta a la intervención cubana en este hemisferio, creo que el presidente ha expresado muy claramente que siente grandes escrúpulos respecto a tal paso [el envío de tropas de combate estadounidenses] excepto en un caso extremo, pero, como respuesta general a la pregunta de ustedes, no hemos tachado nada y no lo haremos, a priori, dada la muy dinámica situación de la actualidad.

El 13 de marzo, "un funcionario administrativo de alto nivel" señaló que Estados Unidos no caería en la "trampa de Viet Nam" tratando de solucionar el problema salvadoreño tan sólo en ese país. Una semana más tarde, un portavoz aseveró que Castro había ordenado un incremento en el envío de armas a El Salvador, en una reunión con los líderes guerrilleros realizada tres meses antes, a fin de proporcionarles los medios para trastornar las elecciones próximas. (Como hemos visto ya, aparte de los conflictos en Usulután, el país estuvo extraordinariamente tranquilo durante ese periodo).

Rubén Zamora, de la Comisión Diplomática del Frente Democrático Revolucionario-Frente Farabundo Martí para la Liberación Nacional, expuso la posición de éste en cuanto al tema de las negociaciones, que él llama "la única posibilidad racional para poner fin a la guerra", en un artículo publicado por *The New York Times*. No existían las condiciones necesarias para unas elecciones libres y justas, afirmó. Por lo tanto, sería "estúpido y suicida" que los guerrilleros abandonaran las armas para participar en ellas, como lo pedía Estados Unidos, especialmente dado que la guerra iba a su favor.

Sólo podía haber pláticas, señaló, si se cumplía con cinco condiciones: permitir que participaran tanto el FDR como el FMLN; tratar en las negociaciones las causas subyacentes de la rebelión, así como las inmediatas; que un cese del fuego no fuera una condición previa a los diálogos, sino un tema abierto a discusión; la presencia de testigos de otros gobiernos; mantener objetivamente informado al pueblo salvadoreño respecto al curso de las negociaciones. Zamora propuso "dos asuntos fundamentales y amplios" para la agenda: el "nuevo orden económico y político" que tenía que surgir y la integración de los guerrileros a las fuerzas armadas. Hizo constar que fracasaría todo esfuerzo por separar al FDR del FMLN. Las dos organizaciones apoyaban el mismo programa, declaró, el cual estaba "basado sobre los principios de una representación verdaderamente democrática y pluralista de los diferentes grupos sociales y políticos, un respeto absoluto a los derechos humanos de la población, la creación de una economía mixta, y una política internacional de independencia nacional y no alineación".

Al volver de una visita a Nicaragua a fines de febrero, el presidente López Portillo, de México, anunció que había elaborado un plan de paz para El Salvador y un programa para reducir las tensiones en Centroamérica. Así como a través de la declaración conjunta franco-mexicana, López Portillo estaba sosteniendo, en efecto, el interés auténtico de México por lo que sucediera en el territorio de sus vecinos del Sur. Venezuela decía poco más o menos lo mismo. Según se dio la casualidad, las dos naciones se equilibraban mutuamente la una a la otra, puesto que México simpatizaba con el FDR-FMLN y Venezuela, con el gobierno cristiano-demócrata de Duarte. No obstante, en lugar de dar la bienvenida a esta oportunidad para desembarazarse del problema, Washington no les prestó atención, y sigue no haciéndolo.

9

PANAMÁ Y EL CANAL

EL CERRO DE ANCÓN forma un montículo redondeado de roca gris techada de verde que se eleva arriba de la entrada del Pacífico al canal de Panamá. La bandera de Panamá fue izada por primera vez en el asta sobre su ápice el 1 de octubre de 1979, el día en el cual Estados Unidos cedió la autoridad sobre la zona del canal, y no se ha bajado desde entonces. Es una bandera grande, aproximadamente de 3 o 4 metros y medio de largo y, por lo tanto, pesada. Para impedir que cuelgue sin verse, una varilla se extiende desde el asta a través de su orilla superior. Por la noche es iluminada por reflectores.

El aspecto de esta bandera izada sobre lo que durante 75 años fue la zona estadounidense del canal, en lugar de las barras y las estrellas, seguía tranquilizando a los panameños tres años más tarde. Parecían contentos de hacer caso omiso del hecho de que, hasta cierto punto, la vieja zona navegaba bajo colores nacionales falsos. Según los términos de los tratados firmados en 1977, el canal mismo y 12 instalaciones militares, equivalentes más o menos al 40 por ciento del área entera de la zona, permanecerán bajo el control de Estados Unidos hasta las 11:59:59 a.m., hora local, del 31 de diciembre de 1999. Incluso más allá de esa fecha, Estados Unidos tiene el derecho de mantener el canal en operación durante tiempos de paz y de defenderlo en caso de guerra.

Para los panameños, el día del cumplimiento ya empieza a parecer intolerablemente remoto. Comienzan a escucharse demandas de poseer el canal "ahora". El único hombre que tal vez hubiera sido capaz de callar los refunfuños de descontento murió en un accidente aéreo en julio de 1981. Se trataba del general de brigada Omar Torrijos, el dictador de Panamá durante 12 años, una figura proteica que tanto podía causar la impresión de ser un caudillo tradicional a los banqueros internacionales que aceptaran su invitación a hacer negocios en Panamá, como un protegido en uniforme verde de faena, fumando un puro, cuando visitaba a Fidel Castro en La Habana, o un hombre sencillo de acción, mujeriego y fuerte bebedor cuando se hallaba en compañía de sus compañeros oficiales de la Guardia Nacional, o un padrino benévolo y generoso de los campesinos durante sus frecuentes viajes al campo, o un filósofo *manqué* en los fines de semana que pasaba en su cabaña de la playa con hombres de letras como Graham Greene y Gabriel García Márquez.

Considerando la ausencia de cualquier sistema vigente de democracia representativa, Torrijos probablemente haya sido un gobernante tan bueno como Panamá o la mayoría de los países latinoamericanos pueden esperar. Para corresponder a la represión y la corrupción, las cuales posiblemente fueron, en todo caso, menos onerosas de lo que estaban acostumbrados los panameños, hubo una reforma agraria, la construcción de escuelas y hospitales, y legislación obrera y social. Torrijos creó la Asamblea Nacional de Representantes Municipales, de 505 miembros, en lugar de la Asamblea Nacional, corrupta y desacreditada. No contaba con poderes, pero por primera vez proporcionó a la gente común el sentido de tener al menos una pequeña voz en los asuntos de la nación.

A mediados de los setentas, pudo advertirse que Torrijos iba desplazándose hacia la derecha; perdió el interés en los pobres y permitió que decayeran sus programas sociales. Muchas personas en Panamá me indicaron que el punto de vista de Torrijos no había cambiado; antes bien, había decidido modificar sus tácticas para mejorar la posibilidad de ganarse un sitio permanente en la historia de Latinoamérica, sometiendo el canal a la soberanía panameña. Nunca fue probable un éxito completo, dada la oposición implacable de un gran sector de la opinión pública estadounidense, encabezado por Ronald Reagan, la voz de la extrema derecha. Bajo las circunstancias, incluso echar a andar el proceso, algo que ningún líder panameño había logrado durante 40 años de intentos, requirió habilidades políticas y diplomáticas de extraordinaria índole.

Durante los 20 años posteriores a la inauguración del canal en 1914, Panamá alimentó sus quejas contra Estados Unidos, sin esperanza alguna de desagravio. Tenía chiste su carácter de nación. Era más firmemente una colonia de lo que jamás fucra como provincia remota y virtualmente autónoma de Colombia. ¡Qué otra cosa podía decirse, cuando las tropas estadounidenses tenían la libertad de entrar a sus dos ciudades más grandes en cualquier momento y por cualquier razón, cuando Estados Unidos tenía el derecho de ocupar el terreno fuera de la zona del canal con la más simple declaración de esta necesidad, cuando la United Fruit Company administraba sus vastas plantaciones como un reino corporativo independiente? En cuanto a los beneficios directos que Panamá derivaba del canal, aparte del subsidio insultantemente bajo de 250 000 dólares al año, éste hubiera podido hallarse, de igual manera, en Nicaragua.

Pero lo que realmente hizo derramarse el vaso de hiel y de amargura de Panamá fue el racismo que se hacía valer en la zona del canal. Esto no significa que los panameños mismos no sean racistas, como en conjunto siguen siéndolo los latinoamericanos hasta la fecha, con los blancos en la cima de la pirámide social y los indios y negros en el último lugar. Dentro de la zona del canal, todos los panameños, fuera de los pocos privilegiados, eran tratados de la misma manera: como una raza inferior, sin atender al color de su piel. Se veían limitados a los trabajos manuales sencillos e incluso tenían que utilizar excusados y surtidores de agua separados.

Según los panameños, sus problemas se remontaban al inicuo tratado de 1903, que fue negociado en nombre suyo por Philippe Bunau-Varilla. Él mismo también diseñó la bandera de Panamá, una división en cuartos falta de inspiración, con estrellas roja y azul, como símbolo de los partidos liberal y conservador, en la esquina superior izquierda y la inferior de la derecha. La bandera es mucho mejor conocida que la de numerosos países mayores, puesto que la despliegan miles de buques mercantes registrados en Panamá porque resulta barato hacerlo.

No fue sino hasta que Franklin Delano Roosevelt proclamó la

Política del Buen Vecino que empezaron a considerarse las solicitudes panameñas de una nueva negociación del tratado. En 1936, Estados Unidos renunció a su protectorado sobre Panamá, como lo había hecho dos años antes con Cuba, accedió a no ocupar más tierra e incrementó el pago anual de 430 000 dólares, con lo cual sólo compensó por la devaluación del dólar en 1933.

Debido a la importancia estratégica del canal y a su vulnerabilidad al ataque o sabotaje, las reformas fueron suspendidas durante la Segunda Guerra Mundial. Estados Unidos estableció nada menos que 140 instalaciones militares en Panamá fuera de la zona del canal, apostó ahí a más de 100 000 hombres, y envió a patrullas de la policía militar por los fétidos callejones de Colón y de la ciudad de Panamá, con autorización para arrestar de igual manera a estadounidenses y panameños. La agitación a favor de una revisión del tratado se reanudó después de la guerra. Panamá estaba pasando por un periodo de gobiernos rápidamente cambiantes propios de una ópera bufa. Washington se mostró indiferente y, en todo caso, estaba todavía tratando de decidir si continuaba el trabajo en un tercer juego de esclusas que se había iniciado en 1940. El Congreso y la Casa Blanca escucharon a un desfile de consejeros y al final no hicieron nada. En 1955, mientras Panamá disfrutaba de un breve periodo bajo un gobierno relativamente tranquilo y honesto, el de Eisenhower accedió a incrementar el pago anual a 1 930 000 dólares, a construir un puente para la Carretera Panamericana sobre las vías de acceso al canal desde el Pacífico, y a devolver, con excepción de una base aérea, todo el territorio ubicado fuera de la zona del canal que se hubiera tomado durante la guerra. Washington también convino en que los panameños que en la zona del canal realizaran el mismo trabajo que los estadounidenses recibirían el mismo pago. Fue una concesión de importancia tan sólo simbólico, puesto que no desempeñaban los mismos trabajos.

En 1956, Egipto nacionalizó el canal de Suez, y pronto demostró que sus ciudadanos, pese a las predicciones en contrario, eran totalmente capaces de operarlo. Los panameños empezaron a decir que si los egipcios podían hacerlo, ellos también. En 1958, una turba invadió la zona del canal e izó ahí una bandera panameña. Los manifestantes fueron expulsados, con accidentes menores, pero volvieron al año siguiente. En 1960, Washington accedió al izamiento de la bandera en un sitio de la zona, como símbolo de su "soberanía titular". Puesto que el tratado de 1903 entregaba a Estados Unidos el uso de la zona a perpetuidad "como si fuera la nación soberana", el término no tenía significado.

El gobierno de Kennedy, conforme al espíritu de la Alianza para el Progreso, aumentó el número de lugares en la zona del canal en los cuales podían izarse una al lado de la otra las banderas panameña y estadounidense. Uno de ellos fue la preparatoria Balboa High School. En 1964, los alumnos estadounidenses de la escuela, hijos de los empleados en la zona del canal, izaron únicamente la bandera estadounidense. A continuación, los estudiantes panameños elevaron la de su país. Siguió un forcejeo, en el cual fue desgarrada la bandera panameña. *¡Caramba!* El alboroto consiguiente duró tres días, cobró las vidas de 24 panameños y de tres soldados estadounidenses, y causó millones de dólares en perjuicios a las empresas estadounidenses de la ciudad de Panamá y de Colón.

Panamá rompió las relaciones diplomáticas con Estados Unidos y, antes que rogar por ello, exigió la devolución de la zona del canal. Sin un nuevo tratado, sugirieron algunos panameños, podría resultar imposible impedir actos de sabotaje que cerraran el canal. El presidente Johnson señaló que quizá hubiera llegado el momento de que Estados Unidos construyera un nuevo canal, a fin de acomodar el creciente número de buques que eran demasiado grandes para pasar por las esclusas de Panamá, y que si Panamá no lo quería, había otros países, incluyendo a Nicaragua, que sí se ofrecían para ello. Entonces las dos naciones se aplicaron seriamente a las negociaciones. En 1967, llegaron a arreglos preliminares, los cuales, en la mayoría de sus aspectos, se parecían a los tratados que serían firmados en 1977.

Este desarrollo galvanizó a la derecha republicana, entre cuyos miembros algunos, incluyendo a Reagan, tenían suficiente edad para acordarse de Teddy Roosevelt y de su diplomacia del "palo grande". Los 8 000 estadounidenses que trabajaban para la Panama Canal Company declararon que se les estaba traicionando. Estos "zonianos", como ellos mismos se llamaban, eran maestros en el autoengaño. El trabajo que hacían era fácil; el pago, alto; los sirvientes, baratos; y los privilegios, vastos. No obstante, estaban persuadidos de que eran unos abnegados patriotas que arriesgaban la muerte y la enfermedad en las pestilentes zonas tropicales. Era como si la fiebre amarilla y el paludismo no hubieran sido erradicados allí y como si no se hubiera inventado el aire acondicionado.

Muchos estadounidenses, que no padecían pesadillas provocadas por los comunistas, de cualquier modo se opusieron a la renuncia al canal. El de Suez no servía de analogía, afirmaron. Lo había construido una compañía particular, proporcionaba gran lucro y, dado que se trataba de una zanja al nivel del mar, resultaba relativamente fácil su operación. El canal de Panamá, en cambio, era propiedad de Estados Unidos, no se operaba con fines de lucro, y sus ancladeros, esclusas, lagos artificiales, presas y centrales eléctricas formaban un sistema complejo y fácilmente trastornable. Por encima de ello, pese a su concepción en medio de un fraude, representaba, bajo este punto de vista, un gran monumento a la energía y habilidad técnica estadounidenses, y simbolizaba el surgimiento de este país como potencia mundial.

Los resultados de las elecciones presidenciales de 1968 en los dos países pusieron un alto a las negociaciones. Los ganadores eran Richard M. Nixon, que estaba atento a los deseos de la derecha republicana, y Arnulfo Arias, quien estaba entrando en funciones por tercera ocasión. Pertenecía a una familia de terratenientes, se educó como médico en Harvard, era un orador persuasivo y un fiero populista. El odio de Arias por los gringos lo había convertido en un temprano admirador de Hitler y Mussolini.

La primera elección de Arias tuvo lugar en 1940, cuando sustituyó a su hermano mayor, Harmodio Arias. En un momento en el cual Estados Unidos estaba proporcionando todo tipo de ayuda, menos la intervención directa en la guerra, a la Gran Bretaña, emitió decretos que prohibían armar a los buques mercantes que navegaran bajo la conveniente bandera panameña, y que proscribían a Estados Unidos la construcción de defensas para el canal sobre el suelo panameño. Washington, por supuesto, los pasó por alto.

Arias entonces volvió su atención sobre el sistema monetario del país. El balboa panameño desde siempre había constituido una ficción legal. Según las condiciones del tratado de 1903, la moneda era el dólar estadounidense. Panamá no emitía dinero propio mayor que la pieza de 50 centavos, y sus monedas tenían el mismo tamaño y peso que las monedas estadounidenses correspondientes. Los panameños lo preferían así, de modo que cuando Arias se puso a imprimir dinero propio, sus conciudadanos sólo lo aceptaron a punta de pistola. Para entonces, Washington había llegado a la conclusión de que Arias no era ya un divertido excéntrico, sino una peligrosa molestia. En octubre de 1941 fue depuesto. En lugar de ser fusilado, fue enviado a Argentina. Su moneda fue retirada inmediatamente de la circulación y, en la actualidad, Panamá todavía utiliza el dólar estadounidense.

Se le permitió a Arias regresar a Panamá después de la guerra. Perdió una elección presidencial en 1948 y expresó la acusación, probablemente correcta, de que hubo fraude. Organizó una rebelión, renunció a ella y fue metido y sacado de la cárcel con tanta frecuencia que una agradable habitación se encontraba permanentemente reservada para él en el calabozo de la ciudad de Panamá. Entró en funciones un año y medio más tarde, al cabo de una serie de acontecimientos que no admiten una breve explicación, pero fue depuesto por la Guardia Nacional 18 meses más tarde. Otra vez se presentó como candidato en 1964 y nuevamente afirmó que lo habían despojado, y otra vez pasó un poco de tiempo tras las rejas. En 1968, sacando provecho de una ola de sentimientos antiestadounidenses, logró una victoria tan arrolladora que no fue posible negarle otra vez la ocupación del cargo.

Después de haber sido depuesto en dos ocasiones por la Guardia Nacional, Arias trató de impedir que sucediera otra vez. Dio la orden para que Torrijos, el comandante de la misma, fuera a El Salvador como agregado militar, y puso a un antiguo amigo al mando del destacamento del Palacio Presidencial. Los oficiales superiores de la Guardia Nacional dijeron que Arias había mancillado su honor. Once días después de su toma de poder, fue derrocado de nuevo y mandado al exilio, esta vez a Miami. No regresó hasta 1976. Con algunos años arriba de los ochenta para entonces, dividió el tiempo entre su finca de café al occidente de Panamá y la intriga política en la capital. Habiéndole restaurado el deleite por la vida una segunda esposa joven y, según los chismes, la cirugía plástica, se decía que estaba considerando competir por la presidencia otra vez en 1984.

Siguió un periodo de gobierno de una junta a la deposición de Arias, pero al cabo de un año de maniobras, Torrijos surgió como caudillo. Sólo tenía 39 años de edad y era el hijo de unos maestros de escuela rural. El mejoramiento de las condiciones de vida en Panamá y la obtención del control sobre el canal representaban sus dos objetivos. Torrijos fomentaba los sindicatos y las cooperativas agrícolas. Al mismo tiempo, para aumentar la confianza de Washington hacia él, encerró a los izquierdistas radicales, impuso la censura y suprimió los partidos políticos. Torrijos también puso en vigor una ley bancaria que eliminaba las restricciones del flujo de dinero y garantizaba impuestos bajos y una regulación mínima a los bancos extranjeros. Estaba creando, en efecto, otra bandera de conveniencia. Al producirse su muerte, 140 bancos, incluyendo los más grandes de Estados Unidos, dirigían gran parte de sus negocios latinoamericanos desde Panamá y proporcionaban miles de empleos a los graduados universitarios del país, que así se hacían aprendices para ejecutivos en lugar de revolucionarios.

Cuando el presidente Nixon siguió desairándolo, Torrijos modificó su táctica. Dejó salir de la cárcel a los comunistas, estableció relaciones con los líderes revolucionarios, incluyendo a Fidel Castro, y empezó a presentarse, con su característico uniforme verde de faena y sombrero para andar en la selva, en las reuniones del Tercer Mundo y de las Naciones Unidas, movilizando la opinión mundial respecto al derecho de Panamá sobre el canal.

Cuando Ford reemplazó a Nixon, se reanudaron las negociaciones acerca del canal. En febrero de 1974, los dos países, en principio, se habían avenido nuevamente en otro tratado, cuya cláusula clave era el establecimiento de una fecha definitiva en la cual terminaría la posesión de Estados Unidos del canal. No hubo indicios de avance, y en 1976 Torrijos convocó a los estudiantes panameños. Organizaron una manifestación pública muy ruidosa, abriéndose paso a la zona del canal. Torrijos afirmó que, si volvieran a hacerlo, "sólo tendría la alternativa de aplastarlos o de encabezarlos, y no los aplastaría".

Puesto que Ford estaba ligeramente a favor del tratado, Reagan lo convirtió en un asunto principal de su campaña para obtener el nombramiento como candidato republicano a la presidencia. Según Walter LaFeber apunta en su análisis *The Panama Canal: The Crisis in Historical Perspective* ["El canal de Panamá: La crisis en su perspectiva histórica"], Reagan dijo muchos disparates acerca del tema, haciendo constar en un momento dado, con la misma falta descuidada de atención a los hechos indiscutibles que habría de manifestar en la Casa Blanca, que la zona del canal formaba una parte de Estados Unidos tanto como Texas.

Según resultó, Jimmy Carter, el candidato demócrata, ganó la elección. Sostenía el punto de vista de que la soberanía del canal era menos importante que la operación continua del mismo y su defensa en tiempo de guerra. Al poco tiempo de que ocupara la

Casa Blanca, los dos países llegaron a un acuerdo respecto a un tratado, el cual fue firmado en septiembre de 1977.

Las audiencias de ratificación del Senado fueron largas y tormentosas. Sólo el apoyo del conjunto de los jefes del Estado Mayor inclinó la balanza en favor de Carter. Señalaron lo obvio: que el peligro que representaban para el canal los guerrilleros locales era inmensamente mayor que el de cualquier enemigo externo. Cien mil tropas no podrían impedir que un puñado de hombres lanzara cohetes o morteros desde la selva contra los buques al pasar éstos. El hundimiento o la inhabilitación de un solo buque de carga podría detener las operaciones durante semanas. La mutilación de la maquinaria en una de las esclusas o de una central eléctrica sería aún más fácil. Asimismo, ya no era probable que Estados Unidos tuviese que trasladar sus buques de guerra rápidamente del Atlántico al Pacífico. En todo caso, todos los portaaviones construidos durante los 20 años previos eran demasiado grandes para pasar por el canal. Tampoco representaba ya una línea vital de comunicación para el comercio marítimo estadounidense. Sólo el 13 por ciento de los cargamentos de entrada o salida de los puertos de Estados Unidos pasaba por el canal.

Después de agregar nueve "reservaciones", por lo general innecesarias al tratado, las cuales tenían por objeto subrayar la continuación de los derechos estadounidenses, el Senado lo ratificó en marzo de 1978, por una votación de 68 a 32, sólo una voz arriba de la mayoría necesaria de dos tercios. Por lo menos esta vez, Estados Unidos parecía haber arreglado con éxito un problema potencialmente serio. Panamá contaría con los símbolos de la soberanía, pero no con su sustancia, hasta el fin del siglo, e incluso entonces ésta sería limitada.

A fin de aplacar la decepción de Panamá, hubo una nueva fórmula financiera. En lugar de un reducido pago fijo, Panamá había de recibir 30 centavos por tonelada de carga que pasara por el canal, el equivalente de 40 000 000 o 50 000 000 de dólares al año. Estados Unidos también accedió a proporcionar 295 000 000 de dólares en préstamos de bajo interés durante cinco años, para los proyectos de desarrollo interno, y 50 000 000 de dólares durante 10 años, para armas. Convencido de que éstas eran las mejores condiciones posibles, Torrijos instó para la ratificación. Los opositores al tratado declararon que confirmaban la posición colonial de Panamá. El tratado fue aprobado, pero los votos negativos se aproximaron al 30 por ciento y quedó un residuo de resentimiento.

La nueva legislación bajo la cual operaría el canal tenía que ser propuesta por la Cámara de Representantes, de modo específico por el Comité de Marina Mercante y Pesca. Hubiera podido esperarse que su presidente, John M. Murphy, demócrata de la ciudad de Nueva York, apoyara el tratado, puesto que la industria marítima, que estaba a su favor, era influyente en su distrito. No obstante, Murphy fue compañero de clases de Anastasio Somoza, el menor, en la Academia Militar de Estados Unidos. Los dos hombres eran amigos y, según se supo más tarde, socios en empresas comerciales. Murphy retuvo la legislación del canal para castigar a Torrijos, quien estaba ayudando a los sandinistas, y para impedir que Carter abandonara a Somoza. Puesto que Torrijos había declarado que pensaba encabezar el desfile panameño a la zona del canal el 1 de octubre, bajo cualquier circunstancia, la situación resultaba delicada.

Murphy contaba con el apoyo de Robert E. Bauman, de Maryland, republicano de alto rango e integrante del comité. Por consecuencia, transcurrieron meses en escaramuzas parlamentarias y discursos bajo la presión de una caldera de vapor. Sólo en julio, cuando la caída de Somoza claramente se encontraba a unos días de distancia, Murphy dio paso al proyecto de ley elaborado por el comité, permitiendo así que el gobierno estadounidense, finalmente, se desligase del dictador nicaragüense. No fue sino hasta el 27 de septiembre de 1979, cuatro días antes de que el tratado debía entrar en vigor, que la Cámara adoptó la legislación habilitadora del mismo. No obstante, se agregaron condiciones que, según afirmara Carter, violaban "la letra y el espíritu" del tratado. El Senado ratificó el proyecto de ley enmendado. Carter no tuvo más opción que firmarlo y convertirlo en ley en cuanto llegó a su escritorio.

La legislación establecía a la nueva Comisión del Canal de Panamá como entidad responsable. Su predecesora, la Panama Canal Company, había sido una corporación federal. Esto significaba que, en lugar de estar en situación de fijar las cuotas en el nivel adecuado para operar y mantener el canal sin necesidad de recurrir al Congreso, como lo concibieron los negociadores del tratado, la comisión, bajo la nueva ley, estaba obligada a entregar el dinero a la Tesorería y a solicitar al Congreso, cada año, una consignación, lo cual podía, fácilmente, convertirse en una fiesta anual de trueque de favores y de quisquillosa intervención.

No se trataba de que el Congreso tuviera que cuidarse de los ardides panameños. El control estadounidense era total. Cinco de los nueve integrantes de la comisión serían designados por el presidente de Estados Unidos. El presidente de la Comisión sería, por virtud de oficio, el secretario auxiliar para obras civiles del ejército. Asimismo, hasta 1990 el administrador, el funcionario principal de operaciones, sería estadounidense, y su asistente, panameño. Después de esa fecha, las posiciones serían invertidas.

Ningún ciudadano estadounidense perdió el trabajo a consecuencia del tratado, y casi ninguno, pese a sus ruidosas amenazas, renunció a manera de protesta. Los trabajadores fueron reemplazados por panameños sólo a medida que iban retirándose. Durante los primeros dos años y medio, su número sólo fue reducido de 2 200 a 1 800, y todavía conservaban 63 de los 65 puestos más altos. Quienes habían trabajado para el desaparecido gobierno de la zona del canal, recibieron ofertas de empleos comparables en los reservados militares.

Tanto Murphy como Bauman, por coincidencia, más tarde tuvieron dificultades con la ley. Murphy fue declarado culpable de haber recibido un soborno en el caso Abscam, lo cual condujo a la especulación de que la ayuda que prestó a Somoza no consistió solamente un favor debido a su amistad. Bauman, un fervoroso pilar de rectitud, renunció a la Cámara después de haber sido sorprendido por la policía *in flagrante delicto* en un excusado de la YMCA.

Torrijos invitó a Graham Greene a acompañarlo a Washington para asistir a la ceremonia de la firma del tratado. En un ensayo, "The Great Spectacular" ["La grandiosa exhibición"], publicado en *New York Review of Books,* Greene describe la ocasión. Apunta que Torrijos comenzó su discurso con la observación: "El tratado resulta muy satisfactorio, vastamente beneficioso para Estados Unidos y, debemos confesarlo, no tanto para Panamá". Entonces alzó la vista, sonrió y agregó, para demostrar que había sido una cita: "Secretario de Estado Hay, 1903". Aceptaba el tratado, afirmó, pronunciando una hipérbole perdonable, "a fin de salvar las vidas de 40 000 jóvenes panameños", quienes de otro modo quizá hubieran muerto en la lucha por el canal.

En diciembre de 1979, Torrijos, como respuesta a un llamado personal de Carter, admitió en Panamá al mortalmente enfermo sha de Irán. Éste ocupó una villa agradable, aunque ciertamente no palaciega, en la isla Contadora, un lugar de recreo a 80 kilómetros frente a la costa del Pacífico.

—Atrajo el sentido del drama de Torrijos —afirmó un hombre bien informado acerca de estos acontecimientos—. Fue una oportunidad para que jugara un papel sobre el escenario del mundo. Sabía que Carter y David Rockefeller y el resto de los amigos del sha le deberían un gran favor, y pensó que tal vez pudiese persuadir al sha de que invirtiera algo de dinero en Panamá.

El sha pronto se aburrió profundamente de los limitados placeres a su disposición como proscrito. Cuando el gobierno del Irán solicitó una orden de extradición, tuvo excelente pretexto para viajar a Egipto, donde el presidente Anwar al-Sadat le ofrecía un refugio. Murió poco tiempo después.

Tras la caída de Somoza, la puesta en vigor del tratado del canal y la partida del sha, todo en el curso de un poco más de seis meses, Torrijos pareció perder interés en el gobierno. Pasó más tiempo en su cabaña de la playa, y sus juergas de los sábados por la noche con la botella de escocés empezaron a tener lugar dos o tres veces a la semana. Todavía realizaba sus "patrullas" por el país, en las cuales besaba a los bebés y firmaba cheques para un nuevo pozo o para el techo de una escuela en el lugar mismo. Durante sus ausencias de la capital, los militares, los políticos y los grandes negocios volvían a sus pasatiempos preferidos: el robo y la intriga en busca del poder. Los decretos lanzados por Torrijos respecto al trabajo, las tierras y el bienestar social eran pasados por alto y acatados con la misma frecuencia.

En julio de 1981, el avión ligero en el cual viajaba chocó contra una montaña durante un temporal. Torrijos murió. Greene lo citó en otro ensayo, "The Country with Five Frontiers" ["El país con cinco fronteras"], diciendo que prefería utilizar a jóvenes pilotos porque no sabía evitar los riesgos.

—En ocasiones, cuando sé que mi piloto se rehusará a llevarme por cierta ruta debido al tiempo —declaró—, pido a uno joven. . .

Habían pasado ocho meses desde la muerte de Torrijos cuando llegué a Panamá, pero todavía no estaba terminada la redistribución del poder. Arístedes Royo, el anterior ministro de Educación que fue nombrado para la presidencia por Torrijos en 1978, continuaba llevando a cabo los gestos del gobierno, como pude presenciarlo un sábado en el cual fui invitado a unirme a un grupo de periodistas que lo acompañaban en una excursión a la campiña, al oeste de la ciudad de Panamá.

La mayor parte de la agricultura del país se realiza sobre la fértil meseta, de 16 a 32 kilómetros de ancho, que se extiende hasta la frontera con Costa Rica, y allí vive un tercio de la población de 1 800 000 personas. Aparte de la ciudad de Colón, sobre el litoral atlántico, y la de Panamá y sus alrededores, el país cuenta con menos de 10 habitantes por kilómetro cuadrado. El área entre el canal y la frontera colombiana todavía consiste, en su mayor parte, en selva y ciénaga jamás pisadas, tan hostiles como lo eran cuando Colón desembarcó por primera vez.

Los pueblos que pasamos al avanzar por la Carretera Panamericana reflejaban la preocupación de Torrijos por el bienestar de los campesinos. La mayoría de los ranchitos estaba construida de ladrillos, con ventanas o persianas, y el gran número de escuelas y clínicas se encontraba en un buen estado de mantenimiento. Los carteles colocados a lo largo de la carretera también conservaban fresca la memoria de Torrijos. Ostentaban la silueta de su cabeza y algunas citas de sus apotegmas: "Los enemigos reales de nuestro pueblo son el hambre, la miseria y la ignorancia"; "Lo que deseo para mis hijos lo deseo para mi país"; "De pie o muerto, pero nunca de rodillas". Estaban firmados simplemente "Omar".

Nos detuvimos para la dedicación de un molino de forraje y luego seguimos el camino hacia el acontecimiento principal del día, la quema de la hipoteca en una cooperativa a unos 160 kilómetros al oeste de la capital. Después de desviarnos de la carretera hacia el Norte, en dirección a las montañas, avanzamos traqueteando por caminos de terracería a través de un paisaje que gradualmente iba elevándose. En Panamá, así como en la mayor parte de Centroamérica, es en tales áreas de poca tierra, dependientes de las lluvias, donde se encuentran las propiedades de los campesinos. La tierra de la ancha meseta está en posesión de los intereses oligárquicos y corporativos.

El edificio administrativo de la cooperativa, que se llamaba "Los Higos", estaba adornado con banderas. Los huéspedes distinguidos se encontraban sentados bajo una lona, donde comían barbacoa, tomaban cerveza y aguardiente y bailaban. Al llegar el convoy presidencial en medio de una nube de polvo, las guitarras, las trompetas y los tambores fueron vencidos por una banda de la Guardia Nacional que estaba al acecho. Empezó a tocar una marcha cruelmente desafinada, como todo conjunto militar latinoamericano, que jamás haya oído. Si alguien no me lo hubiese señalado, no habría sido capaz de distinguir a Royo entre el grupo de hombres que se apeó de los coches. Era un tipo de aspecto agradable y unos 40 años de edad, pero Torrijos, obviamente, no lo había elegido por su dinamismo. Aparentemente, en un intento por imitar a su patrón, Royo llevaba un traje color verde oscuro para safari, de corte militar. A pesar de ello, sin embargo, sólo era un pálido académico. Los únicos hombres uniformados que estaban presentes eran un teniente coronel de la Guardia Nacional, comandante del área, y su ayudante. Contemplaban a Royo con la amena sonrisa del tigre que medita lo bien que le sabrá algo en cuanto desarrolle el hambre suficiente para comérselo.

El primer orador fue el jefe de la cooperativa, un viejo y estevado campesino. Cantó las alabanzas a Torrijos, quien lo había hecho todo posible, y leyó algunos extractos de los libros de cuentas, omitiendo apenas la venta de una docena de huevos, para demostrar que los integrantes estaban ganando más dinero de lo que jamás habían hecho antes. Presentó al director del programa de cooperativas del gobierno, quien se concentró en el negocio serio del día: la despiadada denuncia del imperialismo estadounidense.

Royo agotó todos los aspectos posibles de un tema semejante. Dijo que lamentaba que la tranquilidad y prosperidad de Los Higos no estuvieran generalizadas en otras partes de Centroamérica. Desdeñosamente reparó en la crítica dirigida por Washington al apoyo que Panamá daba al gobierno sandinista y al FDR-FMLN en El Salvador. Recibió vítores cuando advirtió la declaración de Torrijos de que Panamá no permitiría que unos extranjeros decidieran quiénes debían ser sus amigos.

Royo anunció entonces que dedicaría el estanque para peces de la cooperativa. Siguiéndole los notables, descendió 400 metros por una larga cuesta. El estanque recién excavado, con un diámetro de poco más o menos 30 metros, tenía más el aspecto de un revolcadero o de un criadero de mosquitos que de un cultivo de peces. No contaba con la sombra de árboles ni de arbustos, y el agua tenía el color y la consistencia de una salsa de rosbif. Una camioneta "pickup" retrocedió hasta la orilla del estanque. En la parte de atrás había un tanque de peces, cada uno de unos 2 centímetros y medio de largo.

—No va a creerlo, pero estarán listos para la cosecha dentro de tres meses, señor presidente —declaró uno de los funcionarios de la cooperativa.

Torrijos hubiera rugido "Magnífico", dándole un fuerte abrazo al hombre, y exigido que lo invitaran a la primera comida de pescado, pero lo único que se le ocurrió decir a Royo fue: "Muy interesante". Uno de los hombres le entregó un cucharón lleno de pececillos que estaban retorciéndose. Con una sonrisa, los lanzó al agua. Un tercio inmediatamente se volvió panza arriba, y la mayoría de los sobrevivientes torpemente se dirigió hacia la orilla.

Pregunté a uno de los hombres del camión de qué clase de peces se trataba, a los que no parecía gustarles el agua.

—Se llaman "tiliapa" —afirmó—. Son peces muy buenos, pero tal vez algunos de ellos estén un poco mareados por el viaje.

Los tiliapa, según averigüé más tarde, son unos peces milagrosos. Toleran altos niveles de lodo y de sal y bajos niveles de oxígeno, que pronto matarían a una sensible y aristocrática trucha, por ejemplo, mientras sostienen el único propósito de convertir aun las algas más nocivas, las hierbas del fondo y otras sobras del estanque en una carne firme y deliciosa, y casi llegan al extremo de enharinarse y saltar a la sartén.

Cuando Royo hubo terminado de entregar los peces simbólicos a las bajas aguas ante los fotógrafos, los reporteros empezaron a acribillarlo a preguntas. Alguien inquirió si esperaba permanecer en funciones hasta las elecciones presidenciales, que Torrijos había fijado en 1984 poco tiempo antes de su muerte.

—Naturalmente —replicó con una sonrisa.

¿Por qué Panamá se había negado a enviar observadores a las elecciones salvadoreñas, que en ese momento se encontraban a unas seis semanas de distancia?

—Las elecciones sólo pueden realizarse en un clima de paz —declaró—, y éste sólo puede lograrse por medio de negociaciones entre las partes involucradas en el conflicto. A menos que tome parte el Frente, las elecciones no servirán para nada. Es por esto que Panamá se ha unido a México y a Francia en su esfuerzo por suscitar el diálogo entre las dos partes.

Royo evadió varias preguntas, incluyendo una que hice respecto a la ausencia de funcionarios estadounidenses en las ceremonias de ese día. Un líder sindical de Colón, que tenía vínculos con el Instituto Americano para el Desarrollo del Trabajo Libre, me informó a la hora del almuerzo que Estados Unidos estaba pagando el programa de los estanques de peces, un hecho que no se mencionó en la dedicatoria.

Más o menos a la mitad del camino de regreso a la capital, uno de los periodistas panameños llamó mi atención sobre un letrero que decía "Aeropuerto de Río Hatos". Un instante más tarde cruzamos la pista de despegue y aterrizaje, que formaba un ángulo recto con la carretera.

—Éste fue uno de los aeropuertos que el gobierno de ustedes construyó durante la Segunda Guerra Mundial —explicó—. Cuando debían entregar todas las plazas militares ubicadas fuera de la zona del canal, pidieron permiso de quedarse con ésta durante otros 25 años. La Asamblea Nacional rechazó la propuesta, sin embargo, el presidente dijo: "Está bien, pero al término de éstos nos lo devuelven sin falta", y ustedes contestaron: "De acuerdo". Cuando venció el plazo del arrendamiento, en 1972, la fuerza aérea pidió: "Por favor déjenos conservar el aeropuerto durante otros 10 años". Torrijos replicó: "No, definitivamente no. Un trato es un trato". ¿Y sabe qué hizo la fuerza aérea antes de devolverlo? Lo destrozaron todo: los aparatos para acondicionar el aire, los retretes, las ventanas. Así fue como nos devolvieron Río Hatos.

Estaba oscureciendo para cuando cruzamos el largo puente voladizo, construido durante el gobierno de Eisenhower, sobre la entrada al canal. Debajo de nosotros, la pesada mole de los buques contenedores y petroleros esperaba en fila detrás del largo rompeolas, para entrar a las esclusas de Miraflores.

El panameño otra vez llamó mi atención tocándome el brazo.

—Antes de que el tratado entrara en vigor, ¿quién cree que patrullaba este puente?

Contesté que no lo sabía, pero pude adivinarlo.

—La policía de la zona del canal —declaró—. Lo mismo pasaba en la carretera transístmica. ¿Qué le parecería eso si *usted* fuera panameño?

Repliqué que no me agradaría.

—Es posible que sea el asunto menos importante que aparece en el tratado, pero en cuanto nos toca a los panameños, fue el más importante —afirmó—. Si la policía nos detuviera en este momento, al menos habría un gringo y un panameño. Ésta es la fase de transición, de dos años y medio, pero ya va a acabarse. Panamá empieza a patrullar la zona ella misma el primero de abril, y los "zonianos" realmente están preocupados por ello.

La idea al parecer le encantaba.

Los patriotas nostálgicos todavía podían ver volar las estrellas y las barras sobre las bases del ejército, la marina, la fuerza aérea y la infantería de marina en la antigua zona del canal. La expansión de los problemas en Centroamérica estaba transformando en otro bastión de la democracia a la Comandancia del Sur, o "Southcom", que durante décadas fue un agradable y tranquilo rincón para los militares, una plaza mejor conocida por las oportunidades que brindaba para jugar golf y pasear en lancha, que por su rigurosa vida militar.

La brigada de infantería apostada allí estaba dedicando mucho más tiempo a las prácticas para estado de alerta y a las excursiones por la selva. Los integrantes del grupo de las Fuerzas Especiales se subían a unos C-130 no marcados al amanecer, y constantemente entraban y salían aviones de reconocimiento desde la Florida y California. Todo ello ejercía una presión desacostumbrada sobre los oficiales superiores de Southcom. A muchos los habían destinado allí sus amigos del Pentágono como una especie de curso para que se familiarizaran con la idea del retiro. Por lo tanto, cuando me hablaban de "nuestra misión" y de "echar el comunismo atrás", parecía como un renacimiento vagamente recordado de las locuras de Saigón.

A pesar de que la zona del canal estadounidense no existía ya, la cerca de malla de cadenas que la separaba de la república seguía en pie. Por una parte, no tenía una altura ofensiva; sólo entre 120 y 150 centímetros. Por otra, los empleados panameños del canal que ocupaban las casas conforme las abandonaban los "zonianos" al retirarse, no la desaprobaban. La antigua zona todavía tenía el aspecto de un sitio en el cual hay una abundancia de mano de obra barata para cortar el césped, podar los árboles, recoger la basura, rociar el insecticida y encalar las piedras, cuando fallaban todas las demás formas de crear trabajo. Reinaba un sentido casi palpable de seguridad desde la cuna hasta la sepultura. Muchas familias figuraban entre los "zonianos" desde hacía tres generaciones.

La comisión del canal ocupa las oficinas de la antigua compañía del mismo: unas estructuras de tres pisos hechas de ladrillo que podrían pertenecer a una pequeña universidad del medio Oeste estadounidense. Fue allí donde busqué a Fernando Manfredo, Jr., el administrador asistente del canal y el panameño de más alto rango involucrado en su operación. Como Royo, fue uno de los jóvenes inteligentes protegidos por Torrijos. El hijo de unos inmigrantes italianos, era ya un hombre de negocios con éxito y de conceptos progresistas al ser elegido por Torrijos para prestar servicios en varios altos puestos del gobierno, entre ellos los de ministro interino de Relaciones Exteriores y ministro de Comercio e Industria.

—Torrijos era un amigo, un buen amigo, y sigue siendo un héroe para mí, pese a todos sus defectos —afirmó Manfredo—. Su muerte dejó un vacío, y creo que se tardará un año, más o menos, en medir las consecuencias. Prevalecerá la inercia durante un tiempo. El gran logro de Torrijos fue que por lo menos demostró a la gente que se preocupaba por ella, particularmente a la gente del campo. Nadie nunca había hecho nada por ellos, y él comprendió la situación como una bomba de tiempo, preparándose para la explosión. Aunque él no fuera capaz de darles prosperidad a todos, al menos podía darles esperanza.

Manfredo apuntó que las libertades civiles disfrutadas por los panameños también estaban relacionadas con el tratado. A fin de asegurarse el apoyo de Robert Byrd, de Virginia del Oeste, y Howard Baker, de Tennessee, los líderes democrático y republicano del Senado, respectivamente, Torrijos prometió permitir que operasen los partidos políticos, así como fijar una fecha para las elecciones.

—Sería posible calificarlo como un tratado bastante bueno, puesto que ha demostrado satisfacer las aspiraciones panameñas, al menos por el momento, y ha permitido que el canal siguiera funcionando con eficacia —continuó Manfredo—. Sin embargo, no hay tratado tan bien redactado que no deje lugar a la interpretación, y el Congreso lo ha interpretado de una manera estrecha, favorable a Estados Unidos, y no de acuerdo con el espíritu en el cual fue negociado.

Lo que Manfredo estaba diciendo cortésmente era que el Congreso, al transformar la comisión del canal en una entidad incautada, hizo algo tan mañoso como el secretario de Estado John Hay, al negociar el tratado de 1903 con un francés cuya autoridad había sido revocada. Manfredo añadió que el administrador del canal, el teniente general Dennis P. McAuliffe, que encabezó la Comandancia del Sur, el centro de operaciones militares de Estados Unidos en Panamá, antes de retirarse del ejército, hizo constar que el requisito de acudir al Congreso en busca de fondos cada año hacía más difícil planear proyectos a largo plazo con necesidades de capital.

(Ambler H. Moss, Jr., que era entonces el embajador en Panamá y que participó en la negociación del tratado, me informó: "A partir de 1953, el canal había funcionado como una corporación del gobierno, y los negociadores no tenían idea de que pudiera trabajar de otro modo").

Muchos trabajos importantes de mantenimiento y renovación estaban muy retrasados, indicó Manfredo. El hecho de que no hubieran ocurrido averías de gravedad resultaba extraordinario, afirmó, puesto que las ruedas y los engranajes impulsores originales, algunos con un diámetro de cuatro metros y medio, a través de los cuales se operan las esclusas, seguían en uso después de 500 000 pasos.

Desde el fin de la Segunda Guerra Mundial hasta mediados de los setentas, el tráfico se duplicó, hasta la capacidad actual del canal, de 38 pasos diarios. Esta cifra aumentará a 44 cuando se terminen los proyectos del momento. Uno implica el ensanchamiento, por medio del dragado, del canal para buques que atraviesa el lago de Gatun. Esta extensión de agua, de 422 kilómetros cuadrados, la cual constituye más de la mitad de la longitud del canal, fue creada al embalsar el río Chagres. Otro es la instalación de alumbrado de alta intensidad, el cual permitirá que barcos grandes utilicen el canal por la noche.

No parece posible ningún incremento significativo arriba de los 44 pasos, explicó Manfredo, sin ensanchar la ensenada de Gaillard, donde el canal atraviesa la divisoria continental, y sin construir un tercer juego de esclusas lo suficientemente grande para permitirle al canal acomodar buques cuyo tamaño ahora lo impide. No obstante, el costo, 2 mil millones de dólares o más, es considerado prohibitivo, si el canal ha de seguir financiando su propio mantenimiento por medio de la recaudación de las cuotas.

Un equipo de ingenieros estadounidenses y japoneses estuvo investigando la posibilidad de abrir un canal al nivel del mar 160 kilómetros al este del actual, con un tamaño suficiente para todo lo que flotara. La importancia del canal para el Japón ha aumentado a tal grado que ya empezó a proporcionar ayuda económica y social a Panamá, lo cual no es algo que haga a la ligera. A Panamá le sirvió. Su deuda exterior ascendía, en aquel entonces, a más de 3 mil millones de dólares, rivalizando con la de Costa Rica en cuanto al monto *per cápita.*

El tamaño de las esclusas del canal, que es de 304 por 33 metros, limita las dimensiones de los barcos que pueden usarlo a 289 por 32 metros, con un calado máximo de 12 metros y un peso de 65 000 toneladas de peso muerto. Para 1982, más de 2 000 del total de 27 000 buques de carga transatlánticos excedían estas medidas "Panamax", algunos por un factor de cinco o más toneladas. Estos buques gigantescos, las más de las veces petroleros, llevan una parte inmensamente desproporcionada del total de los cargamentos. El creciente uso de contenedores del tamaño de furgones para la carga general también desvía los barcos del canal. La carga en contenedores del Japón —productos electrónicos, digamos— destinada a la costa oriental de Estados Unidos, probablemente se desembarque en un puerto del Oeste para el transbordo por ferrocarril.

Aunque el canal continúe funcionando en un nivel cercano a su capacidad máxima, un rápido incremento en las cuotas comienza a preocupar a la comisión, afirmó Manfredo. Desde el principio, sólo se pedía que el canal cubriera los gastos de operación y de mantenimiento con las cuotas. Estados Unidos no procuró recuperar el costo de la construcción, que fue de 387 000 000 de dólares. Durante 60 años después de la inauguración del canal, la cuota permaneció sin cambios. Era de 90 centavos de dólar por cada 100 pies cúbicos [2 831 decímetros cúbicos] de espacio para carga, llamado una "tonelada neta", para los barcos cargados, y 72 centavos para los vacíos. (La cuota media en 1979 fue de 21 557 dólares). Durante los sesentas, el aumento en el número de pasos cubrió el constante incremento en el costo de la operación. A principios de los setentas, sin embargo, la inflación, que se reflejaba en los salarios de los empleados sindicalizados del canal, coincidió con una depresión en el comercio mundial suscitada por los primeros aumentos sustanciales a los precios del petróleo y causó una disminución en el número de pasos.

A fin de mantener la autosuficiencia del canal, hubo que incrementar las cuotas en un 19.7 por ciento en 1974 y un 19.5 por ciento en 1976. En 1979 ocurrió otro aumento del 29.3 por ciento, a fin de cubrir los pagos hechos a Panamá, según el tratado, que ascendieron a 54 000 000 de dólares durante el primer año fiscal. Otro aumento más, éste del 9.8 por ciento, entró en vigor en 1983, para compensar por la pérdida anual de ingresos estimada en

45 000 000 de dólares, la cual resultará de la inauguración de un oleoducto a través de la parte occidental de Panamá. El petróleo procedente de Alaska, que es transportado por buques demasiado grandes para pasar por el canal, cruzará el istmo por medio de bombas hasta los buques colocados del lado del Atlántico.

Durante las negociaciones para el tratado, Torrijos instó a Estados Unidos para que le proporcionara mil millones de dólares, a fin de comenzar con el ensanchamiento y la rehabilitación del canal. También procuró un control pleno para Panamá en un plazo considerablemente menor de los 20 años. Sus argumentos fueron rechazados, pero según lo que oí en Panamá, no es posible decir que ninguno de los dos asuntos haya quedado definitivamente resuelto.

Todas estas circunstancias provocaron el comentario, por parte de muchos panameños, de que Estados Unidos se había visto mañoso no sólo al obtener y conservar el control sobre el canal, sino también al cederlo. Lo que se entregará en 1999, afirman ellos, será un canal senil más útil para criar tiliapa, el pez milagroso, que para el paso de barcos.

A pesar de todo, el canal sigue causando gran admiración. Al igual que otras muchas obras de la humanidad, se le ha llamado "la octava maravilla del mundo". Me incliné a estar de acuerdo. Al observar cómo un buque petrolero de 274 metros se eleva inexorablemente, obedeciendo al principio de Arquímedes, en las esclusas de Miraflores, sin volcarse, y luego avanza a través del lago de Gatun, de un intenso azul rodeado por frondosos cerros verdes a más de 100 metros arriba del nivel del mar, se siente uno tanto desorientado como emocionado. Es posible que el canal esté cayendo en desuso, es posible que ya no sea de inmensa importancia estratégica, pero al recorrer su largo y considerar la grandeza de la hazaña, no pude evitar un sentimiento de simpatía hacia los estadounidenses que no soportan abandonarlo.

10

LA COSTA RICA DE DON PEPE

DESDE HACE 40 AÑOS, la biografía de José Figueres Ferrer ha coincidido, en su mayor parte, con la historia de Costa Rica, y viceversa. Exiliado en 1942 por el crimen de criticar públicamente al gobierno, encabezó la rebelión que derrocó a éste en 1948. Como presidente de la república, un cargo que desempeñó en tres ocasiones, Figueres puso en ejecución reformas que asombraron a Latinoamérica. Figueres restableció la democracia, instauró la entidad gubernamental que desde entonces conduce las elecciones honestas, mal que bien convirtió a Costa Rica en un Estado de asistencia y seguridad social y, como si eso no fuera suficiente, abolió el ejército. Figueres no se detuvo allí. Como el enemigo declarado de todos los dictadores, ayudó a Fidel Castro a derribar el régimen de Batista, cruel y corrupto, y su enemistad de 30 años con la dinastía de Somoza, en Nicaragua, terminó con la victoria.

Es cierto que su reputación, hasta entonces inmaculada, adquirió algunas manchas durante los años posteriores. Cuando trató de rehabilitar a Robert Vesco, el estafador internacional, dándole la oportunidad de invertir en empresas costarricenses una parte de los 224 000 000 de dólares que había robado, resultó que algunas de ellas pertenecían a Figueres y a su familia. A los costarricenses no pareció importarles mucho, pero los admiradores de Figueres en el extranjero se mostraron escandalizados.

El costo de los proyectos de mejoramiento social de Figueres contribuyó a que Costa Rica rápidamente acumulara una deuda externa de más de 4 mil millones de dólares *per cápita,* la más alta del mundo, y mucho más allá de cualquier esperanza de pago. La imprevisión nacional no es ninguna virtud, pero siquiera una vez en la historia de Latinoamérica, la gente común sacó provecho de ella, y afortunada es la tierra, especialmente en esa parte del mundo, cuya historia se escribe con tinta roja en lugar de sangre.

Llamé a Figueres por teléfono en cuanto llegué a San José en la primavera de 1982, y acordamos vernos unos días más tarde. Las entrevistas con banqueros, embajadores y generales suelen ser obligaciones del oficio, pero el hombre que había tenido la imaginación para transformar a Robert Vesco en un plan Marshall integrado por un solo hombre era alguien a quien con gusto esperaba conocer. La casa de don Pepe resultó una vivienda agradable, pero de ninguna manera imponente, sobre una calle bordeada de árboles. (Incluso los escolares llaman "don Pepe" a Figueres. "Don" es una especie de modesto título honorífico, y "Pepe" el apócope usual para cualquiera de nombre "José". De algún modo, le queda a la perfección. Su reducida estatura y el aire de astucia juguetona también me hicieron pensar en el famoso "Pepe Grillo" de Walt Disney). Mientras esperaba en su despacho, dispuse de mucho tiempo para embeberme en mis alrededores, hasta el punto de leer las frases enmarcadas que colgaban en la pared. Una de ellas era una traducción al español del "Ulysses" de Tennyson:

Si mucho nos quitaron, mucho queda
Y aunque ya no tenemos el vigor
Que en los lejanos días tierra y cielo movió,
Aquello que antes fuimos, aún lo somos...

[Tho' much is taken, much abides; and tho'
We are not now that strength which in old days
Moved earth and heaven; that which we are, we are...].

Don Pepe apareció al fin. Figueres, que entonces tenía 75 años de edad, medía como 160 centímetros de estatura, pesaba quizá 56 kilogramos y estaba poniéndose un poquito desvencijado por la edad. Su rostro está profundamente arrugado y se ve extraordinariamente movible, incluso podría decirse que elástico. Su nariz forma un apéndice desmesurado. Cuando sonríe, su boca se tuerce en forma de una "U" que comienza en un punto muy alto de sus mejillas. Llamó a una sirvienta para que nos llevara el café. Resultó excelente. Costa Rica es el único país en Centroamérica en el cual es posible contar con un buen café. En otras partes, según le mencioné a don Pepe, es tan difícil encontrarlo como un jugo de naranja fresco en la Florida.

—Los otros países exportan los mejores granos —declaró—. La gente no tiene medios para comprarlo. Aquí sí.

Refiriéndome al poema, dije que su dependencia del cerebro en lugar de la fuerza muscular me hacía pensar en Ulises. Sonrió en muestra de agradecimiento. Agregué que se rumoraba que algunas veces él mismo había sido tentado por las sirenas. Como reacción a mis palabras, don Pepe, que dos veces se ha casado y divorciado y de quien se informa que todavía aprecia a las mujeres hermosas con los ojos de un conocedor, se rió y brincó varias veces en el sillón.

—Un viejo amigo me lo dio cuando cumplí 75 años —explicó—. No me agrada acordarme, pero ya estaba enmarcado y tuve que colgarlo, o se hubiera preguntado dónde estaba cuando vino a verme.

Dado que yo sólo conocía el perfil general de la carrera de Figueres, le aseguré que sería su Homero si, antes de llegar a los asuntos tan aburridos como la deuda nacional, accediera a hablarme acerca de él mismo.

—Nací y crecí en Alajuela —afirmó, recostándose y entrelazando las manos sobre los muslos—. Mi padre era un médico que había emigrado desde España con mi madre. Ambos eran catalanes de Barcelona. De hecho, hablé catalán antes que el español.

Más tarde fui a Alajuela. Es un bonito pueblo colonial en la sierra a unos 32 kilómetros al este de la capital. Sin embargo, no se compara con Barcelona, y pregunté a don Pepe por qué un médico, con una buena vida más o menos asegurada, abandonaría esa hermosa ciudad cosmopolita por la pobre y remota Costa Rica.

—Les gustaba la aventura y deseaban comenzar de nuevo, pero llegaron a Costa Rica por un error —explicó, riéndose—. Mi madre solía contarme que al llegar a San José miró a su alrededor y le preguntó a mi padre: "¿Dónde está el mar? Me dijeron que era una isla con el mar a todo su alrededor". ¡Pensó que iban a *Puerto Rico!*

"Mi padre quería que también fuera médico, por supuesto —continuó don Pepe—, pero ya conoce a los jóvenes: siempre en oposición. Mientras me encontraba en la escuela preparatoria, decidí instruirme en física e ingeniería. Escribí por los cursos a las Escuelas Internacionales por Correspondencia. Creo que siguen funcionando hoy en día. Para cuando me gradué, estaba diseñando y construyendo pequeñas plantas hidroeléctricas para las granjas en nuestra región. Una de ellas siguió en uso hasta hace unos dos años. En cuanto me enteré de la radio, pensé: «Eso es para mí». Fui uno de los primeros aficionados a la radio en el país. También aprendí economía y filosofía por cuenta propia, pero cuando llegó la depresión, comprendí que las teorías que había estudiado estaban todas mal, de modo que volví a empezar. La depresión fue tan cruel. Las tiendas estaban llenas de mercancía, pero nadie disponía de dinero para comprar nada. Viajé a Nueva York, y era lo mismo incluso en la rica Nueva York. Los hombres alargaban los platos para que les dieran sopa gratuita.

"Al volver a casa, inicié un pequeño negocio construyendo radios que pudieran recibir transmisiones de Estados Unidos. Instalé una estación radiofónica para el periódico *Prensa Libre*. Gané un poco de dinero y compré una granja a más o menos una hora de camino al este de San José. La llamé «La lucha». Durante los siguientes seis años, me dediqué al cultivo del café, a la investigación agrícola y a la lectura; leí a los filósofos alemanes. Kant, Schopenhauer, Hegel, y a los socialistas del siglo XIX: Owen y Fourier, a la luz de las velas. He sido un socialista utópico desde niño, y la lectura de H. G. Wells fue lo que me hizo antimilitarista".

En 1942, los acontecimientos en Costa Rica apartaron a don Pepe de sus actividades eruditas. Para comprender lo que estuvo sucediendo, es necesario echar una breve mirada hacia atrás. Puesto que Costa Rica no poseía ni una gran población indígena ni oro o plata, no fue colonizada hasta las postrimerías del siglo XVI, y se volvió, casi como el único caso en Latinoamérica, una tierra de granjas familiares en posesión de campesinos españoles.

Tales hombres, como los pobladores de las trece colonias de Estados Unidos, no se mostraron sumisos ante la autoridad real o clerical. Nunca adquirieron el hábito de pagar contribuciones, sobornos o diezmos. Su alejamiento de los centros de la autoridad, relativa pobreza y espíritu independiente hicieron probable que su castigo causara más problemas de lo que valía. Los costarricenses nunca han sido fanáticos religiosos. Después de la independencia, no se dividieron en facciones clericales y anticlericales. A diferencia de los habitantes de las repúblicas hermanas, los costarricenses evitaron los conflictos y cultivaron sus huertas.

En los años treintas del siglo XIX, Costa Rica se convirtió en el primer país centroamericano que cultivara el café para la exportación; en los ochentas del mismo siglo, fue la primera nación en construir una vía férrea a la costa del Atlántico y, más o menos al mismo tiempo, la primera en contar con una próspera industria del plátano. El café condujo a un aumento en la extensión de las propiedades rurales y a la creación de una oligarquía, pero ésta nunca se hizo tan rica o tan poderosa, políticamente, como las de otros sitios de Centroamérica. En aquellos días, además, la población del país no ascendía a más de 500 000. Había mucha tierra disponible para el cultivo del café sin necesidad alguna de robársela a los indios o a los pequeños granjeros. Puesto que no existía un excedente de mano de obra, los grandes agricultores tenían que pagar jornales decentes para atraer a los trabajadores.

Los oligarcas intercambiaban la presidencia entre ellos, nadie más tenía mucho interés en ocuparla, pero las elecciones tenían lugar más o menos regular y honestamente. Ocurrieron golpes de Estado de cuando en cuando, pero casi nunca una rebelión armada, y el país jamás fue gobernado por un caudillo. Durante la depresión de los treintas del presente siglo, Costa Rica no respondió a los tiempos difíciles con una dictadura, como sucedía en otras partes de Centroamérica, sino con la elección de reformadores moderados para la presidencia. Uno de éstos, Rafael Calderón Guardia, que entró en funciones en 1940, puso en ejecución leyes de seguridad social y laborales. Los grandes terratenientes pusieron el grito en el cielo acerca de "comunismo". Calderón entonces cumplió con los temores de los propietarios aliándose con la izquierda para proteger su programa, e incluso con los comunistas, de los cuales probablemente había menos de 100.

Fue en ese punto, afirmó Figueres, que decidió que había llegado el momento de actuar.

—En cuanto los comunistas se introducen en un gobierno, es posible decirles adiós a la libertad y a la democracia —declaró—. La violencia estaba comenzando ya, y yo sabía que terminaríamos con una dictadura de izquierda o de derecha a menos que algo se hiciera.

"Así que un día decidí ir a San José —continuó—. Fui directamente a la *Prensa Libre,* el periódico más grande. Entré a la estación radiofónica que les había instalado. Por medio de argumentos logré llegar al micrófono y ahí leí un discurso en el que denunciaba al gobierno. Llevaba 30 minutos hablando cuando la gente de la estación me informó que la policía se encontraba en camino para arrestarme. Para entonces, Calderón estaba tratando de suprimir el derecho a la crítica. Expliqué al público qué era lo que iba a suceder. Al penetrar la policía en el estudio, indiqué: «Quiero resumir todo esto diciendo que este gobierno tiene que desaparecer». Me arrestaron, me encarcelaron durante tres o cuatro días, y luego me enviaron a El Salvador. Estaba exiliado".

Figueres siguió a México, donde asistió a clases en la universidad, e incorporó su pensamiento político en un delgado volumen de ensayos, *Palabras Gastadas.*

—Obtuve el permiso de regresar después de que Calderón abandonó el cargo en 1944 —afirmó Figueres—. Descubrí con asombro que era un héroe político. Había mandado copias de mi libro a unos amigos, éstos imprimieron una edición sin avisarme. Todos los grupos de la oposición me abrieron las puertas. Querían derrocar inmediatamente a Teodoro Picado, el hombre escogido por Calderón para calentarle el asiento hasta que pudiese ser reelegido. Manifestaron que la elección de Picado había sido un fraude. Probablemente fuera cierto, pero les sugerí: "Intentemos una vez más conseguir elecciones honestas en 1948, y si no nos las dan, entonces lucharemos".

Figueres formó un partido político propio, los social-demócratas, pero en las elecciones apoyó en contra de Calderón a un candidato moderado de derecha, editor de un periódico, llamado Otilio Ulate.

La votación fue desordenada, y el resultado discutido. La comisión electoral declaró triunfador a Ulate, pero el poder legislativo, controlado por el partido de Calderón, votó a favor de la anulación del resultado. Ulate y muchos de sus partidarios fueron arrestados.

—Fue el acabóse —dijo Figueres—. Unas personas ricas me dieron 100 000 dólares, y fui a México a comprar armas. Pero la misma gente que me las vendió pasó el dato a la policía, y confiscaron las armas. Fue típico de los mexicanos. Tuve que buscar en otra parte. Sabía que las armas de Juan Bosch habían terminado en Cuba después de fallar la rebelión del mismo contra Trujillo en la República Dominicana. Carlos Prío Socarrás, el presidente, se rehusó a cederme las armas directamente, pero accedió a transportarlas a Guatemala. El presidente de Guatemala, Juan José Arévalo, era un demócrata. Fui a verlo en secreto, pero se negó a darme las armas. ¿Sabe por qué? Porque opinó que los costarricenses nunca pelearíamos. Se suponía que amábamos demasiado la paz. Repliqué: "Está bien, se lo demostraré. Empezaremos a luchar con los dientes". Él me contestó: "Si así lo hacen, se las entrego".

"Regresé a Costa Rica y emití una llamada a las armas desde mi granja, La Lucha —continuó—. Los hombres acudieron de todo el país para unirse a nosotros. Sólo contábamos con pocas armas —rifles de caza y escopetas y revólveres—, pero empezamos a atacar los puestos militares y las estaciones de policía. Fuimos al aeropuerto de San Isidro y secuestramos dos DC-3 del ejército a punta de pistola. Sólo disponíamos de unos estudiantes para pilotos para el vuelo nocturno sobre la sierra a Guatemala. No pensé que lo lograríamos, pero lo hicimos. Cuando aterrizamos en la ciudad de Guatemala, fui a ver a Arévalo. Le conté lo que habíamos hecho y dije: «Métanos en la cárcel si quiere. Por otra parte, no nos vamos sin las armas». Arévalo contestó: «Está bien, son suyas, llévenselas». Eran como 600 en total. Cargamos los aviones y volvimos a San Isidro".

Don Pepe señaló dos armas de fuego expuestas en la pared del fondo.

—Ésas formaron parte de aquel cargamento —indicó—. Unas copias argentinas de la metralleta que el ejército de ustedes fabricó durante la Segunda Guerra Mundial, ustedes lo llamaban "pistola de grasa", y de un fusil máuser que el ejército alemán utilizó durante la Primera Guerra Mundial. No eran muy buenas, pero bastaban.

"Cuando corrió la voz de que teníamos armas, los hombres realmente empezaron a entrar a montones en La Lucha. Tuvieron que cruzar las montañas porque el ejército vigilaba los caminos. Incluso llegaron hombres del exterior. Algunos contaban con experiencia militar. Esto resultó afortunado para nosotros, porque nadie sabía cómo dar órdenes ni mandar ciertas maniobras, y así sucesivamente. Cuando Somoza se dio cuenta de lo que pasaba, empezó a ayudar a las fuerzas del gobierno. Incluso entonces me odiaba más a mí que a los comunistas. Pedimos ayuda a Washington, pero se rehusaron a hacer algo por nosotros. Nos dijeron que éramos unos alborotadores. No les importaba que estuviéramos luchando contra los comunistas".

Aunque Figueres no minimizó sus propios logros e interpretó los resultados dudosos a su favor, no se apartó en ningún aspecto significativo de la versión generalmente aceptada de estos acontecimientos. Otra cuestión es si Calderón estuvo tan estrechamente ligado a los comunistas y tan perverso, en general, como afirmó Figueres.

—Llevamos una guerra de guerrilla —prosiguió—. Seiscientos de nosotros contra un ejército y una milicia que sumaban 6 000. Ocupamos Limón, en el litoral atlántico, por medio de un ataque aéreo. Llegamos allí por avión con 64 hombres, en nuestros dos DC-3. Alguien de la revista *Time* nos llamó la "legión del Caribe". Se suponía que contábamos con luchadores por la libertad de todas partes. No era cierto. A excepción de un hombre de Santo Domingo, éramos todos costarricenses, pero no nos importaba cómo nos llamaran, porque los dictadores como Somoza se pusieron a temblar de miedo ante esa poderosa fuerza de 64 hombres con armas viejas.

Al cabo de seis semanas de luchas, las tropas del gobierno se rindieron. El conflicto ocasionó una cifra estimada de 2 000 muertes, por mucho la lista más larga de bajas en la historia de la nación. Calderón huyó a Nicaragua. Con la ayuda de Somoza, intentó una invasión que fue fácilmente rechazada por don Pepe, a la cabeza de sus tropas.

Figueres se hizo el presidente interino, pero prometió hacerse a un lado para Ulate después de 18 meses. Ése era el plazo que creía necesario para regresar al país al camino del progreso social no manchado por el comunismo. Es más, así lo hizo. Fue un acto aparentemente sin precedentes en la historia de Latinoamérica, y tan sólo por esto Figueres merece ver su nombre escrito con luces desde la Tierra del Fuego hasta Tijuana.

Antes de dejar el cargo de la presidencia, Figueres puso en ejecución más de 800 decretos, que alteraron de manera permanente la estructura política y social del país. No obstante, el que más publicidad recibió, la abolición del ejército, tuvo una importancia antes bien simbólica. El ejército suprimido consistía sólo en 300 hombres, estaba mal entrenado y equipado, era mandado por oficiales no profesionales y existía casi enteramente para finalidades ceremoniales. Figueres lo integró a la Policía Nacional y llamó a la nueva entidad "Guardia Civil". Actualmente cuenta con 7 000 hombres; es mucho más pequeña, está menos pesadamente armada y resulta menos costosa que las fuerzas de otras naciones centroamericanas. Está dotada de oficiales según principios de padrinazgo. Sus elementos cambian cada cuatro años, lo cual menoscaba su eficiencia, pero reduce la posibilidad de que surja una casta militar.

El Supremo Tribunal Electoral fue creado por Figueres a fin de impedir una repetición de los sucesos de 1948. El tribunal constituye una entidad autónoma y no afiliada, encabezada por jueces designados por parte de la Suprema Corte. Sus responsabilidades van más allá de conducir las elecciones y contar los votos, e incluyen la supervisión de las prácticas de campaña e incluso la expedición de las cédulas de identidad nacional que representan un requisito para la votación. El tribunal también ha convertido el día de las elecciones en la fiesta civil más importante del país, en una especie de festival de la libertad, al cual caracterizan los desfiles, los conciertos y otras manifestaciones patrióticas.

Figueres también proscribió el partido de la Vanguardia Nacional de los comunistas. Con sus propios sentimientos aparte, Figueres fue lo bastante astuto para comprender que al tratar con Estados Unidos podría actuar con impunidad en casi todos los casos, hasta el punto de tramar contra Somoza y Rafael Trujillo, el monstruoso dictador dominicano, quienes derivaban su poder de Washington, si lograba presentarse convincentemente como un anticomunista inflexible. Durante los años siguientes, Costa Rica también demostró que el comunismo no tenía enemigo más poderoso que un gobierno razonablemente honesto y un nivel de vida decente. En todo caso, el partido comunista es ahora enteramente legal y la mayoría de los costarricenses lo contemplan con un afecto divertido. De hecho, Figueres ha llegado a elogiar a Manuel Mora, su líder durante casi 50 años, como "un eurocomunista", lo cual define a alguien que cree en los principios democráticos además del marxismo.

Figueres también nacionalizó los bancos y estableció la primera de lo que con el tiempo llegaron a ser 102 corporaciones públicas autónomas, modeladas demasiado imprecisamente según las Autoridades del Valle de Tennessee. A la primera de ellas la hizo responsable de los servicios públicos, la vivienda popular y otros programas sociales. Cuando todo ello funcionó con relativa eficiencia, como suele suceder con tales empresas que todavía son administradas por sus fundadores idealistas, honestos y vigorosos, se establecieron otras, para manejar el comercio de exportación e importación, la venta de los productos agrícolas domésticos, incluso la manufactura y los seguros. Éstas fueron operadas con menos habilidad, y puesto que se les concedió poder independiente para solicitar préstamos, compensaron por sus pérdidas con financiamientos tanto nacionales como extranjeros.

En 1953, Figueres permitió que lo nombraran y eligieran para la presidencia. Al año siguiente se vio complicado marginalmente en un suceso que marcó el fin de la Política del Buen Vecino: el derrocamiento del gobierno de Arbenz en Guatemala por la Agencia Central de Inteligencia. A pesar de que no lo divulgó en esa época, ahora Figueres no oculta el hecho de que sostenía relaciones amistosas con Allen Dulles, el director de la CIA. También afirma que trató de persuadir a Arbenz de que debía evitar una confrontación y a Estados Unidos de no derribar a éste.

—Todavía no creo que Arbenz haya sido un comunista —declaró—, pero su esposa, una rica salvadoreña, lo era. Le indiqué: "No trates de destruir a la United Fruit; civilízala". Traté de convencer a Dulles de que podría conseguir lo que quisiera si todo el mundo sólo ejerciera presión sobre Arbenz. Todavía creo que tenía razón, pero nadie quiso escucharme.

Don Pepe aprovechó el momento para incrementar el impuesto sobre la exportación de plátanos y para obtener una gran mejora en salarios y beneficios para los trabajadores de esta fruta. En otro momento, es posible que esto hubiese bastado para que la United Fruit anunciara ruidosamente que se iría de Costa Rica o para que empezara a proporcionar dinero y armas a los rivales políticos de Figueres, pero dado que estaban tratando con don Pepe, el único anticomunista creativo de Latinoamérica, los ejecutivos de la compañía sólo pudieron maldecirlo entre dientes y pagar.

En enero de 1955, Figueres tuvo el gusto de humillar otra vez a Anastasio Somoza. Durante 10 años, el placer que a Somoza le causaba poseer una gran parte de Nicaragua se vio disminuido por la negativa de Figueres a reconocerlo como el "caudillo número uno" de Centroamérica y como el virrey de Estados Unidos en la región. La presión sanguínea de Somoza se elevaba peligrosamente cada vez que Figueres denunciaba a los dictadores corruptos. Llegó al punto de que Somoza apenas podía obligarse a pronunciar el nombre de Figueres, refiriéndose a él sólo como "El Enano".

—Somoza una vez me retó a un duelo —afirmó don Pepe—. Le aseguré que no lo haría jamás, ya que "Nadie lloraría ni una lágrima si lo matara a usted, pero qué pérdida significaría para el mundo si usted me matara a mí".

Fue el colmo, en cuanto a Somoza tocaba, cuando Figueres dio asilo a un grupo de la oposición que trató de asesinarlo en 1954. Preso de una buena furia latina, organizó otra invasión a Costa Rica. Somoza afirmó que la fuerza estaba compuesta de exiliados de derecha de Costa Rica, y es posible que hayan participado algunos, pero por lo general se admite que la gran mayoría eran integrantes de la Guardia Nacional de Nicaragua, sin el uniforme y con identificaciones falsas.

No hay nada como una invasión extranjera para unificar a un país, y los costarricenses no simpatizaban mucho con los nicaragüenses desde un principio. Por una parte, Nicaragua seguía reclamando Guanacaste, la provincia más occidental de Costa Rica, sobre la base de que el plebiscito por medio del cual cambió de bando en 1823 había sido ilegal. (Costa Rica, por otra, sostenía una vieja disputa fronteriza con Panamá).

En todo caso, mientras la Organización de Estados Americanos condenaba a Nicaragua y ofrecía su ayuda militar a Costa Rica, y Estados Unidos suplicaba a Somoza que volviera a sus cabales, don Pepe, sin ejército alguno al que pudiese acudir, reunió una fuerza de voluntarios que se precipitó hacia la frontera amenazada en una escuadra de camiones requisados. Después de unos cuantos severos choques, los invasores fueron rechazados otra vez a Nicaragua, y Figueres nuevamente fue un héroe.

Para cuando terminó su periodo de gobierno, Figueres se había convertido en una pequeña celebridad internacional. Su adherencia escrupulosa a la prohibición constitucional de la reelección de un presidente por ocho años después de terminar su mandato y el hecho de que el partido de la Unión Nacional, de la oposición, obtuviera la presidencia, sólo sirvieron para aumentar su fama. Figueres fue aclamado como uno de los pocos verdaderos demócratas en Latinoamérica, como un enemigo consagrado de las dictaduras de izquierda, así como de derecha, y un amigo fiel, pero no incondicional de Estados Unidos. Fue inundado de premios, citaciones y títulos honoríficos.

Aun fuera de funciones, don Pepe no renunció al poder. Controlaba todavía el partido de Liberación Nacional, que dominaba el cuerpo legislativo, y éste contaba con facultades comparables con las del Congreso de Estados Unidos. Asimismo, sus amigos tendían a dominar las corporaciones autónomas, que cada año estaban haciéndose más poderosas. Por lo tanto, aunque no desempeñara un cargo oficial, no se le impidió llevar a efecto su siguiente iniciativa en el campo de la política exterior: el envío de ayuda a Fidel Castro.

—En 1958, Castro y un puñado de adeptos estaban luchando en la Sierra Maestra —contó don Pepe—. Sólo tenían rifles de calibre 22. Se encontraban en una situación terrible. Después de que Herbert Matthews de *The New York Times* fue a reunirse con Castro, me llevó una carta de éste, en la cual me suplicaba le diera ayuda. Todavía tengo la carta. Juró que no era comunista, y le creí. También sabía que estaba tratando de derrocar a Batista, uno de los dictadores más corruptos que jamás haya existido en cualquier parte. Le conseguí armas y municiones. Le mandé su primera radio. Obtuve un avión y unos paracaídas para hacer el suministro. Le salvé el pellejo. Un mes y medio después de entrar al poder se hizo patente la dirección en la que iba. Me invitó a La Habana y me pelee con él en un gran mitin realizado allí, delante de 100 000 personas.

Un decepcionado don Pepe observó cómo Castro suprimía toda oposición y aparentemente hacía un esfuerzo extraordinario por provocar a Estados Unidos.

—Finalmente acudí a Allen Dulles y le comuniqué: "Hay que derrocar a este hijo de puta" —prosiguió Figueres—. Le advertí, sin embargo, que no utilizaran a la gente de Batista para la fuerza de invasión, pero no me hicieron caso y casi no usaron a otros. Fue un grave error.

Don Pepe meneó la cabeza.

—No volví a hablar con Castro hasta el mes de julio de 1980, cuando ambos nos encontrábamos en Managua con motivo de la celebración del primer aniversario del derrocamiento de Somoza. Mucha gente deseaba que nos estrecháramos las manos. Dijeron que Castro accedería si yo también estaba de acuerdo. Así que, finalmente, acepté. Dije: "Fidel, ve a Costa Rica como invitado mío, y hablaremos sobre la dirección en la que vas", pero replicó que no quería hacerlo.

Sin la participación activa de Figueres, el partido de Liberación Nacional empezó a perder a sus simpatizadores en las urnas electorales, de modo que en 1970 contendió otra vez por la presidencia y ganó fácilmente. Al poco tiempo de que don Pepe entrara en funciones, se presentó en San José un hombre llamado Clovis McAlpin, cansado y con los pies doloridos de tanto correr, unos pasos adelante de los agentes del FBI. McAlpin, un estafador profesional de la bolsa de valores, fue acusado de evasión de impuestos. Cuando afirmó que quería invertir mucho dinero en Costa Rica y sus abogados señalaron que el crimen del cual se le acusaba no figuraba en el tratado de extradición entre ese país y Estados Unidos, Figueres le permitió quedarse.

McAlpin adquirió tierras y se puso a promover a Costa Rica como un paraíso para las vacaciones y la jubilación. Para un hombre acostumbrado a traficar con propiedades inmuebles submarinas y las acciones de empresas inexistentes, la venta de tierra firme, gran parte de la cual de hecho era exactamente como estaba anunciándose, resultó facilísima. El clima *sí* era prodigioso, la gente *sí* era amistosa, el país *sí* era pacífico, y el costo de vida *en verdad* era bajo. El número de estadounidenses que adquirió propiedades o fue de vacaciones a Costa Rica aumentó rápidamente, y comenzó un repentino auge en bienes inmuebles.

En 1972 llegó Robert Vesco, quien también se encontraba prófugo. Explicó a don Pepe que era un fugitivo de la justicia, del mismo modo como lo fuera Jean Valjean. Aseguró que lo habían calumniado sus poderosos enemigos, como al héroe de Víctor Hugo. Daba gracias a Dios por un país como Costa Rica y su líder sabio y bondadoso. Él, su esposa y sus hijos esperaban, según afirmó Vesco, iniciar una nueva vida en "la tierra de la eterna primavera" y hacer las pequeñas inversiones en la economía de la misma que les permitieran sus limitados medios.

Vesco estaba refiriéndose a los 224 000 000 de dólares que había robado del activo de Investors Overseas Service, después de adquirirlo en 1971. Fue la bribonada más grande y más descarada en la variada historia de las finanzas estadounidenses. Después de huir de Estados Unidos a las Bahamas, Vesco fue acusado del robo y de hacer una contribución ilegal de 250 000 dólares, posiblemente con la esperanza de comprarse un poco de lenidad, a la campaña para la reelección del presidente Nixon en 1972.

A la pregunta de cómo ocurrió que conociera a Vesco, don Pepe replicó que había sido por mera casualidad.

—Mi familia posee un negocio, administrado por uno de mis hijos, que fabrica las bolsas en las cuales se transporta el café —explicó—. Necesitaba con urgencia 2 500 000 dólares para comprar maquinaria nueva. Se arregló un préstamo con un banco en las Bahamas, y resultó que Vesco controlaba ese banco. Así fue como sucedió.

¿Pero qué me decía de todos los informes, pregunté, acerca de que McAlpin los había presentado el uno al otro? Don Pepe contempló el techo, tratando de encontrar una aguja de trivialidad en el gigantesco pajar de su carrera, y afirmó, quizá sólo por cortesía, que en efecto era posible que McAlpin hubiera sido el intermediario.

¿Cómo fue posible, pregunté, fingiendo la consternación de un bien pagado integrante de la Liga para el Buen Gobierno, que él hubiese manchado su toga inmaculada tratando con un hombre como Vesco?

—Costa Rica siempre ha sido un país que mantiene abiertas las puertas —declaró—. Tenía muchos deseos de atraer a inversionistas, y Vesco manifestó que estaba dispuesto a invertir por lo menos 25 000 000 de dólares, probablemente mucho más. Pensé que el dinero debiera invertirse en lo que llamo el "mundo pobre". Además, no estaba de acuerdo con la ley estadounidense.

¿Y en cuanto a los 325 000 dólares, pregunté, que aparecieron en la cuenta de Figueres en un banco de Nueva York?

—No tengo nada qué ocultar— afirmó don Pepe—. Si así fuera, no hubiera tratado de esconderlo en un banco de Nueva York. Cuando se comete algo ilegal, se hace en un lugar donde haya leyes de silencio y cuentas numeradas. Una parte de ese dinero correspondía a un donativo de Vesco o de uno de sus socios para la Orquesta Sinfónica Nacional. Francamente no me acuerdo para qué era el resto, pero era algo semejante. Al fin y al cabo, llevo 35 años manejando sumas mucho más grandes que ésa para revolucionarios latinoamericanos o lo que sea, y nadie las ha puesto en duda nunca. En todo caso no importa, porque ya he redactado mi última voluntad y testamento, y estipula que todos los bienes que tenga se destinarán al Estado.

El dolor y la tristeza provocados en la voz y el gesto de don

Pepe por las dudas respecto a su probidad gradualmente se transformaron en resignación y perdón. De hecho, la gente con la que conversé en San José convino en que era posible que don Pepe se hubiera descarriado un poco en sus negocios con Vesco, pero que, a manera de equilibrio, era un modelo de honestidad fiscal, y no sólo según pautas latinoamericanas.

—Demuestra para lo que sirve una buena reputación —afirmó un banquero costarricense—. Vesco sabía que lo hubieran despojado de todo en cualquier otro lugar. Hubieran exigido rescate por su liberación, por Dios. Vesco no hubiese venido siquiera a Costa Rica de no haber pensado que podía confiar en don Pepe.

La oposición política se apropió del asunto de Vesco, por supuesto. También se escucharon críticas de la universidad, la prensa e incluso del propio partido de Figueres. Don Pepe optó por hacer caso omiso de ellas. Impulsó algunas leyes para hacer sumamente fácil la inversión del dinero de Vesco y punto menos que imposible su extradición. De cuando en cuando Washington pedía la entrega de Vesco, pero parecía poco probable que el presidente Gerald Ford deseara destapar el caso de Watergate mediante su enjuiciamiento.

Al recibir un permiso de residencia, Vesco hizo unos aparatosos donativos a los institutos de caridad costarricenses, pero fuera del préstamo para las empresas de Figueres y la compra de una casa en San José, de un rancho en Guanacaste y de otros bienes inmuebles, Vesco al parecer se guardó el dinero. Se decía que respaldó un diario, *Excélsior,* como una voz para el partido de Liberación Nacional de Figueres, pero nunca se estableció de manera definitiva este vínculo. En todo caso, no duró mucho.

Al cabo de 18 meses de graves pérdidas, los dueños putativos del periódico anunciaron que lo entregarían al personal para ser administrado como cooperativa. Después de revisar los libros, los nuevos dueños publicaron un artículo en la primera plana, con el encabezado "Nos defraudaron". El periódico, según resultó, tenía muchas deudas y pocos activos, y los anteriores propietarios legales, que conforme a la ley costarricense hubieran estado obligados a pagar sustanciosas indemnizaciones, habían desaparecido.

Al disponerse don Pepe a abandonar el cargo por lo que resultó ser la última vez, el enredo con Vesco se desvaneció hasta perder su importancia en comparación con los logros que tuvo. Pocas naciones en cualquier parte, y ciertamente ninguna en Latinoamérica, se han aproximado al progreso conseguido por Costa Rica durante los años de 1948 a 1974. Todos los índices, ingresos *per cápita,* alfabetismo y educación, mortandad infantil, longevidad, vivienda, kilómetros de caminos pavimentados, ostentaban una mejora dramática. Asimismo, esto se logró sin compulsión y con un nivel casi inexistente de corrupción, según las normas de la región. Amnistía Internacional informó que Costa Rica era el único país latinoamericano del cual no recibieron ni un solo *alegato* de asesinato político, encarcelamiento u otro abuso serio del poder.

—Cuando ganamos la guerra, el 84 por ciento de la población de Costa Rica andaba descalzo —afirmó don Pepe—. Incluso en San José la mitad de la gente no tenía zapatos. Ahora tienen. . . ¿qué? Dos o tres pares de zapatos cada uno, *además* de calcetines.

Me contempló largamente y arrugó la cara con esa beatífica sonrisa en forma de "U".

—Eso es fácil —replicó—. Pidiendo prestado.

Don Pepe no pudo hacer una campaña para su reelección en 1974, pero triunfó el candidato de su partido, Daniel Odúber Quirós. Fue la primera vez desde la rebelión de 1948 que un partido ocupara la presidencia por dos periodos consecutivos. No obstante, Odúber recibió sólo el 43 por ciento de los votos, y probablemente hubiera sufrido una desastrosa derrota de no haberse dividido la cédula de la oposición entre cuatro candidatos. Es posible que Costa Rica no se haya enfurecido respecto a la residencia de Vesco en el país, que se había convertido en el asunto principal de la campaña, pero evidentemente tampoco estaba del todo contenta acerca de ello.

Aun así, Odúber no pareció ansioso por liberarse de este riesgo político. El probable motivo sólo surgió varios años más tarde, cuando se supo que Vesco había contribuido con la mayor parte del dinero para la campaña. La oposición inició un juicio contra Vesco. Un accionista defraudado del Investors Overseas Service también entabló demanda. Vesco respondió con una solicitud de ciudadanía costarricense, y su hijo se casó con una mujer originaria de ese país. En 1977, Odúber, que ya no era capaz de soportar las presiones, cortésmente pidió a Vesco que abandonara el país. Vesco no se movió. Se aferró a Costa Rica como una lapa a una piedra.

En las elecciones de 1978, la oposición, que se había unido tras un solo candidato, Rodrigo Carazo, basó su campaña únicamente en Vesco. Carazo declaró que éste había corrompido una nación y prometió que su primer acto oficial sería su deportación. Vesco compró tiempo de transmisión por la televisión a fin de hacer un ruego por piedad. Los costarricenses que estaban familiarizados con la carrera de Richard Nixon lo llamaban su discurso de "Checkers". Carazo obtuvo la victoria por un estrecho margen, y Vesco regresó a las Bahamas sin hacer ruido, cuatro días antes de que entrara en funciones.

* * *

Apenas se hubo ido Vesco cuando, por coincidencia, se desplomó la economía costarricense. La deuda externa, la más importante medida de ello, se cuadruplicó entre 1974 y 1978, para llegar a 800 000 000 de dólares. Durante el gobierno de Carazo, entre 1978 y 1982, aumentó cinco veces, hasta 4 mil millones de dólares. Incapaz de pagar siquiera los intereses, Costa Rica contrató a Lehman Brothers Kuhn Loeb, la firma inversionista neoyorquina, por unos honorarios de 1 000 000 de dólares, es de suponer que pagados por adelantado, para idear una manera de mantener alejados a los acreedores.

Al principio, éstos eran entidades tan fáciles de controlar como el World Bank, Citibank y Chase Manhattan. Al final, Costa Rica se vio obligada a solicitar unos cuantos millones a plazos muy cortos en siniestras instituciones financieras de lugares como Hong Kong y Beirut, donde incluso un Estado soberano recibe la mitad de lo que pide prestado y reembolsa la cantidad total a tasas de interés que harían sonrojarse a un usurero de la mafia.

—No fue tanto por culpa de Carazo como decía la gente —indicó don Pepe caritativamente—. Tres cosas nos costaron 200 000 000 de dólares anuales. Éstas fueron la baja en los precios del café, el alza en los del petróleo y el alza en las tasas de interés. Se lee en todos los anuncios de los bancos que publican los periódicos estadounidenses: "Dénos su dinero y véalo crecer con el poder del interés compuesto. Cien dólares se duplican en cinco años", etcétera, etcétera. La única dificultad es que, para cobrar los intereses, alguien tiene que *pagar* todavía más intereses. Allí es donde se quedan atascados los países como Costa Rica.

(Carazo estaba cumpliendo con los últimos meses de su gobierno antes de entrar en funciones Luis Alberto Monge, un protegido de Figueres. Lo hallé sentado en su despacho del Palacio Nacional, el cual, un caso único en Centroamérica, estaba guardado por un solo hombre, para colmo vestido de civil. Me pidió que comunicara su agradecimiento a don Pepe por el amable comentario. "Es una lástima que no lo haya dicho durante la campaña", agregó).

También es cierto que en Costa Rica el problema fue agravado por una disminución en la productividad que coincidió con el constante aumento en el empleo público. Más o menos un cuarto de los trabajadores del país se encontraban en las nóminas del gobierno o de las corporaciones autónomas. De común acuerdo, se trataba de un caso terminal de flatulencia burocrática. Se reconoció que había sido un error permitir que pidieran prestado las corporaciones autónomas. Los banqueros me aseguraron que nadie había investigado de cerca a cuánto ascendía la deuda externa de estas entidades hasta que se redujo a nada el crédito del país, a finales de 1980. Resultó mucho más grande de lo que cualquiera se hubiera imaginado.

En todo caso, la atención de Figueres y de sus amigos estaba dirigida hacia otra parte. Los sandinistas se habían puesto en marcha. Don Pepe volvió al negocio del contrabando de armas y se sintió renacer cuando uno de sus hijos fue a luchar con ellos. Cuando los sandinistas entraron en Managua, don Pepe se precipitó a esta ciudad para felicitarlos personalmente. El gobierno de Costa Rica confiscó un vasto rancho propiedad de Somoza.

—Me ha desilusionado lo sucedido últimamente en Nicaragua —afirmó Figueres—, pero a mí me parece que Estados Unidos está dedicando todos sus esfuerzos a impulsar a los sandinistas hacia los brazos de Cuba y de la Unión Soviética. Se podría decir que los sandinistas tienen una dictadura y preguntar cuál es la diferencia entre ellos y Somoza. Bueno, *sí* hay una diferencia. Los sandinistas al menos poseen un núcleo de idealismo. Los Somoza y el resto de los dictadores de derecha con los que he tratado son todos iguales. Lo único que les interesa es el poder y el dinero.

¿Estaba la flama de su anticomunismo, pregunté, ardiendo menos luminosamente que en el pasado?

—Tal vez sea cierto —replicó al cabo de un momento de meditación—. Eran los demonios hace 40 años, pero creo que desde entonces hemos perdido un poco de nuestra santidad.

Se detuvo y sonrió otra vez.

—A veces deseo que tuviéramos algunos comunistas más aquí

en Costa Rica —declaró—. Entonces podríamos calificarlos de amenaza y obtener más ayuda en dinero de Washington. De hecho, si reducimos todos los aspectos del servicio social como lo quieren los banqueros, realmente los *habrá* aquí dentro de algunos años.

11

NICARAGUA Y LOS SOMOZA

EN DICIEMBRE DE 1981, *The New York Times* citó la declaración de un funcionario anónimo del gobierno de Reagan en el sentido de que Nicaragua se encontraba "a punto de convertirse en una superpotencia centroamericana". Durante los meses siguientes, el secretario de Estado Haig y otros proporcionaron descripciones gráficas de esta Esparta tropical. Se decía que miles de asesores cubanos, veteranos empedernidos de Angola, estaban creando un ejército nicaragüense de 50 000 hombres, el cual sería por mucho el más grande en Centroamérica. Los pilotos nicaragüenses se encontraban en Bulgaria, donde aprendían a volar los aviones de combate de reacción MIG. En cualquier momento se esperaba la entrega de éstos. Según los informes, las armas estaban llegando a montones desde la Unión Soviética, la Europa oriental e incluso Viet Nam, a través de Cuba. La naciente superpotencia también fue acusada de ser la principal fuente de armas para los insurgentes de El Salvador. Se describía a Nicaragua como un peligro para sus vecinos e incluso una amenaza para los campos petroleros de México.

Con estos alegatos frescos en la mente, no estaba preparado para lo que vi en el recorrido del taxi desde el aeropuerto a mi hotel en Managua. La mayoría de las pequeñas fábricas y almacenes al borde de la carretera, los cuales representaban una gran parte de la capacidad industrial de Nicaragua, había sido destruida o dañada durante los meses finales de la rebelión de 1979. En medio de los escombros se hallaban largas filas de chozas improvisadas en las que ha vivido la mayor parte de la población de Managua desde el terremoto de 1972.

La vista desde mi habitación en el hotel Intercontinental tampoco coincidió con la teoría de la "fortaleza" nicaragüense. El terremoto destruyó el centro de la capital y, 10 años más tarde, éste seguía siendo un vasto lote baldío, cubierto de un pasto irregular con el aspecto de una enfermedad de la tierra y dividido en cuatro partes por dos bulevares anchos y vacíos. En el área entre el hotel y el lago Managua, a más o menos dos kilómetros hacia el Oeste, y a lo largo de aproximadamente un kilómetro y medio de su orilla, se elevaba apenas una docena de edificios. El lago, en cuanto a eso, estaba tan intensamente contaminado que ni la tiliapa hubiera podido sobrevivir en sus aguas.

El impacto de tres segundos, que ocurrió sin advertencia a las 12:22 a.m. el 23 de diciembre de 1972, provocó el desplome de 50 000 edificios. Por lo menos 5 000 personas murieron, y no menos de 300 000 se quedaron sin hogar. Lo que el mundo comprendió como un desastre, Anastasio Somoza Debayle, que sucedió a su padre y hermano mayor como gobernante de la organización familiar oficialmente conocida como "República de Nicaragua", lo vio como una oportunidad para hacer negocios. La Guardia Nacional, comandada por Somoza, robó las donaciones de comida, medicinas y materiales de construcción que de prisa fueron enviadas desde Estados Unidos y Europa y las vendió por lo que el tráfico permitiera.

Los administradores de la ayuda extranjera e incluso el arzobispo de Managua confirmaron públicamente lo comunicado por la prensa. En el caso de estos robos no se trataba de actos aislados, que son bastante comunes bajo tales circunstancias en todo el mundo. Eran sistemáticos, continuaron durante meses, y las ganancias terminaban en las bolsas de Somoza y sus asociados.

A pesar de que dos tercios de la población de la ciudad contaban sólo con refugios temporales, Somoza prohibió toda reconstrucción. Las estructuras dañadas fueron demolidas en lugar de reparadas. Las únicas excepciones fueron la catedral, que sigue siendo una cáscara sin techo, a través de cuyo piso crecen arbustos, y el Palacio Nacional, que no fue tan severamente afectado. Somoza señaló que el centro de la ciudad se situaba sobre tres fallas cruzadas, que había sido destruido por un terremoto en 1931 y gravemente estropeado por otro en 1967, y decretó que una nueva capital, digna de él mismo y de su nación, se elevaría a varios kilómetros hacia el Oeste. No comenzaría la construcción hasta que el diseño estuviera completo. No por coincidencia, Somoza, que también era el hombre de negocios más importante del país, monopolizaba las ventas de cemento, acero de construcción y materiales para techos, y a él pertenecía gran parte de la tierra sobre la cual había de edificarse la capital.

Pero el Nuevo Managua o la Ciudad Somoza no había de ser. Incluso mientras un consorcio de arquitectos y urbanistas mexicanos estaba realizando sus obras de deslinde y preparando sus maquetas, los rebeldes sandinistas, cuya aniquilación era anunciada por Somoza cada dos años desde principios de los sesentas, salieron otra vez de sus guaridas en las montañas. Atacaron puestos de avanzada de la Guardia Nacional, robaron bancos para adquirir armas, y se escabulleron otra vez hacia los cerros. En diciembre de 1974, nueve de ellos, ataviados con uniformes de la Guardia Nacional, irrumpieron en una cena diplomática en Managua. Retuvieron como rehenes a los 35 invitados, que incluían al ministro del Exterior y a varios miembros de la familia gobernante, hasta que Somoza accedió a liberar a 54 rebeldes encarcelados, pagar un rescate de 1 000 000 de dólares y mandarlos a todos en avión a Cuba.

La segura partida galvanizó al país. Los Somoza habían sufrido una humillación pública. A la mayoría de los nicaragüenses nunca se le hubiera ocurrido que tal cosa pudiese suceder. Sólo los ancianos vagamente recordaban una época en la cual las botas de la familia Somoza no se habían encontrado en sus caras. A diferencia de algunos dictadores, los Somoza nunca lograron ninguna especie de popularidad, en parte porque resultaba tan obvio que todos estaban obsesionados por el dinero. Después del terremoto, esta aversión se intensificó, volviéndose odio. Los Somoza habían convencido a sus súbditos de que eran invulnerables, pero el inesperado ataque de los sandinistas demostró que no era cierto. A partir de entonces se propagó la rebelión. Faltaban cuatro años y medio de luchas cada vez más sangrientas, pero cuando Anastasio Somoza huyó a Miami en julio de 1979 y los sandinistas entraron triunfales en Managua, el país entero estaba marchando con ellos.

El periodo de unidad no duró mucho. La mayoría de los líderes sandinistas eran marxistas, de uno u otro tipo. La gente que se adhirió a la rebelión, en general, no lo era. Los sandinistas prometieron crear la clase de sociedad que todo el mundo al parecer quiere y casi nadie obtiene: el socialismo democrático con una economía mixta, pero mantuvieron un estrecho control sobre el gobierno.

Al cabo de seis meses, los hombres de negocios afirmaron que los estaban acosando. Un cultivador de café que estaba organizando cooperativas fue muerto bajo circunstancias misteriosas. Se pronunciaron palabras ardientes de ambos lados. Llegó un creciente número de cubanos. Las primeras delegaciones instalaron escuelas y clínicas, pero las que siguieron estaban formadas por asesores militares y de seguridad. Las elecciones nacionales fueron aplazadas hasta 1985. Estados Unidos suspendió la ayuda económica, ostensiblemente debido a los envíos de armas a El Salvador, y empezó a organizar, de manera abierta, pero inadecuada, a las fuerzas antisandinistas en las regiones fronterizas de Honduras. Washington vio el surgimiento de otro gobierno comunista en el hemisferio occidental. Los sandinistas, por su parte, vieron una continuación del imperialismo estadounidense que había mantenido en el poder a los Somoza.

Los Somoza, unos insignificantes terratenientes de remotas zonas rurales, se iniciaron en la historia a mediados del siglo XIX, cuando uno de ellos fue ahorcado por robar caballos. La siguiente generación produjo a un miembro del Senado nicaragüense, una figura enteramente respetable. Su único hijo fue Anastasio Somoza, el fundador de la dinastía gobernante y una vuelta atrás a su tío abuelo.

En 1916, a los 19 años de edad, Anastasio fue enviado a Filadelfia, donde la familia contaba con parientes, para asistir a una escuela de comercio. En aquellos días, los banqueros estadounidenses manejaban a Nicaragua, el antiguo amanuense de una compañía estadounidense se había elevado hasta la presidencia, y los infantes de marina del mismo país guardaban el orden. Teniendo conocimientos del inglés y de la contabilidad de partida doble, un chico como Tacho, según se le conocía, podía llegar lejos.

[illegible]moza regresó a Nicaragua en 1919. Al año siguiente se casó [illegible] familia [illegible]traba unos pel-

usados. Decidió que poseía el don de vender y estableció un negocio de compra y venta de automóviles en Managua. Entusiasmado, Somoza pasó por alto un importante punto. Nicaragua casi no tenía calles.

Somoza se enteró de que la Fundación Rockefeller estaba buscando un joven despierto que hablara inglés. Su departamento de salud pública estaba estudiando la disentería y otras enfermedades gastrointestinales. Existía una oportunidad para un inspector sanitario. Somoza no desdeñaba el trabajo honesto, sin importar cuán maloliente. Aceptó el puesto. Cualesquiera que fueran los beneficios para la humanidad, Somoza pronto se cansó de tomar muestras de letrinas con una paleta de mango largo. En seguida se dedicó, según los informes ampliamente aceptados, a una ocupación con la cual creyó poder realmente ganar algo de dinero, pero también acabó en la desilusión. Se dice que sólo la influencia de su suegro lo salvó del enjuiciamiento criminal por la falsificación de la moneda nicaragüense.

Su siguiente gran oportunidad se presentó en 1926. El país estaba inflamado de rebelión. Somoza, sediento de gloria y de los despojos de la victoria, se unió a los insurgentes. La presencia de los infantes de marina había impedido cualquier levantamiento desde 1912. En 1925, Washington, sensible a las acusaciones de imperialismo, los retiró. Los nicaragüenses, a quienes no se había permitido que se mataran los unos a los otros por motivos políticos durante 14 largos años, de inmediato se pusieron a recuperar el tiempo perdido.

Según dio la casualidad, Tacho ni siquiera tuvo que cambiar de partido puesto que, como un asunto de lealtad familiar y de regionalismo, los Somoza eran liberales por tradición. Se presentó ante José María Moncada, uno de la multitud de generalísimos liberales, y se le encargó el mando de un destacamento. En el primer combate, Tacho fue derrotado y hecho prisionero. Se le liberó después de que prometió ya no tomar parte en las hostilidades. Cuando pareció que los liberales estaban ganando, Washington, que respaldaba a los conservadores, envió nuevamente a los infantes de marina.

En 1927, Henry L. Stimson, que posteriormente sería el secretario de Estado de Hoover y el de Guerra de Roosevelt, fue enviado a Nicaragua [illegible]

seguridad y supervisaría unas elecciones presidenciales abiertas y honestas en 1928. Fue durante estos debates que Somoza fue presentado a Stimson. El antiguo vendedor de automóviles usados, inspector de retretes y sospechoso de falsificación de monedas, para entonces se había otorgado a sí mismo, como otros cientos de nicaragüenses, el grado de general. Stimson estuvo encantado de conocer a un antiguo experto en salud pública de la Fundación Rockefeller que hablaba, además, un inglés fluido. Utilizó a Somoza como intérprete en varias ocasiones y en su diario lo describió, según *Guardians of the Dynasty* ["Guardianes de la dinastía"] de Richard Millet, como "un joven liberal muy franco, amable y simpático".

Dado que los infantes de marina los tenían a raya, todos los líderes liberales menos uno aceptaron la propuesta de Stimson. El voto de oposición fue emitido por Augusto César Sandino, quien había vuelto de México para unirse a la rebelión. Sandino denunció a Moncada por traidor, rehusó entregar sus armas a los infantes de marina, como lo exigía el acuerdo, y llevó a una banda de 200 hombres a las montañas cubiertas de selvas a lo largo de la frontera hondureña, para continuar la lucha.

Moncada, que puntualmente fue elegido para presidente en 1928, la oposición conservadora y Estados Unidos concordaron todos en que Sandino no era más que un bandido. La Guardia Nacional reorganizada, comandada por oficiales de la marina, recibió la orden de presentarlo vivo o muerto. Las fuerzas de Sandino atacaron primero. Asaltaron un puesto de avanzada y sólo se vieron obligados a la retirada cuando los ametralló y bombardeó una escuadrilla de aviones de la marina.

Las bajas de Sandino fueron considerables; después de eso se dedicó a la lucha guerrillera. Cada vez que armaba una emboscada o preparaba un ataque nocturno, emitía otro manifiesto par denunciar a los hombres que habían traicionado al país. El mu empezó a fijarse en el bravo patriota que se resistía al pode Estados Unidos. Los corresponsales lo buscaban en la g de las montañas. Sandino servía para artículos interesant apuesto y vehemente, tenía un mordaz sentido del humor tía como un elegante vaquero con su gran sombrero, ch pantalones para montar, botas, y un revólver de seis t cadera.

Sandino, según averiguó la prensa, era el fruto de desafortunada alianza colonial: la unión no santificada cendado y una muchacha india. Huyó a México en 1920, al ser acusado de haber herido a un hombre en una pelea. Trabajó en los campos petroleros de Tampico, estudió la Revolución Mexicana y leyó un poco de historia. A pesar de no contar con experiencia militar, en los montes se volvió un valiente y talentoso líder.

Cuando la Guardia Nacional no logró dar con Sandino, el trabajo les fue encargado a los infantes de marina estadounidenses. Sandino emboscó una patrulla de éstos que andaba a tropezones por la selva, mató a cinco hombres e hirió a ocho. El presidente Coolidge se enfureció. Envió refuerzos, lo cual aumentó el número total de infantes de marina apostados en Nicaragua a 2 000. Con todo, Sandino, que poseía una fuerza de unos 200 hombres poco más o menos, pudo eludirlos. Peor que una amenaza, se había convertido en un motivo de vergüenza internacional.

Somoza, que ahora formaba parte del personal administrativo alrededor de Moncada, pronto fue despedido. En su análisis *Somoza, and the Legacy of U.S. Involvement in Central America* [Somoza y el legado de la complicación estadounidense en Centroamérica], Bernard Diederich señala la existencia de informes referentes a que fue incapaz de dar cuenta de los 75 000 dólares que se le confiaron para el pago de indemnizaciones por daños y perjuicios causados por la guerra. En todo caso, fue enviado a San José como cónsul. Volvió en 1931, cuando el tío de su esposa, Juan Bautista Sacasa, un antiguo vicepresidente, anunció su candidatura para la presidencia. Una vez más, los estadounidenses supervisaron la votación. Sacasa fue elegido, aunque su campaña se basara en la plataforma de la retirada estadounidense.

El presidente Hoover estuvo de acuerdo, y el 1 de enero de 1933 los infantes de marina partieron por última vez. Sandino proclamó que quería un fin honorable a las hostilidades. Las dos causas de la insurrección, la ocupación estadounidense y la presidencia de Moncada, no existían ya. Un mes más tarde, acudió a Managua bajo la bandera de la tregua y negoció un acuerdo que lo convertía en el gobernador de la región occidental del país. Para entonces Sacasa fue persuadido para que designara a Somoza como comandante de la Guardia Nacional. Somoza, capaz de reconocer a un posible rival, se opuso al acuerdo con Sandino. En febrero de 1934, Sandino regresó a Managua por invitación de Sacasa. Al abandonar Sandino y dos ayudantes suyos una cena presidencial celebrada en su honor, fueron apresados por unos oficiales de la Guardia Nacional y asesinados. El hermano de Sandino fue muerto esa misma noche.

Al acercarse la conclusión del gobierno de Sacasa, Somoza empezó a creerse apto para la presidencia. No obstante, apareció una provisión constitucional que creó un problema insuperable. Prohibía que las personas con vínculos familiares ocuparan la presidencia dentro de un plazo de seis meses entre uno y otro periodo de gobierno, lo cual, en la práctica, impedía los periodos sucesivos.

Desde la proclamación de la Política del Buen Vecino, Estados Unidos se mantuvo fuera de los asuntos latinoamericanos. En 1936 se dio otro paso. Washington afirmó que ya no negaría el reconocimiento a los gobiernos que llegaran a ocupar el poder por medios ilegales. Según dio la casualidad, esta declaración encajaba perfectamente en los planes de Somoza. Los liberales y los conservadores adoptaron la actitud extrema de advertir que se unirían tras un candidato a la presidencia para oponerse a él.

Protegido por una bruma de amenazas, ofertas de avenencia y declaraciones de lealtad, Somoza preparó el golpe. A finales de mayo de 1936, lo asestó. Al cabo de una semana se había obligado a Sacasa a renunciar y éste se encontraba en camino al exilio. Somoza, atento a la restricción constitucional, colocó a un títere en el gobierno y aplazó las elecciones hasta diciembre. Encargada la Guardia Nacional de contar los votos, él ganó por 107 401 a 169.

El 1 de enero de 1937, Somoza se hizo presidente. El una vez sospechoso de falsificación estaba ahora a cargo de la hacienda y todo lo demás. En cuanto hubo prestado juramento, se puso a robar y nunca paró. Tras los rifles de la Guardia Nacional, compró haciendas a sus enemigos políticos al precio que decidía pagar. Sus mozos de labranza aparecían en la nómina del gobierno. El programa de obras públicas de Nicaragua consistía en mejorar las propiedades de Somoza y en construir caminos para llegar a ellas. Millett cita la estimación de un diplomático estadounidense de que Somoza, durante sus primeros tres años en el poder, acumuló una fortuna de por lo menos 3 000 000 de dólares. Era una suma enorme, tratándose de dólares de la depresión en un país cuya población no ascendía, en ese entonces, a más de un millón. El dinero que sobraba se adjudicaba a la Guardia Nacional.

Por otra parte, el único propósito de Somoza, la obtención de dinero, le dejaba poco tiempo para la tiranía. Suspendió las libertades civiles, por supuesto, y ocasionalmente encerró o exilió a un adversario demasiado molesto, pero sólo recurría al asesinato con renuencia y cuando habían fallado los otros métodos de persuasión. Desde luego, hubo excepciones. En 1937, el último oficial de Sandino, que todavía estaba causando problemas, fue apresado y ejecutado. Su cabeza le fue enviada a Somoza.

En 1939, Somoza enmendó la constitución para permitirse un segundo periodo de gobierno de ocho años. Más avanzado el año, después de haberle hecho un sinnúmero de insinuaciones al representante diplomático de Estados Unidos, Somoza recibió una invitación oficial para visitar Washington. Se le dio la bienvenida en forma ceremoniosa y elaborada. Adondequiera que iba, tocaron las bandas y se cuadraron las guardias de honor. Él y su esposa durmieron en la mejor recámara de la Casa Blanca. Somoza hubiese tenido justificación para pensar que era muy importante para Estados Unidos. Según lo señala Diederich, se estaba utilizando a los Somoza como sustitutos en un ensayo para la visita del rey Jorge VI y de la reina Isabel de la Gran Bretaña, efectuada, posteriormente, ese mismo año. Fue después de esa ocasión que Roosevelt supuestamente comentó, al ser interrogado acerca de la cordialidad que había brindado a Somoza: "Es posible que sea un hijo de perra, pero es *nuestro* hijo de perra".

Somoza probó su lealtad al declararles la guerra a las potencias del Eje dos días después de Estados Unidos. De inmediato se dedicó a confiscar ranchos selectos en posesión de ciudadanos alemanes. Estados Unidos instaló unas bases en la costa y proporcionó armas nuevas para la Guardia Nacional. Somoza inscribió a su hijo menor, de nombre también Anastasio y apodado "Tachito", el "Pequeño Tacho", en West Point.

En 1946, Somoza padre insinuó que estaba dispuesto a continuar cargando con el peso de la presidencia, pero Estados Unidos hizo patente que había llegado la hora de un cambio. De mala gana se sometió a ello, por lo menos hasta el punto de escoger a su sucesor, el doctor Leonardo Argüello, que fue su adversario en 1936. Casi no parecía importar quién fuera el presidente, puesto que Somoza conservaba el mando de la Guardia Nacional. No obstante, en cuanto entró en funciones Argüello, olvidó las promesas que debió haberle hecho a Somoza. Destituyó a Tachito del mando del mejor batallón de la guardia y dio a entender que tenía la intención de exiliar al padre. Eso sí que fue temeridad. Veinticinco días después de tomar posesión, Argüello fue desalojado y un tío de Somoza se instaló en su lugar.

Durante un año, Washington se negó a reconocer al nuevo presidente, pero no estaba preparado para ninguna acción punitiva. Avanzado el año, Somoza aplastó un intento de golpe de Estado. Su líder, Emiliano Chamorro, tenía para entonces más de 70 años, pero había participado en levantamientos conservadores desde la primera década del siglo y al parecer le resultaba difícil romper con los hábitos de toda una vida. En 1948, Somoza sostuvo su pequeña reyerta con Pepe Figueres, y en 1949, a pesar de las objeciones de Washington, ocupó nuevamente la presidencia.

Somoza trató de mejorar las relaciones con Estados Unidos mediante la entrega a la oposición política de un tercio de los asientos en el cuerpo legislativo y el énfasis en su posición anticomunista. No disponía de comunistas propios qué perseguir, dado que ya los había exterminado, de modo que empezó a buscarlos en otras partes de la región. En 1954 ofreció encabezar a la Guardia Nacional en el combate contra Arbenz, de Guatemala, pero Washington rehusó la propuesta con agradecimiento.

Somoza se consideraba a sí mismo, y con razón, el centro del blanco hemisferico para el comunismo. Para entonces, se estimaba su fortuna en más de 100 000 000 de dólares. Sus posesiones incluían haciendas con un total de cientos de miles de hectáreas, bienes inmuebles urbanos y la destilería más grande de Nicaragua. Cobraba una comisión por cada contrato importante suscrito por el gobierno. El éxito de sus agencias automovilísticas estaba garantizado. Los coches por él vendidos eran los que el gobierno y muchos nicaragüenses decidieron había que comprar. Incluso había algunos caminos por los que era posible conducirlos, aunque todos parecieran llevar a alguna propiedad de Somoza.

Somoza era también socio de la cervecería más grande, y del molino harinero, panadería, compañía de helados y fábrica de cerillos ídem. Mucho de lo que no pertenecía a él y a sus parientes era de sus lacayos. Guardó la paz con las familias de la oligarquía establecida, adjudicándoles lo que sobraba. Somoza tenía la economía nicaragüense asida por la garganta, pero ello por lo menos mantenía fuera a los imperialistas extranjeros. No quedaba mucho en Nicaragua que pudieran poseer. El pueblo nicaragüense siguió siendo muy pobre, por supuesto, pero al menos podía contar con suficiente comida para toda la vida.

Es posible que Somoza se haya colocado, si no en la cima del mundo, por lo menos en la cima de Nicaragua, pero las fotografías de esta época sólo ponen de manifiesto recelos e irritación en sus pequeños ojos. Los rasgos no tienen una apariencia meramente carnosa sino inflada, flatulenta y avinagrada. La repleción le había aflojado los dientes y duplicado la barbilla. Con el tiempo sus hijos llegaron a tener el mismo aspecto que papá.

En 1956, Somoza no sorprendió a nadie al anunciar que otra vez competiría por la presidencia. Viajó a León, el centro de las fuerzas liberales, a fin de aceptar la designación. Al saludar a sus partidarios en una recepción, un hombre joven llamado Rigoberto López Pérez sacó un revólver y le disparó cuatro balas; fue muerto, a su vez, por los guardaespaldas de Somoza. López tenía la reputación local de un poeta e izquierdista en teoría, y se le creía un poco loco. Somoza, en estado de coma, fue llevado a la zona del canal. Los esfuerzos de los especialistas enviados por el presidente Eisenhower resultaron inútiles. Nueve días después murió, a la edad de 60 años.

Somoza había elegido a su hijo mayor, Luis, para sucederlo en la presidencia, y lo había preparado para ello con puestos gubernamentales de creciente importancia. El menor, Tachito, el graduado de West Point, debía asumir el mando de la Guardia Nacional. Luis Somoza se había graduado en la Universidad Estatal de Louisiana. Los estudios cursados por él ahí parecieron haber ampliado su perspectiva. El gobierno de Louisiana no era notablemente más honesto que el nicaragüense, pero existía la tradición de compartir el botín, y Luis ensayó el mismo enfoque. También anunció que a partir de entonces ningún presidente, incluyéndolo a él, podría gobernar por más de un sexenio.

Hubo un reestablecimiento parcial de las libertades civiles, a excepción del caso de varias personas sospechosas de complicidad en el asesinato. Estuvieron detenidas sin cargos hasta 1960, cuando fueron muertas, según la versión oficial al tratar de escapar. El país no estuvo tranquilo por mucho tiempo. Para mediados de 1958, la insurrección de Fidel Castro estaba provocando vibraciones de simpatía. El irreprimible Pedro Chamorro, el director y editor de *La Prensa,* el único periódico independiente del país, a quien se detuvo brevemente después del asesinato de Somoza, emprendió una invasión desde Costa Rica. La Guardia Nacional pronto la venció y lo devolvió a su celda.

Bajo las circunstancias, los hermanos Somoza estaban muy dispuestos a permitir que Nicaragua fuera utilizada como la mayor zona de estacionamiento para la invasión de la Bahía de Cochinos. El fracaso de ésta les ayudó a persuadir a Washington de que Nicaragua debía convertirse en el frente de la defensa continental contra el comunismo.

Más o menos al mismo tiempo, tres jóvenes anunciaron la formación del Frente Sandinista de Liberación Nacional. Se trataba de Carlos Fonseca Amador, de 26 años de edad y de quien se decía que era el hijo ilegítimo de un ejecutivo en el imperio de los negocios de Somoza; Silvio Mayorga, de 25; y Tomás Borge, de 30, cuyo padre, un librero, quien, según se decía, había luchado con Sandino. Borge se había unido a una célula comunista mientras asistía a la Universidad de León, y él y Fonseca también fueron encarcelados brevemente después del asesinato de Somoza.

La formación de organizaciones revolucionarias por estudiantes entusiastas ocurría con poca frecuencia en Nicaragua. La policía secreta de Somoza era eficiente y despiadada. A fin de mejorar sus posibilidades de supervivencia, los tres fundaron la organización en Honduras. La noticia de su establecimiento no se difundió mucho en Nicaragua. Los únicos sentimientos políticos permitidos, fuera del somocismo, eran el temor y la apatía. No había ayuda por parte de la Iglesia, que aún se hallaba en su fase preliberacionista. Su consejo a los fieles era, en efecto, que dieran a los Somoza lo que quisieran.

Según lo prometido, Luis Somoza no pretendió un segundo periodo de gobierno en 1963. Se apartó en beneficio de un viejo partidario de la familia llamado René Schick, cuyo serio problema con el alcohol representaba un punto a su favor. Se consideraba que lo volvía incapaz de una traición del tipo intentado por Argüello en 1947, y normalmente se lograba que estuviera sobrio para las ceremonias de Estado. En todo caso, Tachito continuó al mando de la Guardia Nacional, asegurando así el control a los Somoza.

Los sandinistas, mientras tanto, cruzaron la frontera de Nicaragua y establecieron una base en las montañas del Occidente, donde Sandino eludió a los infantes de marina por tantos años. No obstante, la rebelión, que Castro hizo aparecer tan fácil, resultó un trabajo duro y peligroso. Los sandinistas eran bisoños. Se perdían en la selva, padecían mordidas, piquetes y fiebres, estropeaban robos sencillos y eran mal acogidos en las chozas de los asustados campesinos. La Guardia Nacional rastreó sus movimientos y se abalanzó sobre ellos. Fonseca fue apresado. Ante el asombro de todo mundo, sobrevivió para sujetarse a juicio, probablemente porque Luis Somoza quiso demostrar al mundo que el gobierno de la ley era supremo en Nicaragua. Fonseca fue hallado culpable y condenado a una larga pena carcelaria, pero se redujo al exilio. Los sandinistas se desmoralizaron y se dispersaron. Pasarían dos años antes de que volvieran al campo de batalla.

Schick falleció en 1966. Otra nulidad ocupó el puesto durante un año, hasta que Tachito pudiese ser elegido, según la vieja regla de los seis meses. La oposición se unió tras un solo candidato y emprendió una vigorosa campaña. Unas semanas antes de la elección, los líderes de la oposición se dieron cuenta, tardíamente, de que otra vez sería la Guardia Nacional la que contaría los votos. Renuentes a aceptar una derrota segura, fomentaron una rebelión. Como de costumbre, se les olvidó planearla, y la guardia la sofocó sin la más mínima dificultad, matando a 40 personas e hiriendo a 100. Pedro Joaquín Chamorro fue encarcelado bajo varios cargos, de los cuales uno debió haber sido la ineptitud insurgente.

Por grande que haya sido la falta de popularidad de Tachito Somoza en Nicaragua, ésta era más que compensada en Washington. Había contribuido a las campañas del presidente Johnson en 1960, cuando sin éxito pretendió la candidatura democrática, y en 1964. A petición de éste Somoza envió un batallón de la Guardia Nacional a la República Dominicana en 1965. Cuando Johnson llegó a preocuparse cada vez más por Viet Nam, tuvo mucho gusto en aceptar la oferta de Somoza de actuar como guardián de los intereses estadounidenses en Centroamérica.

En virtud del tono característico de West Point, de su ayuda discreta en operaciones contra Castro, su preferencia del inglés y admiración ruidosamente expresada hacia todo lo estadounidense, Tachito era un invitado bienvenido en el Pentágono y en el centro de operaciones de la zona del canal. También tenía muchos amigos en la Colina del Capitolio, en primer lugar, su compañero de West Point, John Murphy, quien estaba ascendiendo en antigüedad e influencia dentro de la Cámara.

Luis Somoza sufrió un ataque fatal al corazón en 1967. Después de eso, el poder de Tachito era completo, como lo fue el de su padre, pero lo utilizó mucho menos hábilmente. Luis había administrado la parte de los negocios y política de Nicaragua, Inc., una tarea que requería de cierto grado de flexibilidad. Tachito había manejado la Guardia Nacional, donde ello no era necesario. Hasta cierto punto, Luis no había sido reacio a la avenencia. Tachito, con sus antecedentes militares, exigía no sólo obediencia, sino una subordinación absoluta. Además de tratar de mostrar que dominaba al país más íntegramente de lo que lo hizo su padre, Tachito intentó superarlo en cuanto a éxito económico. Agregó a las posesiones de la familia un negocio de camarones y mariscos, una empresa de exportación e importación en la Florida, algunas firmas de estiba y almacenaje, los monopolios del cemento y del acero para la construcción, y mucho más. Emprendió la ganadería a lo grande, lo cual hizo necesario desalojar de sus tierras a miles de familias campesinas.

En "Doctor Jazz", Jelly Morton canta: "The more I get, the more I want, it seems" ["Conforme más tengo, más quiero, según parece"]. Hubiera servido de canción principal para las estaciones televisivas y radiofónicas de Somoza, o de lema para su periódico. Las empresas de Somoza no publicaban informes anuales, pero unas personas enteradas me indicaron que, pese a una evasión fiscal absoluta, préstamos del gobierno libres de intereses y la falta de competencia, las ganancias de sus empresas no tendían a ser grandes, y algunas de hecho se las arreglaban para perder dinero.

—Tachito era codicioso y agresivo, pero no sabía nada acerca de los negocios —afirmó un diplomático estadounidense que antes estuvo colocado en Managua—. Siempre le robaban, o ponía a un coronel retirado a tratar de administrar una fábrica. Y no dejaba suficiente para nadie. Por eso al final todos los hombres de negocios se volvieron contra él. No se interesaban particularmente por la justicia social o la reforma, lo que querían, antes que nada, era deshacerse de la competencia injusta.

Para entonces, Tachito estaba seguro de que por fin, había exterminado a los sandinistas. Veinte de ellos, probablemente la mitad de su fuerza total, murieron durante una batalla de tres días contra la Guardia Nacional, cerca del pueblo indio de Pancasán. Silvio Mayorga, uno de los fundadores, se hallaba entre los muertos. Los sandinistas opinan, en retrospectiva, que Pancasán marcó un viraje en su lucha, porque aunque fueron derrotados, ante sí mismos comprobaron que eran capaces de no ceder y de combatir contra la Guardia. En 1969, Fonseca fue apresado otra vez, en esta ocasión en Costa Rica durante el robo a un banco. Sus camaradas secuestraron un avión, que devolvieron a Figueres a cambio de un boleto a La Habana para Fonseca. Sin embargo, no lograron organizar otra ofensiva hasta 1974.

En este punto, tal vez hubiera sido prudente que Somoza ofreciera concesiones a la oposición legal. Incluso hubiera podido construir escuelas y hospitales, en un intento por comprarse un poco de buena voluntad, puesto que carecía de todo impulso caritativo; pero ningún Somoza había regalado jamás ni cinco centavos, y aun cuando se hubiera inclinado a la conciliación, la elección de Nixon para presidente en 1968 hubiera desterrado la idea de su mente.

Por primera vez, Tachito pudo considerarse a sí mismo y a un presidente de Estados Unidos como compañeros. Managua fue uno de los pocos lugares, donde gracias a los Somoza, se había vitoreado y no abucheado a Nixon en su gira por Latinoamérica cuando era vicepresidente. En su libro, Diederich cita informes de que Somoza contribuyó con tanto como 1 000 000 de dólares para la campaña de Nixon.

Los siguientes cuatro años pasaron dichosos para Tachito. Los sandinistas estaban inactivos; las cosechas eran buenas; los precios, altos; y, para desbordar la copa de su felicidad, Howard Hughes llegó a Managua en febrero de 1972 para discutir algunas posibilidades de hacer negocios juntos, de los cuales uno era la fusión de la Airwest de Hughes con Lanica, la línea de aviación nacional de Nicaragua, que, por supuesto, era propiedad de Somoza. Hughes y su séquito ocuparon todo el piso superior del Camino Real, del cual Somoza, naturalmente, era socio. (Cuando estuve hospedado ahí, subí para echar una mirada a las habitaciones. Eran tan pequeñas y zarrapastrosas como las de los pisos inferiores). Hughes sólo permaneció allí tres semanas, pero regresó más avanzado el año para firmar los papeles. Se encontraba en el Camino Real cuando ocurrió el terremoto. Al día siguiente, partió en avión alquilado, dejando a Somoza lamentándose de una enorme oportunidad perdida.

Cuando Somoza se puso a vociferar órdenes después del terremoto, se le olvidó que ya no era presidente. Había cedido el cargo seis meses antes a una junta de tres integrantes que debía gobernar el país hasta 1974, cuando una elección permitiría a Somoza recuperar el título hereditario. Como de costumbre, conservó el mando de la Guardia.

La elección pasó a la historia como una gran victoria, pero toda la jerarquía católica, protestando contra el flagrante fraude, rehusó participar en la toma de posesión. Pedro Joaquín Chamorro, de *La Prensa,* fundó la Unión Democrática para la Liberación, una alianza del creciente número de grupos no violentos de oposición.

Al ser elegido Jimmy Carter en 1976, la balanza por fin se inclinó contra Somoza. Al principio, el gobierno estadounidense ejerció presión discretamente, pero Somoza no estaba dispuesto a hacer caso. Quizás haya sabido que la reforma era imposible. La estructura del Estado creada a través de los 30 años previos era tan rígida y frágil como el cristal de una ventana. Somoza no podía ceder ninguna parte del poder sin perderlo todo. ¿Por qué correr esos riesgos?, debe haberse preguntado Somoza, cuando sus adversarios seguían débiles y desorganizados.

Aunque no eran más de 500 sandinistas, estaban divididos en tres facciones que se odiaban más la una a la otra que a Somoza. Como en El Salvador, estaban los insurgentes, que habían llevado a cabo el asalto de la cena y que pensaban que un golpe repentino podía derrocar al régimen; el grupo a favor de la guerra prolongada, el cual casi no soportaba el triunfo sin antes cumplir con toda clase de requisitos ideológicos; y los que creían que el proletariado urbano poseía la clave para la victoria.

Fonseca y Borge regresaron de Costa Rica, donde Figueres les había dado asilo, para tratar de mediar en estas reyertas. En diciembre de 1976 fueron apresados por la Guardia Nacional. Fonseca murió. Borge fue detenido y sentenciado a 123 años de prisión.

Aunque estaba dividido y no contaba con un líder, el movimiento sandinista no se desintegró. La Guardia Nacional destruyó los pueblos que se sospechaba los albergaban. A partir de 1977, según todos los informes, una nube de humo y el olor a sangre estuvieron suspendidos sobre las montañas occidentales y a lo largo de la frontera costarricense. Las más de las veces la Guardia estaba equivocada, y cada masacre resultaba en reclutas para los sandinistas: hombres para quienes la ideología era menos importante que la venganza.

Mientras tanto, Somoza se había separado de su mujer, quien se fue a Miami, y estaba viviendo abiertamente con su amante, Dinorah Sampson, una magnífica criatura de largas piernas, toda de miel, canela y picantísimo chile jalapeño. Había llegado a estar bajo la protección de Tachito cuando sólo tenía 17 años, y a menudo se presentaba con él en los actos celebrados en el centro de operaciones, residencia fortificada colindante a los terrenos del Camino Real. En julio de 1977, Somoza, sin condición física y esforzándose demasiado, sufrió un ataque al corazón. Después de recuperarse en Miami, empezó a seguir una dieta, dejó de beber e incluso comenzó a correr.

La enfermedad de Somoza alentó a sus enemigos. Los guerrilleros entraron otra vez en acción. En Managua, un grupo de intelectuales izquierdistas, que se llamaba "Los Doce", trató de servir de puente entre los guerrilleros y la burguesía. En diciembre de 1977, Pedro Joaquín Chamorro intentó obtener ayuda en Washington. Pese a todos los años de su oposición a Somoza sin mácula alguna de marxismo, recibió poco más que buenos deseos por parte del gobierno de Carter.

Unas semanas después de su regreso, Chamorro fue asesinado. Muerto, resultó tener mucho más éxito de lo que jamás logró vivo. Decenas de miles de personas asistieron a las exequias, éstas se convirtieron en una protesta contra Somoza, luego en un disturbio, y finalmente en un paro general. Casi todos los dueños de los negocios afectados por el paro apoyaron a los huelguistas, incluso hasta el punto de mantenerlos en la nómina. La única excepción, por supuesto, fue Somoza, Inc. La huelga continuó durante dos semanas. Mientras seguía, empezó a tomar forma la coalición no comunista con la cual Chamorro sólo había soñado. Se llamaba el "Frente Amplio de Oposición". Durante los meses siguientes, empezó a hacer planes junto con los sandinistas. Éstos, mientras tanto, habían arreglado o al menos cubierto de papeleo sus diferencias ideológicas.

En febrero de 1978, cuando la evidencia de las atrocidades de la Guardia Nacional se volvió abrumadora, Washington suspendió la ayuda militar, lo cual sólo resultó una molestia para Somoza, porque Israel, que actuó en forma independiente, según se me aseguró, y no en nombre del Pentágono, y Argentina le vendieron todo cuanto quería.

—Ésa fue la soberbia ironía —afirmó mi amigo diplomático—. Somoza no pudo resignarse a gastar dinero. Compró rifles y otras armas ligeras, que eran relativamente baratas, pero casi no tenía helicópteros, aviones de caza a chorro ni aviones de transporte.

Para entonces, la Guardia Nacional ya no se estaba enfrentando a grupos mal armados y entrenados de 10 o 20 hombres, sino a unidades bien pertrechadas de 10 veces este número. Costa Rica y Honduras permitieron a los sandinistas establecer campamentos a lo largo de sus fronteras. Torrijos contribuyó con dinero. Castro sólo dio apoyo moral, pues opinó que era probable que cualquier cosa además de éste, podía enfurecer a Estados Unidos hasta un punto en que haría más daño que bien.

La libertad de acción de la que disponía el gobierno de Carter en Nicaragua estaba limitada por el debate acerca del canal de Panamá, pero, aun así, se mostró curiosamente renuente a hacer más que implorar a Somoza que renunciara. Somoza, que juzgó la situación correctamente, eludió y evitó la decisión, recurrió a subterfugios e hizo equilibrios durante 18 meses, provocando la inacción del gobierno estadounidense por medio de fintas, hasta que hubo pasado, por mucho, el tiempo en que hubiese podido influir en los acontecimientos de un modo trascendental.

El ritmo de las batallas y del terrorismo se incrementó durante 1978. En agosto, los sandinistas asestaron un golpe directo al corazón del poder de Somoza. Una fuerza de 24 hombres, vestidos con los uniformes de la Guardia Nacional, ocupó el Palacio Nacional y detuvo como rehenes a más de 1 000 personas, incluyendo a muchos miembros del cuerpo legislativo. Al cabo de tres días de negociaciones, el gobierno accedió a pagar un rescate de 500 000 dólares, a liberar a 58 prisioneros políticos, incluyendo a Tomás Borge, y a darles a ellos y a los asaltantes la oportunidad de un viaje seguro a Panamá. El líder del ataque, que se llamaba "Comandante Cero", se volvió un héroe nacional. Pronto fue identificado como Edén Pastora, un hombre de negocios y uno entre el creciente número de personas no comunistas que estaban adhiriéndose a los sandinistas.

Antes de que Somoza pudiese recobrar el equilibrio, los sandinistas ordenaron ataques coordinados que esperaban se convirtiesen en un levantamiento general. Acometieron León, la segunda ciudad más grande del país, así como Estelí, Matagalpa, Masaya y Chinandega. Con la ayuda de miles de muchachos y jóvenes, muchos de los cuales peleaban con rifles de práctica de tiro, cuchillos y botellas llameantes de gasolina, se sostuvieron en León durante varios días y en Estelí durante dos semanas.

El otoño de 1978 también fue una temporada de intentos de mediación encabezados por Estados Unidos: verbosas reuniones de la Organización de Estados Americanos, condenas de las violaciones cometidas por Somoza a los derechos humanos, e intentos de persuadirlo a permitir un plebiscito acerca de su permanencia en el cargo.

Somoza prefirió continuar la lucha o, más bien, que la Guardia Nacional continuara la lucha, y esperar que los sandinistas reanudaran sus reyertas, se pelearan con el resto del Frente Amplio de Oposición o que la Unión Soviética realizara algún atropello en otra parte del mundo para recuperar él su posición en Washington. A fines de diciembre, Somoza definitivamente rechazó un plebiscito supervisado por un foro internacional. Carter respondió poniendo término formalmente a la ayuda militar en febrero de 1979, que hasta entonces sólo se había suspendido.

Más avanzado el mes, los guerrilleros formaron la Directiva Nacional de tres integrantes, uno de cada "tendencia", según se designaba a los grupos ideológicos. Otra vez tomaron Estelí y lo defendieron con éxito durante seis días. En los meses siguientes, la iniciativa pasó a los insurgentes y contaban con el apoyo activo o pasivo de casi toda la población. Los guerrilleros rara vez causaron fuertes bajas a la Guardia Nacional. Ésta luchó tenazmente, pero las continuas escaramuzas agotaban a los hombres y desgastaban el equipo, que Somoza reemplazaba sólo de mala gana. En todo caso, el desempeño de la Guardia tuvo menos relación con su lealtad a Somoza que con la falta de una alternativa. Sus integrantes temían, y con buena razón, que lo mejor que podían esperar, en caso de rendirse, sería una rápida ejecución.

En mayo de 1979, cuando una fuerza sandinista de varios cientos de hombres cruzó la frontera desde Costa Rica, México se convirtió en la primera nación del hemisferio que rompiese las relaciones con el gobierno de Somoza. El secretario de Estado estadounidense Cyrus Vance, recomendó el establecimiento de un "gobierno de transición para la reconciliación nacional" tomado de todos los sectores de la sociedad nicaragüense, y la formación de una fuerza para mantener la paz, integrada por miembros de la Organización de Estados Americanos. Sin embargo, para entonces, pocas personas en Latinoamérica fingían siquiera escuchar lo que Washington dijera.

En junio tuvo lugar otro paro general. Los sandinistas designaron a las cinco personas que constituirían la junta gobernante cuando Somoza fuera derrotado. Se trataba de Alfonso Robelo, quien había tenido todo el éxito comercial posible para alguien que no se llamase Somoza; Violeta Barrios de Chamorro, la viuda del editor asesinado, Sergio Ramírez, poeta, profesor y miembro de "Los Doce"; Moisés Hassán, el único fisiconuclear del país y líder del Movimiento Unido del Pueblo, que organizaba a los estudiantes y a los pobres de las urbes; y Daniel Ortega, el único sandinista y jefe de la facción con más éxito de éstos, los insurgentes.

A fines de junio, la Organización de Estados Americanos, por una votación de 17 a 2, exigió "la sustitución inmediata y definitiva" del gobierno de Somoza. Estados Unidos votó de acuerdo con la mayoría. A principios de julio Washington, finalmente, envió un representante especial a Costa Rica para conferenciar con los líderes sandinistas. Disparatadamente trató de persuadirlos de que agregaran dos "moderados", o sea, miembros del aparato político de Somoza, a la junta y a mantener en existencia la Guardia Nacional.

Enfermedades que sólo podían tratarse en Miami afligieron, uno tras otro a los oficiales de Somoza. Finalmente, prohibió el otorgamiento de visas de salida sin su aprobación. Somoza, de uniforme y luciendo las cinco estrellas de generalísimo, dirigía las operaciones militares desde su puesto de mando contiguo al hotel. Se quejó con los periodistas acerca de la perfidia y la estupidez de Estados Unidos. Dijo que jamás abandonaría a sus hombres, "como el sha de Irán", y que estaba preparado para "luchar hasta la muerte". No obstante, el valor provenía de una botella de vodka, y su estado de ánimo oscilaba entre la megalomanía y la paranoia.

Cuando la Guardia Nacional resultó incapaz de expulsar a los sandinistas de la franja industrial situada entre el aeropuerto y lo que había sido el centro de Managua, Somoza ordenó que los aviones que todavía volaran allanaran el área en un bombardeo aéreo. La operación no se completó, porque se acabaron las bombas de la fuerza aérea. Cuando su plana mayor le informó que las otras municiones estaban también escaseando, Somoza decidió que había llegado el momento de partir. Tras convocar una sesión del Congreso poco después de la medianoche del 17 de julio en el hotel, renunció en beneficio del presidente de la Cámara baja, Francisco Urcuyo. A las cinco de la madrugada, antes de que la noticia pudiera difundirse, voló a Miami. A la noche siguiente, Urcuyo también ocupó el avión a Miami. Al cabo de 43 años de un mal gobierno, había terminado la era de Somoza. Después de 17 años de sueños y planes, organizar y luchar, comenzaba la era sandinista.

12

LOS SANDINISTAS OCUPAN EL PODER

LOS SANDINISTAS marcharon al centro vacío de Managua el 19 de julio de 1979 e instalaron formalmente a la junta gobernante y el gabinete. El primer asunto en la orden del día fue la revisión de los libros. Los interventores informaron que, aparte de 3 500 000 dólares de alguna manera pasados por alto por parte de Somoza y sus amigos, la hacienda estaba vacía, y la deuda externa sumaba 1.8 mil millones de dólares. Gran parte de esta cantidad se había acumulado durante los últimos años del gobierno de Somoza, y el pago de casi la mitad vencía en 1980. El gobierno de reconstrucción nacional, según se llamaba, prometió liquidarla con el tiempo. Los acreedores, encantados de que siquiera se reconociera la deuda, concedieron una moratoria. El nuevo gobierno se negó a respetar una sola obligación. Se trataba de los 5 000 000 de dólares que adeudaban a Israel y Argentina por el armamento adquirido por Somoza.

Las propiedades de la familia Somoza fueron confiscadas. Resultó que sus miembros poseían un cuarto, poco más o menos, de la tierra agrícola y de pastos del país. Somoza no halló la manera de llevarse sus bienes inmuebles, pero hizo lo segundo en conveniencia al hipotecarlos a fondo con los bancos que controlaba, convirtiendo los córdobas en monedas más firmes y agregando las ganancias a sus cuentas bancarias en el extranjero. La suma que los Somoza habían enviado al extranjero durante más de cuatro décadas de robo, su único propósito, sólo podía estimarse, pero nadie tasaba la cifra en menos de muchos cientos de millones de dólares. En una compra de armas completamente documentada, la cantidad total de 160 000 000 de dólares incluía una "comisión" de 28 000 000 para uno de los hijos de Somoza. En Miami, Somoza insistió en que su fortuna neta nunca rebasó los 100 000 000 de dólares y que de esta cantidad había perdido 80 000 000. Nadie se molestó en preguntar cómo había logrado acumular aun tanto.

La confiscación de las propiedades de Somoza y sus partidarios permitió al nuevo gobierno comenzar a crear una economía mixta con poca inconveniencia inmediata para el gran número de terratenientes y hombres de negocios que habían apoyado la rebelión. Los cientos de miles de hectáreas de tierra que se volvieron propiedad del Estado fueron transformados en cooperativas, en explotaciones colectivas y en pequeñas propiedades particulares. Se nacionalizó la banca, los seguros, el comercio de exportación e importación y las pocas empresas de dueños extranjeros. Los propietarios no asociados con Somoza recibieron garantías de compensación.

—Estados Unidos pronto reconoció al nuevo gobierno. Éste, a su vez, estableció relaciones diplomáticas con Cuba, la Unión Soviética y los satélites de la misma, e incluso con Libia. Nicaragua declaró que su política exterior sería de neutralidad, no alineación e independencia. Si Washington podía aceptar el hecho de que los días de Nicaragua como puesto de avanzada estadounidense habían terminado, las relaciones serían cordiales. Por supuesto, entre más países hubiera con los que Nicaragua sostenía relaciones, a más podía solicitar ayuda económica, que era muy urgente. El uso despreocupado de la artillería por parte de la Guardia Nacional y el pesado pulgar de la fuerza aérea sobre el botón de las bombas causaron enormes daños. Fábricas, refinerías de azúcar, despepitadoras de algodón y decenas de miles de viviendas habían sido destruidas. En efecto, uno de los pocos sitios que se salvó de extensos perjuicios fue el centro de Managua.

El gobierno de Carter descongeló los 40 000 000 de dólares de ayuda que fueron paralizados durante el último año de Somoza en el poder y solicitó la consignación de otros 75 000 000 de dólares al Congreso. Venezuela y México proporcionaron petróleo a un 30 por ciento debajo del precio mundial y con facilidades de crédito, como estaban haciéndolo en otras partes de Centroamérica. Libia ofreció un préstamo a bajo interés de 100 000 000 de dólares. Un gran número de otros países, incluyendo la Unión Soviética, contribuyó con efectivo, comida o ambos. Cuba, que ella misma todavía dependía de la generosidad rusa, envió a 1 500 maestros, médicos, enfermeras e ingenieros, así como consejeros militares y de seguridad, 200 según su propia cuenta y 2 000 según la de Washington.

Durante sus primeros meses en funciones, el nuevo gobierno pareció haber anulado milagrosamente las leyes de la química política. Una junta gobernante, entre cuyos integrantes figuraban un millonario y un marxista, trabajó acertadamente en conjunto. El gabinete de 18 miembros era igualmente diversificado e incluía, además, a tres sacerdotes católicos, de los cuales uno, Miguel D'Escoto, era el ministro del Exterior. En lugar de un cuerpo legislativo elegido por distritos, había un Consejo de Estado de 33 elementos, que eran elegidos por las organizaciones de campesinos y proletarios, el clero, los maestros, la empresa privada y los antiguos partidos políticos.

El verdadero poder, sin embargo, se hallaba en manos de la directiva del Frente Sandinista de Liberación Nacional, compuesta de nueve miembros. Muchos de estos comandantes, que en su mayoría tenían entre 20 y 40 años, también ocupaban puestos en el gabinete. No obstante, durante los primeros meses eufóricos de la victoria, le resultó fácil al resto de la nación olvidar que ellos poseían los rifles y ordenarían los tiros en caso de un desacuerdo serio.

Durante los días siguientes a la rendición, fueron ejecutados muchos miembros de la Guardia Nacional, generalmente por parte de la turba armada que se llamaba a sí misma "milicia", y no por los sandinistas. Ése fue, sin embargo, el fin de las muertes. Castro informó públicamente a los comandantes que la ejecución por él efectuada de cientos de miembros de la policía secreta cubana, de delatores y criminales de guerra, aunque justificada, había resultado demasiado costosa en términos de la buena voluntad internacional. Los instó a la moderación, y así lo hicieron.

El gobierno declaró que 6 310 personas habían aparecido ante lo tribunales revolucionarios bajo cargos de homicidio, tortura, delación y otros semejantes. La mayor parte de los acusados pertenecía a la Guardia Nacional o eran oficiales civiles de categoría inferior cuyos principales se habían ido a tiempo. Algunos fueron confrontados con evidencia irrefutable de los expedientes apropiados. Los procedimientos a menudo sólo duraban una o dos horas, y era limitada la oportunidad para presentar una defensa y convocar a testigos. Para cuando terminaron los juicios, en febrero de 1981, 4 331 de los acusados habían sido sentenciados a entre uno y 30 años de prisión. Amnistía Internacional, que había criticado el rechazo por Somoza de los derechos humanos, aseveró que, al parecer, muchas condenas se basaban en la "asociación", o sea, el hecho de prestar servicios en la Guardia, antes que en la evidencia específica de crímenes.

Pero después de confiscada la propiedad de los somocistas, castigados los culpables y recompensados los valerosos, el gobierno tuvo que encarar el hecho de que poco más que los gloriosos recuerdos unía a sus muchos elementos. Los sandinistas todavía estaban divididos. La tendencia de la guerra prolongada del pueblo y la proletaria se inclinaban a olvidar las promesas de democracia y de una economía mixta que habían hecho en el ardor del combate. La tendencia insurgente, cuyos miembros se llamaban "terceristas", estaban a favor del cambio gradual y de la acomodación. Los terceristas habían llevado a cabo la mayor parte de las luchas, principalmente por no haber exigido a los voluntarios para el combate la firma de un juramento de lealtad marxista. Al principio prevalecieron sus puntos de vista, pero poco a poco tuvieron que ceder ante las otras facciones. En diciembre de 1979, los terceristas accedieron a unos cambios en el gabinete, que lo volvían de color un poco más rosado, y en abril de 1980, a la ampliación del Consejo de Estado a 47 miembros. Los nuevos asientos fueron asignados a los representantes de las organizaciones de masas, controladas por las otras facciones. Renunciaron a la junta, a manera de protesta, Robelo, el millonario que era la voz del Consejo Superior del Sector Privado, el equivalente de una cámara de comercio, así como del partido social-demócrata, y Violeta Barrios de Chamorro, que estaba mal de salud.

En Washington, la directiva democrática en el Congreso anunció que sería derogado el proyecto de los 75 000 000 de dólares de ayuda si los nuevos miembros de la junta resultaran menos moderados que Robelo y Chamorro. Para entonces, los sandinistas se habían aglutinado de tres campos en dos. Éstos eran conocidos como los "pragmatistas", encabezados por Daniel Ortega, un miembro de la junta, y los "ideólogos", dirigidos por Borge, que era el ministro del Interior. En el caso de la ayuda financiera, ganó el pragmatismo. Arturo Cruz, el antiguo director del Banco Central, y Rafael Córdova, del partido conservador de la era somocista, recibieron los nombramientos, y la ayuda fue aprobada.

Los que no eran marxistas, alentados por estos acontecimientos, empezaron a instar a los sandinistas a fijar una fecha para las elecciones. A los sandinistas no les agradó que se les hiciera recordar las promesas que no deseaban o no se proponían cumplir. La defensa de las elecciones era considerada característica del contrarrevolucionario, o "contra", en oposición al "compa", la abreviación de "compañero". Se influyó en las organizaciones de masas para que realizaran mítines de indignación como expresión de su disconformidad con los contras, atacaran sus negocios y ocuparan sus ranchos y fábricas.

En septiembre, Somoza volvió a las noticias por última vez. Desde Miami, por sugerencia del gobierno de Carter, había ido a las islas Bahamas y entonces aceptó una invitación del general Alfredo Stroessner para pasar el ocaso de su vida en el Paraguay. Somoza, con la fiel Dinorah Sampson a su lado, compró una villa en Asunción, la capital, así como un rancho. Una mañana, mientras se le conducía a una cita de negocios, el coche voló por las ráfagas de ametralladoras y dos cohetes. Somoza, el chofer y un guardaespaldas murieron al instante. El gobierno nicaragüense afirmó "no tener nada que ver directamente" con el asesinato. Varias semanas más tarde, el semanario mexicano *Por Esto* informó autorizadamente que los asesinatos habían sido llevados a cabo por dos revolucionarios argentinos, de los cuales uno, Hugo Alfredo Irurzún, conocido como el "capitán Santiago", había luchado con los sandinistas.

Cuando el secretario de Estado Haig empezó a advertir a Nicaragua que dejara de prestar ayuda a los rebeldes salvadoreños, los sandinistas replicaron que tenían el derecho y, efectivamente, el deber de ayudar, puesto que los "compas" salvadoreños les habían asistido a ellos. Resultaba que, según agregaron, los salvadoreños no habían solicitado más que apoyo moral, y que era lo único que habían proporcionado. Aproximadamente un año después, el gobierno nicaragüense, más o menos reconoció que el rifle, la pistola y la caja de parque singulares utilizados en la ofensiva salvadoreña de enero de 1981 tal vez hubiesen pasado por Nicaragua, pero sin su conocimiento oficial.

En febrero, Arturo Cruz renunció a la junta. Afirmó que ya no quería servir de árbitro para las disputas cada vez más enconadas entre los sandinistas y la oposición. Aceptó un nombramiento como embajador en Washington, donde podía solicitar el asilo político saliendo simplemente al aire libre. La junta se vio reducida a tres miembros, y Daniel Ortega, cuyo hermano Humberto era el ministro de la Defensa, se convirtió en su líder, con el título de "coordinador".

En abril, se congelaron nuevamente los últimos 15 000 000 de dólares de los 75 000 000 que Carter había facilitado como ayuda, y el gobierno de Reagan anunció que no habría más asistencia hasta que Nicaragua dejara de ayudar a los rebeldes salvadoreños. Empezaron a entrenarse "luchadores por la libertad" nicaragüenses en los Everglades. Los periodistas que visitaron el campamento hallaron varias docenas de hombres, con los uniformes todavía tiesos y lustrosos de una tienda de excedentes o una compañía de vestuario, ejecutando ejercicios desganadamente bajo la supervisión de un hombre conocido como "La Bombilla", que representaba un motivo de diversión en la comunidad de emigrados cubanos. En Honduras, con mayor seriedad, 600 nicaragüenses, de los cuales muchos eran antiguos miembros de la Guardia Nacional, instalaron campamentos cerca de la frontera y empezaron a realizar asaltos cruzando la misma.

En Managua, en mayo de 1981, el presidente José López Portillo declaró que México defendería "la causa de Nicaragua como si fuera la suya". Agregó: "En medio de la falsedad y la sofistería, hemos llegado al extremo de que la campaña contra Nicaragua se lleve a efecto en el nombre de la democracia. No es nada insignificante la paradoja de que se proponga la destrucción de un régimen democrático a fin de salvarlo de riesgos futuros o que se haga el intento de crear una cadena de dictaduras periféricas para mantener el bienestar de las democracias centrales".

Robelo, el anterior miembro de la junta, afirmó que los cinco partidos de oposición, todos ellos pequeños y débiles, rehusaban rendirse. "Participaremos aunque se nos haya engañado antes, porque debemos agotar todas las esperanzas de corregir el proceso", indicó a *The New York Times* en junio. Muchos de sus colegas discrepaban; calladamente consiguieron visas de salida y viajaron a Miami.

En julio, Edén Pastora, el Comandante Cero y héroe del ataque al Palacio Nacional, renunció a su cargo, mayormente ceremonial, como viceministro de Defensa y voló a Panamá. Los tres miembros de la junta le rogaron por televisión que regresara. Pastora contestó que había realizado esa acción para protestar contra la creciente influencia de los consejeros políticos y militares rusos y cubanos.

En agosto, Thomas O. Enders, el nuevo secretario auxiliar de Estado para Asuntos Interamericanos, llevó a cabo su primera visita a Managua. Dos semanas más tarde, Lawrence A. Pezzullo, que había sido el embajador estadounidense desde junio de 1979 y que contaba con la simpatía y la confianza tanto de los sandinistas como de la oposición, recibió órdenes de volver a casa. No se encargó otro puesto a Pezzullo, un especialista en Latinoamérica, y el año siguiente, a los 56 años de edad, se retiró.

En octubre, la junta directiva del Consejo Superior de la Empresa Privada, o COSEP, dirigió una carta abierta a la junta de gobierno. Apuntó el comentario de Humberto Ortega, el ministro de la Defensa, de que los miembros del COSEP "colgarían de los postes de alumbrado" en el caso de una invasión extranjera y acusó a los sandinistas de estar preparando "un nuevo genocidio en Nicaragua". La carta continuó para decir:

> Resulta inútil proclamar una economía mixta mientras se sigan confiscando los negocios. No hay libertad de prensa si continúan cerrando los medios de comunicación, ni pluralismo o sindicalismo si no se deja de perseguir a los partidos políticos y a los sindicatos. Aquellos a quienes llaman reaccionarios no están contra el pueblo de Nicaragua; sólo se oponen al proyecto marxista-leninista que ustedes perpetran a espaldas del pueblo.

Cuando la carta fue publicada en *La Prensa,* el periódico de Chamorro y última voz independiente del país, se arrestó a cuatro miembros de la junta directiva del COSEP. Tres de ellos, incluyendo al presidente, Enrique Dreyfus, que había apoyado la rebelión, fueron rápidamente enjuiciados, hallados culpables y sentenciados a siete meses en la cárcel. A fin de equilibrar las balanzas de la justicia, se sentenció a tres años de prisión cada uno a cuatro líderes del partido comunista establecido, que públicamente acusaron al gobierno de "entregar la revolución a los imperialistas". *La Prensa,* que fue suspendido en cinco ocasiones durante los tres meses anteriores, recibió amenazas de una clausura permanente.

De las barriadas pobres, en las cuales todavía vivía la mayor parte de la población de Managua, surgieron las turbas organizadas y dirigidas por los comités de defensa sandinistas, hacia las que orientaban sus pasos los pendencieros del vecindario y los entrometidos. Rodearon las casas y las oficinas de los políticos de la oposición, los líderes sindicales, incluso del arzobispo, y profirieron insultos y amenazas, rompieron ventanas, destruyeron coches y cubrieron los muros de grafitis.

El presidente Luis Herrera Campíns, de Venezuela, insistió, durante una visita a Washington, en que una sociedad pluralista podía sobrevivir en Nicaragua. En lugar de pronunciar amenazas, afirmó, Estados Unidos debía fortalecer lo que quedaba de la oposición democrática de Nicaragua, reanudando la ayuda económica. Era una opinión que debió haberse tomado en serio. Venezuela contaba con un gobierno cristiano-demócrata que, según las normas latinoamericanas, era honesto y sensible, anticomunista y, por lo general, se ponía de parte de Estados Unidos.

En febrero de 1982, López Portillo indicó a la directiva, asegurándose de que la información llegara a la prensa, que el precio de la continuación del apoyo mexicano era la liberación de los funcionarios del COSEP y el estímulo, antes que el acosamiento, del sector privado. Los cuatro hombres pronto fueron liberados, aunque los comunistas, que no contaban con la intervención de Cuba y Rusia a su favor, permanecieron en la cárcel. López Portillo hizo la oferta, preferida por Washington, de servir como mediador.

En cambio, el Departamento de Estado, apoyado por la CIA, argumentó que la acumulación de fuerza militar por Nicaragua "excedía, por mucho, lo que normalmente se requiere sólo con propósitos defensivos". En una estimación revisada, se decía que los sandinistas estaban creando un ejército de entre 25 000 y 30 000 hombres, el más grande en Centroamérica, y una milicia de 50 000. Se mostraron a la prensa fotografías aéreas de nuevas pistas de aterrizaje y despegue, campamentos militares, parques de tanques y canchas de futbol. Estas últimas, según se hacía constar, probaban la presencia de grandes números de consejeros del bloque soviético, puesto que los jóvenes nicaragüenses aún preferían el beisbol.

Unos días más tarde, Haig estuvo en situación de anunciar que el ejército salvadoreño había apresado a un soldado nicaragüense dispuesto a revelar la ayuda proporcionada por su país a los guerrilleros salvadoreños, enviándolo a Estados Unidos para su exhibición en público. Cuando el joven, Orlando José Tardencilla Espinosa, que sólo tenía 19 años, fue presentado a un grupo de corresponsales en el Departamento de Estado, retiró todas las declaraciones significativas que supuestamente había hecho. En cambio, indicó que había ido a El Salvador como voluntario individual y que nunca había visto a otro extranjero luchar con los guerrilleros. Advirtió que hizo esas confesiones falsas, después de permanecer detenido durante más de un año, y sólo para salvarse de ser ejecutado.

En Managua, donde por casualidad me encontraba cuando Tardencilla dejó atolondrados a los gringos, el reverendo Miguel D'Escoto, el ministro del Exterior, convocó a una conferencia de prensa. Con la madre del joven sentada a su lado, sollozando suavemente, exigió que fuera devuelto al seno de su familia. Volví a ver a D'Escoto la mañana siguiente, previa cita. Para entonces, el Departamento de Estado había accedido a dejar a Tardencilla regresar a casa.

D'Escoto me indicó que se exageraba la dependencia de Nicaragua de Cuba y del bloque soviético.

—Constituimos un pequeño país en proceso de una transformación trascendental de la sociedad, y ésta forma la base de nuestras opciones políticas —afirmó—. Nuestro proyecto, o modelo sandinista, representa un proceso único. Rechazamos la adherencia a otros modelos. Cada nación tiene su propia identidad. No es posible transplantar una revolución. La dependencia excesiva de un país o de un grupo de países del mismo parecer pudiera colocarlos a éstos en la posición de compelernos a hacer lo que a ellos les sirve, pero no necesariamente a nosotros.

D'Escoto es rechoncho y pálido. Su expresión se ve tranquila, incluso devota. Usa gafas y constantemente fuma cigarros Benson & Hedges. Se adivina que ha podido pulir sus comentarios por el uso frecuente en los foros internacionales, en los informes dados a las delegaciones que fluyen abundantemente a Nicaragua, y en muchas entrevistas. Su posición como sacerdote de la Sociedad Católica para la Misión Extranjera de América, o Maryknoll, lo hace particularmente eficaz para explicar a los escépticos no comunistas la devoción sandinista hacia el pluralismo y el socialismo democrático. Por otra parte, D'Escoto y otros dos curas continuaban prestando sus servicios en el gabinete, a despecho de la orden de renunciar pronunciada por el arzobispo Miguel Obando y Bravo. Entonces, el arzobispo los cesó en el derecho de celebrar la misa, pero también hicieron caso omiso de esta resolución.

D'Escoto afirmó que no había estado en Nicaragua durante los 30 años anteriores a la victoria sandinista como protesta contra los Somoza. Durante 10 de esos años, fue el director del departamento de comunicación de Maryknoll. Durante las fases más avanzadas de la rebelión, trabajó con el Frente Amplio de Oposición en Costa Rica.

—La gente nos pregunta por qué confiamos en México y desconfiamos tanto de Estados Unidos —comentó—. La respuesta es sencilla: el testimonio histórico. Conociendo la actitud desplegada por Estados Unidos hacia las revoluciones, tenemos buena razón para mantenernos en posición de guardia. Mi mensaje para el presidente Reagan es muy simple: Por favor comprenda que no hay motivo para temer a la revolución nicaragüense. Se sirve a la causa de la libertad cada vez que la gente es capaz de librarse del yugo de la explotación y la represión. Por favor no trate de dar a cada movimiento de este tipo la forma del conflicto entre Este y Oeste.

En vista de su postura franca respecto a la represión, le pedí que explicara el encarcelamiento de Dreyfus y los otros funcionarios del COSEP.

—Al echar la culpa al gobierno de las malas condiciones económicas, estuvieron mintiendo —declaró D'Escoto—. La verdad es que, aunque más del 70 por ciento de nuestras fábricas fue dañado o destruido por la Guardia Nacional, la Comisión Económica de las Naciones Unidas para la América Latina hizo constar que fuimos uno de sólo dos países cuya producción nacional bruta aumentó entre 1980 y 1981.

Entonces le pregunté acerca del aplazamiento de las elecciones nacionales hasta 1985.

—Puesto que nunca ha habido elecciones libres y honestas en Nicaragua, nuestra primera tarea implicó ganar cierta credibilidad para el proceso, efectuando varias elecciones de otro tipo: municipales, sindicales, el Consejo de Estado, y así sucesivamente —replicó, juntando las puntas de los dedos y fijando la mirada, como a menudo lo hizo, encima de mi cabeza—. No es posible decretar la democracia; hay que construirla paso por paso. Cuando primero ocupamos el poder, la oposición no quiso elecciones inmediatas. Temieron que hubiese una barrida sandinista debido al entusiasmo del momento, e incluso ahora no piden elecciones inmediatas.

Alfonso Robelo, un antiguo miembro de la junta gobernante y el líder del Movimiento Democrático Nacional, sonrió cuando le conté lo que D'Escoto había dicho.

—Es cierto —confirmó—. Nunca se fijó una fecha definitiva para las elecciones. Los sandinistas decían "Lo más pronto posible", y supusimos que se trataba de dos o tres años. Me imagino que fuimos ingenuos. ¿Cómo es posible que hablen de pluralismo cuando no nos permiten tener reuniones políticas, cuando nos apartan de la televisión y utilizan las turbas para tratar de intimidarnos? Creen que están mostrándose generosos porque nos permiten desplazarnos con libertad, realizar pequeñas reuniones bajo techo, transmitir un programa radiofónico semanal y disponer de acceso a *La Prensa*. Lo llaman pluralismo porque dejan que operen los partidos cristiano-demócrata y liberal, pero ambos son títeres suyos.

"Se han paralizado los debates acerca de la ley que gobierna las elecciones y los partidos políticos —indicó—. Todavía no existe ningún proyecto para el registro. Los sandinistas afirman que las necesidades de la defensa nacional son más importantes, pero la verdad es que no quieren elecciones en absoluto".

Estábamos sentados en mullidos sillones de cuero en el salón de la residencia de Robelo, una casa neocolonial grande y opulenta, en los cerros arriba de Managua. La turba ya había visitado a Robelo en varias ocasiones. Lo que quedaba de su personal doméstico había hecho todo lo posible por limpiar los dibujos y lemas de los blancos muros del exterior, pero quedaban algunas huellas, como una advertencia susurrada. Robelo vivía ahí solo. Su esposa, según se me dijo, lo abandonó por los sandinistas. La razón era artística antes que política. Siempre se había considerado como poetisa, pero la opinión no fue compartida ampliamente hasta que los sandinistas publicaron sus versos en una de sus revistas. La sensibilidad que poseían por el arte ganó su adherencia, y se decía que un joven revolucionario había ganado su corazón.

—Siempre estuve dispuesto a ceder todo lo necesario para vivir en la paz social —indicó Robelo, mientras una sirvienta en un uniforme rosado servía el café—. Por ejemplo, estuve a favor de la nacionalización del sistema bancario, pese a ser el director y accionista de uno de los bancos más grandes. Como miembro de la junta, nunca tuve problemas con los sandinistas por asuntos económicos y sociales, sólo por la política. Por eso renuncié. No quería hacerlo. Era divertido pertenecer a la junta. Se tenía acceso a todo. Pero cuando ampliaron el Consejo de Estado, fue la última gota. Originalmente tuvo 33 asientos, y el Frente Sandinista de Liberación Nacional controlaba unos 13. Ahora dominan todos menos 11 o 12 de los 47.

Robelo opinó que la oposición, antes que los sandinistas, estaba resultando la víctima de la belicosidad de Washington.

—Cuando un gobierno extranjero ataca o amenaza con atacar a otro, puede esperarse una reacción nacionalista muy fuerte —explicó—. A ningún nicaragüense, incluyéndome a mí mismo, le agrada la idea de ser amenazado por una superpotencia. Incluso ahora yo tendría que luchar junto con los sandinistas si Estados Unidos interviniese abiertamente. Por ende, debo afirmar que la política de Reagan definitivamente está fortaleciendo a los sandinistas.

"Los sandinistas han resultado unos administradores enormemente ineficientes —prosiguió—. Han perdido el apoyo popular. Si ustedes nos dejaran en paz, la oposición tendría la oportunidad de crecer, y si Edén Pastora volviera para dirigirnos, se podría suscitar una situación, como en el caso de Somoza, en la cual se necesitara y aceptara ayuda extranjera. Me gustaría estar aquí para recibirlo, pero según se ven las cosas ahora, dudo que todavía me encuentre en el país dentro de un año.

La Prensa simbolizaba la oposición racional al gobierno sandinista. Sostuve una conversación con Pedro Joaquín Chamorro, quien sucedió a su padre asesinado en el puesto de director. La planta del periódico sobre la autopista del aeropuerto fue quemada por órdenes de Somoza durante los últimos meses de la rebelión. Desde entonces, se edita e imprime en lo que anteriormente fue un almacén de papel periódico atrás del edificio destruido. Pedro Joaquín irritaba tanto a los sandinistas como su padre a Somoza. Como consecuencia, el periódico era suspendido con frecuencia, su contenido era censurado y lo visitaban las turbas. También lo atacaban por subversivo los otros dos diarios de Managua, *La Barricada* y

El Nuevo Diario; ambos reflejan el punto de vista sandinista. Es posible que también influya cierto elemento de celos profesionales y familiares. El director de *La Barricada* era Carlos Chamorro, el hermano menor de Pedro Joaquín y el director de *El Nuevo Diario,* su tío, Javier Chamorro. Pese a estas desventajas, el tiraje de *La Prensa,* de 40 000 poco más o menos, representaba dos o tres veces el tiraje combinado de las otras dos publicaciones.

—Lo curioso es que Carlos y yo tuvimos una educación idéntica: el Colegio Centro América aquí, que es dirigido por los jesuitas, y la universidad de McGill en Montreal, y él resultó marxista y yo no —me indicó Pedro Joaquín—. Era un hombre esbelto, apuesto y cortés de 30 años. Aun así, se las arregló para verse y hablar como periodista.

—Mi tío Javier era el miembro más capitalista de la familia hasta la revolución —prosiguió—. Es posible que el oportunismo haya influido en su conversión, pero eso no lo es todo. Tiene la vista gravemente deteriorada, y puede decirse que no ve lo que sucede en sus barbas. Estoy casado y tengo una familia, al igual que Carlos. Normalmente nos vemos en la casa de mi madre, y dado que *La Barricada* es un periódico matutino y el nuestro, vespertino, no nos encontramos con demasiada frecuencia. Cuando esto ocurre, procuramos guardar la paz por consideración a ella.

La Prensa pertenece a la familia Chamorro desde 1928, afirmó. La planta fue destruida en los terremotos de 1931 y 1972, acosada a través de toda la era somocista, y cerrada, en una ocasión, durante tres años.

—Empecé a trabajar en el periódico cuando todavía estaba en la escuela, barriendo los pisos en las vacaciones —contó Pedro Joaquín—. Después de la universidad, me inicié de tiempo completo en el departamento de ventas. También tomé fotografías relacionadas con las noticias de actualidad. Entre 1974 y 1977, estuvimos sujetos a una censura muy estricta. Fue un periodo durante el cual la corrupción en el gobierno aumentó asombrosamente, en parte porque no era posible difundirla en la prensa. Hubo tremendas comisiones en las compras del gobierno, así como la adquisición para la reventa de terrenos para caminos y viviendas. Mucha gente alrededor de Somoza se enriqueció muy rápido.

"Cuando Somoza se dio cuenta de que perdería la guerra y de que el asesinato de mi padre era una de las principales razones por las que todo mundo se volvía contra él, envió a sus hombres aquí, en medio de las batallas, con órdenes de incendiar y destruir completamente el edificio, pero con toda la confusión, sólo lograron dañarlo seriamente. Apenas me puse a escribir y editar en 1979; vi que me gustaba y creo que lo hago bastante bien. No hay precensura ahora, pero los sandinistas y sus consejeros cubanos revisan cada número con un microscopio. Tratamos de evitar la supresión, pero utilizando todo cuanto sea posible del margen de libertad que nos queda".

Señaló que la política de Washington estaba estrechando dicho margen, y mencionó como ejemplo, la conferencia de prensa acerca de los preparativos militares en Nicaragua, la cual se había llevado a cabo sólo una semana antes, poco más o menos.

—Estoy enojado con Estados Unidos por esas fotografías, las aéreas —declaró—. No prueban lo que pretendían probar: que los sandinistas ayudan a los guerrilleros salvadoreños. Nuestra acumulación de fuerza militar, a la que yo me opongo, es otra cosa.

El ambiente en *La Barricada,* que visité a continuación, era marcadamente diferente. Era como si los "estudiantes a favor de una sociedad democrática" hubieran logrado hacerse cargo del diario local y lo estuvieran dirigiendo con una dedicación tan intensa a la ideología que hacían resonar las ventanas. Los guardias, las recepcionistas y las secretarias condescendientemente me hablaron como "compañero". El equipo era predominantemente joven y blanco. Nicaragua no resultaba diferente, en este aspecto, de las partes menos progresivas de Centroamérica o, en cuanto a eso, de la Cuba de Castro. El color de la piel todavía servía como un indicio generalmente correcto del *status.* Algunos integrantes del personal de *La Barricada* vestían uniformes de faena y otros, pantalones de mezclilla de diseñador y camisetas de polo. Algunas jóvenes mujeres lucían incluso vestidos bonitos y alhajas.

Carlos, que tenía 25 años, se parecía a su hermano. Era simpático, pero un poco abstraído. Los frecuentes vistazos echados al reloj de pulsera, las interrupciones por teléfono y la lectura de galeras indicaron que era un hombre ocupado.

—Me uní a *La Prensa* como reportero, después de la muerte de mi padre —contó—. Al mismo tiempo, estuve trabajando clandestinamente por el Frente Sandinista de Liberación Nacional. Mi familia estaba enterada de lo que hacía, pero no del grado de mi involucramiento. No era un combatiente, pero a menudo estuve bajo fuego. La mayor parte de mi trabajo fue lo que yo llamaría educativo, propagandístico y logístico.

Hizo un gesto cuando mencioné el comentario de su hermano respecto a que la misma educación hubiese producido resultados tan diferentes.

—No soy marxista, ni tampoco lo es el gobierno, a despecho de lo que piense Pedro, pero es cierto que creo que el marxismo puede servir como un instrumento analítico útil —afirmó—. No estoy seguro de cómo calificarme a mí mismo. No me gustan los epítetos en general. En todo caso, la educación que recibimos no fue tan semejante como cree Pedro. Nos separaban cinco años en la escuela. Cuando yo estuve ahí, los jesuitas del colegio se hallaban bajo la influencia de la teología de liberación, y lo dejé con un fuerte sentimiento de conciencia social. Por otra parte, McGill se había vuelto mucho más conservadora.

Las ideas de Carlos, al ser pronunciadas, tenían los bordes agudos y derechos preferidos por los jóvenes militantes. No lo inquietaba duda alguna, y aunque tal vez fuera cierto, según dijo, que consideraba el marxismo sólo como un instrumento útil, no pareció estar usando otros. Se rió cuando hice alusión a ello, y le pregunté si no sentía remordimientos de conciencia cuando *La Prensa* era suspendida.

—Creo en la libertad de las ideas y opiniones, aunque considero que *La Prensa* es destructiva antes que constructiva, y no muy sincera en su crítica —replicó—. También quisiera que *La Prensa* fuese más nacionalista y tratara de apartarse de los aspectos más agresivos en la política exterior estadounidense. Pero ésa no es la razón por la que se suspende. Sucede porque *La Prensa* falsea los hechos.

Cuando pedí un ejemplo, Carlos Chamorro reflexionó por un momento.

—Siempre llama a los contrarrevolucionarios que atacan nuestras fronteras "grupos armados de oposición", lo cual los pone en el mismo nivel de los grupos políticos de este país —señaló.

La disposición de ánimo en la embajada estadounidense de Managua estaba abatida. La mayor parte del personal estaba ahí desde el periodo de funciones de Pezzullo, y las personas con las que hablé afirmaron que había funcionado el enfoque conciliatorio, pero de ningún modo ignorante, de este embajador. Desde su retirada ocho meses antes, la embajada se hallaba mayormente paralizada en la inactividad bajo un encargado. El nuevo embajador, Anthony C. E. Quainton, debía llegar dentro de pocos días. Quainton, que anteriormente había encabezado la Dirección para Combatir el Terrorismo del ministerio de Estado, era considerado como un verdadero creyente en la política, seguida por Haig y Enders, de intimidar a los sandinistas.

Uno de los agregados con los que hablé, los cuales, según las reglas, deben permanecer en el anonimato, afirmó que opinaba que la política fracasaría.

—Los comandantes moderados saben que a la larga no tienen a quién más venderle sus plátanos, su café y su azúcar —indicó—. Rusia no cargará con ellos indefinidamente. Castro mismo se los advirtió públicamente. Rusia está gastando ya mucho más de lo que quisiera con Cuba. También saben que el nicaragüense promedio sigue prefiriendo a Estados Unidos ante Rusia o Cuba. Lo que no hemos tomado suficientemente en consideración es que *todos* los comandantes lucharon durante años para deshacerse de Somoza. Esperar que empiecen a amar inmediatamente al capitalismo y a Estados Unidos es esperar demasiado. Debimos habernos mostrado mucho más pacientes. Pezzullo solía hablarles como un severo mentor, y resultó eficaz; pero cuando se fue, perdimos la mayor parte de nuestra influencia.

"En octubre pasado, cuando realizamos ese ejercicio naval frente a la costa hondureña con un transporte de ataque que tenía 500 infantes de marina a bordo, lo perdimos todo —prosiguió—. Lo único que logramos con estas tácticas es ayudar a los marxista-leninistas empedernidos. Cada vez más hombres de negocios y profesionistas deciden que aquí no hay futuro para ellos. Eso permite a los sandinistas decir que necesitan médicos cubanos, porque 180 médicos nicaragüenses emigraron durante los primeros seis meses de 1981. No estoy bien informado acerca de eso, pero *sí* sé que mi dentista, que era el mejor en Managua, se fue a Miami para siempre hace algunos meses.

Otro funcionario de la embajada afirmó que creía que los discursos rimbombantes de Haig constituían una cortina de humo que tenía por objeto ocultar la falta de una política latinoamericana coherente.

—Fundamentalmente no tiene mucho que ver con la región —explicó—. Las palabras severas sirven para que se sienta bien la gente en casa. De lo que más miedo tiene el gobierno es de que se le culpe de haber "perdido" a Nicaragua y Centroamérica, pero no sé qué podamos hacer al respecto que no sea la invasión. A veces tengo la impresión de que los consejos que damos desde aquí no sólo son rechazados, sino que ni siquiera son considerados. La información llega de arriba abajo, en lugar de viceversa. Washington no deja de hablar, por ejemplo, acerca del flujo de armas de Nicaragua a El Salvador. No cabe duda que exista tal tráfico, pero, por lo que nosotros sabemos, no es muy extenso.

Según dio la casualidad, Bianca Jagger se hallaba en Managua cuando yo estuve ahí. La nicaragüense más famosa que vive en la actualidad estaba mostrando un interés compasivo por los problemas de su país de origen. Los sandinistas, confiados en poder enterrar los alegatos de que estaban abusando de los indios mísquitos, la llevaron a la costa y dieron permiso para que la acompañara la prensa.

Partimos del hotel antes del amanecer. El viejo y estrepitoso DC-3 aterrizó en la pista de una población dedicada a la explotación de oro, llamada "Bonanza", a unos 320 kilómetros al noroeste de Managua. Julio Rocha, el ministro suplente de Asuntos Atlánticos, nos informó acerca del plan del gobierno para establecer a los mísquitos a una distancia de 80 kilómetros, poco más o menos, del río Coco, el límite entre Honduras y Nicaragua. Admitió que el gobierno compartía la culpa por el alboroto en Mosquitia, por ser, de hecho, demasiado bondadoso.

—Tratamos de precipitarnos demasiado para corregir el analfabetismo y la enfermedad, y se nos entendió mal —declaró—. Ahora intentamos enmendar las cosas, pero Estados Unidos cree que es en interés suyo continuar causando dificultades para todos nosotros.

Lo que el gobierno no logró comprender, indicó, fue lo poco que tenían en común los mísquitos con el resto de la población de Nicaragua, de la cual los separaban 160 kilómetros de selva, atravasada sólo por unos cuantos caminos muy malos. La Gran Bretaña tuvo un protectorado informal que abarcaba 640 kilómetros del litoral, desde Trujillo en Honduras hasta la frontera costarricense, a partir de 1687, cuando el gobernador de Jamaica coronó a un "rey" de Mosquitia, hasta 1860, cuando cedió a las peticiones de Washington de retirarse. Nicaragua no estableció su presencia militar y política ahí hasta 1894, pero la vida mísquita siguió como antes. Los indios vivían en sus pueblos de chozas techadas de paja y construidas sobre soportes en las orillas de los ríos y las lagunas, donde pescaban, cultivaban maíz y frijoles en los claros de la selva y trabajaban, según se presentaban la ocasión y su propia inclinación, para las compañías extranjeras que talaban las vastas existencias de madera de la región. Como otros tantos Huckleberry Finns, los mísquitos daban poca importancia al dinero, la higiene y la educación. Preferían ser preteridos por el gobierno, al que de vez en cuando tenían que pagar algunas contribuciones, y dedicar el tiempo a beber, bailar y hacer el amor.

Muchos, quizá la mayor parte de los mísquitos y las tribus más pequeñas con ellos asociadas, cuyo número total se estima en 150 000, en efecto son de ascendencia mezclada. Fluye en sus venas la sangre de los conquistadores, los bucaneros, los emigrantes negros de las Indias Occidentales, y de comerciantes chinos. Esta mescolanza genética ha producido muchas mujeres de una belleza alegremente sensual: Dinorah Sampson, la amante de Tachito Somoza, para mencionar a una. Además de su propia lengua, que en sí es un dialecto, hablan inglés antes que español. Los mísquitos son protestantes moravos, los misioneros de la secta acudieron a la costa por invitación del rey mísquito a mediados del siglo XIX, y sostienen una posición intensamente anticatólica y antinicaragüense.

Los mísquitos observaron dichosos cómo los católicos de habla española se mataban los unos a los otros durante el sinnúmero de levantamientos del siglo XIX y principios del XX. Cuando desembarcaron los infantes de marina estadounidenses, los mísquitos los acogieron amistosamente porque hablaban inglés y no se hacían acompañar por sacerdotes. Los mísquitos continuaron la política de la no alineación durante la rebelión sandinista. Aunque lo hubiesen decepcionado, el nuevo gobierno decidió que el hecho de no adherirse a la insurrección constituía el resultado de un desarrollo social y político impedido. La solución eran escuelas, conducidas en parte en español, clínicas, mejores caminos y dos cucharadas copeteadas de ideología al día, endulzadas con precios más altos por su pescado y camarones.

Los mísquitos tuvieron mucho gusto en aceptar el dinero, pero decidieron que ya contaban con toda la civilización que podían soportar. Asistieron a las nuevas escuelas con más o menos la misma frecuencia que a las viejas, y se negaron a permitir que se les creara una conciencia revolucionaria. Las preocupaciones de los sandinistas respecto a un desembarco estadounidense en la costa del Caribe los volvieron doblemente impacientes con los recalcitrantes mísquitos. Antes de pasar mucho tiempo, dejaron de hacer sugerencias y comenzaron a dar órdenes. Cuando éstas no fueron obedecidas, impusieron castigos.

Como era propio de los descendientes de los corsarios del Caribe, los mísquitos no se sometieron dócilmente. Para septiembre de 1980 estuvieron proclamando huelgas, se amotinaron e incluso atacaron los puestos de avanzada del ejército y de la policía. La oposición mísquita se apoderó de la organización de masas establecida por los sandinistas. La encabezaba un joven llamado Steadam Fagoth Müller, que había asistido a la Universidad de Managua y luchado con los sandinistas. Fagoth, de sangre mezclada alemana y mísquita, exigió más autonomía de lo que el gobierno estaba dispuesto a conceder.

En febrero de 1981, después del asesinato de cuatro soldados sandinistas, él y los otros líderes de la oposición fueron detenidos bajo cargos de tratar de instalar un gobierno separatista. Fagoth fue liberado después de unos meses, bajo promesa de ir a Europa para estudios de posgrado. Sin embargo, después de visitar Washington, apareció en los pueblos mísquitos de Honduras proclamando una guerra de liberación.

Para principios de 1982, unos 5 000 mísquitos habían huido a Honduras. Armados, atacaron los puestos fronterizos de los sandinistas a orillas del río Coco, mientras pandillas de contras penetraban más hacia el interior. Ambos grupos recibían armas, dinero y entrenamiento por parte de la CIA, un hecho patente, pero no reconocido durante 12 meses. Los sandinistas respondieron con el desalojamiento forzoso de los mísquitos de la región fronteriza y su establecimiento, a buen recaudo, 80 kilómetros o más hacia el Este. Fagoth acusó al gobierno de matar a cientos de mísquitos que se habían resistido y de dejar que otros cientos muriesen de hambre y enfermedades. Haig presentó como evidencia una fotografía de una revista francesa que, supuestamente, mostraba montones de mísquitos muertos. Resultó ser de nicaragüenses, no mísquitos, muertos por la Guardia Nacional unos años antes.

Se dio la bienvenida a los periodistas para que personalmente escucharan estas historias de horror en los campamentos de refugiados mísquitos de Honduras. Fue a fin de combatir esta andanada de propaganda que el gobierno nicaragüense permitió que la expedición supuestamente no indiferente de la Jagger fuera a Mosquitia.

Se nos ofreció la posibilidad de visitar el río Coco mismo, y le planteamos la cuestión enérgicamente a Rocha, quien lamentó que (barboteo) lo volvía imposible.

La presentación de Rocha fue abrumadoramente completa. Tenía gráficas que mostraban las características del suelo en las áreas a las que se había trasladado a los mísquitos, listas del alimento que se les proporcionaba hasta que pudiesen recoger su primera cosecha, un reconocimiento de su situación familiar, educación y salud, e incluso planos arquitectónicos de los pueblos modelo que se les construirían.

—Para los mísquitos, la vida a orillas del río Coco era agrícola de subsistencia, combinada con una tecnología de bajo nivel y baja productividad —afirmó Rocha—. Se encontraban dispersos a lo largo de los 280 kilómetros de extensión del río, de modo que resultó sumamente difícil llevarles los servicios de la revolución. Otro peligro eran las inundaciones anuales en el curso inferior del río, que los expulsaban de sus casas y causaban epidemias y hambre generalizada.

Al terminar por fin el informe, Rocha dijo que nos esperaba nuestro transporte y nos llevó a dos camionetas "pickup" no provistas de techos o de asientos, ni siquiera de almohadas. Bianca rehusó el asiento cómodo al lado del conductor al que tenía derecho. Como un buen soldado, se subió a la parte de atrás con el resto de nosotros. Diez minutos después de partir, rebotando cuesta abajo desde la mina por un camino de grava marcado de rodadas, empezó a caer una fuerte lluvia, lo cual, por lo menos, asentó el polvo que nos daba en las caras.

Se interrumpió la lluvia y apareció un sol deslumbrante. El camino conducía por la selva desmontada. La impresión que producía era del África eterna antes que de la turbulenta Latinoamérica. Había chozas techadas de paja, solas o en grupos, cada dos kilómetros poco más o menos. En las riberas de los arroyos de rápida corriente, las mujeres batían la ropa contra las piedras. Se veían garzas blancas y grises en charcas de poca profundidad, donde atravesaban los peces con sus picos como agujas de tejer. En lo alto del cielo, los buitres dormitaban sobre los almohadones de las nubes.

Rocha había disculpado la sencillez del transporte explicando que el viaje al campamento era corto. En efecto, tardamos sólo una hora y media. Encima de la entrada, había un letrero en idioma mísquita. Decía: *War Lakat Aip Aswankaisa Rebolusan Karnica,* lo cual significaba, según se nos informó, "El trabajo que nos une es una fuerza revolucionaria", lo cual no sonaba muy favorable para los mísquitos.

Ningún integrante del equipo que nos dio la bienvenida era mísquito. Los soldados nicaragüenses desempeñaban el único trabajo pesado. Estaban cortando los árboles con sierras mecánicas, para ampliar el sitio del campamento, y arrastraban los troncos con un "bulldozer". El estrépito era ensordecedor, y prevalecía una especie de desconsuelo y desarraigo privados de sombra, áridos y polvorientos que define a todos los campamentos de refugiados, sin importar su ideología.

En el campamento había, según se nos dijo, 300 mísquitos. Casi todos eran mujeres, niños y ancianos. Asumieron una expresión vacía cuando preguntamos, a través de intérpretes, dónde se encontraban sus maridos y padres. Probablemente habían huido al otro lado del río Coco. Debió significar una transición difícil para personas que, en tiempos más dichosos, pudieron clavarse al agua desde la terraza situada al frente de la casa, para nadar antes del desayuno.

Hasta que se construyeran sus casas modelo, los residentes del campamento dormirían juntos en tres largas barracas techadas de plástico, que olía a hule horneado bajo el sol de los trópicos. Se quejaron acerca de las instalaciones, la comida y el desalojamiento forzoso, con una vehemencia que insinuaba que los sandinistas, cualesquiera que fueran sus otros pecados, todavía no habían tratado de vencer la resistencia a golpes.

Al dar una vuelta por el campamento con un colega, nos encontramos con un grupo de mísquitos que tejían un techo de palma. Uno de los hombres se puso de pie de un salto y alargó la mano hacia uno de mis compañeros, el cual, a fin de demostrar su simpatía, se la estrechó firmemente. El mísquito se puso a charlar en una mezcla de español, inglés y mísquito, sin decir mucho que tuviese sentido en ninguno de estos idiomas. Lo único que logré determinar con seguridad fue que se llamaba Isaac y que no tenía nariz y sólo una oreja. Le faltaban las últimas articulaciones en varios dedos, y los otros estaban contraídos.

—¿Qué te imaginas que tiene? —preguntó mi compañero al alejarnos.

—No soy médico, pero parece un caso virulento de lepra montesa o de sífilis costera —repliqué—. No debiste haberle estrechado la mano.

—¿Quieres decir que es contagioso?

—Es muy probable.

Se abalanzó hacia el dispensario, y yo continuaba mi paseo por el campamento, cuando nos llegó el aviso de que tendríamos que abandonar Bonanza antes de caer la oscuridad, si queríamos volver a Managua esa noche. Nos precipitamos a las camionetas, los conductores aceleraron, y llegamos a la pista de aterrizaje en el instante justo en que el crepúsculo tropical, color perla y rosa, se había reducido a una línea desvanecida hacia el Oeste. La última persona en cruzar la puerta del avión fue Bianca. Había comprado refrescos para todo mundo. La revolución no se había detenido para comer o beber ese día, y a Bianca le dedicamos tres vítores.

Los cubanos formaban una presencia invisible en Nicaragua. Su embajada y recinto de residencia contaba con una alta barda alrededor. Sus vehículos y uniformes no eran diferentes de los de los sandinistas, y sólo un experto hubiese podido apreciar las divergencias de su acento al hablar el español. De estar entrenando a las tropas nicaragüenses, como parecía probable, lo estaban haciendo en lugares proscritos para los periodistas "gringos".

Por lo tanto, cuando se difundió la noticia de que había un gran número de ellos alrededor de la población de Estelí, Bernard Diederich de *Time,* Dick O'Mara, el director de la sección internacional del *Sun* de Baltimore, Stanley Meisler del *Times* de Los Ángeles, y yo nos dirigimos al lugar. El hecho de que el ejército nicaragüense estuviera concentrado ahí parecía razonable. Estelí se ubica sobre la Carretera Panamericana, a unos 160 kilómetros al noroeste de Managua y 120 kilómetros, poco más o menos, de la frontera hondureña. Durante la rebelión, los sandinistas lo ocuparon y perdieron dos veces, de modo que no carecía de importancia simbólica.

Hallamos que Estelí, lejos de ser un campamento armado, dormitaba bajo el sol resplandeciente de las tierras altas. Ninguno de los holgazanes de la plaza central estaba enterado de que hubiera cubanos en los alrededores, y los únicos hombres uniformados que vimos fueron unos policías y bomberos. La población todavía mostraba las huellas de las luchas. La fachada de la catedral estaba llena de agujeros. Muchos aparecían a intervalos regulares, lo cual indicaba que fueron producidos por las balas de una ametralladora al atravesar la construcción. Varios edificios gravemente dañados seguían sin reparar, y había brechas en las hileras de residencias. Las crónicas de una de las batallas por el pueblo afirmaban que habían muerto 800 personas, pero el grado de los perjuicios señalaba que se trataba de una exageración considerable.

En el camino de regreso, nos detuvimos para presenciar un juego de beisbol; la CIA tenía razón en este aspecto, en todo caso. Cerca de la cancha había un hospital, construido de acuerdo con la piedra angular, por los Adventistas del Séptimo Día, y según averiguamos, era atendido, desde la revolución, por los cubanos. Preguntamos al guardia si era posible hablar con alguno de los médicos. Regresó con una mujer joven y rubia que llevaba una larga chaqueta blanca encima del vestido y un estetoscopio colgado del cuello. Toda su cara expresaba irritación. Contemplándonos con altivez profesional e ideológica, rehusó contestar a las preguntas o darme siquiera, de hecho, unas aspirinas para un dolor de cabeza.

El comandante sandinista que solicité conocer fue Tomás Borge, el único fundador sobreviviente del movimiento. Durante casi dos décadas había vivido como líder guerrillero, fugitivo, exiliado y, durante siete de esos años, como prisionero, torturado, medio muerto de hambre y sin saber nunca si la siguiente hora o el siguiente día sería el último. Ahora él mismo era ministro del Interior, encargado de la policía, de las fuerzas de seguridad y de las prisiones.

Por lo general, se mostraba accesible para la prensa, pero los asaltos de los somocistas desde el otro lado de la frontera y las ruidosas amenazas de Estados Unidos reclamaban extraordinariamente su atención. No fue sino justo antes de mi partida que pudo arreglarse la entrevista conmigo y con Diederich, a quien había incluido en la solicitud.

Borge tiene cierto parecido con Torrijos, de Panamá. Es robusto, proyecta una impresión de energía, tiene los ojos color café, francos, el cabello canoso corto, y se porta como un soldado. Borge está sólo a la mitad entre los 40 y los 50 años de edad, pero les lleva 10 o más años a la mayoría de sus compañeros. Es propenso a la ironía, a la burla de sí mismo y de otros. Después de siete años en los calabozos de Somoza, se le cree menos inclinado al entusiasmo revolucionario que los otros sandinistas y, por el mismo motivo, menos dispuesto a ceder al tratarse de asuntos que él considera importantes.

—Tenemos armas —afirmó, con referencia a la información divulgada por el ministerio de Estado—. No lo negamos. Estados Unidos nos amenaza con atacarnos, y luego se enoja porque nos armamos. ¡Es increíble! Lo descubren al tomarse la libertad de volar sobre nuestro país. Es como si yo entrara en la casa de usted para sacar fotografías mientras hace el amor con su esposa, y luego me enfadase porque usted se enoja. Eso es lo que hacen el señor Reagan y su gobierno.

"¿Por qué nos atacará Estados Unidos? ¿Por qué nos amenaza? Porque afirman que seremos totalitarios. No porque *somos* totalitarios. No porque hemos acabado con la democracia, sino porque lo *haremos*. Porque *entraremos* en la zona de influencia soviética. Porque *estableceremos* un régimen marxista-leninista. Debo admitir que me parece extraordinario que el gobierno de ustedes tenga conocimiento de tantas cosas que *sucederán*".

Echó un vistazo a los papeles sobre su escritorio —una pausa dramática— y continuó:

—Estados Unidos también nos amenaza porque dice que enviamos armas a los guerrilleros salvadoreños. Hemos pedido que, bueno, si las armas para El Salvador atraviesan Nicaragua, enséñenos dónde. ¿Por qué no les ordenan a sus títeres centroamericanos que nos acompañen en patrullas por la frontera? Estamos dispuestos a patrullar la frontera hondureña con ellos, porque si las armas atraviesan Nicaragua, tienen que atravesar Honduras.

"No niego la posibilidad de que las armas pasen por aquí desde otros países. Simpatizamos con los guerrilleros salvadoreños, y nos solidarizamos con su movimiento. Ésta es una cosa, pero quisiera que los expertos omniscientes de la CIA revelaran dónde están las armas que supuestamente les mandamos. Se ha informado que se llevan armas de Estados Unidos al frente de El Salvador, de Panamá, de Europa. Durante nuestra guerra compramos armas a Estados Unidos y también las recibimos a través de México, Guatemala, El Salvador y Honduras".

Borge se rió al decirlo, y entonces su expresión se puso seria.

—Creo que los conflictos deben resolverse a través de la negociación. Queremos evitar la guerra, con su precio inevitable y terrible, pero que quede claro que no huimos ante el peligro y la confrontación. Albergamos una desconfianza histórica de Estados Unidos, pero es posible disminuir hasta cierto grado la intensidad de tales sentimientos en la mesa de negociaciones. Diablos, no comprendo por qué resulta tan difícil negociar con nosotros. Se les hace tan fácil negociar con Pinochet en Chile y con Stroessner en Paraguay. Pero con nosotros se les dificulta la negociación, pese a que fuimos nosotros quienes tomamos la iniciativa. El verdadero problema es que Estados Unidos no está acostumbrado a negociar con Nicaragua, sino a imponer sus puntos de vista, y eso se terminó el 19 de julio de 1979.

Como es inevitable en las entrevistas, no se hicieron ciertas preguntas y otras no recibieron respuesta, mientras que algunas contestaciones me dieron la impresión de no ser del todo francas. Por ejemplo, la negación de Borge de que fuera marxista, cuando todo lo demás que decía parecía indicarlo.

—Deben darse cuenta de que el mundo se transforma —declaró—. Los mares están agitados, pero los revolucionarios hemos construido balsas que jamás se hundirán. Cuando los idiotas que no saben nada de historia finalmente se den cuenta de que no es posible hundir las revoluciones, entonces quizá surjan las bases de la coexistencia.

13

EN BANANALANDIA

EL TÉRMINO "república bananera" ha sido aplicado a todas las naciones centroamericanas, pero, entre ellas, Honduras seguramente resulta preeminente. Cultiva más plátanos, ha cedido con la mayor avenencia al abrazo económico del Tío Sam, y sus estadistas se han comportado, las más de las veces, con una dignidad, probidad y preocupación por el bien público que hacen recordar a Ben Blue, vestido de pantalones holgados, un saco a cuadros ceñido y un sombrero hongo demasiado pequeño, bailando "Floogle Steet" en el teatro de variedades del viejo Minsky.

Consideren, por ejemplo, al general Policarpo Paz García, cuyo periodo presidencial terminó en 1982. Paz era un conocedor famoso de whisky añejo y de mujeres jóvenes. En una ocasión, se me contó, después de llevar dos semanas celebrando sin interrupción, sus colegas, preocupados por el descuido de los asuntos urgentes del Estado, tomaron la medida extrema de desvestirlo y encerrarlo en su recámara del Palacio Presidencial.

Después de una siesta refrescante, Paz anudó las sábanas, bajó y se trepó a la cerca que rodeaba el palacio. Sin zapatos y en ropa interior, detuvo un taxi y le pidió al conductor que lo llevara a su burdel favorito. Ahí celebró su libertad con la más bonita de las doncellas hasta que sus guardaespaldas, que sabían dónde buscarlo, lo apresaron y lo condujeron a casa.

Es posible que la dificultad que tiene Honduras para tomarse en serio derive del hecho de que el plátano, en esencia, es cómico. Las personas pomposas, al menos en las tiras cómicas y las películas viejas, constantemente resbalan con ellos, vuelan agitadamente por el aire y caen sobre sus sombreros de seda. La forma evidentemente fálica del plátano también provoca la frivolidad. "Tener un plátano", o sea, un encuentro sexual, fue un modismo en Inglaterra hace 50 o 60 años. Hoy en día, "bananas", como en la película de Woody Allen del mismo nombre, significa una locura alegre sin fijación única.

Incluso la vieja United Fruit Company, una empresa bostoniana de respetabilidad puritana, fue víctima, en por lo menos una ocasión, de la manía sexual del plátano. En *An American Company* ["Una compañía americana"], Thomas P. McCann se remite a un anuncio que colocó en revistas nacionales igualmente respetables durante los años cincuentas del presente siglo. La ilustración mostraba un plátano con una cinta métrica al lado. El texto decía, más o menos, que los plátanos más pequeños, hasta donde cabía, eran aceptables, pero que ningún plátano de menos de ocho pulgadas de largo y tres pulgadas enteras de diámetro podía llevar la marca "Chiquita".

El plátano fue sólo una fantasía de placer en Estados Unidos hasta 1870, cuando Lorenzo D. Baker, el capitán de la goleta *Telegraph,* procedente de Wellfleet en el cabo Cod, compró varias cabezas de plátano verde durante una escala que hizo en Kingston, Jamaica. Muchos años después, cuando era un hombre muy rico, se acordó de que había sido una adquisición impulsiva. Por un precio de 25 centavos de dólar por cada cabeza, con un peso de por lo menos 22 kilogramos cada una, creyó tener poco qué perder. Baker llegó a Boston antes de que se pudrieran los plátanos, el principal peligro de este comercio, y los vendió con una ganancia del 1 000 por ciento.

Durante varios años, Baker siguió recogiendo plátanos en Jamaica, según se presentaba la oportunidad. Finalmente, decidió que tenían futuro. Persuadió a 10 conocidos para que contribuyeran con 2 000 dólares con varias goletas que viajaban regularmente por la ruta de Jamaica. El mercado de plátanos, como el del café, parecía susceptible a una expansión infinita.

Más o menos al mismo tiempo que Baker realizó su viaje histórico, un constructor ferroviario estadounidense llamado Henry Meiggs recibió un contrato del gobierno costarricense para colocar una vía, la primera en Centroamérica, de San José a Limón, en la costa del Caribe. Aunque sólo de unos 120 kilómetros de largo, tenía que atravesar montañas, pantanos, barrancos, arroyos torrenciales y profundas selvas. Las dificultades de ingeniería se vieron agravadas por problemas financieros, y no fue sino hasta 1890 cuando la vía ferroviaria se inauguró en su extensión completa.

A fin de proveer el ferrocarril de tráfico, los sobrinos de Meigg, Minor Cooper Keith y Henry Meiggs Keith, que supervisaban la construcción, sembraron plátanos en una pequeña parte de las 323 760 hectáreas a lo largo del derecho de vía que el gobierno les había cedido a ellos y a su tío. Formaron la Tropical Trading and Transport Company, enviaron sus plátanos al mercado de Nueva Orleans por vapor, y prosperaron.

Fue un periodo de formación de monopolios en Estados Unidos. En 1899, Boston Fruit, Tropical Trading y varias compañías más pequeñas fueron amalgamadas, bajo la mirada benévola de J. P. Morgan, como la "United Fruit Company", la cual emitió acciones por valor de millones de dólares y utilizó los ingresos para comprar, limpiar y desecar más de 404 700 hectáreas en ambos litorales de Centroamérica.

Durante 50 años, la "compañía de fruta", según era designada en Wall Street, o "El Pulpo", como llegó a conocerse entre quienes no disfrutaban de sus beneficios en los países donde se había establecido, fue mucho más rica y poderosa que todos los gobiernos de Centroamérica en conjunto. Los caudillos rebeldes pronto averiguaron que United Fruit y Estados Unidos eran la misma cosa e indivisibles. Theodore Roosevelt, el gran destructor de consorcios, no manifestó deseo alguno de interferir con las operaciones de una compañía que mantenía la estabilidad económica y social en ambos litorales cerca del canal de Panamá. Los presidentes de ambos partidos que lo sucedieron, los republicanos con mayor entusiasmo, comprendían la ventaja que significaba permitir a la United Fruit organizar la producción de plátanos y la política a su modo.

Lo cual no quiere decir que siempre lo consiguiera. Salió perdiendo, al menos temporalmente, en una de las aventuras más conmemoradas y picarescas de Bananalandia. La figura central fue Samuel Zemurray, quien, como un joven inmigrante de Rusia, se inició en el negocio de los plátanos en pequeña escala en Mobile Alabama, en el cambio de siglo. Según lo describen Charles David

Kepner, Jr., y Jay Henry Soothill, en *The Banana Empire* ["El imperio del plátano"], Zemurray negoció un contrato con la compañía de fruta, para comprar los plátanos expuestos al peligro inminente de madurar demasiado en el muelle, causando la impresión de que pensaba utilizarlos para producir alcohol. Zemurray halló una escapatoria del acuerdo y se puso a vender los plátanos a las tiendas a las que era posible transportarlos de un día al otro. El precio era más bajo que el de la compañía de fruta, pero le dejaba un amplio margen para la ganancia.

La compañía desarrolló un arreglo. A cambio de la anulación del contrato, se asoció con Zemurray y contribuyó con el 60 por ciento del dinero necesario para restaurar la producción en una plantación abandonada de plátanos cerca de Cuyamel, en Honduras. En 1907, la compañía le vendió su parte de la empresa. Zemurray apenas había empezado por cuenta propia, cuando estalló la guerra entre Honduras y Nicaragua. La plantación se encontraba cerca de la frontera, y antes de que pasara mucho tiempo estaban pasando por ella soldados borrachos, disparando rifles y asustando a los trabajadores.

Las fuerzas de José Santos Zelaya, el caudillo nicaragüense, quien odiaba a los "gringos", derrocaron al caudillo hondureño, Policarpo Bonilla, y lo mandaron al exilio. El sucesor, por sugerencia de Zelaya, de inmediato empezó a dificultar las cosas lo más posible a los dueños de plantaciones. La situación de Zemurray era más precaria que la de la United Fruit. También estaba más consciente del peligro, puesto que él mismo administraba la plantación. Los ejecutivos principales y gerentes de la United Fruit rara vez se alejaban mucho de su sede en Boston. En 1910, al llegar Zelaya a su punto más irritante, Zemurray conferenció con Bonilla en Nueva Orleans. Bonilla reconoció que le gustaría ser presidente otra vez, y que se mostraría correspondientemente agradecido con cualquiera que le ayudase a lograr esta ambición.

Entonces Zemurray adquirió un pequeño buque de vapor y lo cargó con varias cajas de armas y de munición. Contrató a un pelotón de pistoleros profesionales dirigidos por cierto Lee Christmas, un antiguo maquinista que se decía "general" y que era muy querido por los directores de los suplementos dominicales de la época, como intrépido soldado de fortuna. Washington, al enterarse de la confabulación, trató de detenerla. No desaprobaba el objetivo de Zemurray, pero aparentemente opinaba que debía dejarse a los infantes de marina el derrocamiento de gobiernos.

Seguido por hombres de cara dura que lucían placas de alguaciles, Zemurray y Bonilla se dirigieron al burdel más lujoso de Nueva Orleans, el "Crescent City", pidieron caviar y champán y dieron toda indicación de que pasarían la noche dedicados al libertinaje. Mientras los agentes vigilaban las puertas de entrada, Zemurray y Bonilla se escurrieron por atrás, se reunieron con Christmas y su auxiliar, Guy "Ametralladora" Molony, así como sus hombres, a bordo del buque, y zarparon para Honduras. Con la ayuda local, los invasores pronto restituyeron a Bonilla a la presidencia. Uno de sus primeros actos fue la adjudicación de vastas concesiones a Zemurray. La United Fruit, que se supone asistió calladamente a la restauración, recibió las tierras del valle de Sula que 70 años más tarde constituirían el centro de lo que quedaba de sus propiedades en el país.

Los infantes de marina estadounidenses tuvieron una breve presentación en Honduras en 1911. Después de eso, los cultivadores de plátano quedaron libres de interferencia gubernamental. La United Fruit siguió siendo la fuerza dominante de la industria, pero conforme se expandía el mercado mundial, la participación de la compañía disminuyó a más o menos dos tercios del mismo. La Cozumel Orleans, eran los otros productores principales.

Zemurray, que todavía pasaba la mayor parte del tiempo en Honduras, pronto se estableció como el agricultor y distribuidor más eficiente. Entre 1920 y 1928, su participación en el mercado aumentó de 3 000 000 a 9 000 000 de cabezas al año. Casi todo el incremento se produjo a expensas de la United Fruit, la cual decidió comprar su negocio. Zemurray se alegró de la oportunidad de vender. Llevaba más de 30 años en el negocio para entonces, y quiso dedicar los años que le quedaban a la filantropía, a viajar, estudiar y disfrutar de su riqueza. En diciembre de 1929, unos meses después de la brusca caída del mercado de valores, Zemurray vendió sus propiedades, las cuales abarcaban 101 000 hectáreas de tierra, una refinería de azúcar, 16 buques y 230 kilómetros de vías férreas, por acciones de la United Fruit con un valor de 32 000 000 de dólares.

Tres años después, sin embargo, Zemurray ya no era tan rico. Las acciones de la United Fruit habían perdido el 90 por ciento de su valor. Zemurray, el accionista individual más grande por mucho, presentó sus ideas para cambiar la situación de la compañía en una reunión de la junta de directores. Era un hombre alto, imponente, muy bien vestido y todavía lejos de la beneficencia pública. No obstante, asimismo era un judío ruso a quien, en su juventud sobre los muelles de Mobile, se le había conocido como "Sam the Banana Man" ["Sam, el Platanero"], mientras los directores de sangre azul se preparaban en las escuelas de St. Paul y Groton y se llamaban los unos a los otros "Chip" y "Pudge". Cuando Zemurray terminó de hablar, el presidente de la junta, un banquero de Boston, dijo, según McCann: "Desafortunadamente, señor Zemurray, no entiendo ni una palabra de lo que dice".

Zemurray abandonó la reunión sin más comentarios. Discretamente se puso a coleccionar poderes de otros accionistas insatisfechos, y pronto tuvo suficientes para asumir el control de la compañía. Regresó a una reunión de los directores varios meses más tarde, depositó los poderes sobre la mesa y declaró, según se informa: "Caballeros, ustedes han jodido este negocio por bastante tiempo. Ahora yo lo pondré en orden".

Nadie sabía más acerca de los plátanos que "Sam el Platanero". Cuando la economía mundial empezó a mejorar, la United Fruit estaba lista para progresar de nuevo. Los 20 años bajo la dirección de Zemurray señalaron el ápice de su fortuna. En una época en la cual casi toda Centroamérica estaba gobernada por caudillos, había hallado a un caudillo propio, y éste reinó sobre un dominio que se extendía desde Cuba hasta Colombia. Comprendía más de 690 000 hectáreas, 82 000 empleados, 1 600 kilómetros de vías férreas, 100 buques de navegación oceánica, complejos portuarios enteros y un departamento cablegráfico y telegráfico. La línea de buques de vapor era designada la "Gran Flota Blanca" en la propaganda de la compañía. Su lema no oficial era "Cada plátano, bienvenido; cada pasajero, una plaga".

En 1950, Zemurray, que tenía más de 70 años y padecía la enfermedad de Parkinson, se retiró, y la compañía volvió al control de la gente a la que había echado 18 años antes. En 1953, amenazada por una expropiación en Guatemala, no se le ocurrió nada más que implorar la ayuda de sus amigos en el gobierno de Eisenhower. Los cultivadores más eficientes, particularmente en el Ecuador, estaban reduciendo la participación de la empresa en el mercado del plátano de dos tercios a la mitad o menos, y se vio muy lenta en la diversificación hacia otros productos. Fidel Castro, cuyo padre fue un capataz de la United Fruit, encontró un placer especial en la confiscación de las propiedades de la compañía, principalmente tierras dedicadas a la caña de azúcar, después de haber ocupado el poder.

En 1968, la compañía de fruta andaba tambaleándose, con la caja llena, pero el precio de los valores reducido, cuando un creador de conglomerados de pocos recursos llamado Eli Black, quien trabajaba desde un despacho de dos habitaciones en Nueva York, se puso a comprar las acciones con dinero prestado. Al cabo de un año se había apoderado de la compañía. Pagó un total de 540 000 000 de dólares, lo cual los analistas calcularon en 200 000 000 más de su valor. No obstante, el paquete de acciones en la empresa sucesora, United Brands, los pagarés y los documentos de crédito con los que pagó a los accionistas hicieron que los valores diluidos de la United Fruit, de 70 años antes, parecieran oro puro.

Black, un hombre menudo, pálido y de aspecto nervioso, fue un rabino ortodoxo antes de dedicarse a las finanzas. Empezando con una diminuta compañía que fabricaba tapas de botella, utilizó créditos para apoderarse de otras empresas, de las cuales la mayor fue John Morrell, la firma para el empaquetamiento de carne. Con la orgullosa vieja compañía en sus manos, Black emprendió la laboriosa tarea de darle la vuelta. En 1968, contabilizó una ganancia de 33 000 000 de dólares. En 1970, con Black en el timón, perdió 2 000 000. Al año siguiente fueron 24 000 000 de dólares, y cundió el pánico. Black empezó a vender las filiales más provechosas para reunir efectivo, pero nada dio resultado. Para 1974, la pérdida anual de lo que fue, incluso durante la depresión, un negocio a prueba de pérdidas, creció a 70 000 000 de dólares, y Black se vio reducido a hipotecar su casa para pagar las cuentas. Había pasado por alto el hecho de que, mientras sabía bastante acerca de cómo estructurar tratos y pedir dinero prestado, no tenía conocimiento alguno del cultivo, el transporte y la distribución de frutas tropicales.

Con la ballena a punto de volver la panza hacia arriba, empezaron a congregarse los tiburones. Siete países de América del Centro y del Sur formaron un cartel bananero e impusieron un tributo de exportación de 1 dólar sobre cada caja de 18 kilogramos. Temiendo que el público no considerara el plátano como una necesidad del mismo tipo que el petróleo, los agentes de Black en Suiza pagaron un soborno de 1 250 000 dólares a Abraham Bennatón

Ramos, el ministro de Economía de Honduras. Honduras se conformó, entonces, con un impuesto de 25 centavos de dólar, lo cual desintegró el cartel antes de que pudiese entrar en acción.

Sobornar a los funcionarios centroamericanos, o someterse a la extorsión, que pudo haber sido el caso aquí, era otra habilidad que Black no tenía. La Comisión de Seguridades e Intercambio pronto se enteró del pago e inició una investigación. Black sabía que estaba enfrentándose a la ignominia y a la prisión además de la quiebra financiera. Una mañana de febrero de 1975, rompió una ventana sellada de su despacho en el edificio Pan Am de la ciudad de Nueva York y se precipitó a su muerte.

La United Brands pasó a diferentes manos. Aunque no fuesen tan fuertes como las de Zemurray, por lo menos tenían menos pulgares que las de "Chip" y "Pudge", y eran menos resbalosas que las de Eli Black. Después de dos o tres años difíciles, la compañía empezó otra vez a ganar dinero. En Honduras, el presidente fue derrocado en un golpe de Estado, posiblemente porque él y Bennatón no habían hecho partícipes del botín a sus colegas. Aunque el crimen fue descubierto, no se devolvió el dinero.

Eduardo Aragón, el encargado de las operaciones de la United Brands en la región, me señaló que su dominio era considerablemente más pequeño que en los días de antaño. La compañía trabajaba sólo en Panamá, Costa Rica y Honduras, afirmó, y poseía un total de sólo 40 470 hectáreas, todas en Costa Rica y Honduras. Vendió sus propiedades en Panamá al gobierno y luego se las arrendó. La empresa todavía era la patrona particular más grande en los tres países, pero el número total de trabajadores había disminuido de más de 100 000 a mediados de los cincuentas hasta 30 000, en 1983.

En Honduras, la compañía redujo sus tierras de 161 800 hectáreas a 12 100, sobre todo en el valle de Sula en el litoral atlántico, y la fuerza laboral, a 10 000. El gobierno hondureño, afirmó Aragón, expropió 40 470 hectáreas a fines de los setentas sin objeción alguna de la empresa. Otras propiedades fueron vendidas o abandonadas a la selva. En los tres países, la compañía vendió decenas de miles de hectáreas con condiciones fáciles a pequeños productores de plátanos, de los cuales muchos eran antiguos empleados, y les proporcionó asistencia técnica.

—Somos tanto una compañía de distribución como de cultivo

—afirmó Aragón—. Asimismo, la empresa es diferente de cuando yo empecé con ella hace 35 años. Le daré sólo un ejemplo. En aquellos tiempos, todos los ejecutivos, los empleados de oficina y los obreros capacitados, hasta los maquinistas del ferrocarril, eran "gringos". Ahora el departamento entero cuenta con el gran total de seis, además de algunos científicos para la investigación.

Unos días después, tomé un avión a San Pedro Sula, la segunda ciudad del país. De ahí fui llevado al centro de operaciones de la empresa en el campo, donde me recibió Roberto Turnbull, uno de los ejecutivos superiores. Visitamos los laboratorios de la compañía, donde la selección de la semilla, realizada generación tras generación de plátanos, por fin había producido una planta de sólo entre 3 y 3.5 metros de altura, un poco más de la mitad de la normal. Era mucho menos probable, afirmó, que fueran derribadas por los huracanes y resultaba más fácil cosecharlas.

Nos asomamos a unas clases en una de las escuelas primarias de la compañía. El edificio era espartano según criterios estadounidenses y le hubiera servido una mano de pintura, pero los alumnos estaban atentos y, según las normas de la región, bien vestidos y alimentados, y la maestra daba la impresión de que le gustaba lo que hacía. Los estudiantes de preparatoria eran llevados gratis a los pueblos cercanos, indicó Turnbull. Luego nos detuvimos en una guardería de un edificio nuevo. La cuota, señaló, era sólo de unos dólares al mes.

—Una cosa le reconozco a Black —afirmó Turnbull—. Hizo mucho para mejorar los servicios sociales, si es así como se les llama. Instaló las guarderías, para que las madres con hijos pequeños pudieran seguir trabajando, si así lo deseaban, proporcionó asesoramiento psicológico, consejos financieros, lo que usted pueda imaginar.

Después pasamos por un área de viviendas. Primero aparecieron edificios como barracas de un piso, que según Turnbull se remitían a los veintes y los treintas del presente siglo y ya no se usaban. Luego siguieron viviendas de dos pisos y para dos familias, de los cuarentas y los cincuentas, de las cuales algunas aún estaban ocupadas. Se habían construido sobre soportes a 180 centímetros encima del suelo y tenían techos de vertientes muy inclinadas. Es un diseño sensato para una región donde las lluvias son torrenciales; las inundaciones, comunes; y donde proliferan las víboras, los alacranes y las tarántulas.

Finalmente, echamos un vistazo a un fraccionamiento de los

sesentas y setentas. Eran cabañas estucadas para una sola familia, techadas con tejas, de terrazas cubiertas, ventanas con alambreras y persianas y, según señaló Turnbull, agua corriente y plomería interior. La mayoría de los lotes sobre los que se encontraban estaban sembrados con árboles frutales y arbustos en flor. Las casas eran pequeñas: entre 55 y 65 metros cuadrados, más o menos. Muchos dueños habían agregado una habitación, y algunos, un segundo piso. Las casas me dieron la impresión, en conjunto, de ser el equivalente de muchas moradas de familias trabajadoras o de parejas jubiladas en la Florida.

Las calles de hormigón llegaron a su fin, y nos fuimos rebotando por un camino de grava bordeado por profundas zanjas y una lustrosa y verde pared de plátanos. Encima de ellos, cada 30 metros poco más o menos, unos rociadores rotatorios extendían molinetes de agua que el sol transformaba en fragmentos de arco iris. Nos detuvimos y nos adentramos en los campos. Los plátanos se arqueaban arriba de nuestras cabezas, y las anchas hojas proyectaban una intensa sombra, incluso al mediodía. El suelo se sentía esponjoso bajo los pies, y el aire estaba húmedo. El plátano, explicó Turnbull, de hecho era una hierba enorme que producía una cabeza de frutos, y sólo una vez.

—Se empieza con un retoño, y un año después, más o menos, está listo para cosechar —prosiguió—. Por la noche, cuando está tranquilo, se los oye crecer, y no es ninguna broma.

Cada cabeza de plátanos estaba envuelta en pliofilm para apartar los insectos. Colgaban como candelabros. El tallo encorvado estaba reforzado con alambre para evitar que se partiera. Las plantas estaban colocadas a unos 4.5 metros de distancia la una de la otra. Agachándonos y apartando las hojas gruesas y flácidas del camino, encontramos lo que Turnbull estaba buscando: un equipo de trabajadores dedicados a la recolección.

Un hombre, haciendo uso de una vara de tres metros con un cuchillo plano montado en el extremo, cortaba el grueso tallo, logrando así que se doblara sin quebrarse. El segundo hombre se colocaba debajo de la cabeza de plátanos, que descendía hasta una altura de 180 o 210 centímetros. El primer hombre efectuaba otro corte, y la fruta se acomodaba suavemente sobre una almohada abultada en el hombro del segundo. Éste trotaba a un sistema transportador elevado que corría entre cada 10 hileras de plantas. Un tercer hombre quitaba los plátanos del hombro del segundo, los enganchaba en el transportador y los echaba a andar hacia las barracas de empaquetamiento.

Mientras esto sucedía, el primer hombre había terminado de cortar el plátano, precipitándose hacia el siguiente. Parecía una escena de *Modern Times* ["Tiempos modernos"]. Todo se llevaba a cabo apresuradamente. Turnbull indicó que se les pagaba por cabeza. Cada hombre del equipo podía ganar 15 dólares diarios, una tarifa excelente en Honduras, si todos se apuraban.

—La cuota se establece en negociaciones entre la empresa y el sindicato, y éste no es de la compañía —explicó—. El contrato también abarca las condiciones laborales. Los transportadores, por ejemplo, están colocados así porque el contrato limita la distancia sobre la que se puede cargar los plátanos a 30 metros.

A la hora del almuerzo, le pedí a Turnbull que me contara algo acerca de Zemurray, a quien conoció bien en su juventud.

—Bueno, solía llamar "sport" a todo mundo —replicó—. Le agradaba estar aquí, en los campos, revisando todo lo que sucedía. Siempre decía que le encantaban los hondureños, y creo que era verdad. Si yo fuera Zemurray, no estaría comiendo pollo, sino estofado de iguana. Era su platillo favorito. Siempre preguntaba a los cocineros: "¿Cuándo me van a preparar un estofado de iguana?".

Para mi asombro, todos con quienes hablé en Tegucigalpa, incluyendo a los izquierdistas, reconocieron que la United Brands se había vuelto, para utilizar el término más querido por los promotores de todas partes, un "buen ciudadano colectivo". Yo había llegado a dudar, para entonces, de que la vieja United Fruit Company jamás hubiera sido tan mala como la pintaban, o, podría decirse, como ella misma se pintaba. En aquellos tiempos, al fin y al cabo, una reputación de negrero, de oprimir a la competencia y de subvertir los gobiernos tendía a asegurar a los accionistas que se estaban defendiendo sus intereses.

Según las normas de la época, incluso en Estados Unidos, la United Fruit no parece haber sido peor que las grandes empresas en general, y según las condiciones en Centroamérica, era mucho mejor. Los autores izquierdistas, que tienden a dominar este campo de investigación, acusan a la compañía y a su más importante rival, la Standard Fruit, de adquirir por casi nada vastas extensiones de la tierra más fértil de la región. Lo que se les olvida mencionar es que ésta consistía en ciénagas y selva despoblada e improductiva hasta que se gastaron millones de dólares en avenar y limpiarla, y que, a diferencia de los intereses de minería y madera, las compañías de fruta mejoraron la tierra antes que asolarla. Los críticos también señalan lo poco que las compañías de plátanos pagaron de impuestos, pero no agregan que, según costumbres inmemoriales en Latinoamérica, tales pagos tuvieron que hacerse a las bolsas privadas de quienes ocupaban el poder.

La United Fruit sólo quiso cultivar plátanos y ganar dinero sin interferencia. Si las naciones dentro de las cuales trabajaba lo comprendían, todo estaba bien. Si no, como en Guatemala en 1954, un suceso que se expondrá en el siguiente capítulo, la empresa podía ser despiadada.

Pero durante décadas ininterrumpidas antes de esa fecha, la compañía era una presencia invisible. Sus plantaciones estaban apartadas de las capitales y de las áreas pobladas. Por muchos años, la compañía tuvo que reclutar a la mayor parte de sus trabajadores en las Antillas, dado que pocos centroamericanos estaban dispuestos a trabajar en las húmedas llanuras costeras.

La disciplina laboral fue muy severa en las plantaciones de la compañía, así como también lo fueron en Estados Unidos durante los años anteriores a los decretos legislativos del primer periodo de Franklin D. Roosevelt en el gobierno, pero mucho menos severa que en las haciendas de la región.

Todavía más importante, en una zona donde el empleo agrícola, en gran parte, siempre ha sido de temporada, los trabajadores de la compañía de fruta contaban con una ocupación durante todo el año y con salarios en efectivo considerablemente más alto de lo que hubieran ganado en otras partes, así como con buen alojamiento, según la norma local. Las enfermerías y escuelas primarias gratuitas de la compañía eran notoriamente inadecuadas, si se comparaban con la clínica Mayo y Andover, digamos, pero pocos hondureños aparte de éstos vieron jamás a un médico ni tuvieron la oportunidad de aprender a leer y escribir.

Con todo, nadie hubiera llamado generosas las tarifas, y aun si lo hubiesen sido, la arrogancia y el racismo de los "gringos" que administraban la compañía, hasta en el nivel de capataz, habrían creado descontento. A partir de los cuarentas del presente siglo, la empresa frecuentemente fue objeto de agitación laboral. En 1954, cuando estuvo ganando adhesión un sindicato que se creía dominado por los comunistas, Washington, que estaba renuente a intervenir como lo había hecho en Guatemala, persuadió a la compañía para que permitiera que sus trabajadores fueran organizados por un sindicato afiliado al Instituto Americano para el Desarrollo del Trabajo Libre, o AFILD. Desde entonces, los trabajadores han contado con un sindicato, el cual, aunque no altamente militante, logró muchas de las mejoras en condiciones laborales, tarifas salariales y prestaciones que describimos arriba.

Hasta mediados de los sesentas, las ganancias de la United Fruit indudablemente fueron muy grandes, según las normas estadounidenses, pero modestas según las de Latinoamérica, donde se dice esperar de los negocios unos réditos anuales de por lo menos el 35 por ciento en capital propio. Además, el del plátano era arriesgado. Aparte de los huracanes, había revoluciones que no pudieron evitarse en todos los casos y que a veces interferían con la producción, y siempre existía la posibilidad de una nueva plaga que destruyera los campos plataneros.

A pesar de que los actos de beneficencia pública de la compañía fueron pocos, hizo más en Centroamérica que otro negocio o individuo cualquiera del que yo me haya enterado. Durante los años bajo la dirección de Zemurray, construyó y proveyó de un fondo permanente a un instituto agrícola en Honduras y creó un espléndido jardín botánico, que yo visité, cerca de Tela, en el litoral atlántico. Entre las obras filantrópicas personales de Zemurray se encontró la instalación de un centro para estudios latinoamericanos en la Universidad Tulane de Nueva Orleans.

Nadie duda de que esta compañía, así como la Standard Fruit hayan hecho muchas cosas que representaban prácticas demasiado comunes de los grandes intereses en todas partes durante el primer tercio o la primera mitad de este siglo: la destrucción de la competencia, los sobornos y la fijación de precios. Lo que también logró, sin embargo, fue llevar al mercado una fruta, que había sido un lujo exótico, a precios extraordinariamente bajos. En la ciudad de Nueva York, por ejemplo, muchas veces los plátanos todavía se venden por menos de las manzanas de la cuenca del Hudson.

El primer hombre en la embajada estadounidense de Tegucigalpa cuando yo la visité era John Negroponte. Lo conocí en Saigón en 1967. Entonces trabajaba para una sección de la Agencia para el Desarrollo Internacional, que se creía un frente para la CIA. Desde ahí había pasado de éxito en éxito, principalmente en el Lejano Oriente y Europa. Su nombramiento para Honduras, adonde había llegado unos meses antes, lo convertía, a los 42 años de edad, en el embajador más joven del servicio exterior.

El *status* de la embajada fue elevado al mismo tiempo. Bajo el predecesor de Negroponte, Jack Binns, fue de cuarta clase, la categoría más baja del ministerio de Estado, la cual requiere que el embajador pula su propio carro y pode su césped. Binns, como otros muchos especialistas en Centroamérica, fue retirado por Haig por ser un empedernido e impenitente defensor de la teoría de oposición Norte-Sur. Al llegar Negroponte, la embajada fue ascendida a segunda clase, y el personal, aumentado a 40 personas. Negroponte era alto, sociable y rico, aunque no tan alto y probablemente no tan rico como su jefe en el ministerio de Estado, Thomas O. Enders, pero ésa no fue la única razón del ascenso.

Honduras, de repente, se vio promovida de república bananera a baluarte anticomunista. No era un honor sin ventajas. Ser un baluarte produjo recompensas financieras inmediatas. La ayuda fue aumentada a 41 000 000 de dólares al año. (Las únicas naciones del hemisferio que recibían más eran El Salvador y Jamaica). La asistencia militar salió disparada hasta 11 000 000 de dólares. Y eso era sólo el entremés. En el otoño de 1981, Honduras recibió la oferta de un préstamo de 200 000 000 de dólares, del cual la mayor parte estuvo destinada al sector privado. Aunque su deuda externa ascendía ya a 1.7 mil millones de dólares y se hallaba al borde de la quiebra financiera, las condiciones del préstamo eran tan fáciles que rechazarlo hubiera significado un crimen contra el Estado.

El quid del asunto era que Honduras empezara a cumplir con sus nuevas responsabilidades. Comenzó con la elección de un médico y ranchero llamado Roberto Suazo Córdova para la presidencia ese noviembre. En esta forma, Washington pudo proclamar la vuelta del país al gobierno civil y democrático, mientras las fuerzas armadas continuaban dominando las cosas. La propuesta fue aceptada pronto. Es posible que algunos oficiales hayan creído más prudente mantenerse fuera de los pleitos de los vecinos, pero la ayuda estadounidense y los préstamos estadounidenses son bastante pegajosos. Sirven para solucionar todos los problemas y realizar todos los sueños.

Para el resto del país, la necesidad era muy grande. Se decía que el ingreso anual *per cápita* de sus 2 700 000 habitantes ascendía a menos de 400 dólares. En el hemisferio, sólo el de Haití era más bajo. Tales estadísticas no resultan del todo confiables en países como Honduras. Sea como fuere, era bastante patente que, aunque nadie se muere de hambre en Honduras, los campesinos, fuera de aquellos lo suficientemente afortunados para ser empleados por las compañías de fruta, viven cerca del límite. Esta pobreza tiene menos relación con la opresión agobiante de una oligarquía que con la situación geográfica. En Centroamérica, la tierra más fértil se ubica del lado pacífico de la división continental, pero, aparte de un estrecho corredor, Honduras se sitúa del lado opuesto.

Aunque las perspectivas agrícolas de Honduras son deficientes, resulta perfecta como una barrera contra la revolución. Nicaragua se halla al Este, El Salvador al Sur, y Guatemala al Oeste. La mayor parte de las armas que estuvieran enviándose de Nicaragua a los rebeldes salvadoreños casi seguramente estaban pasándose de contrabando por el corredor pacífico de Honduras, o se llevaban en pequeños botes a través del golfo de Fonseca. Honduras era ya el anfitrión, de mala gana, de 40 000 refugiados de los tres países.

Al establecer a Honduras como baluarte, Estados Unidos pudo apoyarse en un largo periodo de relaciones amistosas. A los hondureños, en conjunto, no pareció molestarles el dominio económico de Estados Unidos. Siguieron simpatizando con los "gringos" y admirándolos. Las personas con las que hablé adujeron varias razones para el fenómeno: una misteriosa afinidad natural entre las dos naciones, las excelentes referencias de las compañías de fruta en años recientes, y los logros de una misión grande e inusitadamente eficiente del Cuerpo de Paz.

Por lo tanto, Suazo fue elegido a su debido tiempo, el préstamo fue aprobado, y Abraham Bennatón Ramos, quien había cobrado el soborno de 1 250 000 dólares de la United Brands en Suiza, y que era el confidente de la familia más rica del país, los Facussé, regresó a prestar servicios en el gobierno, como asesor del presidente.

Se enviaron a cerca de 100 consejeros militares estadounidenses a Honduras, casi el doble del número asignado a El Salvador. El desarrapado ejército hondureño recibió equipo nuevo, y la fuerza aérea, nuevos aviones y helicópteros. Las unidades estadounidenses y hondureñas realizaron ejercicios en conjunto a lo largo del litoral atlántico, que probablemente tenían como objetivo hacer temblar a los sandinistas. Los destructores y las fragatas de la marina estadounidense recorrieron el golfo de Fonseca, con la esperanza de fijar el radar en contrabandistas de armas. Las fuerzas armadas hondureñas cooperaron con las tropas guatemaltecas y salvadoreñas en operaciones dirigidas contra los guerrilleros en las regiones fronterizas.

Honduras se convirtió en el escenario para montar las operaciones organizadas y pagadas por Estados Unidos contra Nicaragua, y llevadas a cabo por luchadores por la libertad que unos años antes habían pertenecido a la Guardia Nacional de Somoza. La Agencia Central de Inteligencia contrató a asesores argentinos para ellos, aunque resulta difícil pensar en algo relacionado con el asesinato y la tortura que los somocistas no supieran ya. Cuando Argentina, enfurecida por la modesta ayuda dada por Washington a la Gran Bretaña durante la guerra de las Malvinas, los retiró, no pareció probable que esto aplazara o precipitara la marcha a Managua.

En uno de sus momentos más imaginativos, Haig declaró que la amenaza de una invasión por Nicaragua era el motivo por el cual Honduras necesitaba más armas. Lo que estuvo expresando, por supuesto, era una esperanza. Cualquier tipo de cruce de la frontera por los sandinistas, aunque sólo fuera un conductor de carro de plataforma que se hubiera equivocado en una vuelta, proporcionaría un pretexto para que Estados Unidos, evocando sus obligaciones bajo tratado, enviara a sus fuerzas de combate.

Precisamente por este motivo, los diplomáticos, hombres de negocios, trabajadores académicos y políticos del centro y de la izquierda con quienes hablé estuvieron de acuerdo en que la invasión era la más remota de las posibilidades y en que los peligros que el convertirse en baluarte significaba para Honduras excedían toda ventaja probable. Les parecía mucho más factible que los asaltos fronterizos de los somocistas intensificaran el sentimiento antiestadounidense en Honduras, sobre todo entre los estudiantes, y que inevitablemente seguiría la actividad revolucionaria, con o sin el aliento de los sandinistas. Pese a su pobreza, Honduras, por lo general, permanecía tranquilo, pero sí existía el descontento. Se concentraba en una reforma agraria, alguna vez prometedora, que se había suspendido debido a la oposición de los grandes rancheros. Ahora, afirmaron, se trataba de una rebelión que esperaba el momento de estallar.

14

EL PROBLEMA GUATEMALTECO

—PRIMERO VIENE el silencio, y luego la primera demanda. Por lo general es una cantidad absurda, 10 000 000 de dólares, digamos. La familia o el patrón de la víctima afirma que es imposible pagar tanto. Sólo pueden pagar 1 000 000 de dólares. Ése es un error. Es lo que quieren los secuestradores. Así se establece una base. A partir de entonces, la negociación *empieza* en ese nivel.

Quien hablaba era un inglés, un antiguo oficial del ejército británico a quien, a petición suya, identificaré sólo como el "capitán". Lo había contratado Lloyd's, la compañía aseguradora londinense, como especialista de lo que en el oficio se conoce como "K y R", lo cual significa "kidnap" y "ransom" ["secuestro" y "rescate"]. Si alguien a quien Lloyd's da esta cobertura es secuestrado, el trabajo del "capitán" es obtener la devolución de la víctima lo más pronto y lo más barato como sea posible. Tal cobertura sí se vende, pero no es económica. El "capitán" indicó que un seguro de 1 000 000 de dólares para un hombre de negocios de Estados Unidos o Europa cuesta unos 500 dólares diarios.

Era noviembre de 1981 y estábamos sentados en un rincón tranquilo del bar de un hotel en la ciudad de Guatemala. Aunque su trabajo lo llevaba a todas partes del mundo, recientemente había pasado mucho tiempo en la ciudad de Guatemala, afirmó, porque ésta había reemplazado a Roma y Milán como la capital del mundo en cuanto a secuestros.

—Simplemente han ocurrido docenas de grandes secuestros aquí durante los últimos dos años y sólo Dios sabe cuántos pequeños —declaró—. Sólo muy pocos llegan al conocimiento de la policía o son divulgados por los periódicos, pero está involucrado muchísimo dinero. El rescate promedio en los casos que yo he trabajado aquí, y ha habido varios, ha sido de 2 000 000 de dólares. Es posible que suene como mucho, pero fue muchísimo menos de lo exigido originalmente por los secuestradores.

"Todo mundo se dedica a los secuestros —continuó—. Puesto que todos fingen ser otros, llega a ser un poco difícil. Uno nunca puede estar seguro de tratar con criminales profesionales, amateurs, grupos asociados con la derrota o la izquierda radical, o incluso miembros de la policía o de los servicios de seguridad gubernamentales.

"Las personas secuestradas por los criminales profesionales por lo general son las más afortunadas, en comparación, por supuesto. Es posible que sus bienes y los de sus familiares resulten severamente mellados, pero, si se paga el rescate, casi es seguro que sean devueltos. En efecto, los profesionales tratan de cuidar bien a sus víctimas. Saben que la manera más rápida de arruinar el negocio es no cumplir con su parte del trato. Por otro lado, si están convencidos de que la familia se niega a pagar, rehusando dar lo que puede, es posible que se porten muy rudos con el pobre hombre y muy probable que terminen depositándolo en un agujero en el suelo, en alguna parte, y cubriéndolo de tierra".

El "capitán" dejó de hablar mientras una pareja era conducida a una mesa situada quizás a unos tres metros de distancia. Los recorrió con la mirada y reanudó su relato con una voz que casi no pasaba de un murmullo. Era una época en la cual la ciudad de Guatemala apestaba a terror. No había toque de queda, pero para las nueve de la noche las calles estaban vacías. Los secuestros, los asesinatos y las desapariciones eran cosas de todas las noches. Apenas estaban comenzando una campaña para la elección presidencial que, generalmente, significa un tiempo de más violencia que la usual en Latinoamérica. Los guerrilleros del Ejército del Pueblo Pobre estaban atacando en los pueblos y las aldeas apartadas y, de cuando en cuando, en la capital misma.

—Una cosa que resulta completamente fundamental en un secuestro es no permitir que se involucre la policía —afirmó el "capitán"—. En primera instancia, es posible que ellos mismos se hayan encargado del trabajo. O tal vez estén protegiendo a la pandilla que lo hizo. O quizá les interese más conseguir el dinero del rescate que la devolución de la víctima. En el mejor de los casos, estropearán el asunto y provocarán la muerte de la víctima por pura maldita incompetencia. Estoy seguro que eso pasó con Clifford Bevans, el ejecutivo de la Goodyear. De hecho, no recuerdo un solo caso que la policía jamás haya manejado con eficiencia.

"Una pandilla profesional realizó dos secuestros en Guatemala el año pasado y recibió un rescate de 5 000 000 de dólares en cada caso —indicó—. Por otra parte, estuvieron bien planeados, requirieron la participación de varios hombres y hubo que detener a la víctima durante seis meses en un caso y tres en el otro. Ambos fueron devueltos a salvo, conforme al acuerdo. Pero no hay que ser millonario para que lo secuestren a uno en Guatemala. Habitualmente ocurren secuestros de tenderos, por un rescate de 500 o 1 000 dólares.

"Supongo que parecerá extraño que use esta palabra —prosiguió—, pero algunas pandillas de secuestradores son menos escrupulosas que otras. Ha habido casos donde una exprime todo el dinero posible de la familia de una víctima y luego, en lugar de liberar a ésta, dice: «Gracias por la primera cuota». Sé de otro caso donde la pandilla recibió el rescate acordado y luego vendió el hombre a otra pandilla. Por supuesto, los peores sinvergüenzas son los que aceptan el dinero, matan al prisionero y ni siquiera tienen la decencia de informar a su familia acerca de lo que hicieron".

El "capitán" alzó la mirada rápidamente al acercarse el mesero y se recostó otra vez. Había escogido una mesa, supongo que no por casualidad, desde la que podía ver la entrada.

—También doy consulta acerca de medidas de seguridad para evitar los secuestros —señaló—. Es lo de costumbre, en su mayor parte: el cambio de rutas de viaje, tener guardaespaldas confiables, etcétera. Cuando el dinero no es problema, para esto último recomiendo a los israelitas, antiguos paracaidistas o comandos. La dificultad con los locales es que nunca se sabe de qué lado están.

Ser un cristiano-demócrata en Guatemala en esa época era tan peligroso como ser rico. Relativamente pocos eran secuestrados.

Las más de las veces eran asesinados, dondequiera que estuviesen. Si se secuestraban, era sólo para asesinarlos en algún lugar tranquilo. La situación se había vuelto tan arriesgada que Vinicio Cerezo, el presidente del partido, y Luis Martínez Montt, su primer auxiliar, estuvieron obligados a suspender su fe en no usar la violencia. Ambos estaban armados cuando fui a verlos.

—No tuvimos opción —afirmó Cerezo—. Desde 1978, 150 de los líderes de nuestro partido han muerto, incluyendo por lo menos a 20 de los principales. Este año han ocurrido entre 175 y 200 asesinatos políticos al mes. Creemos que tenemos el deber cristiano de defender nuestras vidas. No obstante, después de que intentaron matarme en febrero, envié a mi esposa y nuestros cuatro hijos a Washington. No era justo exponerlos al peligro.

El intento de asesinato tuvo lugar afuera de una modesta casa que pertenece al padre de Cerezo, uno de los fundadores del partido, en una sección ruinosa de la capital donde estábamos hablando. Unos hombres enmascarados abrieron fuego contra el hijo en cuanto se bajó del coche para caminar a la puerta de entrada. Él y sus guardaespaldas devolvieron el fuego y los atacantes huyeron. La policía de seguridad, casi con certeza, fue la responsable. Un coche abandonado en el lugar de los hechos fue rastreado hasta una de sus unidades. La explicación oficial fue que el carro se había dejado ahí uno o dos días antes, por una falla mecánica.

Singularmente para tales casos en Guatemala, se hizo un arresto. Se acusó a Cerezo del asesinato de un transeúnte que murió durante el tiroteo, y pasó varios días en la cárcel. Fue liberado, con vida y sin sufrir daño alguno, para asombro suyo, después de determinarse que el hombre fue muerto por la bala de una pistola calibre .45, el arma regular usada por la policía, y que Cerezo y su guardaespaldas portaban pistolas automáticas de 9 milímetros.

—No tengo que decirle que nadie trató de equiparar la bala con alguna de las pistolas que llevaban los hombres asignados a ese coche —comentó Martínez.

El intento contra la vida de Cerezo, concordaron, debía privar al partido de su líder más popular y vigoroso antes de las elecciones presidenciales. Cerezo tenía sólo 33 años, demasiado joven para pretender el puesto él mismo, pero sería un defensor elocuente de la coalición del centro que los cristiano-demócratas estaban tratando de reunir. Estaban dispuestos, afirmó Cerezo, a permitir que la encabezara el representante de uno de los otros partidos.

—Creemos que ésta será una elección en la que de veras tenemos oportunidad —declaró Cerezo—. Estamos totalmente seguros de que la gente busca un nuevo camino. Tan confiados estamos, de hecho, que rechazamos la oferta de una coalición con el partido oficial, porque decidimos que no implicaría un cambio significativo. También estamos seguros de que, si el partido oficial hace fraude en *esta* elección, Guatemala será dominada por los comunistas antes de la siguiente.

Generalmente, se reconocía que las elecciones de 1974 y 1978 fueron decididas por fraude en favor del Frente Democrático Popular, o FDP, el llamado partido oficial. Representa el vehículo electoral de los militares, la iniciativa privada y algunos terratenientes y, huelga decir, no es ni popular ni democrático. En 1974, la víctima del fraude fue la coalición cristiano-demócrata, cuyo candidato era el general Efraín Ríos Montt.

En la época de mi visita, el general Ríos Montt vivía tan oscuramente como el coronel Claramount en San Salvador, retirado del ejército, políticamente inactivo, y era rector de una escuela religiosa evangélica. Pese a todo, era más afortunado que su compañero en la campaña, Alberto Fuentes Mohr, un social-demócrata y antiguo ministro del Exterior, quien fue asesinado en 1979.

En 1978, el candidato defraudado fue Mario Sandoval Alarcón, que anteriormente había sido vicepresidente. Era el candidato del Movimiento de Liberación Nacional derechista, o MLN, y un reaccionario de tal fiereza que uno estaba renuente a derramar una sola lágrima por él. Sandoval era otra vez un candidato para la presidencia, sobre una plataforma que se parecía a la de D'Aubuisson en El Salvador. Prometía suprimir a los guerrilleros aunque significara quemar cada pueblo y matar a cada indio del país.

Sandoval ya no podía hablar claramente, pues le habían extraído la laringe cancerosa unos años antes. Era capaz de proferir en voz ronca sus órdenes para el personal, pero su esposa, por lo general, leía los discursos por él, y no concedía entrevistas. Por lo tanto, arreglé hablar con el candidato para la vicepresidencia, Leonel Sisniega Otero, quien, según se me aseguró, sostenía opiniones idénticas y era, si acaso, más feroz. Nuestro encuentro tuvo lugar en su mansión de las afueras de la capital.

Una sirvienta joven y bonita en un uniforme rosado me llevó al salón. Contenía muchos ejemplos de arte eclesiástico, paneles pintados y otras cosas semejantes, que debían remitirse a los siglos

XVII y XVIII, y muchos *objets d'art*. Uno en particular cautivó mi atención. Era un tocador realizado al estilo elaborado del segundo imperio, que se encontraba en una antesala. A cada lado del espejo tenía dos candeleros sobre largos brazos giratorios. Lo más llamativo al respecto era que el mueble y su silla de bajo respaldo al parecer estaban hechos enteramente de plata.

Sisniega entró con aspecto ceñudo, sonrió brevemente al estrecharme la mano y luego asumió de nuevo su mirada de furiosa insatisfacción. Era un hombre robusto, un poco calvo, de bigote recortado. Tenía los ojos pequeños y recelosos, y podía ver que el rojo de sus rechonchas mejillas era causado por la botella antes que por el ejercicio regular.

Al estrecharnos las manos, lo felicité por la belleza de sus posesiones. Afirmó que el tocador, que en efecto era de una plata más fina que la del .925, lo había heredado a través de su madre, una nieta de Justo Rufino Barrios, el caudillo guatemalteco de 1871 hasta 1885. Entonces señaló una fotografía, con marco de plata, por supuesto, de un joven vestido con uniforme militar.

—Mi hijo —explicó—. En este momento, encabeza una compañía de infantería en Quiché, en operaciones contra los guerrilleros.

Afirmé que era el primer hombre rico que conociera en Centroamérica que al parecer no creía que era sólo el deber de otra gente defender su propiedad. A propósito de lo mismo, pregunté por qué estaba renuente a permitir que las fuerzas armadas, acerca de cuyo sentimiento anticomunista no cabía duda, continuaran gobernando el país.

—Lucas es un buen hombre, un hombre valiente, un hombre admirable, y también lo es Guevara —replicó, con referencia al presidente, el general Romeo Lucas García, y al general Aníbal Guevara Rodríguez, a quien el partido oficial había nombrado para suceder al primero—. Pero los ministros del gobierno son unos gandules corruptos. Las obras públicas son en realidad particulares. La carretera periférica, las presas, el pretróleo no son más que fuentes de chanchullos sin fin para ellos. Eliminaremos la corrupción además de los comunistas cuando lleguemos al poder.

¿Era cierto, pregunté, que Sandoval afirmaba que la población de Guatemala era demasiado grande y que había que matar a los "comunistas", no por cientos sino por decenas de miles?

—Mario no dijo que 7 000 000 fuera demasiada gente —replicó—. Sólo que era demasiada para que el ejército la cuidara.

Estamos a favor de establecer una milicia anticomunista de 50 000 hombres para ayudar en este aspecto.

Con el deseo de verlo estallar de nuevo, le pedí su opinión de Cerezo y los cristiano-demócratas.

—Son exactamente iguales a los cristiano-demócratas bajo Allende —contestó y empezó a encolerizarse—. Sólo son un tipo diferente de comunistas.

El rostro de Sisniega había oscurecido tanto de ira que pensé que podría sufrir un ataque apoplético. En ese momento, afortunadamente, llegó la sirvienta con el café en una cafetera de plata sobre una bandeja de plata. Lo sirvió con el cuidado de un robot, sin atreverse a mirar a su amo. En cuanto hubo abandonado la habitación, Sisniega empezó a hablar acerca del problema de la servidumbre.

—La verdad es que nuestra gente es muy perezosa —declaró, y otra vez se oscureció peligrosamente el color de su cara y los ojos se le salieron como los de una rana—. Tenemos cuatro personas que trabajan aquí, dos en la cocina y dos para sacudir y limpiar. En el país de usted, alguien vendría dos o tres días a la semana. Aquí empiezan a las siete de la mañana, trabajan todo el día y —se puso de pie de repente, caminó a zancadas a la mesa sobre la que se exponía el retrato de su hijo, y reconoció la caoba madura y antigua con el dedo— ¡está polvoriento! ¡Siempre tiene polvo! Tres hombres trabajan afuera. ¿Qué hacen todo el día? No obstante, todo mundo osa hablar acerca de "derechos" antes que de obligaciones.

Sisniega meneó la cabeza, incrédulo, pero su rostro adquirió nuevamente el color normal de mastique. Proseguí a preguntarle acerca del significado de una figura de Jesús expuesta detrás de cristales en la sede del MLN.

—Es el Cristo de Esquipulas —replicó—. Esquipulas es el pueblo donde [el coronel Carlos] Castillo Armas y su ejército penetraron en Guatemala desde Honduras en 1954. Se detuvo a rezar ante la figura del Salvador en la iglesia de ahí, para implorar éxito al emprender la marcha hacia la capital. Dijo que el Cristo de Esquipulas sería el capitán general de nuestras almas. Cuando su misión fue coronada de éxito, la figura se convirtió en un objeto de especial veneración por él y los que con él luchamos y que hoy día mantenemos con vida sus ideales en el Movimiento de Liberación Nacional.

El rostro de Sisniega se ablandó y se relajó al acordarse de los días gloriosos de su juventud.

—Otros dicen que están en contra del comunismo, pero no lo prueban —afirmó—. Yo luché contra el comunismo en 1954, mientras otros no hacían nada.

En 1977, cuando el gobierno de Carter dio al de Guatemala la alternativa de continuar recibiendo ayuda militar o de seguir violando los derechos humanos de modo tan espectacular, Guatemala no tuvo dificultad en decidir a favor del asesinato, la tortura y las desapariciones. Rechazó las armas estadounidenses antes de que Carter pudiese suspenderlas y, al igual que Nicaragua y El Salvador, empezó a comprarlas a Israel, África del Sur, Argentina y otras partes.

De acuerdo con una regla inflexible de las relaciones internacionales, de que la cordialidad de la bienvenida dada por cualquier país a los periodistas estadounidenses varía en proporción directa a los megatones de las armas que Estados Unidos le proporciona, me resultó imposible acercarme al presidente Lucas o a cualquier funcionario importante. Con frecuencia se me habló con refunfuños, me vi convertido en el objeto de miradas intencionalmente siniestras y creo que se me siguió en algunas ocasiones. No obstante, logré hablar brevemente con el general Guevara, el candidato del partido oficial a la presidencia.

La ocasión fue una conferencia de prensa en la sede del partido, el Frente Democrático Popular. Fue un acontecimiento curioso, en vista de que Guevara casi no abrió la boca. Estuvo sentado en el estrado, los gruesos dedos entrelazados sobre los muslos y los pequeños ojos nublados de aburrimiento, recelo y falta de comprensión.

Después de cada pregunta, Guevara inclinaba la cabeza y la volvía hacia su candidato a la vicepresidencia, Ramiro Ponce Monroy, un antiguo alcalde de la ciudad de Guatemala, quien la contestaba.

Guevara había renunciado como ministro de la Defensa para aceptar el nombramiento. Su hermano era el jefe del estado mayor del ejército. Al igual que Lucas, el titular de la presidencia, Guevara tenía la reputación de no ser muy listo salvo en lo que atañía a su cuenta bancaria.

Había acordado hablar con él en privado después de la conferencia de prensa. No obstante, varios reporteros guatemaltecos se arrimaron para escuchar. El general estaba sentado detrás de un escritorio, tan inerte como se había mostrado sobre el estrado. Era un hombre fornido de estatura media. Sólo tenía 54 años, pero se veía mucho mayor. Tenía las mejillas abolsadas, la boca floja, y la expresión vacía.

Dadas las multitudes de personas que morían todas las semanas, le pregunté si podía considerar como totalmente injustificada la crítica respecto a los antecedentes de Guatemala en cuanto a derechos humanos. Parpadeó e hizo una pausa. Tuve la impresión de que las preguntas como ésa tardaban mucho en abrirse paso a través del alambrado gastado dentro de su cabeza, y que formulaba las respuestas letra por letra.

—Creo que su país se muestra muy severo con nosotros —replicó—. No critican a Inglaterra por lo que sucede en Irlanda del Norte. La gente ahí se muere de hambre. [Al parecer confundió la situación actual con la hambruna de los años cuarentas del siglo pasado]. Es más doloroso para un hombre morir de hambre que de un tiro.

La era moderna de Guatemala comenzó en 1944, cuando el general Jorge Ubico fue depuesto por el mismo tipo de rebelión espontánea que derrocó a Hernández Martínez el mismo año en El Salvador. En 1945, Guatemala tuvo su primera elección honesta. El triunfador, con más del 90 por ciento de los votos, fue Juan José Arévalo, un profesor de filosofía que permaneció 10 años en el exilio en Argentina, y regresó después de la caída de Ubico.

Arévalo consiguió la aprobación por la Asamblea de proyectos de ley que legalizaban los sindicatos laborales, establecían un salario mínimo y un sistema de seguridad social, y que mejoraban la educación y la salud pública. Aunque Arévalo llamó "socialismo espiritual" a su programa, no interfirió con la iniciativa privada más allá de exigirle que pagara impuestos y salarios decentes. Lo más que se acercó a la reforma agraria fue una ley lanzada en 1949, la cual requería que los dueños de las haciendas arrendasen la tierra ociosa a los campesinos que quisieran cultivarla. Tuvo a raya a los comunistas, llegando al punto de clausurar su centro de estudios.

La oligarquía, los intereses extranjeros, señaladamente la

United Fruit, y los personajes militares y políticos que habían prosperado bajo Ubico, empezaron a intrigar para restaurar el modo de vida tradicional guatemalteco. Se intentaron muchos golpes de Estado, pero el profesor de filosofía también resultó un político eficaz y un líder decidido. Para protegerse contra el ejército, Arévalo le quitó algunas armas y las entregó a sus partidarios, especialmente a los trabajadores ferroviarios. Guatemala gozó de un progreso extraordinario durante el gobierno de Arévalo, pero la nueva constitución prohibía dos periodos consecutivos para un presidente, de modo que en la elección de 1950, se retiró a favor de su ministro de la Defensa, el coronel Jacobo Arbenz. El candidato de la oposición, Miguel Ydígoras Fuentes, había formado parte del gabinete de Ubico.

Fue una campaña dura, pero, para variar, el candidato derechista fue quien tuvo que esconderse al final. Arbenz triunfó fácilmente por lo que se reconoció fue una votación honesta. Tenía sólo 36 años de edad cuando entró en funciones. Carecía del cerebro y de las habilidades mundanas de Arévalo y, como hemos apuntado, su esposa, una salvadoreña, simpatizaba con los comunistas. Bajo sus auspicios, los izquierdistas medraron en los ministerios y los sindicatos. Tenían menos interés, quizá, en llevar a cabo los programas iniciados por Arévalo que en acrecentar su poder.

En 1953, Guatemala adoptó una ley de reforma agraria, la cual dictaba la expropiación de la tierra ociosa y su venta con facilidades a los campesinos que no poseían ninguna, en parcelas que no rebasaran las 17 hectáreas. La United Fruit era el terrateniente más grande del país. Poseía 222 600 hectáreas, de las cuales sólo 30 400 se dedicaban al cultivo. El decreto pedía que abandonara 35 000 hectáreas. El gobierno propuso pagar 628 000 dólares, el valor estimado de la tierra, en títulos pagaderos a largo plazo. A continuación, se confiscaron otras 71 600 hectáreas del mismo modo.

La compañía argumentó que la tierra valía 20 veces la tasación acotada, pero Arbenz replicó que ella misma había fijado el valor para mantener bajos los impuestos sobre bienes raíces. La empresa también hizo constar que necesitaba la tierra ociosa como reserva, puesto que las plantaciones podían quedar devastadas en cualquier momento por sequía, plagas o catástrofes naturales. Esta posibilidad existía, por supuesto, pero la verdadera razón, según lo señala McCann en *An American Company* ["Una compañía americana"], fue que la empresa quiso mantener estas extensiones de tierra fuera de las manos de la competencia.

La United Fruit seguramente hubiera luchado contra la expropiación, sin importar cómo se llevara a cabo, pero las acciones de los izquierdistas en el gobierno facilitaron a la compañía la justificación de su punto de vista. Estos ideólogos tenían menos interés en colocar efectivamente a los campesinos en la tierra que en una confrontación ruidosa con "El Pulpo". Arbenz insinuó más tarde, según lo indican Stephen Schlesinger y Stephen Kinzer en *Bitter Fruit: The Untold Story of the American Coup in Guatemala* ["Fruta amarga: la historia nunca narrada del golpe estadounidense en Guatemala"], que él había estado dispuesto a buscar una avenencia, pero para entonces la compañía estaba procurando el remedio en Washington.

Resulta comprensible que la compañía fuera criticada. En Guatemala, utilizó su poder de modo más descarado y egoísta que en otro lugar cualquiera donde tuviese negocios. Su vía férrea atravesaba el país de litoral a litoral y prestaba servicios a la capital y las principales ciudades, pero la compañía se aprovechó de ella, combinada con su posesión de la primera línea naviera, de instalaciones portuarias y de servicios de comunicación, para asfixiar a la competencia y para manipular las tarifas de flete a favor suyo.

Cuando Stalin murió, en marzo de 1953, se le rindió un homenaje exagerado en la Asamblea guatemalteca. Fue otro acto provocador sin sentido, a menos que estuviera relacionado con una excursión de compras que el gobierno de Arbenz organizó más o menos al mismo tiempo. La oposición derechista estaba volviéndose más activa y más violenta, puesto que la reforma agraria les agradaba aún menos a los oligarcas nativos que a la United Fruit. Sin posibilidades de adquirir armas en Estados Unidos o, con toda probabilidad, de los aliados de este país, Arbenz envió a unos agentes tras la cortina de hierro a conseguirlas.

La compra se hizo en Checoslovaquia. La CIA tenía conocimiento de ello y rastreó el buque que cargaba el envío durante la mayor parte de su travesía del Atlántico, lo perdió y lo encontró de nuevo justamente al atracar en Puerto Barrios en mayo. Unos agentes secretos de la Agencia atacaron el tren que llevaba las armas a la capital, matando a algunos soldados guatemaltecos, pero no lograron detenerlo. Hubieran podido ahorrarse la molestia. Las armas resultaron basura anticuada, más apropiada para exponerla encima de la chimenea que para portarla en batalla.

En agosto, el Consejo de Seguridad Nacional decidió que, después de 21 años, estaba en desuso la Política del Buen Vecino, y que el gobierno de Arbenz debía ser derrocado. La tarea agotó los cerebros en la sección de la CIA encargada de operaciones secretas, durante casi un año, y costó innumerables decenas de millones de dólares. La CIA entrevistó a varios candidatos antes de elegir a Carlos Castillo Armas para encabezar la rebelión. Era un antiguo coronel cuya carrera militar había terminado en 1950, cuando organizó un levantamiento frustrado contra Arévalo. Castillo era un hombre menudo, con modales nerviosos, una nariz larga, un mentón que indicaba timidez y un bigote al estido de Chaplin.

Según se informa, Arbenz rechazó un cuantioso soborno para desaparecer silenciosamente, pero muchos de sus antiguos camaradas del ejército aceptaron el regalo de la CIA. Cuando Castillo Armas cruzó la frontera, no acudieron a la llamada a tomar armas proferida por Arbenz y permanecieron en sus barracas o salieron a recibir al conquistador. En julio de 1954, el nuevo caudillo, con la pequeña cabeza tambaleando bajo el gorro con galones dorados, entró a la ciudad de Guatemala en un desfile triunfal, sin encontrar oposición.

El repentino derrumbe tomó desprevenidos a Arbenz y a sus partidarios. Cientos tuvieron que pedir asilo en embajadas extranjeras. Según Schlesinger y Kinzer, John Foster Dulles durante semanas trató de persuadir a Castillo Armas para que los sacara arrastrando y los juzgara por traición. Al fracasar esto, instó para que sólo se concedieran los salvoconductos si los afectados accedían a revelar su verdadera lealtad viajando directamente a Moscú. Por mucho que tal vez le hubiera gustado hacerlo a Castillo Armas, se negó. El derecho de asilo estaba demasiado bien establecido en la ley internacional y resultaba demasiado útil en Latinoamérica, a los insurgentes de todas las convicciones políticas, para que pudiera violarse.

Arbenz, su esposa y su hija, que se habían refugiado en la embajada mexicana, viajaron a la ciudad de México. De ahí, siguieron a Suiza. Se le indicó que sólo podía vivir ahí si renunciaba a su ciudadanía guatemalteca. Se negó, y comenzó un largo periodo errante. Arbenz y su familia fueron a Francia, donde la policía los seguía aparatosamente, a Praga y Moscú, al Uruguay y, después del triunfo de Castro, a Cuba. Arbenz terminó de vuelta en la ciudad de México. Desde su deposición, había tomado mucho, y en 1971 se murió ahogado en la bañera. Su viuda regresó con su familia a El Salvador, y ahí se desvaneció su entusiasmo por el comunismo.

Castillo Armas no decepcionó a quienes depositaron su fe en él. Los votos fueron tomados del 75 por ciento de analfabetas entre el electorado. Los campesinos fueron expulsados de la mayor parte de las 607 000 hectáreas que habían recibido del gobierno de Arbenz. Se le devolvieron sus posesiones a la United Fruit. Se prohibieron los sindicatos, y varios organizadores en las plantaciones de la compañía fueron asesinados. El jefe de seguridad interna bajo la dictadura de Ubico fue reinstalado en el puesto. Se proscribió a los comunistas, definidos más o menos como cualquiera a la izquierda de Castillo Armas. Se quemaron libros subversivos.

Según dio la casualidad, la United Fruit no se encontró por mucho en situación de usar y disfrutar de sus propiedades en Guatemala. Al poco tiempo del derrocamiento de Arbenz, el ministerio de Justicia entabló un juicio antimonopolio contra la compañía. El caso surgió durante el gobierno de Truman y continuó con vida después de que los republicanos llegaron al poder. En 1957, la United Fruit firmó un decreto de consentimiento y empezó a vender las propiedades en Guatemala, incluyendo el ferrocarril, a competidores como Del Monte y a los agricultores nativos. Incluso entregó tierras a los campesinos. Para principios de los sesentas, sólo retenía pocos negocios menores en Guatemala. Para 1980, ya no tenía nada.

Castillo Armas fue asesinado en 1957. Al parecer, el motivo del crimen fue personal o monetario antes que ideológico. El sucesor, que contaba con el apoyo de Estados Unidos, fue el general Miguel Ydígoras Fuentes. También se reveló como un amigo confiable, permitiendo a la CIA instalar campamentos de entrenamiento para la fuerza de invasión de la Bahía de Cochinos y utilizar Puerto Barrios como su principal sitio de embarque. Un levantamiento realizado por un grupo de oficiales del ejército en noviembre de 1960, fue suprimido cuando Washington envió un portaviones al litoral atlántico. Dos jóvenes tenientes, Luis Turcios Lima y Marco Aurelio Yon Sosa, rehusaron rendirse. Se reunieron con los izquierdistas, que vivían en la clandestinidad o estaban volviendo a las zonas rurales, y organizaron una rebelión.

La Alianza para el Progreso proporcionaba fondos para lo que eufemísticamente se llamaba "seguridad interna", de modo que le resultó sencillo al presidente Kennedy enviar a asesores y equipo militar, incluyendo aviones de bombardeo, a las fuerzas armadas guatemaltecas. Los aviones fueron particularmente útiles en la destrucción, a la vez que los atacantes se mantenían completamente a salvo, de las "plazas fuertes comunistas", según se definían a los pueblos devastados por las bombas. Al cabo de un año, se había sofocado la insurrección.

En 1962, Arévalo, que vivía exiliado en México anunció que quería regresar a Guatemala para presentarse como candidato a la presidencia. Ydígoras, dejando consternados a sus partidarios, le dio permiso para ello. Cuando se negó a anular la invitación extendida a Arévalo, el ministro de la Defensa, el coronel Enrique Peralta Azurdia, otra vez con la aprobación de Estados Unidos, lo echó y ocupó la presidencia. Arévalo, mientras tanto, había entrado al país en secreto. En una conferencia de prensa clandestina, declaró que había llegado para quedarse. Al verse convertido en un hombre perseguido y considerar las alternativas, sin embargo, pronto cambió de parecer y partió otra vez.

Mario Méndez Montenegro, el candidato civil del centro en la elección de 1966, quien, en efecto, sustituía al Arévalo ausente, fue descubierto muerto de un tiro en su casa, unos meses antes de la votación. El veredicto oficial fue el suicidio, pero ¿quién supo jamás de un candidato político que se suicidara? Su hermano, Julio César Méndez Montenegro, accedió a suplirlo. Fue electo, e incluso se le permitió entrar en funciones.

Para entonces, los guerrilleros se habían reorganizado en la provincia de Zacapa, más o menos a la mitad del camino entre el litoral atlántico y la capital. El ejército hizo caso omiso de Méndez al decidir cómo combatirlos. El coronel Carlos Arana Osorio, conocido por tener mucho estómago, recibió el mando de la provincia rebelde. Estados Unidos envió equipo militar con un valor de 10 000 000 de dólares, y un destacamento de tropas de las Fuerzas Especiales, el cual entrenó a los hombres de Arana y los acompañó en el campo de batalla. A la capital llegaron informes acerca del asolamiento de pueblo tras pueblo. Turcios fue muerto en las postrimerías de 1966, y Yon Sosa desapareció.

El ejército también llevó su campaña contrainsurgentes a las ciudades. Se asesinaron a miles de izquierdistas, liberales y centristas, así como a sus familias. Durante dos años continuó la matanza, cruel y despiadadamente. Los guerrilleros respondieron como pudieron, con emboscadas en las zonas rurales y terrorismo en las ciudades. En 1968, dos asesores militares superiores de Estados Unidos, de los cuales uno supuestamente había elaborado las tácticas contrainsurgentes de Arana, fueron asesinados. Se sacó de su coche, en un intento de secuestro, al embajador estadounidense, John Gordon Mein. Cuando se resistió, fue muerto a tiros. Para 1970, sin embargo, el levantamiento había sido aplastado. El cuerpo de oficiales escogió a Arana, el "carnicero de Zacapa", según se le llamaba, para ser su candidato presidencial ese año, y una nación agradecida lo eligió.

Pese a la agitación de los 15 años anteriores, la economía guatemalteca prosperó rápidamente. Los inversionistas extranjeros, que creían que Estados Unidos en efecto garantizaba que no se le permitiría al país volverse comunista o incluso deslizarse mucho hacia el centro, abrieron fábricas y construyeron atractivas torres de oficinas en la ciudad de Guatemala. Las ganancias eran considerables, y poco goteaba más allá del nivel de los dueños y del departamento ejecutivo. Una fuerza laboral dócil y, con bastante frecuencia, aterrorizada, no osó entablar huelgas y se mostró extremadamente cautelosa incluso para pedir un aumento.

La elección de 1974 determinó la sucesión militar y el creciente influjo del Frente Democrático Popular como partido oficial. El triunfador fue Ríos Montt, el candidato de una coalición del centro, pero fue el general Kjell Eugenio Laugerud García, el candidato del Frente, quien entró en funciones. (Como Arbenz y otros muchos aficiales, Laugerud tenía un padre inmigrante, de Noruega, en este caso, que se casó con una mujer guatemalteca). Ríos Montt se fue a un exilio cómodo en Madrid, como agregado militar.

En diciembre de 1976, Amnistía Internacional afirmó que se habían asesinado o habían desaparecido más de 20 000 personas durante los 10 años anteriores. Todas menos un puñado fueron víctimas de los escuadrones de la muerte y de los militares. En 1977, el presidente Carter anunció la reducción de la ayuda militar prestada a Guatemala, debido a sus flagrantes abusos de los derechos humanos.

Otra elección presidencial se llevó a cabo según proyectada, en 1978. Para entonces, como en El Salvador, los cristiano-demócratas y los otros partidos del centro se habían desorganizado, puesto que miles de sus militantes fueron asesinados o se vieron obligados a abandonar el país. Los sindicatos de trabajadores urbanos y de campesinos, que existían todavía pese a los terribles peligros, boicotearon las elecciones. En los días anteriores a la votación, hubo huelgas y manifestaciones en todo el país.

El triunfador del consurso entre tres partes, según se reconoció generalmente, fue Sandoval Alarcón, el anticomunista fanático. El ejército le hizo un fraude igual que a Ríos Montt en 1974, e instaló a su candidato, el general Romeo Lucas García.

Como reacción a la caída de Somoza en julio de 1979, una nueva organización, el Ejército Anticomunista Secreto, se puso a matar a los "subversivos". El profesorado de derecho de la Universidad de San Carlos fue casi aniquilado. En junio, se secuestraron a 27 líderes sindicales, a quienes nunca se volvió a ver. Estudiantes, curas, trabajadores religiosos legos: todos fueron asesinados por veintenas y cientos, y finalmente, en dicho año, por miles. Francisco Villagrán Kramer, el vicepresidente, renunció a manera de protesta y se unió a los miles de exiliados guatemaltecos.

Conforme se destruían el centro y la izquierda no comunista, los guerrilleros proliferaron y se dividieron en grupos antagónicos, exactamente como en El Salvador. Para fines de 1980, además del Ejército Guerrillero de los Pobres, o EGP, existían la Organización Revolucionaria del Pueblo en Armas, u ORPA, las Fuerzas Armadas Rebeldes, o FAR, y el Partido Guatemalteco de los Trabajadores, el PGT.

Poco se sabía acerca del tamaño de estas organizaciones o acerca de la identidad de sus líderes, pero la estrategia que usaban era patente. Se trataba de intentar ganar el apoyo de los indios, quienes integraban al menos una escasa mayoría de la población. Sin su apoyo, era poco probable que tuviera éxito una revolución; con él, era difícil que fracasara.

Resultó fácil para los jóvenes militantes soñar con encabezar a esos hombres menudos, morenos e implacables, con machetes en las cinturas y rifles automáticos sobre los hombros; verlos rodear silenciosamente a plaza tras plaza; una enorme oleada de indios que, al fin, salían de las montañas y de los remotos valles, inundando las ciudades, infligiendo venganza contra los ladinos explotadores, izando la bandera roja desde el sombrío Palacio Nacional de Ubico. Pero la dura verdad fue que, de haber aprendido algo los indios durante los largos siglos de subyugación, era que en los ladinos, los blancos, no podía confiarse. Por lo tanto, los indios se habían vuelto hacia sí mismos, sus familias y sus clanes. Sólo abandonaban sus pueblos de las montañas, para cortar la caña de los ladinos y recogerles el algodón y el café sobre las fértiles tierras de los valles que en algún tiempo fueron suyos, porque necesitaban el dinero para sobrevivir durante el resto del año.

Fue a estos remotos pueblos que acudieron los guerrilleros. Reunieron a los indios, los llamaron "hermanos", les sermonearon acerca de la maldad del gobierno y los instaron a adherirse a la lucha por la libertad. Los indios escucharon en silencio y fingieron, como siempre, que no comprendían nada.

Entonces llegaron los soldados. El solo hecho de que los guerrilleros hubieran entrado al pueblo y hablado con los habitantes podía interpretarse como traición, aunque éstos no hubieran tenido más alternativa que escuchar a esos hombres armados. Por lo tanto, hubo castigos. El grado hasta el cual llegaban la matanza, las violaciones, el saqueo y los incendios dependía del estado de ánimo del comandante. Después de ello, los indios tal vez empezaran a elegir, por renuentes que estuvieran, entre los ladinos. Un lado mataba; el otro ofrecía armas para con ellas matar.

Los ataques guerrilleros acerca de los cuales informaban los periódicos de la ciudad de Guatemala casi siempre eran sólo operaciones en pequeña escala llevadas a cabo en pueblos distantes e inaccesibles, pero un día durante mi estancia, se publicó la crónica de un asalto por una fuerza de por lo menos 200 guerrilleros contra Sololá, la capital del departamento del mismo nombre, a unos 160 kilómetros al oeste de la ciudad de Guatemala. Se decía que murieron el gobernador del departamento, el jefe suplente de policía y varios soldados y oficiales de policía. El día siguiente a la publicación del hecho, Roderico López, que me servía de intérprete y chofer, y yo emprendimos el viaje a Sololá, cuyo nombre suena como un ejercicio de canto, por la Carretera Panamericana.

Durante los primeros 100 kilómetros poco más o menos, fue un paseo agradable por una carretera de hormigón pareja y bien peraltada, que serpenteaba a través de los valles de la altiplanicie y entre las montañas boscosas. Entonces, al doblar una curva, Roderico tuvo que enfrenar de repente. Se habían cortado unos grandes pinos en la ladera de un empinado cerro, permitiéndoles caer sobre la carretera. Roderico pasó a la cuneta y seguimos. Había otros árboles sobre el camino, así como, aquí y allá, coches incendiados y cristales rotos. Por muchos kilómetros el tráfico estuvo ligero, pero ahora casi no había. Al continuar lentamente, pasando otro árbol caído, vi a dos hombres, indios, según adiviné, vestidos de camisas y pantalones desarrapados. Estaban acurrucados entre las ramas, como si estuvieran dormidos. No obstante, la sangre se les rezumaba entre los gruesos cabellos negros. Estaban muertos.

Ocho kilómetros adelante descubrimos primero una columna de humo, que se elevaba rápidamente, y luego 15 o 20 soldados de pie a la orilla de la carretera. Le pedí a Roderico que se detuviera, y subimos por una cuesta hacia el pueblo. Las chozas y los puestos del mercado estaban incendiados. Fuera de los soldados, el lugar, que se llamaba Chupol, estaba desierto. Pregunté a dos jóvenes tenientes, que dijeron llamarse Jerónimo Alonzo y Francisco del Cid, por qué estaban quemando el pueblo. Le hablaron a un soldado y le dijeron que nos enseñara lo que llevaba en un costal. Sacó tres minas: opacos discos de metal oliváceo, más o menos del tamaño de un Frisbee. Se descubrieron en el pueblo, afirmaron los tenientes.

Examiné una de las minas. No tenía marcas, pero pensé no poder equivocarme al decir:

—Cubano.

Los dos tenientes inclinaron la cabeza en señal de confirmación y me condujeron al resto de la evidencia de actividades guerrilleras que ahí habían encontrado. Se trataba de dos fosas de aproximadamente un metro de diámetro y uno y medio de profundidad. Al fondo de cada una había un pedazo de tronco, en el cual se habían enterrado seis u ocho estacas de madera, aguzadas como lápices y sumergidas en excrementos. (En Viet Nam, se llamaban estacas “punji”). Se habían cubierto las fosas con un petate esparcido ligeramente de tierra.

—Uno de nuestros soldados se cayó dentro —contó uno de los tenientes, a la vez que reproducía el accidente por medio de gestos—. Una de las púas le atravesó la pierna.

—Hay muchos terroristas en los cerros —afirmó el otro—. Nosotros venimos, ellos se van. Nosotros nos vamos, ellos vienen.

Mencioné que lo que parecían ser dos de ellos estaban yaciendo sobre la carretera no muy lejos de ahí.

Intercambiaron miradas.

—Otra compañía patrulla esa área —declaró uno de ellos.

Su amabilidad iba disminuyendo a cada instante, de modo que les deseé buena suerte y Roderico y yo volvimos a subir a su Plymouth modelo 1970, rajado de la parte trasera y con las llantas lisas, y continuamos nuestro camino. Nos desviamos de la carretera por una vía secundaria bastante pavimentada, la cual atravesaba un estrecho valle sembrado de maíz, manzanas y legumbres. Niños indios bordeaban el camino, vendiendo manzanas y duraznos, canastas de paja y ramilletes de caléndulas. Indios, solitarios o en grupo, caminaban por la orilla de la calle. Algunos volvían del mercado en Sololá. Otros se dirigían al mismo, cargando en las espaldas leña y carbón o redes llenas de maíz.

Los indios, rubicundos, arrugados, de cabezas redondas, son un pueblo pequeño. Pocos hombres miden más de 168 centímetros, y la mayoría de las mujeres apenas alcanzan los 150. Las mujeres y las muchachas lucían blusas bordadas y faldas largas, tejidas de un material intrincado a cuadros o rayado, de colores azul, rojo y verde, los cuales identifican a su tribu y clan de manera tan distintiva como el tartán de un escocés. Tenían cintas entrelazadas en las trenzas que les colgaban en las espaldas. Algunos hombres vestían toneletes o pantalones de las mismas telas.

Sololá probablemente no sea más feo o sucio que la mayoría de los pueblos rurales en Centroamérica. Sólo parece así, porque el escenario que lo rodea es tan espléndido. Extendido a 150 metros cuesta abajo, se hallaba el ancho espejo azul del lago Atitlán. En la orilla opuesta, tres volcanes se elevaban 1 500 metros arriba del lago. Pero Sololá apenas echa un vistazo a este panorama. Lo que debería ser una alameda es el feo mercado de hormigón. Las estrechas calles empedradas no resultan pintorescas en absoluto. La plaza central es pequeña y desaseada, sin vista al lago. A la mitad de la misma hay un jardín y un quiosco. Las flores tienen ansia de crecer en ese suelo, con tal luz del sol y aire, pero el jardín parecía derrotado por mera malevolencia, y el quiosco se hallaba en un estado de desintegración terminal. Unos hombres, la mayoría ancianos y por lo menos unos cuantos con ese aire de reposo débil que hace pensar en el descanso para deshacerse de una cruda, ocupaban los bancos alrededor de la plaza.

Roderico y yo fuimos a que nos limpiaran los zapatos e interrogamos al "limpiabotas" acerca del ataque.

—Llegaron en dos camionetas —afirmó uno de los muchachos—. Dispararon contra la delegación de policía y el palacio municipal y el banco. Luego vinieron aquí a la plaza. Tenían un altavoz. Dijeron que eran del Ejército Guerrillero de los Pobres. Arrojaron unos papelitos que tenían algo escrito. Nadie los recogió, porque pensamos que la policía nos mataría si lo hacíamos. Cuando se hubieron ido, la policía nos obligó a recogerlos todos y a dárselos a ellos.

Los niños, que no pudieron haber tenido más de 10 años de edad, nos dieron instrucciones para llegar a la delegación de policía y al palacio municipal. Las ventanas de ambos edificios estaban rotas por balazos, y las paredes estaban agujeradas por los tiros. Un policía, con la mano vendada, se hallaba cerca. Le pregunté si fue herido durante el ataque.

—No exactamente —contestó—. Me corté la mano con un pedazo de vidrio mientras me arrastraba por el empedrado.

El único policía honesto en toda Centroamérica más o menos confirmó el relato de los niños boleros. Los guerrilleros, quizás unos 15 en total, atacaron sus objetivos casi simultáneamente. El jefe suplente de policía fue muerto de un tiro en su escritorio. El gobernador, un coronel del ejército, murió al salir a la calle para averiguar qué sucedía.

Indicó que estaban equivocados los informes dados por la prensa en el sentido de que los guerrilleros estuvieron armados de lanzacohetes y granadas.

Sólo tenían rifles, pero eran *automáticos* —declaró—. Lo único con lo que contábamos nosotros era con nuestros revólveres y algunas viejas carabinas del ejército de ustedes, que disparan un tiro a la vez. Ellos eran más, y tuvieron la ventaja de la sorpresa.

Cuando hubo vuelto la cabeza, Roderico susurró:

—Los niños y la otra gente dicen que todos los policías y los soldados se fueron corriendo cuando llegaron los guerrilleros. Ahora todos piensan que son una mierda.

La tarde estaba avanzando, y ninguno de los dos quería hallarse sobre la carretera después del crepúsculo. El fuego se había apagado en Chupol, pero los árboles caídos todavía obstruían el camino, y los cadáveres aún se encontraban tendidos ahí. Unos kilómetros más adelante, vimos una pequeña camioneta "pickup", cargada de enseres domésticos, abandonada de nuestro lado de la carretera. Unos 30 metros, poco más o menos, pasando la camioneta, un pequeño sedán rojo, un Toyota, según creo, se hallaba a la mitad de la calle, vuelto en dirección contraria a nosotros. Ambas portezuelas estaban abiertas. Detrás de cada una, estaba agachado un hombre vestido de civil con un rifle automático. Un tercer hombre se encontraba de pie del otro lado de la carretera.

—¿Qué hago? —preguntó Roderico, quitando el pie del acelerador.

—A menos que nos indiquen que nos detengamos, siga adelante —contesté.

Al alcanzar el sedán, ambos nos encogimos un poco en el tapizado con olor a humedad. Sólo tardamos 10 o 15 segundos en salir de su alcance, y esos momentos pasaron muy lentamente. De regreso a la ciudad de Guatemala, pregunté a varios conocidos quiénes pudieron haber sido los hombres armados. Algunos dijeron que policías; otros, guerrilleros y policías. Me pregunté qué habría pasado con la gente de la camioneta.

15

EL DÍA DE MUERTOS

EL DÍA DE TODOS LOS SANTOS, que en la mayor parte de Latinoamérica se celebra como el "día de Muertos", unos amigos me invitaron a visitar Santiago Sacatepéquez, un pueblo de indios cakchiqueles en las montañas a 40 kilómetros al sur de la ciudad de Guatemala. Los cakchiqueles forman uno de los 20 grupos lingüísticos del país, los cuales pertenecen a la nación maya. Muchos pueblos indios festejan el día volando papalotes encima de sus cementerios, y los de Santiago Sacatepéquez figuran entre los más grandes y hermosos. Muchos ladinos, después de visitar las sepulturas de su propia familia, salen a contemplar el vuelo de los papalotes.

Era una ocasión a la vez solemne y amistosa. Los indios vendían comida, bebida y recuerdos. Se había instalado una cantina en una tienda, donde se vendían botellas de aguardiente de medio litro. El cementerio cubría la mayor parte de la ladera de un cerro. Las familias acomodadas contaban con mausoleos en la cima del mismo. Estaban pintados de azul pálido, rosado o verde claro, y portaban nombres como Yacute, Itzol y Sactic. Las familias inferiores tenían tumbas ordinarias en las faldas más bajas. El gran número de sepulturas pequeñas reflejaba la tasa de mortalidad infantil. Los pétalos de la caléndula quitados de la flor, cada uno la marca de color vibrante de un pintor puntillista, cubrían las cimas de los mausoleos y delineaban las tumbas con tonos de amarillo y anaranjado. Su aroma ligero y picante estaba suspendido en el aire, mezclándose con el olor a marga propio de la tierra.

Los visitantes permanecían en lo alto del cerro. Sonreían y susurraban entre ellos, y no fijaban las miradas en nadie. Los indios, en cuclillas alrededor de las tumbas, no sólo los pasaban por alto sino parecían obligarse a hacer caso omiso de su presencia. Algunos bebían y comían, hablaban en voz baja unos con otros, observaban el juego de sus pequeños hijos y sonreían y les acariciaban la cabeza cuando se acercaban. Otros se mantenían en silencio e inmóviles, al parecer sin ver nada.

Los papalotes bajaban en picada y revoloteaban bajo la fuerte brisa, y fajas de nubes los pasaban rápidamente en el cielo azul color de acero. Había 20 o 30, en su mayoría en forma de caja. Algunos medían 3 o 4 metros. El papel que los cubría constituía una mezcla de vívidos colores. Trocitos de espejo y de metal brillante centelleaban en sus colas. Con intenso esfuerzo y entre risas, los grupos de tres o cuatro hombres sostenían los cables, tropezándose o cayéndose a veces, o enredándose con los otros grupos, y seguían a los papalotes hacia donde el viento los llevaba.

Más o menos cada hora, entre las ocho de la mañana y las tres de la tarde, despegaba un avión de caza a chorro del aeropuerto de la ciudad de Guatemala. Cada uno cargaba dos bombas, que yo estimaba en 115 kilogramos, bajo las alas. Las veía claramente desde mi habitación del hotel. Los periódicos nunca mencionaban bombardeos contra los guerrilleros, de modo que interrogué a un vocero militar acerca de la misión de los aviones.

—Sólo sirven de práctica —afirmó, la mirada fija en el techo de su despacho—. Las arrojan al mar.

En la embajada israelita, le hice dos preguntas a Shmuel Mirom, el segundo secretario. ¿Estaban asesores israelitas trabajando en secreto con las fuerzas armadas guatemaltecas?, según había oído, y ¿por qué, en vista del embargo estadounidense de armas, estaba su país vendiendo los famosos rifles automáticos Galil y otras armas a Guatemala?

Mirom negó la presencia de asesores. En cuanto a las armas, afirmó:

—Preferiríamos venderles juguetes, se lo aseguro, pero lo que quieren comprar son armas, y tenemos que seguir fabricándolas para poder ser una fuente eficaz de abastecimiento para nuestro propio ejército.

Los guatemaltecos son famosos en Centroamérica por su ingenio mordaz. El general Lucas, el presidente, a quien se creía bastante lerdo, era el blanco de varios chistes que oí. Uno decía así:

A Lucas le están boleando los zapatos cuando el niño empieza a contarle el último chiste sobre Lucas.

—Joven —exclama indignado—, yo soy el general Lucas.

—No importa —replica el muchacho—. Lo contaré despacio.

Desde siempre, Guatemala ha sido un país violento, en todos los niveles. Dos jóvenes, que trabajan en el Bank of America en la ciudad de Guatemala, me explicaron que dar préstamos era un negocio más delicado que en Etados Unidos.

—Suponga que un deudor es moroso —afirmó uno de ellos—. Hay que pedir el pago. En Nueva York, por lo menos promete pagar, aunque no tenga esa intención. Aquí, es posible que le diga que si no lo deja de molestar, lo matará; y lo dice en serio.

En Antigua, la capital colonial de Guatemala, donde tomé un curso de español de inmersión total, casi me ahogué, me alojé en una pensión cuyos dueños eran un estadounidense y su esposa guatemalteca. Me presentaron a una de las hermanas de ésta, la cual estaba casada con un coronel retirado del ejército. Una noche, al conversar acerca de los indios rebeldes, la hermana declaró:

—Realmente no comprendo por qué se sienten desafortunados. Tienen unas vistas tan hermosas allá en las montañas.

La feria anual de industria internacional tuvo lugar en la ciudad de Guatemala durante mi estancia. Las salas de exhibición se encuentran en el parque principal de la ciudad, la entrada cuesta unos centavos, y miles de guatemaltecos comunes admiran la maquinaria pesada, los coches y los camiones, así como los bienes de consumo de todo tipo. El patrimonio indígena guatemalteco también se hallaba en exposición. Había músicos, cantantes y bailarines indios, y muestras de tallas, tejidos y loza. En todo ello, el nivel artístico y el acabado están bajando, conforme lo reemplazan la mercancía manufacturada.

La atracción principal del entretenimiento de la tarde fue el baile de los voladores, presentado por un grupo de cinco indios quichés. Eran de Chichicastenango, un pueblo colonial en las montañas. El ejército había convertido las zonas aledañas en un distrito de matanza en su persecución de los guerrilleros. Los cinco hombres lucían el traje tribal: chaquetas cortas, pantalones de tela negra hasta las rodillas, bordados de rojo, azul, verde y amarillo, y paños de dibujos intrincados en las cabezas. Al romper a tocar una marimba, rápidamente escalaron un poste, con carlingas como el mástil de un antiguo buque velero, que se elevaba, aproximadamente, hasta una altura de 20 metros. En la punta, sirviéndole de eje al extremo del mástil, estaba colocada horizontalmente una rueda con rayos, de unos tres metros y medio de diámetro. La estructura se parecía a las picotas representadas en ciertas escalofriantes pinturas de Pieter Breughel.

Uno de los hombres echó a andar lentamente la rueda, mientras los otros cuatro avanzaron con cautela hacia sus posiciones en el borde de la misma. Cada uno introdujo el pie en un lazo al extremo de una soga. Con la cabeza hacia abajo y la espalda arqueada, se dejaron caer de la rueda y empezaron a girar en una espiral descendente. Las sogas iban arriándose desde un tambor al centro de la rueda. Conforme ésta giraba más de prisa, la fuerza centrífuga impulsaba a los hombres hacia afuera desde el mástil. Con los brazos extendidos, los músculos rígidos, oscilaron despacio hacia abajo. La música producida por la marimba resultaba calmante y monótona, se volvía atrás, se repetía. La marimba es un instrumento indio, un xilófono con resonadores hechos de calabazas debajo de las varillas de madera. Incluso cuando la melodía es alegre, el sonido posee visos de melancolía.

Los bailarines llegaron al suelo entre una cascada final de notas y se impelieron para quedar de pie. En ese momento, uno de los aviones de reacción, con las bombas debajo de las alas, apareció encima de los árboles y se dirigió hacia las montañas.

Un misionero católico me habló acerca de los indios.

—Pasé muchos años en las montañas Cuchumatanes cerca de la frontera con México —afirmó—. Eran cinco o 10 horas en jeep, montado en mula o a pie, según el estado de los caminos, desde la carretera más cercana. Sólo una minoría de los indios en estos pueblos eran católicos, e incluso éstos retenían mucho de su antigua religión. El resto conservaba las creencias mayas.

"Tienen dos conceptos centrales: el tiempo y la naturaleza —prosiguió—. No el tiempo que va pasando, sino el tiempo como un ser viviente. Existen 20 espíritus del tiempo que hacen avanzar al mundo hasta el día siguiente. La cruz tiene un lugar en su religión, pero sin relación alguna con el cristianismo. Se dirige a los cuatro espíritus principales: el Sol, los dioses de la lluvia, el dios del maíz y la Luna, diosa de la fertilidad.

El cura, que me pidió no identificarlo con mayores detalles, era un hombre de más de 50 años. Había pasado su vida adulta en Centroamérica.

—Trabé buena amistad con el sumo sacerdote maya en uno de los pueblos donde serví, y se me ocurrió que la revelación divina cristiana y la maya podrían ser una sola. Los mayas tienen una hermosa historia de la creación. Dicen que Dios trató de hacer al hombre de lodo y fracasó; luego de madera, y fracasó; y finalmente de maíz, y lo logró. Hablan de sus hijos y esposas y padres y vecinos como partes de sus cuerpos. Así que cuando decimos: "Somos el cuerpo de Jesucristo", saben a qué nos referimos.

"Hace treinta años, la Iglesia administraba los sacramentos —indicó—. Punto. El cambio se produjo al darnos cuenta de que ser cristiano significaba mucho más que eso. También estaba relacionado con ser estadounidense, con querer hacer algo. De modo que proporcionamos servicios médicos, clases agrícolas, les enseñamos a leer y escribir. A algunos de los líderes se les ofreció un curso para leer la constitución guatemalteca, y los motivó a hacer preguntas".

Ahora estaban matando a los indios, declaró, a los cristianos y a quienes no lo eran, por igual. No por ser comunistas, pues ninguno lo era, ni por ayudar a los guerrilleros, porque pocos indios confiaban más en éstos que en el ejército. Los mataban a tiros, les arrojaban bombas, quemaban sus pueblos, porque era lo que los ladinos siempre habían hecho para mantenerlos en la esclavitud.

Cuando el sacerdote mencionó las matanzas y los robos de tierra, le pregunté por qué guardaba silencio.

—A menudo me pregunto si estamos haciendo lo indicado —replicó—. Es una elección terrible. Si públicamente condenáramos las acciones del gobierno, se nos asesinaría, lo cual no nos inspira demasiado miedo, o seríamos expulsados del país, lo cual sí nos espanta, porque entonces los indios quedarían incluso sin la pequeña medida de protección y de ayuda que podemos proporcionar. He decidido a favor del silencio, pero sólo porque no creo que mis palabras causen impresión alguna en Estados Unidos. —Luego, en un derrame de angustia, declaró—: Esto es un segundo holocausto. ¿Cómo es posible que Israel, tenía que ser Israel entre todos los países, venda armas a este gobierno?

La libertad religiosa no existía, por supuesto, en Latinoamérica bajo la Corona española. Era posible que se quemaran en la hoguera a los protestantes que llegasen a descubrirse. Los cristianos ortodoxos, judíos, musulmanes e hindúes se mantuvieron alejados. En la mayoría de las nuevas naciones, tampoco hubo libertad religiosa durante 150 años después de obtener la independencia. La gente tenía las alternativas del clericalismo, lo cual significaba ponerse de rodillas ante el cura y el obispo, y del anticlericalismo, lo cual, en casos extremos, redundaba en linchar a éstos y en incendiar sus iglesias.

Sin embargo, durante los últimos 25 años, el protestantismo, por lo menos sus ramas fundamentalistas ha prosperado velozmente. Entre estas ramas figuran los mormones, los testigos de Jehová, las asambleas de Dios y los bautistas del Sur. Las corrientes protestantes principales, por lo general, se han aliado con los reformistas católicos, dedicándose poco a hacer prosélitos. Según algunas estimaciones, el fundamentalismo ya se ha ganado entre el 10 y el 20 por ciento de la población centroamericana. De hecho, probablemente haya más congregaciones fundamentalistas que católicas en Centroamérica, aunque tiendan a ser más pequeñas. Es posible que, en cualquier semana dada, acuda a la iglesia cuando menos el mismo número de protestantes que de católicos. En primer lugar, las iglesias son más accesibles. Es probable que los pueblos de 200 o 300 habitantes cuenten al menos con una iglesia fundamentalista, mientras la falta de clero católico se agrava año con año.

Los misioneros fundamentalistas, bien mantenidos por la gente en casa, reúnen a sus rebaños de la misma manera que lo hacen en Estados Unidos. Erigen iglesias, y a menudo inauguran también escuelas y clínicas; proporcionan música y sermones alegres; y se anuncian, sobre todo por la radio y en la televisión. Se asocian para presentar a estrellas invitadas: viajeros evangélicos como Billy Graham o personajes regionales que atraen a públicos de decenas de miles. Desdeñando los años de estudios pedidos a los sacerdotes católicos, las sectas fundamentalistas son capaces de crear un clero nativo en cuestión de meses.

Dos sucesos fueron cruciales en el ascenso del protestantismo: el establecimiento de un Estado marxista-leninista en Cuba y el surgimiento de la teología de liberación. Ambos amenazaron el orden establecido de un modo como no lo hacía el protestantismo fundamentalista. Tanto los caudillos como los oligarcas aprobaron su fuerte anticomunismo y el énfasis en la reforma personal, antes que la social. De muchas maneras, de hecho, los fundamentalistas protestantes y el ala reformadora, cuando menos, de la Iglesia católica, han intercambiado los lugares.

En ningún país latinoamericano han estado más activos los evangélicos que en Guatemala. El clima de la meseta es bueno, el costo de la vida es bajo, y están todos los desertores católicos y los millones de indios paganos, quienes no resultan menos atractivos al clero evangélico que lo fueron para los dominicos y los franciscanos hace 450 años.

En la ciudad de Guatemala, hablé con el reverendo Ted Lindwall, el rector de un seminario bautista en las afueras de la capital. Era un hombre alto de aspecto imponente entre los 40 y los 50 años de edad, con una voz resonante y penetrantes ojos azules. Tenía el cabello cortado y peinado con secador eléctrico, al estilo de los predicadores de la televisión en Estados Unidos.

—El sentimiento antiprotestante todavía es muy fuerte —afirmó—. Por otra parte, creo que muchos católicos empiezan a comprender que el secularismo es un enemigo más peligroso que el protestantismo. De hecho, muchos católicos admiran la orientación bíblica y la lealtad a la fe que poseen los protestantes. Hay muchas imitaciones por los católicos, especialmente de la religión exaltada de Pentecostés, hablar con lenguas, y así sucesivamente, y con la aprobación plena de la jerarquía.

"La mayoría de los protestantes guardan cierto escepticismo respecto a lo que hacen los católicos liberales —prosiguió—. Opinan: «Los católicos cantan nuestras canciones y organizan lecturas de las Sagradas Escrituras, igual que nosotros, pero no veo gran diferencia en sus vidas». Debo admitir que tiendo a estar de acuerdo. Estos desarrollos han dado mayor vitalidad al catolicismo, pero los católicos todavía no se centran en Cristo, y la Biblia sigue siendo secundaria en relación con las instituciones de las iglesias".

Pregunté a Lindwall cómo era posible que los protestantes, igual que los católicos, hicieran caso omiso de la injusticia y la brutalidad que veían por todas partes.

—En cualquier sociedad donde el poder se halle en las manos de hombres no redimidos, habrá abusos —replicó—. ¿Qué diría un misionero en Cuba? Mi opinión, y creo que está reflejada ampliamente, es que no podemos esperar mucho de ningún gobierno antes de que la sociedad misma se vuelva más fundamentalmente cristiana. Pienso que puedo hacer mucho más para ayudar a Guatemala tratando de intensificar la relación verdadera de su pueblo con Jesucristo que en otra forma alguna. No creo que Dios haya abandonado a estos países. Considero que Él cuenta con instrumentos propios y que tiene el plan de elevar al poder a hombres que realmente crean en Él.

Seis meses más tarde, cuando el general Efraín Ríos Montt, un cristiano evangélico, ocupó el poder, hubiera podido disculparse a Lindwall por creer que poseía el don de la profecía.

Resulta fácil tenerles aversión a los misioneros fundamentalistas. Tienden a ser fanáticos políticos y religiosos. Su teología es estrecha y simplista. Algunos de ellos, según la información presentada en *Cry of the People,* de Penny Lernoux, así como por otras fuentes, han servido de confidentes a la CIA.

Al establecer un balance, sin embargo, creo que hacen más bien que daño. Además de sus escuelas y clínicas, enseñan a cientos de miles de personas comunes, en Guatemala y en otras partes de América del Centro y Latinoamérica en general, cómo organizarse en congregaciones, a cuyos miembros educan para ayudarse los unos a los otros, espiritual y financieramente. Se espera que los hombres tomen parte en el trabajo religioso, que siempre ha constituido un monopolio femenino en las iglesias católicas tradicionales. Se exige la fidelidad marital y un trato decente para las esposas y los hijos. Se alienta el ahorro, y se aplaude el éxito mundano. La prohibición del alcohol es una bendición en estos países, donde rara vez se toma con moderación y donde más lo consumen quienes menos medios tienen para ello.

El 7 de marzo de 1982, Guatemala votó. Se declaró triunfador al general Guevara, el candidato de los militares. Tanto Sandoval como Alejandro Maldonado Aguirre, los candidatos de la extrema derecha y de la coalición centrista, que incluía a los cristiano-demócratas, respectivamente, declararon que les habían hecho fraude. El 16 de marzo, la victoria de Guevara, con un supuesto 35 por ciento de los votos, fue confirmada por el Congreso guatemalteco. No obstante, nunca tuvo lugar su toma de posesión. El 23 de marzo, cinco días antes de las elecciones salvadoreñas, un golpe de Estado organizado por los oficiales subalternos del ejército depuso al presidente Lucas y lo reemplazó una junta militar de tres integrantes, encabezada nada menos que por Ríos Montt, el candidato de la coalición cristiano-demócrata en 1974. Ríos Montt pertenecía a una pequeña secta evangélica, la Iglesia del Mundo. Fue la primera vez, que se supiese, que un protestante reconocido se convirtiera en primer mandatario en Latinoamérica.

El golpe comenzó a la mitad de la mañana, cuando tanques y coches blindados rodearon el Palacio Presidencial. A mediodía, sus líderes ordenaron a las estaciones radiofónicas comerciales que transmitiesen una llamada a Ríos Montt, de acudir a su centro de operaciones, ubicado del otro lado de la plaza central, frente al Palacio. A las cuatro de la tarde, Lucas cedió. Se impuso el arresto domiciliario a él, su hermano, Guevara, y a sus cómplices más cercanos.

Esa noche, Ríos Montt habló por la televisión.

—Hace ocho años engañaron al pueblo —declaró—. Hace cuatro años engañaron al pueblo. Hace sólo unos días engañaron otra vez al pueblo. No queremos más oportunistas políticos. Ya no queremos las mismas caras.

A los guerrilleros y los escuadrones de la muerte de la derecha, dijo:

—Dejen las armas. Ya no habrá cadáveres en la orilla de las carreteras. Fusilaremos a cualquiera que obre en contra de la ley.

Al concluir su discurso, Ríos Montt, con voz como trompeta de rectitud, declaró:

—Tengo confianza en que mi Dios, mi amo y rey, me guiará, pues sólo Él puede otorgar o quitar el poder.

Diez días más tarde, cuando llegué a la ciudad de Guatemala desde San Salvador, la capital todavía parecía borracha de felicidad. Los asesinatos, los secuestros y las desapariciones casi habían cesado. La razón, evidentemente, era que se había arrestado a muchos oficiales superiores de la policía y de seguridad, y que se había abolido a la policía judicial, de la cual se creía que proveía de hombres a los escuadrones de la muerte.

La embajada estadounidense juró que no había tenido nada que ver con el golpe de Estado y que no imaginaba siquiera que fuese a ocurrir.

—Se suponía que iba a encontrarse con Guevara a las once de la mañana el día del golpe —me informó un funcionario superior—. Recibí una llamada de su parte a las 10:45. Afirmó que algo estaba sucediendo y que tenía que cancelar la cita. "Ninguna de nuestras unidades militares responde a las llamadas", indicó. Cuando supimos que el Palacio estaba rodeado, enviamos al agregado militar a investigar la situación. Eso provocó los informes tempranos de que de algún modo estábamos involucrados.

Un guatemalteco bien informado explicó las circunstancias que condujeron al golpe.

—Todo mundo sabía que el presidente Lucas y su hermano estaban llevándose todo el país con sus robos —señaló—. Los capitanes y los tenientes se encontraban en campaña durante meses a la vez. A muchos de ellos, para empezar, no les gustaba lo que tenían que hacer, y ni siquiera contaban con radios decentes o con buenas armas ligeras, menos aún con helicópteros. Sabían que el dinero destinado a comprarlos desaparecía en las bolsas de los coroneles y los generales, y de éstos hay muchos. En un ejército de 16 000 hombres, o algo así, hay 900 oficiales, y unos 250 de éstos, quizá, son generales y coroneles.

Los oficiales subalternos eligieron a Ríos Montt como su líder, explicó, debido a su reputación de honestidad y su extensa experiencia militar. Había prestado servicios como jefe del estado mayor del ejército y comandante de la academia militar. Entre los jefes del golpe de Estado figuraban muchos oficiales que lo habían admirado cuando cadetes. La familiaridad de Ríos Montt con la política civil tenía menos importancia, según se me aseguró, y tal vez incluso hubiera sido una desventaja.

—Por eso los jóvenes oficiales se negaron a apoyar a Sandoval o a Sisniega —afirmó—. Simplemente no confían en los civiles.

Sisniega tenía un aspecto más malhumorado que en mi primera visita. Cuando le pregunté si estaba decepcionado por no formar parte del gobierno, afirmó que prefería servir como un asesor informal que atarse en un puesto secundario.

—Es sólo por poco tiempo —indicó—. Los militares no permitirán que Ríos Montt conserve el poder indefinidamente. Entonces tendrán que recurrir a un presidente civil, porque no serán capaces de decidir cuál de ellos debe ocupar el puesto.

¿Pero qué decía de la condena expresada por Ríos Montt, pregunté, hacia los corruptos políticos civiles?

—No es posible que esté hablando de nosotros [el Movimiento de Liberación Nacional] ni tampoco de los demócratas-cristianos —contestó con amargura—. Tenemos tanto tiempo fuera del poder que no se nos ha dado la oportunidad de ser corruptos.

Sisniega me aseguró, naturalmente, que su partido había ganado las elecciones, pero cuando fui a ver a Luis Martínez Montt, de los cristiano-demócratas, Vinicio Cerezo, el joven presidente del partido, se hallaba en Estados Unidos, de visita con su esposa e hijos, éste aseveró que *su* partido había triunfado.

—Le diré lo que Mario Sandoval comentó después de las elecciones —recordó Martínez—, e indicó: "No sé si nosotros ganamos o si ganaron los cristiano-demócratas, pero sé que *no* fue Guevara".

Martínez se desbordó en elogios respecto a la planeación y la ejecución del golpe de Estado.

—Fue realmente extraordinario —señaló—. No se disparó ni un tiro, no se derramó ni una gota de sangre. Un teniente y cuatro miembros de las fuerzas armadas sin rango de oficial se apoderaron de la academia militar y detuvieron al comandante. "No pueden hacer esto", les dijo. "Estamos haciéndolo", replicó el teniente.

"Lo curioso es que dudo que haya sido la corrupción o la necesidad de estar en las montañas lo que hizo enfadarse a los oficiales subalternos —prosiguió—. Lo que pasó fue que había tantos oficiales superiores en servicio activo que el ejército acababa de crear un nuevo rango, capitán superior, y eso significó que tardarían cuatro años más en obtener la promoción a mayor. Le diré otra cosa que usted no sabía. Uno de los hombres a quienes se ha encarcelado era inspector general de prisiones. Desaparecieron demasiados huéspedes suyos.

"Lo único que podemos hacer es tener esperanzas —contestó cuando le pregunté si pensaba que Ríos Montt accedería a tener elecciones—. Hasta la fecha ha reinado una oscuridad absoluta. Ahora apareció un pequeño rayo de luz. Si hay alguien capaz de iniciar el proceso democrático en Guatemala, ese alguien es Ríos Montt".

Ese domingo me fui caminando a la Iglesia del Mundo. Estaba situada cerca del hotel, en la sección más agradable de la ciudad. No obstante, puesto que se había establecido sólo tres o cuatro años antes, aún estaba alojada en una gran tienda, de tamaño suficiente para acomodar a 700 devotos. La tienda, alegremente rayada de verde y amarillo, se elevaba en el patio delantero del edificio que contenía la escuela de la secta. Llegué mucho antes del comienzo de la ceremonia, y Francisco Bianchi, el administrador de la Iglesia, me contó lo que había acontecido ahí el día del golpe de Estado.

—Fue un martes por la mañana —afirmó—. Es el día en el que se realizan las juntas de padres y maestros. Como director académico de la escuela y de la escuela bíblica dominical, Efraín estaba presente. A las once y cuarto, poco más o menos, empezamos a enterarnos de que estaba llevándose a cabo un golpe de Estado. Entonces una madre, que llegó a su cita, dijo: "Efraín, están dirigiéndote una llamada por la radio". Encendimos el radio y oímos el anuncio. Efraín convocó a los mayores y nos pidió nuestro consejo. Oramos juntos y decidimos esperar para ver cómo se desarrollaba la situación.

"Como a la una de la tarde, un oficial que estaba tomando parte en el golpe, cierto mayor Sánchez, habló por teléfono. Le dijo a Efraín: «Necesitamos su consejo». «¿Qué tipo de consejo?» le preguntó Efraín. «Queremos hablar con usted, afirmó el mayor. Es muy importante que nos reunamos». Así que oramos otra vez, éramos seis, y Efraín decidió que debía ir. Lo quiso hacer sin llamar la atención, de modo que pedimos prestada una combi con las ventanillas de cristal polarizado, a un miembro de la Iglesia. Otro mayor y yo lo acompañamos. Usted ya sabe lo que sucedió después de eso.

"Lo curioso fue que en septiembre pasado los cristiano-demócratas le pidieron a Efraín que otra vez fuera su candidato para la presidencia —añadió—. Pasamos tres días ayunando y orando, y decidimos que no era el momento. El primer día, estábamos jugando volibol y Efraín se torció la rodilla. Se la tuvieron que enyesar. Cuando regresó, uno de nosotros declaró: «Creo que es bastante evidente que el Señor no quiere que seas el candidato».

"Efraín todavía rinde culto con nosotros, por supuesto —indicó—. Espero su presencia hoy. También sigue activo en nuestra Iglesia, en el programa doméstico —las reuniones que tenemos en las casas de los miembros los martes por la noche—, pero tuvimos que suplirlo en el puesto de director de la escuela".

Unos minutos más tarde, hubo cierta agitación, y Ríos Montt y su esposa, María Teresa, acompañados por dos discretos guardaespaldas, entraron a la tienda. Ríos Montt, que tenía 55 años de edad, era un hombre delgado, pero fuerte, y de estatura mediana. Sus ojos reflejaban una inteligencia aguda. Tenía el rostro arrugado y una nariz protuberante. Su abundante cabello estaba todavía negro y brillante, pero el bigote se le había puesto plateado.

El y su esposa ocuparon sus lugares silenciosamente, y el canto de himnos continuó sin interrupción. Aunque era Domingo de Ramos, las únicas palmas que estaban a la vista crecían afuera de la tienda. No hubo sagrada comunión, no vi un libro de oraciones ni nada que pudiera describirse como liturgia. Ni siquiera un libro de himnos. Las palabras se proyectaban sobre una pantalla.

Cinco funcionarios de la casa matriz, "Gospel Outreach" ["Extensión del Evangelio"], ubicada en Eureka, California, se encontraban presentes ese día. James Durkin, el fundador del movimiento, pronunció el sermón. Trató del sueño de José, y entonces comentó:

—Ha tenido lugar otro milagro. Dios ha elevado a un líder de su nación, a un hombre que escuchó las enseñanzas de aquí, y quien dijo: "Sé cómo dar órdenes, pero no es suficiente. Ahora quiero aprender a servir como sirvió Jesús".

Al terminar la ceremonia, Ríos Montt partió rápidamente, sin atender a los periodistas que ahí se hallaban. Durklin, que se quedó para responder a las preguntas, indicó que era un antiguo ministro de las Asambleas de Dios, una secta de Pentecostés. Gospel Outreach derivaba de una comunidad cristiana que él había fundado cerca de Eureka en 1970. Se llamaba el "Rancho del Faro".

—Llegamos primero a Guatemala en 1976, para traer provisiones de emergencia después del terremoto —explicó—. Y la Iglesia simplemente empezó a cobrar forma.

Escuintla, de donde es obispo Mario Ríos Montt, un hermano menor del general, constituye un pueblo con mercado a unos 80 kilómetros al sur de la capital. Lo domina una catedral de principios del siglo XIX a la que le urgen trabajos de reparación. Una grieta larga y profunda atraviesa la fachada, fue causada por el terremoto de 1976. Los borrachos se tienden sobre la piedra fresca a la sombra de la catedral y se levantan para orinar en ella. La vieja puerta central, cubierta de marcas, estaba rodeada por mendigos: un hombre sin piernas, un niño macrocéfalo, algunas muchachas cargando bebés, siendo ellas mismas apenas unas niñas, y muchas ancianas vestidas de negro. Pasando el portal, un indio viejo estaba tocando una flauta de madera, y otro le pegaba a un pequeño tambor sin seguir ningún ritmo determinado. Gasa rosada y polvorienta colgaba en forma de guirnaldas encima del pasillo central. Había pájaros anidados bajo el techo. Las figuras votivas, Jesucristo crucificado, la Virgen en la Gloria, unos santos misioneros sin nombre, en mantos pardos, parecían cubiertas de polvo, incluso detrás de los cristales, y de algún modo como si nadie las contemplara nunca.

El obispo se hallaba en su residencia, a un kilómetro de la catedral. Al igual que su hermano, Mario Ríos Montt había llegado a parecer un arquetipo de su profesión. Era de modales apacibles y tenía un aspecto bastante abrumado.

—Lo siento, pero sólo puedo dedicarle 30 minutos —indicó—. Debo celebrar una misa en la catedral. ¿Ya la vio? —Se encogió de hombros—. Es muy difícil. Sólo cuento con cuatro curas en mi diócesis, para 500 000 católicos. Probablemente hay cinco veces ese número de misioneros protestantes.

Le pedí al obispo Ríos Montt que nos contara algo acerca de su familia.

—Por supuesto —accedió—. Somos de Huehuetenango, en la parte occidental del país. Éramos 13 hijos, de los cuales 10 sobrevivimos a la infancia. Mi padre empezó a trabajar a los siete años de edad, se hizo dependiente en una tienda, y luego consiguió un puesto en obras públicas. Está muerto, pero nuestra madre vive todavía, sana a la edad de 75 años. Siempre fue un gran ejemplo para nosotros. A veces tuvo que alimentar a la familia entera con 25 centavos diarios, pero se aseguró de que todos pudiéramos asistir a la escuela.

"Un hermano, Julio, fue asesinado en 1974, de modo muy cruel y bajo circunstancias misteriosas —prosiguió—. Fue el año que mi hermano, el general, era candidato para la presidencia. Julio trabajaba en la campaña, y creemos que este hecho pudo haber tenido alguna relación con su muerte. Efraín y yo no hemos sido muy íntimos. Dado que él es general y yo obispo, nos pareció poco prudente. No quise que mis curas pensaran que posiblemente estaba recibiendo órdenes de un militar, y viceversa. No consultó conmigo respecto a su conversión, pero seguimos respetuosos el uno hacia las opiniones del otro.

"Por casualidad me encontraba en la ciudad de Guatemala cuando ocurrió el golpe de Estado —afirmó—. Me sorprendió menos de lo que me preocupó. No fue ningún ramo de flores el que le entregaron. Sólo lo he visto en una ocasión desde entonces. Formé parte de la delegación de obispos que se reunió con él la semana pasada, y debo admitir que su manera de acogernos fue mucho más calurosa de lo que jamás nos concedieron sus dos predecesores. Llevábamos una carta, y las opiniones que él expresó se acercaron mucho a las que contenía el escrito. Dijo que le deseaba buena suerte a la Iglesia, y le creo; pero no es la única persona en el gobierno".

La junta ofreció su primera conferencia de prensa formal durante mi estancia en la capital. Tuvo lugar en uno de los salones de recepción sumamente adornados del Palacio Presidencial. Los dos colegas de Ríos Montt en la junta estaban presentes, pero él se encargó de hablar, presentando lo que llamó los 14 puntos que animarían a su gobierno.

Estos 14 puntos resumieron todo lo que les había faltado al gobierno y a la sociedad guatemaltecos desde la llegada de los conquistadores. El primero fue "hacer sentir a la ciudadanía que las autoridades están al servicio del pueblo y no el pueblo al servicio de las autoridades". El segundo y el tercero expresaron "Buscar la reconciliación de todos los guatemaltecos y una paz y seguridad basadas en el respeto absoluto a los derechos humanos". Otros estipularon la creación de unos sistemas electoral y judicial honestos y la eliminación de la corrupción oficial. El undécimo fue el más radical. Requirió la mejora del nivel de vida del pueblo, a fin de disminuir las "contradicciones" existentes, término empleado con frecuencia por los marxistas.

Cuando terminó la conferencia de prensa, me presenté y le hice algunas preguntas propias. ¿Tenía planes para una reforma agraria?

—La cuestión está siendo analizada —afirmó—. No es nada a lo que podemos precipitarnos. De lo que estamos seguros es de que se requiere algo más que balas para poner fin a la rebelión.

¿Tenía la intención, pregunté, de tratar de mejorar las relaciones con Estados Unidos?

—Por supuesto —replicó—. Ningún país en todo el mundo puede luchar contra Estados Unidos.

16

UN FIN DE SEMANA EN BELICE

CUANDO LLEGUÉ a Belice, de inmediato resultó aparente, pese a que aún me encontraba en Centroamérica, geográficamente hablando, que había pasado, en todos los demás aspectos, de la oscuridad a la luz. Belice llevaba seis meses de completa independencia, y cualquier gobierno realmente centroamericano ya se hubiese dividido en facciones, librando conflictos salvajes, y extendiendo la muerte y la destrucción sobre el país.

Pero nadie fue asesinado ni desapareció en Belice, nadie se rebeló, y los refugiados de El Salvador y Haití lo consideraban como un jardín de paz y de seguridad. El único recuerdo del peligroso mundo que se encontraba más allá de sus fronteras era la presencia, a petición del gobierno de Belice, de una fuerza militar británica de 1 800 hombres. Tenía la función de cuidar al país contra una invasión por Guatemala, que llevaba 150 años reclamando el territorio como suyo.

En efecto, Belice forma la extensión ubicada más al norte de la costa mísquita, la región colonizada y gobernada, *de facto,* por la Gran Bretaña mucho antes de que las naciones de Centroamérica lograran su independencia. Los primeros colonos del litoral se ganaron el sustento talando el palo campeche, *Haematoxylon campechianum,* un árbol que produce un excelente tinte negro para los tejidos de lana. Los españoles pretendieron muchas veces recuperar el territorio perdido. El último intento, según lo apunta Narda Dobson en *A History of Belize* ["Una historia de Belice"], fue realizado en 1798. La flota española fue rechazada por una fuerza británica mucho más pequeña, ayudada por los colonos, que montaron los cañones sobre balsas de palo campeche.

En 1862, Inglaterra, al no poder llegar a un acuerdo con Guatemala respecto a la situación del territorio, lo anexó formalmente. Guatemala posteriormente rehusó las propuestas británicas de que la cuestión de soberanía fuera decidida por el Tribunal Internacional de Justicia. Durante los años posteriores a la Segunda Guerra Mundial, surgió un movimiento en pro de la independencia en Belice. El jefe fue un antiguo seminarista católico llamado George Price. El Partido Unido del Pueblo, que él fundó, adquirió el control del cuerpo legislativo colonial en 1957. En 1964, cuando Honduras Británica se convirtió en una colonia autogobernada, Price fue electo primer ministro. Todavía sostenía el cargo en septiembre de 1981, cuando Belice se independizó.

Seis meses antes, la Gran Bretaña, Guatemala y Belice pusieron sus iniciales al anteproyecto de un tratado. A cambio del reconocimiento de Belice, Guatemala recibiría derechos de tránsito sobre el territorio de ese país a los puertos tanto guatemaltecos como de Belice, el usufructo de dos isletas frente a la costa, y la construcción conjunta de una carretera y un oleoducto desde los recién descubiertos campos petroleros en la región de Petén, a la que Belice impide el acceso directo a la costa.

En cuanto se hubo firmado el acuerdo de un anteproyecto, los políticos de derecha en Guatemala se pusieron a denunciarlo como una mancha indeleble sobre el honor nacional. El gobierno de Lucas empezó a formular objeciones. En Belice, donde nadie quería integrarse a Guatemala, hubo un día de huelgas y de disturbios.

Belice obtuvo la independencia en la fecha proyectada, pero Price pidió a la Gran Bretaña que dejara ahí sus tropas hasta que se hubiera arreglado definitivamente la disputa con Guatemala. Cuando yo llegué, se había intensificado el estado de alerta de las mismas, y una escuadra naval británica estaba anclada costa afuera. No parecía imposible que Ríos Montt, pese a sus declaraciones en contrario, tratara de imitar a Argentina, que acababa de apoderarse de las islas Malvinas.

Lo cual no significa que Belice sea una presea de gran valor. Es un poco más grande que El Salvador, pero sólo tiene una población de 150 000, de la cual un tercio vive en la ciudad de Belice y los alrededores. Su costa del Caribe consiste mayormente en pantanos de mangle, y está separada del acceso al mar, para todas menos las pequeñas embarcaciones, por el arrecife de coral más largo de este lado de Australia.

Los habitantes de Belice, en conjunto, no poseen inclinaciones agrícolas. Las plantaciones y las refinerías de azúcar pertenecen a negocios británicos, y los huertos de cítricos, así como lo que resta de la industria de la madera son propiedad de estadounidenses. La mayor parte de los alimentos del país es cultivada por unos 5 000 menonitas barbados, vestidos de negro y de habla alemana. Inmigraron desde México en la década de los cincuentas, adquirieron 25 000 acres [10 120 hectáreas] de monte y selva, a 5 dólares el acre, y se pusieron a trabajar. En cambio, recibieron una exención general del servicio militar y del pago de impuestos de seguridad social, los cuales violan los preceptos de su religión pacifista que predica depender sólo de uno mismo. Los menonitas, que viven en tres comunidades, no se mezclan con el resto de la población y no toman parte en la política.

El potencial de Belice, tal como existe, se ve impedido por la falta de caminos, de puertos y de instalaciones para la elaboración de productos. Fuera de la carretera que une la ciudad de Belice con Belmopan, la capital, la cual se sitúa a 80 kilómetros hacia el interior, apartada del camino de los huracanes, el país cuenta con pocos caminos de superficie dura. Las poblaciones costeras se comunican sólo por lancha.

Belmopan seguramente es la capital nacional menos visible del mundo. Oficialmente, la población es de 4 500, pero cuando visité el lugar, unas 4 400 personas estaban escondidas. Sólo se han inaugurado unos cuantos edificios gubernamentales, y en lugar de casas y tiendas hay letreros que indican dónde serán colocadas. Los empleados del gobierno asignados a trabajar en Belmopan diariamente recorren el camino desde la ciudad de Belice. Cuando están cerradas las oficinas, como sucedió durante mi visita, está desierta.

Con un gesto humanitario que ayudará, además, a poblar la zona rural entre Belmopan y la frontera con Guatemala, la cual se encuentra a sólo 65 kilómetros de distancia, el gobierno adjudicó terrenos para cultivo, de 20 hectáreas de extensión, a varios cientos de refugiados salvadoreños. Estados Unidos y las Naciones Unidas han proporcionado ayuda financiera. A fin de equilibrar la llegada de estas personas de habla española, se admitió a un número aproximadamente igual de haitianos negros de habla francesa. Se espera que adopten el inglés, antes que el español, como segundo idioma, y que se identifiquen con los sectores negro y criollo de la población. ("Criollo" es el término empleado en Belice para describir las mezclas de razas que no son mestizas).

La población actual se divide en partes iguales entre personas de habla inglesa y española, es decir 40 por ciento de cada una, mientras el resto domina ambas lenguas o, como es el caso de un pequeño número de indios no asimilados, radicados profundamente al interior del territorio, ninguna de las dos. Se ha presentado poca fricción entre los dos grupos principales. No obstante, los criollos, que han dominado la política, temen que la corriente esté volviéndose en contra suya. No sólo llegan personas de habla española, sino que los criollos están yéndose continuamente, muchos como inmigrantes legales e ilegales a Estados Unidos.

Price, quien es muy conocido por su piedad, empezó a celebrar la Semana Santa con anticipación y, por lo tanto, se negó a ser entrevistado. Se oponía incluso al intercambio de unas palabras amables, como averigüé al acercarme a él mientras se estaba retirando de los ritos del Viernes Santo en la catedral. Price me miró con ira cuando me presenté y se alejó a zancadas sin pronunciar palabra. Sus guardaespaldas, unos fornidos jóvenes en los cuales se dice que el primer ministro, soltero él, toma un interés como de tío, me ahuyentaron.

Price tenía 62 años de edad cuando Belice obtuvo su independencia, pero se ve mucho más joven. Es alto y esbelto y se viste con cuidado, incluso cuando lleva una camisa y pantalones deportivos. Pertenece a una familia criolla bien establecida, y la sangre escocesa, de la que a menudo habla con orgullo, se manifiesta en sus rasgos. Como el primer ministro, recibe 8 000 dólares anuales, y pese a que se dice que cuenta con ciertos medios particulares, trata de vivir dentro de los límites de este salario. Su residencia, la casa en la cual se crió, es una estructura desvencijada de madera de dos pisos, en el centro de la ciudad. Puesto que pocas casas en Belice fueron pintadas recientemente, Price permitió que la suya también se rajara y se pelara.

La ciudad de Belice, fuera de unas cuadras de oficinas y de almacenes, tiene el aspecto bastante cautivador de un pueblo de pescadores. Alcantarillas abiertas bordean las orillas de las calles, y los habitantes guardan su agua potable en grandes tinacos de madera o de hormigón en los patios. La ciudad está construida en ambos lados de Haulover Creek, que mide unos 30 metros de ancho y tenía la corriente rápida cuando yo estuve ahí. Unos kilómetros arriba de la ciudad, el agua es transparente como la ginebra, y los niños se clavan desde los árboles que le dan sombra, cuidándose de los lagartos y los tiburones de agua dulce.

Price tiene tanto tiempo dominando la política de Belice que, según me señaló un periodista: "Casi conoce a cada votante en el país por su nombre". Se muestra afable en público, salvo conmigo, pero un poco distante, como es propio del padre de su país. Los opositores lo llaman engreído, vengativo y demasiado sometido a la influencia de los jesuitas, que administraban el seminario al que asistió. Un jesuita estadounidense es el único obispo católico del país. Los defectos de Price, cualesquiera que sean, desaparecen en comparación con sus virtudes políticas. La oposición, aunque excluida de la esfera de influencia a la tradicional manera democrática, no es acosada. Incluso ella misma admite que Price es honesto y trabajador. Su gobierno, según las normas de la región, es un ensueño de probidad. En otras partes de Centroamérica, por ejemplo, sólo las personas que controlan a los jueces acuden a la corte. Los habitantes de Belice, confiados en que nadie puede tocar las balanzas de la justicia, además de disfrutar del ambiente británico de las pelucas y las togas, notoriamente son dados a los litigios. Price mismo estaba demandando a un periodicucho local dedicado a los escándalos por difamación, cuando yo estuve ahí, y todo mundo supuso que el juicio se basaría en los méritos del caso.

En ausencia de movimientos revolucionarios y atropellos cívicos, los chismes en Belice se limitan principalmente a escándalos tales como el arresto de un menonita, un pilar de su Iglesia, acusado de cultivar marihuana para la exportación, y la coronación de dos reinas en el festival de la independencia, una de cada sexo.

* * *

Las tropas de defensa de Belice estaban siendo entrenadas por Estados Unidos en Panamá, lo cual probablemente significaba que resultaran mal guiadas y disciplinadas, atascadas en papeleo y mal vestidas. El contingente británico, según vi al salir a su centro de operaciones en el aeropuerto, ostentaba la misma desenvoltura que había observado en Ulster y en Hong Kong, así como en tales bastiones perdidos del imperio como la Guayana Británica, Singapur y Fiji.

Un capitán de la Marina Real me enseñó las instalaciones, señalando particularmente los cuatro "aviones de salto" Harrier, que resultarían tan útiles en la reconquista de las Malvinas, revestidos bajo malla de camuflaje, así como las ametralladoras y los misiles antiaéreos. Unos jóvenes soldados, vestidos con pantalones cortos de kaki, camisas de manga corta y boinas con escarapelas, pasaron junto a nosotros.

—Pertenecen a los Comandos Reales Irlandeses —afirmó el capitán—. Un batallón está apostado aquí. Los turnamos cada seis meses poco más o menos. A los hombres les gusta en el invierno, y no tanto en el verano.

Me condujo a un despacho, amortiguó la luz y encendió un proyector de transparencias. En la pantalla apareció un mapa de los contornos de Belice.

—Todo está tranquilo ahora, pero nunca se sabe qué puede suceder —indicó—. Los mapas oficiales de Guatemala no contienen ninguna frontera nacional, y los guatemaltecos siguen llamando a Belice su vigesimotercer departamento. En todo caso, una compañía de Reales Irlandeses está en la frontera, apoyada por carros blindados repartidos a lo largo de la carretera. [Señaló la posición en la transparencia]. Hay unos pelotones al Norte, alrededor de Orange Walk, pero la mayor parte de la fuerza se encuentra al Sur, en las montañas, a lo largo del corredor atlántico de los guatemaltecos. También contamos con otra compañía de los Reales Irlandeses, así como con una de gurkhas.

Era probable, comenté, que los gurkhas, esos feroces hombrecitos de Nepal, pudieran vencer al ejército guatemalteco entero.

—Seguramente podrían darle una muy buena paliza —admitió el capitán—, aunque espero que no llegue a ello. En todo caso, se sienten muy a gusto ahí, y se llevan muy bien con los mayas. Después de todo, son primos distantes.

17

MASCARADA MEXICANA

DURANTE 300 AÑOS de gobierno colonial, el virreinato de la Nueva España, cuya capital se encontraba en la ciudad de México, tuvo autoridad sobre la capitanía general de Guatemala, la cual comprendía todas las provincias de Centroamérica excepto Panamá. Hubiera podido suponerse que este dominio continuaría después de la independencia, pero la breve invasión e intento de anexión de Guatemala y El Salvador por parte de México en 1822 no tuvo secuelas. La autoridad virreinal de todas maneras en gran parte había sido teórica. Nadie estuvo ansioso por realizar giras de inspección que requerían viajar cientos de kilómetros en mulas a través de montañas, selvas y pantanos. Estas dificultades se multiplicaron después de la independencia. Ya no se disponía de la flota real, y el camino real se fue deteriorando.

Un factor aún más importante fue que los golpes de Estado y las rebeliones no ocurrieron con menos frecuencia en México durante los primeros 25 años de su independencia que en las naciones de Centroamérica. Entonces, en 1845, se produjo el desastre de la guerra contra Estados Unidos, la cual le costó la mitad del territorio nacional a México. En cuanto se recuperó de la amputación, los líderes otra vez se pusieron a pelear. Para 1858, había dos gobiernos, el uno liberal y anticlerical, el otro conservador. El jefe de los liberales era Benito Juárez, un indio de

Oaxaca. Se había educado para el sacerdocio, pero su sueño con un gobierno justo y honesto lo llevó a la política. En 1860, su ejército recuperó la ciudad de México, de la cual se le había expulsado tres años antes.

Con el tesoro vacío, Juárez no tuvo más opción que suspender el pago de los intereses sobre la deuda externa de México. Fue el pretexto que habían esperado las potencias europeas, las cuales preferían a los conservadores. En 1862, tropas británicas, francesas y españolas, que formaban una fuerza conjunta de cobro, desembarcaron en Veracruz. Mientras tanto, los líderes conservadores habían persuadido a Napoleón III de que la imposición de un príncipe europeo tranquilizaría a México, y éste convenció a Maximiliano, un principillo de la casa de Habsburgo, de que aceptara el trono. Cuando la Gran Bretaña y España se enteraron de que sus tropas ayudarían a realizar los sueños de gloria imperial alimentados por Napoleón III, las retiraron. Napoleón III envió refuerzos para tomar su lugar. Este ejército francés derrotó a las tropas agotadas y mal pertrechadas de Juárez y lo arrojó otra vez de la capital. Juárez retrocedió hasta la frontera con Texas. La población donde estableció su centro de operaciones lleva ahora su nombre, Ciudad Juárez. Solicitó la ayuda de Estados Unidos, que había reconocido a su gobierno, pero el presidente Lincoln también tenía una guerra entre manos.

Maximiliano, mientras tanto, estaba resultando un liberal disfrazado. Confirmó las reformas de Juárez y denunció a sus propios partidarios por su corrupción y rapacidad. Respecto al ejército, el clero y el poder judicial, escribió: "Viven tan sólo por el dinero". Juárez, quien rechazó las ofertas de conciliación expresadas por Maximilano, continuó su lucha. Al finalizar la guerra civil, Estados Unidos proclamó su desaprobación en París. Napoleón III, quien vio que sólo le esperaban dificultades, retiró sus tropas. Maximiliano, sin embargo, se negó a abandonar el trono. Asumiendo personalmente el mando de lo que quedaba de su ejército, se enfrentó con las fuerzas de Juárez en Querétaro, al norte de la capital. Maximiliano fue derrotado y hecho prisionero. El implacable Juárez ordenó su ejecución.

Una paz desasosegada perduró hasta la muerte de Juárez en 1872. Cuatro años más tarde, Porfirio Díaz, uno de sus generales, expulsó al sucesor escogido por Juárez y sc proclamó presidente. Díaz se presentó como reformador. Su lema fue "Sufragio efectivo y no reelección". Al término de su primer periodo en el gobierno, se retiró en beneficio de un complaciente subalterno. Sin embargo, volvió al poder en 1884, y, bajo el mismo lema, gobernó sin interrupción hasta 1911.

Díaz era un mestizo, nacido en Oaxaca, como Juárez, pero hubiera sido imposible que su política fuese más diferente. Permitió a los grandes terratenientes agrandar sus fincas, enormes ya, principalmente a expensas de los indios, que perdieron lo mejor de lo que quedaba de sus tierras comunales. Quienes lo apoyaban recibieron extensiones enormes por precios de remate. Había haciendas de 2 500 kilómetros cuadrados, que explotaban a decenas de miles de peones, pero el 99 por ciento de la población no poseía suficiente tierra ni para caerse muerto.

Díaz también abrió a México a la inversión extranjera. Capitales estadounidenses y británicos inundaron al país. Se construyeron fábricas textiles y líneas ferroviarias. Las minas de oro, de plata y de cobre fueron reactivadas. En 1900, Díaz hizo la primera concesión petrolera al extranjero. En 1904, ocurrió la primera huelga trascendental en la región de Tampico, en el Golfo de México. Las exportaciones de café, de azúcar y de algodón se duplicaron y se volvieron a duplicar. Por primera vez, el peso se consideró una moneda firme. Los bonos mexicanos eran inversiones de primera clase.

En las ciudades, la policía de Díaz, y en las zonas campestres, sus rurales, una fuerza paramilitar montada, impusieron una disciplina férrea y justicia sumaria. La riqueza de México se incrementó en enorme medida durante los años bajo Díaz, pero el salario real del trabajador mexicano disminuyó en un 25 por ciento o más. En 1910, cuando una vez más anunció su candidatura para la presidencia, estalló una rebelión. Francisco Madero, un líder de la oposición que vivía en Texas, cruzó el río Bravo y reunió a un ejército heterogéneo. Peones e indios, mineros y obreros de las fábricas se unieron a él por decenas de miles. Lucharon con la furia y el fatalismo de los hombres que no tienen nada que perder.

Al cabo de un año, Díaz huyó a París y Madero se instaló como presidente. No fue el final de un periodo oscuro, sino el comienzo de 15 años de contiendas, masacres y destrucción que cobraron las vidas del 10 al 15 por ciento de la población mexicana. Desde el principio, Madero fue víctima de su falta de crueldad, como siempre ha sido el caso de los demócratas en Latinoamérica. Después de sólo 15 meses en el poder, fue depuesto por uno de sus generales, Victoriano Huerta, quien, antes de cambiar de bando, había sido uno de los comandantes más salvajes de Díaz. Huerta encarceló a Madero y a su vicepresidente. Unas semanas más tarde, todavía detenidos, fueron asesinados.

Al volverse patente que Huerta se consideraba como otro Díaz, estallaron nuevas rebeliones. Francisco "Pancho" Villa y Venustiano Carranza formaron ejércitos en el Norte, y Emiliano Zapata y Álvaro Obregón hicieron otro tanto en el Sur. En febrero de 1914, el presidente Woodrow Wilson reconoció a los rebeldes como beligerantes, lo cual les permitió adquirir legalmente armas en Estados Unidos. La Gran Bretaña, que dominaba la industria del petróleo, en proceso de expansión, y Alemania, que contaba con importantes intereses comerciales, apoyaron a Huerta.

Para abril, Wilson tenía buques de guerra estadounidenses frente a Veracruz y Tampico. Al enterarse de que un buque mercante alemán, el cual cargaba armas para Huerta, estaba a punto de atracar, Wilson ordenó la ocupación de la aduana de Veracruz. Huerta retiró sus tropas, pero quedaron los cadetes de la academia naval, así como cientos de voluntarios, para oponerse al desembarque de los infantes de marina estadounidenses. Los buques estadounidenses bombardearon la ciudad. El combate duró 12 horas, y, antes de que se entregara Veracruz, habían muerto 126 mexicanos y 19 estadounidenses. Incluso Carranza, uno de los líderes rebeldes a quienes Wilson quiso ayudar, se enfureció por la violación de la soberanía mexicana.

La aventura de Wilson terminó confusamente. Las armas fueron descargadas en la costa a 160 kilómetros hacia el Sur. Mientras tanto, al avanzar los rebeldes hacia la ciudad de México, Huerta renunció y fue al exilio a bordo de un crucero alemán. Como Díaz, no partió con las manos vacías. Según *The Secret War in Mexico* ["La guerra secreta en México"], de Friedrich Katz, el capitán del barco informó a Berlín que Huerta contaba con baúles llenos de oro, divisas y valores, y que su esposa e hijas iban cargadas de diamantes.

Carranza surgió como presidente y de inmediato detuvo la distribución de las tierras de las haciendas entre los campesinos. Zapata y Villa se volvieron contra él. Se apoderaron de la ciudad de México, pero se pelearon entre ellos y Carranza regresó triunfante. Sus tropas persiguieron a Zapata hacia el Sur y a Villa hacia el Norte, hasta Chihuahua, su estado de origen. Villa fue derrotado ahí, ya que Estados Unidos permitió que el ejército de Carranza cruzara la frontera para atacarlo por la retaguardia.

A manera de represalia, Villa llevó los restos de su caballería a Nuevo México en 1916. Atacó a balazos el villorrio de Columbus, Nuevo México, donde mató a dos o tres personas. Sin pedirle permiso a Carranza, Wilson envió tropas a México para capturar y traer ante la justicia a Villa. Las tropas infructuosamente recorrieron el desierto hasta ser retiradas, en febrero de 1917.

En 1917, durante una breve pausa en las contiendas, se persuadió a Carranza de que debía convocar una convención constitucionalista. Ésta adoptó un documento que hubiera significado un nuevo amanecer de libertad y justicia para el asolado país, de haberlo observado Carranza u otro cualquiera. Zapata siguió luchando por tierra y libertad. Carranza puso precio a su cabeza y, en 1919, Zapata, al ser traicionado por uno de sus hombres, fue asesinado.

El turno de Carranza llegó al año siguiente. Fue depuesto por su general más capaz, Álvaro Obregón. Carranza siguió la tradición, cargando con todo el oro del tesoro en un tren especial, y se dirigió hacia Veracruz y al exilio. Conforme a otra tradición consagrada por el tiempo, lo traicionó un compañero de confianza. El tren fue atacado por personas desconocidas. Carranza huyó a los montes, pero fue rastreado y asesinado. No se recuperó el oro.

Al ascender Obregón, se extinguieron las luchas. Villa, el último de los líderes rebeldes, hizo las paces y aceptó un gran rancho en Durango, que le entregó el gobierno como agradecimiento. Villa cumplió la promesa de mantenerse apartado de la política, pero, desafortunadamente para él, siguió siendo sumamente popular y en 1923 él también fue asesinado.

La paz de Obregón duró poco. Una provisión tomada por la Constitución de 1917 que sí se observó, fue la eliminación de los privilegios de la Iglesia Católica, la cual había apoyado servilmente a Díaz. Sus tierras, fundaciones y las iglesias mismas se volvieron propiedad del Estado. Se le prohibió a la Iglesia administrar escuelas. El número de ordenaciones fue limitado. Se expulsó a los curas extranjeros. Los funcionarios anticlericales fueron aún más lejos, persiguiendo a los sacerdotes y profanando las iglesias.

En 1926, el Vaticano se vengó poniendo interdicto a México. No podía haber ritos religiosos, no se celebró la misa, no hubo bautizos, últimos sacramentos ni exequias. Cuando el gobierno se negó a ceder, los curas incitaron a los fieles a la rebelión. Se llamaban "cristeros" y había muchas mujeres piadosas entre sus filas. Estaban desarmados y desorganizados, pero oraron por un milagro que no ocurrió. Lo que siguió fue menos la supresión de un levantamiento que el masacre de miles. Se mató o ejecutó a un gran número de sacerdotes. Se exilió a seis obispos. Obregón acababa de ser elegido para un segundo periodo no consecutivo de gobierno en 1928, cuando fue asesinado por un cristero. El interdicto se suspendió en 1929, y se restableció una paz inquieta.

Desde entonces, ha reinado la paz en México. No es por casualidad que durante el mismo periodo lo haya gobernado un solo partido. Ha cambiado de nombre varias veces, actualmente se conoce como el Partido Revolucionario Institucional, o PRI, pero no en cuanto a su consagración a la estabilidad. Sólo el partido comunista de la Unión Soviética ha mantenido el poder por más tiempo. Desde el advenimiento del PRI, ningún presidente ha prestado sus servicios por más del único periodo de gobierno prescrito por la Constitución, sólo uno lo ha hecho por menos del periodo completo, y no ha habido levantamientos significativos ni intentos de golpe de Estado. Ningún otro país en Latinoamérica, y pocos en todo el mundo, pueden afirmar lo mismo.

Sin embargo, durante este largo periodo de paz y de relativa prosperidad, México ha contado con sólo un presidente a quien puede describirse como distinguido. Fue Lázaro Cárdenas, quien gobernó de 1934 hasta 1940. Cárdenas estableció su propio Nuevo Trato, y la mayor parte de la legislación social de México se remite a su gobierno. Por lo que posiblemente se le recuerde más, no obstante, es por su expropiación de la industria petrolera. La fecha en la cual firmó el decreto es una fiesta nacional.

Durante más de 35 años, los mexicanos, airados, habían observado cómo se llevaban unas ganancias enormes los intereses británicos, que controlaban el 60 por ciento de la producción y la refinación, y los estadounidenses, que poseían casi todo el resto. En 1921, por ejemplo, mientras México estaba siendo desgarrado por la Revolución, produjo 193 000 000 de barriles de petróleo, un cuarto del total mundial. Dada la inseguridad de los tiempos, las compañías explotaban sus concesiones lo más rápidamente posible, y los desperdicios eran vastos. La producción disminuyó durante los veintes. Las compañías no tuvieron motivo para buscar nuevos campos en México, cuando podían disponer fácilmente de petróleo barato proveniente de Texas, Oklahoma y el Cercano Oriente. Para 1932, la producción mexicana había bajado a 33 000 000 de barriles, de los cuales la mayoría se consumía en el mercado nacional.

En 1936, los trabajadores petroleros, animados por Cárdenas, formaron un sindicato. Éste exigió un gran aumento a los salarios, el cual las compañías afirmaron no poder sufragar. Cárdenas consiguió documentos de la compañía que demostraban que las ganancias obtenidas con el petróleo mexicano eran varias veces mayores que en Estados Unidos. Un árbitro decidió a favor del sindicato. Las compañías apelaron ante la Suprema Corte mexicana, perdieron otra vez, pero insistieron en no conceder el aumento.

En 1938, el sindicato, respaldado por el presidente, convocó una huelga, y el mismo día Cárdenas nacionalizó la industria, como Petróleos Mexicanos, o PEMEX. Dado que Cárdenas prometió pagar una compensación justa, Roosevelt se mostró sordo ante las súplicas de las compañías, a las cuales, en todo caso, no debía nada políticamente. La Gran Bretaña, cuyas firmas, principalmente el grupo Shell, habían sufrido la mayor pérdida, se halló incapaz de actuar por cuenta propia.

Causando el asombro manifiesto de los dueños desposeídos, PEMEX operó con éxito los campos, las refinerías y las terminales. No obstante, su petróleo fue boicoteado, y los fabricantes de equipos se negaron a venderle nada. Sólo al comenzar la Segunda Guerra Mundial, México dejó de ser un paria petrolero, y no fue sino hasta los sesentas que se llegó a un acuerdo con los intereses británicos y que se efectuó el pago final.

La posesión estatal del petróleo, junto con la reforma agraria, el collar de hierro puesto a la Iglesia Católica y la Constitución de 1917, se han convertido en la piedra fundamental sobre la cual se construye el mito de un México "revolucionario". La realidad parece indicar que el país ha marcado el paso o caminado en la dirección opuesta desde que Cárdenas abandonó la presidencia.

La reforma agraria y los límites puestos a la posesión de la tierra irrigada se han convertido en letra muerta. De cuando en cuando se hicieron repartos nominales, pero para fines de los setentas incluso éstos se suspendieron casi por completo. Las estadísticas oficiales son incompletas y poco confiables, según me señalaron especialistas en el campo, pero no parece que se haya entregado a los campesinos más del 10 o el 15 por ciento de la tierra que formaba las grandes haciendas en 1910, como parcelas familiares o ejidos comunales, y lo que recibieron fue lo más deficiente y seco.

Además, en ninguna parte de Latinoamérica es más ancha la brecha entre los ricos y los pobres. El primer 10 por ciento de la población recibe el 40 por ciento de los ingresos, y el uno por ciento superior probablemente absorba otra vez la mitad de esto. El 40 por ciento inferior cuenta con el 10 por ciento de los ingresos, y su vida no es mejor que la de los pobres de Guatemala o El Salvador.

La Constitución de 1917, que estipula un gobierno representativo, elecciones libres, la separación de poderes, comprobaciones y equilibrios, un poder judicial independiente, una prensa libre y un gran número de otras cosas buenas, sigue siendo la carta nacional. Los oradores nunca se cansan de aclamarla como una obra de genio incomparable, haciendo caso omiso del hecho de que no influye en la manera en que el país es gobernado por el Partido Revolucionario Institucional.

El PRI no tiene nada de revolucionario. Se sostiene por medio del padrinazgo y los sobornos, el fraude electoral, el nepotismo, la apropiación de los líderes opositores y, tan sólo con la frecuencia absolutamente necesaria, la intimidación y el asesinato. Las habitaciones traseras del partido son más oscuras y llenas de humo que las de cualquier otro. Los candidatos para la presidencia se eligen con una reserva tan total que muy pocas personas saben siquiera cuál es el proceso. Lo más probable es que el presidente titular, actuando solo o, lo cual es más factible, tras consultar con los presidentes anteriores y los funcionarios superiores del partido, haga la selección.

En tiempos recientes, han sido presidentes un burócrata como López Portillo, o su sucesor, Miguel de la Madrid, quien ha pasado toda su carrera en el gobierno, sobre todo en las secretarías de Gobernación o en Finanzas. Algunos presidentes parecen inclinarse un poco hacia la izquierda, como Luis Echeverría Álvarez, o hacia la derecha, como su sucesor, López Portillo, quien dejó el cargo a fines de 1982, pero, de hecho, casi no se mueven en absoluto.

Pese a lo que diga la Constitución, cada uno gobierna por seis años con casi el mismo poder que tuvo Porfirio Díaz. La única función del cuerpo legislativo es la de aplaudir los actos del presidente. Los jueces de la nación son servidores fieles del partido. La prensa libre se imprime sobre papel que sólo puede adquirir por asignación del gobierno. Un gran número de sus editores, directores y reporteros reciben pagos del gobierno. A fin de intensificar la ilusión de democracia, a la vez que hace astillas los votos contra el PRI, el gobierno también subsidia a candidatos de la oposición. Por el mismo motivo, el 25 por ciento de los asientos en la cámara baja del Congreso está reservado para ellos.

Hubo tendencia a pasar por alto estos desagradables hechos durante el largo periodo de paz y de relativa prosperidad que continuó hasta mediados de los setentas. La producción aumentaba en por lo menos el 5 por ciento anual, y a menudo más, manteniéndose bien adelante del crecimiento de la población, de un 3.5 por ciento anual. La inversión por intereses estadounidenses, notablemente por los fabricantes de automóviles, se incrementó a gran velocidad y sumó 8 mil millones de dólares al finalizar la década. La nueva clase de profesionistas, ejecutivos y técnicos solía creer que la única alternativa al PRI era la vuelta al caos.

Para 1977, sin embargo, la economía estaba estancada, habían bajado los precios de las exportaciones, la inflación subía y el peso acababa de devaluarse en un 40 por ciento. López Portillo, quien apenas había tomado posesión del cargo, anunció que pronto terminarían los problemas de México. PEMEX, estimulado por la elevación extrema en los precios del petróleo, había hallado unos enormes campos nuevos en la costa del Golfo. Las reservas de petróleo comprobadas de México se remontaron, de 3.5 mil millones de barriles, hasta al menos 50 mil millones, cifra rebasada sólo por Arabia Saudita, la Unión Soviética, Kuwait e Irán. Cada barril tenía un valor mínimo de 35 dólares en ese momento, o un total de 1.75 *billones*. Las reservas probables se estimaban en otros 25 mil millones de barriles.

Al describir López Portillo el futuro paraíso de alta tecnología, prosperidad y justicia social, hubiera podido disculparse a la nación entera por pensar que se había ganado el gran premio de la lotería nacional. El presidente, cuyo padre fue un funcionario ejecutivo de PEMEX, estaba bien consciente de que México no había derivado ganancia alguna de su primer auge petrolero. Prometió abjurar del temerario derroche practicado por los jeques o el sha y salvaguardar el patrimonio nacional.

—Debemos aprovechar nuestro petróleo a fin de desarrollar el resto de la economía, teniendo siempre en mente que el petróleo es un recurso no renovable —declaró López Portillo—. El uso adecuado de nuestro petróleo nos permitirá resolver el problema fundamental del país, que es el desempleo, para el cambio del siglo.

Los técnicos, las mejores mentes de México, dibujaron planos para las refinerías, los oleoductos, los puertos, las escuadras de buques petroleros y las plantas petroquímicas que serían necesarios para explotar los descubrimientos. La deuda externa de México ascendía ya a 12 mil millones de dólares, bastante grande para preocupar al Banco Mundial. No obstante, los bancos comerciales más grandes de Estados Unidos, Europa y el Japón, ansiosos por prestar, o recircular, según ellos decían, las decenas de miles de millones de dólares que tenían en depósitos recibidos del Cercano Oriente, ofrecían con condiciones fáciles cualquier suma que necesitara México. Las compañías petroleras estadounidenses imploraban comprar todo el petróleo y el gas natural que México pudiera proporcionarles.

¡Qué momento de embeleso para López Portillo! Hasta entonces, los presidentes mexicanos habían estado siempre dolorosamente conscientes de que Estados Unidos era mucho más importante para México que México para Estados Unidos. México vendía el 65 por ciento de sus exportaciones, principalmente agrícolas, a Estados Unidos, mientras Estados Unidos sólo vendía el 3 por ciento, poco más o menos, de sus exportaciones a México. El dinero mandado a casa por los trabajadores mexicanos en Estados Unidos sumaba 3 mil millones de dólares al año, y los turistas estadounidenses gastaban cerca de mil millones de dólares anuales en México. Sin estas sumas, no hubiese sido posible tolerar el déficit en la balanza de pagos de México, y la tasa del desempleo, sobre todo en las regiones norteñas, tal vez se hubiera vuelto socialmente peligrosa.

Ahora, por primera ocasión en su historia, México contaba con algo que Estados Unidos necesitaba con urgencia y de lo que no parecía probable que se apoderara por la fuerza. Esta situación desacostumbrada tendió a causar irritación a los líderes de ambos países y condujo, inevitablemente, a malos entendidos. En 1977, el gobierno de Carter puso el veto a una venta de gas a largo plazo, porque opinó que el precio era demasiado alto. López Portillo creía contar con un trato seguro y no ocultó su enfado. Limitó las exportaciones totales de petróleo a 1 500 000 barriles diarios, y decretó que no podría venderse más de la mitad a Estados Unidos, sin importar cuán apremiante fuera su necesidad. Cuando el presidente Carter realizó una visita conciliatoria a México, en febrero de 1979, López Portillo lo reprendió en público. "Entre vecinos permanentes, no ocasionales, aseveró, las medidas sorpresivas y el inesperado engaño o abuso son frutos venenosos que tarde o temprano tienen que rebotar".

Carter al parecer intentó aligerar el ambiente. Hizo una referencia jocosa a la "venganza de Moctezuma", la diarrea que a menudo aflige a los turistas estadounidenses en México al comer frutas y legumbres sin lavar, y con ello intensificó la ira de López Portillo. El ministerio de Estado, según se me dijo con excelente autoridad, había insistido en prevenir a Carter contra el uso de la expresión, que los mexicanos consideran como profundamente insultante. El que lo haya hecho no necesariamente indicaba una memoria deficiente. Se informó que él y López Portillo se cobraron una antipatía mutua al instante.

Las relaciones cordiales de México con la Unión Soviética y Cuba forman parte de una política exterior de la que hubiera estado orgulloso Maquiavelo. Al rehusarse a seguir el ejemplo de Estados Unidos en motejar a Cuba de un proscrito del hemisferio, México reafirmó su tradición revolucionaria bastante raída y se ganó la simpatía de los líderes tercermundistas y de los intelectuales de izquierda. Pocos lectores de publicaciones comunistas o socialistas, por ejemplo, probablemente estén conscientes de las cifras correspondientes al reparto de los ingresos en México.

A cambio de este apoyo, Fidel Castro al parecer accedió a no hacer nada para estimular una verdadera revolución en México. Los comentarios cubanos fueron moderados, por ejemplo, cuando las fuerzas de seguridad mataron, en 1968, a unas 100 personas e hirieron a cientos durante una manifestación izquierdista en la ciudad de México. Aunque el gobierno servicialmente creó un panteón de mártires, nadie les rindió culto en este santuario. El partido comunista de México sigue siendo tan débil que es enteramente legal. No proporciona dirección, ni siquiera aliento, a los campesinos y los indios que, de cuando en cuando, tratan de ocupar la tierra ociosa o de defenderse contra la ocupación ilegal de sus propiedades.

Aunque Estados Unidos se queje de la ayuda y el consuelo que México da al enemigo, las conversaciones que sostuve en la ciudad de México y en otras partes sugieren que Washington no está del todo disgustado.

—Lo único que quisiéramos en el mundo —me indicó un diplomático—, serían guerrilleros comunistas en la Sierra Maestra o en los barrios pobres de la ciudad de México y Monterrey, que colocaran bombas en las líneas de montaje de la Ford y General Motors o que se escurrieran por la frontera, a Los Ángeles del Este, San Antonio, y el valle Imperial. Si México logra mantener fuera a Castro mediante palabras, ¿qué tan malo puede ser?

La renuencia de los sucesivos presidentes estadounidenses a tratar concluyentemente la cuestión de la inmigración ilegal desde México ha sido, por lo menos en parte, una expresión de gratitud por la manera sutil en que México, mientras parece abrazar a Cuba y a la Unión Soviética, ha puesto una barrera a sus actividades en ese país. Quienes más lo aprecian son los industriales y los elaboradores de productos alimenticios estadounidenses, cuyas operaciones mexicanas redundan en enormes utilidades.

En enero de 1979, México dio una bienvenida impetuosa al Papa Juan Pablo II. Debido al anticlericalismo oficial del país, ningún funcionario gubernamental superior apareció con él en público, y López Portillo sólo lo recibió en privado. (Los presidentes mexicanos invierten la costumbre de los estadounidenses en que jamás se dejan ver en la iglesia). También se informó en esa ocasión que el espacio para "ocupación", en la visa mexicana del Papa, se dejó en blanco.

Durante el resto del año, López Portillo señaló su intención de incrementar la influencia mexicana en Centroamérica. En mayo, Fidel Castro, como para compensar por el Papa, efectuó su primera visita a México desde su llegada al poder, y el mismo mes, México se convirtió en el primer país de la región que rompiera relaciones con el gobierno de Somoza.

En el verano de 1980, López Portillo visitó Cuba, Nicaragua, Panamá, Costa Rica, Venezuela y el Brasil. Accedió a proporcionar personal y equipo de PEMEX para ayudar a Castro a buscar petróleo. En enero de 1981, López Portillo permitió que los insurgentes salvadoreños establecieran una sede en la ciudad de México. En junio, conferenció con el presidente Reagan en Washington e hizo el comentario de que la "Hoja Blanca" del ministerio de Estado acerca de El Salvador era "un insulto a la inteligencia". En agosto, México y el gobierno socialista de Francia emitieron la declaración conjunta que otorgó a los insurgentes salvadoreños el *status* de "una fuerza política representativa". Fue el primer despliegue de preocupación francesa por la región desde la ejecución de Maximiliano. Quizá no del todo por casualidad, Francia acababa de recibir una ración diaria de 100 000 barriles de petróleo mexicano.

Mientras López Portillo llamaba la atención del mundo sobre el hecho de que México era ahora una potencia regional que había que tomar en cuenta, la escasez de petróleo que lo había hecho posible estaba transformándose en hartazgo. Sus consejeros le advirtieron que serían inevitables reducciones a los precios. Le dijeron que México estaba enfrentando una inflación desastrosa y lo instaron a limitar los grandiosos planes de desarrollo, a reducir los préstamos pedidos al exterior y a gradualmente devaluar el peso. Éste era sostenido por el Banco de México en una tasa de 26 por dólar, lo cual subsidiaba las inversiones de los mexicanos ricos en el extranjero.

López Portillo, que fundó su gobierno en la creación de 1 000 000 de empleos al año, el mínimo que él consideraba necesario para satisfacer las exigencias de la creciente población y para conservar la paz social, rehusó contraer la economía o permitir siquiera que PEMEX redujera los precios de exportación para igualar los de la competencia. Como consecuencia, los clientes de México, incluyendo a Francia, empezaron a cancelar sus contratos y a comprar en otra parte. En junio, Jorge Díaz Serrano, el director de PEMEX, tomó la única medida posible. Sin pedir permiso al presidente, bajó los precios en 4 dólares por barril. Aunque era un viejo camarada, López Portillo lo despidió de inmediato, pero resultó imposible volver a los precios de antes. La pérdida en entradas para México fue de algo como 3 mil millones de dólares al año.

En septiembre, López Portillo anunció que De la Madrid, el secretario de Programación y Presupuesto, sería el candidato del PRI para la presidencia en 1982. De la Madrid, un técnico con una grado en administración pública de Harvard, se conocía como conservador en asuntos económicos. En su discurso de aceptación, puso mayor énfasis que el usual en el problema de la corrupción. El presidente del partido renunció como protesta.

En octubre, López Portillo presidió una conferencia de 22 naciones que debió simbolizar la recién adquirida eminencia de México y de él. Se describió como "una reunión cumbre Norte-Sur", y se proponía investigar los medios por los cuales la riqueza pudiese transferirse de los países ricos a los pobres. La conferencia se realizó en Cancún, el centro turístico de la península de Yucatán. Entre los presentes figuraban Reagan, quien ahí se encontró con López Portillo por cuarta vez en ese año. Reagan consintió en asistir bajo la condición de que Castro no estuviera ahí. Aparte de demostrar que era más deseable que Castro, la presencia de Reagan probablemente estuviera relacionada más con el petróleo y el gas natural, que con cualquier simpatía hacia el propósito de la conferencia, la cual, fuera de hinchar el ego de López Portillo, no parece haber logrado nada en absoluto.

Una de las personas con las que hablé en la ciudad de México fue un economista ligado a un instituto de investigación. Era nativo de otro país latinoamericano y, por lo tanto, se expresó con cierto grado de despreocupación. Puesto que se consideraba como huésped en México, me pidió que no lo identificara.

—Uno de los grandes problemas de México, y del resto de Latinoamérica, es que los ciudadanos no tienen sentido de deber alguno por su parte con el Estado —comenzó—. Los mexicanos son muy individualistas y muy anárquicos. La única razón por la que el sistema político, pese a todas sus imperfecciones, funciona aquí, es porque inspira suficiente esperanza a suficiente gente. Creo poder afirmar, además, que percibo los comienzos de un sentido de responsabilidad y de deber.

"Cabe muy poca duda respecto a que casi todos quienes trabajan para el gobierno, PEMEX, Ferrocarriles Nacionales y otras empresas estatales tienen que devolver una comisión, cierto porcentaje de su salario, al PRI, y trabajar por el partido en la época de elecciones. En cambio, los empleados de gobierno, la policía e incluso los recolectores de la basura tienen licencia para la extorsión, y las personas colocadas encima de ellos reciben su parte. No puede tramitarse ningún asunto en municipio alguno de México en menos de 10 años, a menos de que se satisfaga al dependiente encargado de atenderlo a uno.

"A los comandantes de la policía probablemente les vaya mejor que a todos —prosiguió—. Reciben un porcentaje de los policías que detienen a los automovilistas y simplemente dicen: «Deme 50 pesos, o le levanto una infracción por pasarse ese alto». Huelga decir que no importa si uno se pasó el alto o no. Los jefes cobran mucho dinero a los burdeles, a los garitos y a los traficantes de drogas, etcétera".

Si estos alegatos parecen exagerados, debe señalarse que son aceptados como realidades de la vida por todos los mexicanos mayores de seis años: un tema de chistes mordaces antes que de indignación. Pregunté al economista si podía estimar cuánto sumaban los sobornos en un año.

—Es imposible —afirmó—. Nunca hay investigaciones reales, porque el sistema de justicia criminal es totalmente corrupto y la oposición política nunca llega al poder. Sólo se puede adivinar, pero hay muchas pistas. El gobernador de un estado de repente empieza a pasar los fines de semana en un rancho de 4 000 hectáreas; la esposa de un presidente municipal presume el nuevo collar de diamantes y esmeraldas; cosas así. Seguramente suma miles de millones de dólares al año. Los sobornos por lo menos duplican, incluso triplican el costo de los proyectos públicos. A veces se hurta *todo* el dinero, y el proyecto nunca se emprende.

Durante los 20 años anteriores a 1982, la población de México se duplicó, para llegar a 70 000 000. Aunque el índice de natalidad parece estar bajando de su punto más alto del 3.5 por ciento anual al 2.8 por ciento, el número de habitantes será otra vez el doble, o cerca de éste, para el año 2000. México ya está importando trigo y maíz. Sin duda, es posible aumentar las cosechas nacionales, pero no hasta el grado de satisfacer ni la mitad de las necesidades alimenticias del país, y parece poco probable que los ingresos por exportaciones alcancen, considerando las enormes sumas que ya se deben en el exterior, para compensar por la deficiencia.

En México, como en otras partes, la tasa de crecimiento de la población es más alta entre los sectores más pobres de la misma. Sin medios de subsistencia en sus pueblos de origen, los campesinos, a razón de millones, se trasladan a las ciudades. La población de la ciudad de México y los alrededores aumenta mucho más rápidamente que la de la nación en total. En 1982 se encontraba en 17 000 000, e iba creciendo a razón de 750 000 anuales, y, de no frenarse, se esperaba que llegaría a 32 000 000 para el cambio del siglo.

Estos nuevos habitantes se refugian donde pueden. Para la mayoría, esto significa una choza en una de las ciudades perdidas, que forman una corteza de miseria alrededor de la capital. La mayor de éstas es Netzahualcóyotl, "lugar de los coyotes" en náhuatl, un municipio de 26 kilómetros cuadrados que linda con la ciudad de México hacia el Este y cuya población se estima, increíblemente, en 4 000 000.

Neza, según se le llama, se ha elevado sobre basureros: aplanados, comprimidos y cubiertos por unos centímetros de tierra. Debajo de la basura se extiende el lecho del lago de Texcoco. Se trata de uno de varios lagos que protegieron y embellecieron a Tenochtitlan, la capital de los aztecas. Actualmente sólo quedan tres. Todos los días se depositan cientos de cargas de basura sobre las orillas del de Texcoco. Se ha convertido en un pozo negro de poca profundidad, apestoso y lleno de malas hierbas, de unos 800 metros de ancho.

En el perímetro, Neza vibra de energía latina, pero en el interior, oculta por una fachada de pequeñas tiendas y casas, se encuentra la atroz realidad. Al borde de los callejones atravesados por profundos surcos y sin pavimentar, demasiado estrechos para un coche, hay chozas de tabiques de adobe o de ladrillos de cenizas, apenas más grandes que casillas de establo. Dan al "ranchito" rural más pobre la apariencia de una mansión. Incluso los radios y los gritos y sollozos de los niños están amortiguados. La luz de un día grisáseo y ventoso se desvaneció entre los remolinos de polvo fétido y el humo de los fuegos para cocinar.

Mi chofer-intérprete y yo hablamos con una mujer de piel cobriza que lavaba la ropa en una cubeta verde de plástico. Afirmó que un hombre de la ciudad era el dueño de su casa, así como de otras muchas. Todas las semanas, indicó, el casero iba a cobrar la renta. No pude hallar la cantidad entre mis apuntes, pero recuerdo haber pensado que era muy alta.

Caminamos mucho por esos callejones, que le helaban a uno el alma, y luego nos dirigimos hacia la orilla oriental de la ciudad. Había mucho espacio para la expansión: una llanura desolada que se extendía a través de tres o cuatro kilómetros hasta una hilera de cerros bajos. Pasamos junto a un estadio de hormigón para 35 000 personas. Un letrero lo identificaba como la casa del equipo de futbol de los Coyotes de Neza. Dos edificios escolares se encontraban cerca. Al parecer eran nuevos. Los muchachos estaban jugando afuera. Lo extraño, como pudimos apreciar al aproximarnos a ellos, era que el sitio no tenía preparación alguna. No había árboles, pasto, camino para carros, banquetas, ni siquiera un patio de superficie dura. Los alumnos jugaban en medio de los afloramientos de basura.

Encontramos a la directora en un pequeño despacho. Era una mujer de unos 40 años, una cara regordeta maquillada con cuidado y una melena de cabello teñido de rubio muy barnizado. Fijó la mirada desagradablemente en nosotros. Era la expresión con la que me recibió cada empleado público con el que me encontré en México.

—Debió haber arreglado esta visita con la Secretaría de Educación —declaró—. Está prohibido entrar en las escuelas o hablar con los alumnos sin la aprobación de ésta.

—No le hace —contesté.

Nos dirigimos de regreso a mi hotel en la Zona Rosa por una carretera de cuatro carriles que bordea la orilla de Neza hacia el Norte. Del otro lado había bajas pirámides de basura, las cuales se extendían sobre más o menos 800 metros hasta el lago. Ya había comenzado el desarrollo del área; estaba aplanándose y cubriéndose la basura, para construir cientos de las mismas perreras negras y grises. Nos encaminamos por un callejón de terracería hasta la última fila de chozas. Ahí estaba estacionada una camioneta roja con el emblema del PRI en la portezuela. Un hombre fornido se hallaba tras el volante, hablando con una joven mujer a través de la ventanilla abierta.

Por sugerencia mía, mi intérprete explicó que estaba investigando la organización del PRI a nivel popular.

—No pertenezco al PRI —afirmó el hombre, sin hacer caso a mi mano extendida—. Soy maestro. Estoy hablando con esta mujer acerca de las calificaciones de sus hijos.

Refunfuñó algo que no comprendí. Al mismo tiempo, descubrí un revólver enfundado sobre el asiento a su lado. Mi compañero se volteó, me tomó del brazo y empezó a alejarse rápidamente.

—Dijo que nos fuéramos de aquí —susurró.

Volví la mirada en el momento en que mi compañero estaba dando la vuelta con el carro y atrapé una expresión de ceño, como rayo de muerte, exactamente entre los ojos.

Unos kilómetros más adelante, vimos a una multitud de varios cientos de personas reunidas sobre el camellón de en medio, que medía unos 50 metros de ancho y servía de paso a las altas torres en forma de "T" de una línea de transmisión eléctrica. Escuchamos música amplificada y vimos letreros y estandartes. Los más grandes de éstos proclamaban que Neza daba la bienvenida al gobernador del estado de México. (El estado, del cual Neza forma parte, rodea a la ciudad de México. La capital constituye una entidad como Washington, D.C.).

La ocasión, según averiguamos después de habernos detenido una vez más, era la dedicación por el gobernador de una cancha de futbol, un tablero de resultados y un cobertizo para cambiarse de ropa, que se habían construido sobre el camellón pedregoso y sin pasto, así como la presentación de un proyecto para recuperar el lago de Texcoco y transformar a Neza en un suburbio arbolado. Sobre caballetes estaban expuestos mapas, representaciones arquitectónicas y proyectos básicos. Orador tras orador indicó a la multitud que esas cosas buenas sólo llegarían a suceder si la lista completa de candidatos del PRI obtenía una victoria abrumadora en las próximas elecciones municipales.

Cada 20 minutos poco más o menos, una voz emocionada interrumpía la triste música de unos polvorientos mariachis para anunciar que el gobernador llegaría en cualquier momento. Al escucharlo, los integrantes de los grupos de trabajadores, culturales y juveniles que componían el comité de bienvenida alzaban los estandartes y enderezaban las filas.

El equipo de futbol juvenil, que pronto estaría lastimándose las rodillas sobre la cancha llena de piedras, contaba con un estandarte, así como también los sindicatos y clubes sociales de Neza. El más grande y más artístico de todos, bordeado con hilo de oro sobre seda verde, era sostenido en alto por tres mujeres curtidas por la intemperie. Decía: "Unión de Neza de Recolectores de Desperdicios". Esas mujeres eran pepenadoras que recorrían el mar de desperdicios, en busca de botellas, metal, harapos, cualquier cosa que pudiera venderse. Era la única industria de Neza, y me enteré de que los miembros del sindicato, casi todos mujeres, la monopolizaban.

—Debiera ver lo que sucede cuando alguien que no pertenece al sindicato trata de meterse ahí —declaró un hombre, señalando los depósitos de basura del otro lado de la carretera.

Cuando hubo pasado una hora sin que llegara el gobernador, la muchedumbre empezó a dispersarse. Los sindicatos y las otras delegaciones permanecieron en el lugar, aunque empezaron a repantigarse y a rezongar. Los jóvenes jugadores de futbol se pusieron a patear un balón. Las mujeres del sindicato de pepenadores apoyaron el estandarte en una de las metas de la cancha.

Mientras esperábamos, cruzamos la carretera para observar el trabajo de algunos pepenadores. Cinco o seis mujeres se hallaban aguardando cada camión de basura. Antes de que éste terminara de depositar su carga, comenzaban a remover los desperdicios. Su aguda vista y trabajo duro les hubiera ganado una fortuna en cualquier basurero municipal de Estados Unidos, pero en Neza las ganancias eran escasas. Una de las mujeres, hablando por encima del hombro, indicó que incluso las mujeres ricas vendían todo lo posible a los compradores de chatarra que regularmente van de ronda por la ciudad. Aun huesos y botellas, afirmó la mujer. Los arqueólogos no averiguarán mucho acerca de la ciudad de México actual con base en sus desechos.

Para entonces, el olor del depósito estaba volviéndose asfixiante, y regresamos a la "fiesta". Conforme avanzaba la tarde, el cielo se hacía más gris. El viento empezó a soplar desde las montañas que rodean la ciudad, y el aire enrarecido, a la altura de 2 200 metros, provocaba que se sintiera más frío. Lo que quedaba de la multitud estaba pasando botellas de tequila y de mezcal para templar el frío. Pasaban rugiendo camiones de remolque, arrojando humo negro. Aviones de reacción despegaban del aeropuerto, a una distancia de ocho kilómetros por la carretera, y se elevaban lentamente encima del lago. La música seguía tocando al máximo de volumen. Estaba quemándose la basura en el depósito. Todo era ruido, humo, polvo, desolación. Podían imaginarse cosas peores: epidemias, hambrunas, desastre, guerra, pero, para un día normal en una nación en estado de paz, Neza era la visión del infierno mismo. Finalmente nos fuimos, sin haber visto al gobernador.

Esa noche, mientras cenaba en un restaurante ubicado en un edificio de oficinas sobre el Paseo de la Reforma, percibí extraños temblores en las piernas y la estancia pareció oscilar.

—La "venganza de Moctezuma" y algo más —dije para mí mismo. Me pregunté qué virulentos agentes patógenos habría respirado esa tarde. Entonces escuché el barboteo de las pláticas y la palabra "terremoto". Los terremotos son frecuentes en México, pero fue el primero para mí. Los comensales se dirigieron hacia la salida, y yo los seguí, sobre piernas tambaleantes. Sólo llegamos hasta la puerta. Ahí se encontraban el "maître d'hôtel" y dos ayudantes, negando el paso a cualquiera que no hubiese pagado la cuenta. Para entonces, las oscilaciones se habían suspendido, y regresamos dócilmente a nuestras mesas.

Fue un terremoto fuerte, de 7.2 en la escala de Richter, pero el epicentro se localizó en las montañas a varios cientos de kilómetros hacia el Suroeste. Se informó acerca de la destrucción de diversos pueblos y la muerte de algunas personas.

Las estadísticas correspondientes a 1981 muestran que los ingresos de México desde el exterior se quedaron cortos respecto a lo esperado, no por 3 mil millones de dólares, que fue la estimación a mediados del año, sino por 6 mil millones. Al mismo tiempo, la deuda pública contraída en el exterior aumentó en 15 mil millones de dólares, para llegar a 49 mil millones, y la deuda privada se incrementó por casi la tercera parte, hasta 15 mil millones. Muy de repente, México había escalado la cima junto con el Brasil, como las naciones más endeudadas del mundo. La fuga de capitales se intensificaba conforme disminuían los ingresos petroleros, a la vez que continuaban sin control alguno los gastos en el extranjero. Como resultado, el Banco de México estaba agotando sus reservas de dólares.

Hacía meses que circulaba información acerca de presiones ejercidas sobre el peso. El 5 de febrero de 1982, López Portillo pronunció un discurso, en el cual juró defender al peso "como un perro". Dos semanas después, accedió a una devaluación del 30 por ciento. El presidente también redujo el régimen de inversiones de PEMEX e imploró a sus paisanos que dejaran sus fondos en el país. Esta declaración fue interpretada como la advertencia de una última oportunidad. La fuga de capitales se convirtió en un pánico general. Para fines del mes, el peso había caído a 45 por dólar. Se impusieron controles de precios a 5 000 artículos y productos alimenticios de uso común, lo cual estimuló el impulso natural a acaparar y especular.

López Portillo siguió llevando a cabo visitas al extranjero y a emitir declaraciones en apoyo a los sandinistas, ofreciendo sus servicios como mediador en Centroamérica y diciendo que estaba seguro de que Castro estaría dispuesto a hablar con Estados Unidos. No obstante, la atención recibida iba disminuyendo conforme crecía la deuda externa de México. En abril de 1982, con la noticia de que la inflación de enero se había colocado en 5.7 por ciento, una tasa compuesta anual del 75 por ciento, se puso de manifiesto el alcance del desastre. En 1981, se consideraba como inquietante una tasa del 30 por ciento. Se predijo una disminución en el crecimiento económico en 1982, del 7 por ciento que había sido el promedio durante los cuatro años anteriores, a la mitad o menos, lo cual volvía improbable la creación de nuevos empleos. La deuda externa, pública y privada, aumentó a 68 mil millones de dólares. Los ingresos petroleros para el año eran calculados en 14 mil millones de dólares, 6 mil millones menos que las estimaciones a largo plazo. El déficit representaba dinero que México hubiera podido emplear para atender a la deuda. La fuga de capitales, estimada en 8 mil millones de dólares para 1981, que ya era bastante, fue calculada en entre 2 y 4 mil millones de dólares para las primeras seis *semanas* de 1982.

El mismo mes, estas abstracciones estadísticas recibieron otra dimensión. El Grupo Alfa, la fuente de trabajo más grande de México fuera del gobierno, anunció que no estaba en situación de cumplir con sus obligaciones extranjeras, que sumaban 2 mil millones de dólares. El grupo, un conglomerado en posesión particular, cuyos productos variaban desde el acero y el cemento hasta el plástico y la cerveza, se había expandido con rapidez y, como dirían algunos, imprudentemente, con base en dinero prestado. Sus ventas estaban ya disminuyendo en una economía en contradicción al devaluarse el peso. Por lo tanto, su deuda externa y el costo de los artículos adquiridos en el extranjero se duplicaron de un día al siguiente.

En julio, De la Madrid fue elegido para presidente. De haber alguna vez una elección en la cual los votantes hubiesen estado tentados a echar a los maleantes, fue ésa, pero el PRI obtuvo su mayoría usual del 75 por ciento, o por lo menos eso dijeron los resultados oficiales. Sin embargo, De la Madrid no tomaría posesión del cargo hasta el 1 de diciembre, y en el ínterin, según dictaba la costumbre, no se presentaría en público ni emitiría declaración alguna. López Portillo estaba obligado a seguir tratando de hallar una solución a la crisis económica más seria en la historia de México, la cual incluye muchas crisis, como el funcionario más acabado que pudiese haber. El gobierno insistía en repetir que la situación estaba mejorando, pero en agosto tuvo que admitir que sus reservas en moneda extranjera estaban otra vez agotadas. Nuevamente se devaluó el peso, en esta ocasión hasta 75 por dólar, y se estableció un sistema de cambios de dos niveles. El gobierno continuaba respaldando el peso en 49.5 por dólar, para la importación de los artículos de primera necesidad. Todo lo demás había que pagarlo de acuerdo con la tasa del mercado libre, la cual de inmediato se elevó a 95 y luego llegó hasta 120.

Una vez más, los banqueros extranjeros volaron a la ciudad de México. No eran los hombres afables que habían apremiado a México para aceptar el dinero, sino los especialistas graves en cuentas morosas, que los bancos llaman "hombres de resolución", porque la pregunta que no dejan de hacer es: "¿Cómo podemos resolver este problema?". El asunto es planteado con más delicadeza, por supuesto, a los funcionarios superiores de un Estado soberano que, digamos, a un fabricante moroso de prendas de vestir, pero el significado es el mismo. Si quieres seguir en este negocio, haz lo que nosotros indiquemos.

Los "hombres de resolución" dijeron que sus bancos estaban dispuestos a esperar, que diferirían todos los pagos principales por 90 días y que extenderían los programas de pago, como México estaba solicitándolo, pero que había condiciones. Querían austeridad. Eso significaba un presupuesto más riguroso, menos subsidios. como de comida para las masas, y precios más altos por la gasolina a nivel nacional, así como la imposición de estricto control al cambio de divisas. La fuga de capitales, desde el punto de vista de los "hombres de resolución", no era más que un ardid para poner los bienes de México fuera de su alcance. Y, finalmente, exigieron que PEMEX, que no pertenecía a la Organización de Países Exportadores de Petróleo, renunciara al límite de exportación, fijado por López Portillo en 1 500 000 barriles diarios, y tratara de vender todo lo posible al mejor precio que pudiese obtener.

Así sucedió que, tres años después de haber impuesto estrictos límites a las ventas para Estados Unidos, López Portillo tuvo que implorar a este país que comprara más. El gobierno de Reagan accedió a incrementar las adquisiciones para la reserva estratégica de petróleo, de 50 000 a 190 000 barriles diarios, y a pagar mil millones de dólares por adelantado, aunque México no vio mucho de ese dinero. Un banquero neoyorquino involucrado en la renegociación me indicó que fue repartido entre los principales acreedores de México en Estados Unidos.

Lejos de salvaguardar el patrimonio nacional, López Portillo ayudó a crear una situación en la cual México estaría gastando todos sus ingresos de las ventas de petróleo al extranjero, y más todavía, en el pago de la deuda de alto interés. La situación era explosiva, y los "hombres de resolución" tuvieron que proceder con cautela. Debe 1 000 dólares a un banco, dice el dicho, y le perteneces; si le debes 1 000 000, te pertenece a ti. Lo cual significa que el banco no puede permitirse dar por perdido todo el préstamos o parte del mismo declarando en quiebra al deudor.

Tan sólo en México, por ejemplo, Citybank de Nueva York tenía un riesgo de 3.3 mil millones de dólares, Bank of America uno de 2.5 mil millones, y Chase Manhattan de 1.7 mil millones. La pérdida de tales sumas hubiera quebrado a los bancos. La izquierda mexicana abogaba ya por el rechazo de toda la deuda externa o de una parte de la misma. No resultaba inconcebible que López Portillo tratara de recobrar su reputación derribando los pilares de las finanzas internacionales, en el nombre de liberar al pueblo mexicano de la esclavitud económica. Por lo tanto, al mismo tiempo que estaban acosándolo, los bancos tuvieron que evocar la visión del estandarte rojo de la revolución ondeando sobre la ciudad de México, así como Nueva York, Londres y Tokio, y de suceder eso, insistían los banqueros, las inversiones extranjeras de López Portillo y sus amigos no valdrían mucho.

Más o menos al mismo tiempo, el gobierno mexicano dio a conocer al público, acompañado por negaciones indignadas, un documento de información interna del ministerio de Estado de Estados Unidos, el cual había llegado a posesión suya por medios inexplicados. El documento sugería que las dificultades financieras de México probablemente hicieran "menos audaz" y "menos crítica respecto a la nuestra" la política exterior de este país. La referencia claramente aludía a Centroamérica y Cuba y, de hecho, parecía reflejar los acontecimientos.

En septiembre, López Portillo asombró a la comunidad financiera con la nacionalización de los 59 bancos comerciales del país. (El hecho de que fuese capaz de lanzar el decreto apoyado en su propia autoridad demuestra el enorme poder que posee un presidente mexicano). También decretó que los 12 mil millones de dólares depositados en cuentas de esta moneda en los bancos mexicanos, en posesión de mexicanos o de extranjeros, podrían retirarse sólo en pesos, a una tasa de 69.5 por dólar. Puesto que para entonces el peso había bajado a 140 en el mercado libre, con ello privó a los cuentahabientes de la mitad del valor de su dinero.

En un discurso divagador y emotivo que duró cuatro horas, casi llorando en algunas ocasiones y con la funcionaria gubernamental considerada como su amante al lado, López Portillo pronunció la acusación de que los bancos eran administrados por traidores económicos, quienes, pese a sus súplicas, habían especulado contra el peso y fomentado e instigado la fuga de capitales. Afirmó que los mexicanos habían depositado 12 mil millones de dólares en el extranjero e invertido 25 mil millones de dólares en bienes inmuebles, tan sólo en Estados Unidos.

—Me encuentro en situación de afirmar —declaró— que en años recientes un grupo de mexicanos, guiados, aconsejados y apoyados por los bancos particulares, ha sacado más dinero del país que todos los imperios que nos han explotado desde los albores de nuestra historia.

Afirmó que el pillaje había terminado y que tomaría medidas, las cuales no especificó, para conseguir la devolución de los dólares del extranjero, que México sobreviviría a la crisis, que respetaría sus obligaciones internacionales y que se compensaría a los dueños de los bancos. Algunos banqueros objetaron reflexivamente a lo que parecía un ejemplo de socialismo a saltos, en lugar de a rastras, pero el Bank of America, pensando en los 2.5 mil millones de dólares, aparentemente expresó la opinión de la mayoría al describir la expropiación como "un paso positivo".

¿Pero por qué había López Portillo, al contrario de toda usanza, realizado una acción de tal magnitud durante sus últimos tres meses en el cargo? Se sugirieron dos razones. Una era que trató de convertir a los bancos en los chivos expiatorios. Sin duda habían hecho exactamente lo que él les atribuía, pero sus acciones habían sido legales hasta el mes anterior. El otro motivo propuesto era que López Portillo esperaba que su confiscación de los bancos le ganara un puesto en la historia mexicana, al lado de Cárdenas, quien expropió los ferrocarriles y la industria petrolera. Es dudoso que tenga este resultado, aunque no sea por otro motivo que el hecho de que los bancos no se encontraban en posesión de "gringos" y otros extranjeros, sino pertenecían a mexicanos; mexicanos ricos, avaros y probablemente deshonestos, pero con todo eran mexicanos.

El 1 de diciembre, la faja roja, verde y blanca del cargo fue colocada sobre el hombro de De la Madrid, de 47 años de edad.

—Vivimos una situación de emergencia —declaró en el discurso de toma de posesión—. Es insufrible. No permitiré que la nación se nos desintegre entre las manos. Actuaremos con decisión y firmeza.

Repitió que austeridad y honestidad serían la consigna de su gobierno. Los mexicanos lo habían oído decir a través de toda su historia, por supuesto, pero De la Madrid insistió tanto en el punto que pudo haberse perdonado incluso a los más escépticos por pensar que lo decía en serio. Afirmó que promulgaría nuevas leyes para acabar con la corrupción: El conflicto de intereses por primera vez sería una ofensa criminal.

—Se gobierna o se hace negocios —señaló—. Un cargo público no debe ser el botín de nadie. —Estableció un departamento general de verificación contable para supervisar los gastos públicos y nombró a un antiguo secretario de finanzas para dirigir a PEMEX. Se decía que el hombre era rigurosamente honesto, pero en México esto se afirma a menudo cuando alguien ocupa algún puesto, pero rara vez cuando lo abandona.

Al día siguiente, De la Madrid tomó una medida que López Portillo había evadido. Duplicó el precio de la gasolina vendida en México, de 54 centavos de dólar a 1.08 el galón, reduciendo así el consumo, incrementando las entradas y dejando más disponible para la exportación. Anunció una campaña para el control de la natalidad. Tendría como objetivo, indicó, reducir la tasa de natalidad aún más: del 2.5 al 1 por ciento para el fin del siglo.

Finalmente, De la Madrid aseveró, aunque no enfáticamente, México no cambiaría su política hacia Cuba y Nicaragua. No se trataba de "una actitud romántica", explicó. Cuba no molestaba a México y tenía el derecho, así como los otros países de la región, de determinar su propio destino sin interferencia del exterior.

18

REAGAN SIGUE LA LÍNEA DURA

DURANTE LOS MESES posteriores a las elecciones de 1982, los guerrilleros salvadoreños parecieron confudidos y divididos. Tal vez hubiera sido el momento para que Estados Unidos apoyara las propuestas de discusiones entre ellos y el nuevo gobierno salvadoreño. México, Venezuela, Colombia y Panamá, que se llamaban el "Grupo Contadora", nombre derivado del centro turístico isleño de Panamá donde se reunieron por primera vez, ofrecieron su ayuda. No obstante, Reagan adoptó una línea más severa. En abril de 1982, aprobó las recomendaciones de un grupo de planeamiento de alto nivel del Consejo Nacional de Seguridad.

Intitulado "U.S. Policy in Central America and Cuba Through F.Y. '84, Summary Paper" ["La política estadounidense en Centroamérica y Cuba hasta el año fiscal 1984 inclusive, que comenzaba el 1 de octubre de 1983, tratado sumario"], llegó a la posesión de Raymond Bonner, mi viejo colega en *The New York Times,* un año después, y fue publicado en *The Times* el 7 de abril de 1983. Según escribió Bonner, "el documento permite penetrar en los análisis que forman la base de la política en los niveles más altos del gobierno de Estados Unidos". La introducción hace constar:

> Tenemos interés en crear y apoyar Estados democráticos en Centroamérica, que sean capaces de conducir sus asuntos polí-

ticos y económicos en forma libre de interferencia desde el exterior. Estratégicamente, tenemos un interés vital en no permitir la proliferación de Estados que imiten el modelo cubano, los cuales proporcionarían plataformas a la subversión, comprometerían las rutas marinas importantes y significarían una amenaza militar directa en o cerca de nuestras fronteras. . .

Bajo el encabezado "The Current Situation" ["La situación actual"], el documento opinaba que "el deterioro de nuestra posición, tan evidente hace 6 o 12 meses, ha sido detenido". Seguía para mencionar las elecciones en El Salvador; en Honduras, donde se eligió a un títere civil después de un largo periodo de gobierno militar; el golpe efectuado por Ríos Montt en Guatemala; y el "minigolpe" en Panamá, que llevó al poder, aunque entre bastidores, a "un nuevo comandante de la Guardia Nacional, más dinámico y más a favor de Estados Unidos".

La situación militar en El Salvador había mejorado hasta el punto en que los guerrilleros serían incapaces de lograr una victoria "a corto plazo", afirmaba el documento. Se estimaba que su fuerza se mantenía en entre 4 000 y 5 000 combatientes. No obstante, se decía que Cuba y Nicaragua tenían capacidad para incrementar su ayuda a los guerrilleros y a los "grupos terroristas" en Honduras y Costa Rica. México, señalaba el escrito, continuaba respaldando a la extrema izquierda "con propaganda, fondos y apoyo político". En Nicaragua, se consideraba que el gobierno sandinista se hallaba "bajo mayor presión, como resultado de nuestros esfuerzos secretos y debido al mal estado de su economía".

El texto establecía 15 objetivos. Uno de ellos era el "aislamiento" de México, y de los partidos social-demócratas de Europa, de cualquier papel en Centroamérica, mientras se realizaba el intento por persuadirlos de que las negociaciones no darían resultado. Otro era la promulgación tardía del paquete de comercio y ayuda conocido como la "Iniciativa de la Cuenca del Caribe", por el cual el Congreso había manifestado poco entusiasmo. Otro más era el incremento de la presión económica sobre Cuba. También recomendó llevar a efecto las provisiones de la Directiva de Decisiones de Seguridad Nacional del 17 de noviembre de 1981, la cual estipulaba 19.5 millones de dólares para armar y entrenar a los nicaragüenses antisandinistas, en su mayoría antiguos integrantes de la Guardia Nacional, en territorio hondureño.

A fin de lograr estos objetivos, el grupo de planeamiento decidió que se necesitarían mil millones de dólares anuales "hasta el final y probablemente hasta después" del año fiscal de 1984. Las consignaciones para el año fiscal de 1983 ascenderían a unos 300 millones de dólares menos que esa cifra, apuntaba el informe. Instaba a la Casa Blanca "a realizar un esfuerzo máximo" para conseguir estos fondos del Congreso.

Mientras tanto, Fidel Castro en dos ocasiones trató de iniciar pláticas con Estados Unidos acerca del Caribe y de Centroamérica. En diciembre de 1981, según más tarde se dio a conocer, el secretario de Estado Alexander M. Haig, Jr., se reunió con el vicepresidente cubano, Carlos Rafael Rodríguez, en la ciudad de México. En marzo de 1982, Castro indicó al general Vernon E. Walters, un embajador sin deberes específicos y anterior director auxiliar de la CIA, que Cuba estaba dispuesta a tratar todo asunto pendiente entre los dos países. Castro consideró como inaceptable la respuesta que recibió de Washington, pero no estaba del todo preparado para darse por vencido. A fines de marzo, un grupo de 10 académicos, expertos en política, y periodistas estadounidenses recibió una invitación a La Habana. Castro, a quien los visitantes accedieron a identificar sólo como "un funcionario cubano de alto nivel", expuso la posición de Cuba.

Leslie Gelb, el corresponsal encargado de las cuestiones referentes a la seguridad nacional de *The New York Times,* formaba parte del grupo. Su narración de la junta fue publicada el 4 de abril. Gelb cita al funcionario de alto nivel en el sentido de que tanto Cuba como Estados Unidos eran responsables de la tensión existente entre las dos naciones, y que ahora deseaba empezar a hablar acerca de las maneras de obtener una "moderación mutua". Señaló, asimismo, que Latinoamérica en su totalidad no estaba lista para el socialismo y que Cuba se hallaba dispuesta a promover el "cambio democrático". Reconoció que Cuba había proporcionado armamento a los guerrilleros tanto nicaragüenses como salvadoreños, pero añadió que los envíos a Nicaragua se habían suspendido más de un año antes y que los transbordos de estas armas a El Salvador habían terminado "más recientemente".

—[Los guerrilleros salvadoreños] no luchan para establecer un régimen socialista, aunque a algunos les gustaría —aseveró Castro—. No creen que puedan alcanzar el comunismo en este momento, y tratan de hallar un sistema democrático progresista.

Aunque criticó la política soviética en Polonia y Afganistán, declaró que los lazos entre Cuba y Rusia eran "indestructibles".

Esta "solidaridad socialista" no excluía que Cuba persiguiera sus propias iniciativas en el campo de la política exterior, señaló. En todo caso, hizo constar, la Unión Soviética no deseaba perjudicar seriamente sus relaciones con Estados Unidos, a causa de lo que veía como la cuestión relativamente insignificante de El Salvador y Nicaragua.

El gobierno de Reagan descartó las propuestas de Castro como amago para llevar a Estados Unidos al viejo baile en Centroamérica. Otros opinaron que unas pláticas exploratorias no podrían hacer daño, y tal vez sirvieran para algo, especialmente como era más probable que se hallara una solución al enredo centroamericano en La Habana y Moscú que en Managua o los cerros de El Salvador.

Se nombraron muchas posibles razones por la *démarche* cubana. Una era que la Unión Soviética estaba cansándose de subsidiar a Cuba, en la cantidad de 3 mil millones de dólares al año, y que no deseaba aceptar nuevos clientes en el hemisferio. El Comité Económico Conjunto del Congreso, en un informe acerca de Cuba, que se publicó más o menos en la época del regreso de la delegación de La Habana, sugirió que la continuación del embargo de Estados Unidos sólo servía para mantener a Cuba firmemente entre las patas del oso ruso.

En junio, Haig, que estaba acostumbrado a ganar las discusiones con el personal de la Casa Blanca, amenazó con su renuncia, pero lo hizo una vez de más, pues para el desconcierto, apenas oculto de Haig, Reagan fue persuadido a aceptar la renuncia, antes de que el general pudiese cambiar de opinión. Fue sustituido por George P. Shultz, quien prestó servicios como secretario del Trabajo en 1969-1970 y como secretario del Tesoro en 1973-1974. Shultz tenía la reputación de no perder la cabeza cuando esto estaba pasando con todos a su alrededor, y de ser modesto y agradable en el trato. Fue la notable carencia de Haig de estas cualidades lo que condujo al presidente a decidir que bien podría arreglárselas sin él.

Unos meses más tarde, mi solicitud de una entrevista con Haig fue negada por su agente, Norman Brokaw, de la sucursal William Morris. Hablando desde su oficina en Beverly Hills, Brokaw indicó, en efecto, que su cliente no tenía interés en regalar lo que podía vender.

Conforme la primavera se volvía verano, la Asamblea Constituyente de El Salvador, bajo la dirección de su presidente, D'Aubuisson, pasó una ley que cancelaba la fase II de la reforma agraria, misma que afectaba las explotaciones agrícolas de entre 100 y 499 hectáreas, y que también suspendía la fase III, el programa de "tierra para quien la cultiva". La acción respecto a la segunda fase casi no tuvo importancia alguna, puesto que no se había tenido la intención de llevarla a efecto. No obstante, la anulación de la tercera seguramente le costó al gobierno el apoyo de las zonas rurales. Informes acerca del desalojamiento ilegal de miles de campesinos de tierras para las cuales contaban con títulos por parte de los dueños originales, empezaron a llegar a la capital.

En junio, el batallón Ramón Belloso, de 1 000 hombres, regresó después de 16 semanas de entrenamiento en Fort Bragg, Carolina del Norte, así como 500 tenientes recién nombrados que se ganaron los galones en Fort Benning, Georgia. No obstante, los asesores estadounidenses empezaron a quejarse de que los salvadoreños se negaban a aprender algo de la triste experiencia de Viet Nam. En lugar de patrullar y preparar emboscadas por la noche, en grupos de entre 10 y 50 hombres, operaban en formaciones grandes, a la luz del día, y se tomaban los fines de semana libres.

Además, estas tácticas resultaban costosas en cuanto a bajas. El ministerio de la Defensa informó, poco tiempo después, que habían muerto 1 073 tropas y que 2 584 fueron heridas durante los 12 meses anteriores. Esto equivalía a un índice de más del 15 por ciento para el ejército en total y probablemente el doble con respecto a las formaciones de combate. Las cifras correspondientes a los siguientes 12 meses, hasta mediados de 1983, indicaron ser, por lo menos, igualmente altas. Una complicación adicional era el hecho de que los conscriptos sólo tenían que prestar servicios durante dos años. Para la segunda mitad de 1983, el licenciamiento debía aumentar marcadamente, lo cual significaría una pérdida considerable de la eficiencia que se hubiese logrado en el combate.

En julio, renunció Arístides Royo, el presidente de Panamá, con quien hablé durante la dedicación de un estanque para peces. Royo afirmó que padecía de una enfermedad de la garganta para la que se le había aconsejado buscar tratamiento médico en el extranjero. El coronel Rubén Darío Paredes, comandante de la Guardia Nacional, escogió entonces al vicepresidente de Royo, Ricardo de la Espriella, para su primer mandatario títere.

En Guatemala, Ríos Montt destituyó a sus dos colegas de la junta y gobernó solo. Había elaborado una campaña antiguerrillera llamada "frijoles o balas", pero parecía que el ejército era más generoso con las balas que con los frijoles. La conjetura más probable era que se estuviera asesinando a los indios a razón de entre 500 y 1 000 mensuales.

Por fin, en septiembre, dos hombres fueron acusados de los asesinatos de Michael P. Hammer y Mark David Pearlman, asesores estadounidenses para la reforma agraria, y de José Rodolfo Viera, director del departamento salvadoreño de la reforma agraria, ocurridos en enero de 1981. Los sospechosos, ambos cabos de la Guardia Nacional, representaron el crimen. Afirmaron que los asesinatos fueron dispuestos por sus oficiales superiores, el teniente Isidro López Sibrián, un antiguo auxiliar de D'Aubuisson, y el capitán Eduardo Alfonso Ávila, sobrino de un juez de la Suprema Corte salvadoreña, y que Hans Christ, uno de los dueños del Sheraton, previamente implicado, estuvo presente.

Sibrián fue detenido, pero liberado casi de inmediato, por insuficiencia de pruebas, por un juez que quería vivir. Ávila huyó a Guatemala, según se informó. Los dos cabos permanecieron en la cárcel. Este ejemplo más reciente de la justicia salvadoreña provocó una respuesta pública del embajador Hinton. Hinton, a quien nunca se le había acusado de ser subversivo, pronunció un amargo sermón en una junta de la Cámara de Comercio salvadoreño-estadounidense. Echó a perder el almuerzo de todo mundo proclamando que el sistema judicial salvadoreño estaba "podrido" y calificó a los escuadrones de la muerte como una gran amenaza tanto para la supervivencia del país como para los guerrilleros.

El ministerio de Estado había aprobado el discurso de Hinton, pero no la Casa Blanca. Un funcionario no identificado emitió una reprimenda pública, afirmando que "la exaltada retórica pública con frecuencia resulta contraproducente".

Mientras se restablecía la calma, la guerra se reanudó por tercer año consecutivo. En octubre, los guerrilleros otra vez invadieron Perquín, el pueblo en el rincón noreste del país, así como Suchitoto, la población mucho más grande ubicada 40 kilómetros al norte de San Salvador. Las sesiones de autocrítica al parecer habían dado resultado. Los guerrilleros amagaban en una dirección, atrayendo a las tropas del gobierno, y atacaban en otra. Eran más agresivos, tenían mejor armamento y mejor conducción. Las "manchas de aceite", las áreas donde se desplazaban libremente durante el día, aumentaban en número y tamaño. Cada vez con mayor frecuencia, los guerrilleros apresaban a formaciones gubernamentales de 10, 20 o 30 hombres. Los guerrilleros liberaban de inmediato a los prisioneros, lo cual tentaba a las tropas a evitar el peligro contra sus vidas en un apuro, mediante la rendición y la entrega de sus armas y equipo.

En noviembre, Edén Pastora, anteriormente conocido como el "Comandante Cero", anunció la formación de la Alianza Revolucionaria Democrática, junto con Alfonso Robelo como su mano derecha, el anterior miembro de la junta con quien había hablado en Managua. Pastora, que nunca fue marxista, pidió a Estados Unidos que dejara de respaldar a los somocistas. Afirmó que las fuerzas por él dirigidas serían suficientes para expulsar a los sandinistas.

En diciembre, Reagan realizó su primera visita a América del Centro y del Sur. Su misión: tratar de fomentar el apoyo para una política centroamericana que excluía de un papel activo a todas las naciones del hemisferio con excepción de Estados Unidos. No era fácil, especialmente dado que visitaba cuatro países y se reunía con seis jefes de Estado en cinco días.

—Mis ojos quedaron deslumbrados por el progreso de la nación brasileña —declaró Reagan en una cena ceremonial. Entonces, anunció un préstamo de 1.2 mil millones de dólares, lo cual incrementó la deuda externa de este país hasta 90 mil millones, la más alta del mundo. Siguió a Bogotá. El presidente Belisario Betancur, quien representaba esa rareza en la política latinoamericana, un presidente elegido por el pueblo y de inclinaciones democráticas, aprovechó su brindis en un banquete formal para tocar una cuestión sensible: la negativa de Estados Unidos a sentarse a una mesa de negociaciones con representantes de Cuba o de Nicaragua.

—¿Por qué no podemos deshacernos de este exclusivismo en el sistema interamericano? —preguntó.

Reagan continuó a San José, donde se reunió con el presidente Luis Alberto Monge y el presidente interino Magaña de El Salvador. El avión número uno de la Fuerza Aérea a continuación aterrizó en San Pedro Sula, el territorio de la United Brands, en el litoral atlántico de Honduras. Reagan vio por separado al presidente Suazo Córdova y a Ríos Montt, el caudillo guatemalteco. Reagan afirmó que Ríos Montt había sido víctima de "acusaciones falsas".

Durante el otoño de 1982, el Congreso empezó a preocuparse por los somocistas, cuyas cuentas estaba pagando en Honduras. No habían impedido envío de armamento alguno, y parecían pasar mucho tiempo del lado equivocado de la frontera. Los contras y sus administradores de la CIA no parecían comprender su papel limitado. A fin de aclarar el asunto, el Congreso aprobó, en diciembre, por una mayoría abrumadora, una enmienda al proyecto de consignaciones para las actividades del Servicio de Información. Llevaba el nombre de su promotor, el representante Edward P. Boland, un demócrata conservador de Massachusetts, que presidía el Comité de la Cámara para el Servicio de Información, y prohibía al gobierno proporcionar fondos "con el propósito de derrocar al gobierno de Nicaragua o de provocar un altercado militar entre Nicaragua y Honduras".

En enero de 1983, el jefe de las fuerzas salvadoreñas en el departamento de Cabañas, al noreste de la capital, rehusó aceptar una colocación en Uruguay como agregado militar, una forma tradicional de exilio. Exigió, en cambio, que renunciara García, el ministro de la Defensa. El coronel Sigifredo Ochoa Pérez, conocido como un líder extraordinariamente agresivo y eficaz, ordenó a sus 1 200 tropas que dispararan contra cualquiera que tratase de hacer cumplir la orden. Al cabo de cuatro días, se logró una avenencia. Ochoa accedió a una transferencia al Colegio Interamericano de Defensa en Washington. Partió triunfante, pidiendo aún que García dimitiera.

El suceso hizo que empezaran a comprenderse algunas verdades medulares respecto a los militares salvadoreños. La más importante era que sólo se trataba de otro ejército tercermundista más, y que probablemente lo siguiera siendo. Los comandantes recibían sus nombramientos y los sobornos que los acompañaban las más de las veces, por medio de una compleja malla de padrinazgo familiar, político y militar. Ochoa y los otros oficiales a la mitad de los cuarentas creían que García y sus coetáneos, que les llevaban entre ocho y 10 años, utilizaban la guerra como pretexto para conservar los puestos mucho después de que en tiempos de paz hubieran tenido que retirarse. Y lo que era peor, García demostró carecer del poder para castigar a un coronel en servicio activo por amotinamiento, un problema al que Duarte había aludido en nuestra conversación más de un año antes.

Los guerrilleros, unas semanas más tarde, marcaron el segundo aniversario de la precoz "ofensiva final" atacando a media docena de objetivos, entre ellos, las barracas de San Carlos, en San Salvador, y Santa Ana, la metrópoli del tercio occidental del país, que hasta entonces había sido un área tranquila. El ataque más intenso se dirigió contra Berlín, un pueblo de 30 000 habitantes en la provincia de Usulután, a 110 kilómetros al este de San Salvador. Una fuerza estimada en 500 lo ocupó durante cuatro días.

A principios de febrero de 1983, los guerrilleros, una vez más, invadieron Suchitoto. Los asesores militares estadounidenses se enfurecieron particularmente, según se me informó, debido a este revés. Llevaban dos años implorando, infructuosamente, al alto mando salvadoreño que limpiara el área de base sobre las faldas del Volcán de Guazapa, desde donde se había lanzado el ataque.

Al poco tiempo de su reunión con Reagan, Ríos Montt declaró que sólo se requería de una limpia final de sus guerrilleros. Es posible que haya sido una exageración, pero los rebeldes guatemaltecos evidentemente habían tenido menos éxito que sus camaradas salvadoreños. También prometió tener elecciones para un cuerpo legislativo nacional a principios de 1984 e instalar a sus integrantes en marzo del mismo año, en el segundo aniversario del golpe de Estado que lo había llevado al poder. Fundándose en esto, Reagan levantó el embargo sobre las ventas de armamento durante los primeros días de enero, específicamente para permitir que Guatemala adquiriese 6 300 000 dólares en refacciones para helicópteros y para los pequeños aviones de reacción A-37B, que todavía se empleaban contra los sitios en las montañas que se sospechaba eran plazas guerrilleras.

En marzo, desviándose en el camino a la reunión de la Conferencia de Obispos Latinoamericanos, que estaba celebrándose en Haití, Juan Pablo II realizó la primera visita papal a Centroamérica. Resultó una de sus misiones más difíciles. Al planearse el viaje, por ejemplo, el Vaticano amenazó con omitir a Nicaragua del itinerario si no renunciaban los cinco sacerdotes en el gobierno sandinista, como se lo había ordenado su arzobispo.

Los sacerdotes, apoyados por el gobierno, se negaron a hacerlo, y fue el Vaticano el que aceptó una concesión. No insistiría en las renuncias, pero el reverendo Miguel d'Escoto, el ministro del Exterior y sacerdote de más alto nivel, accedió a ausentarse del país durante la visita del Papa, para asistir a una oportuna conferencia del Tercer Mundo en Nueva Delhi.

En enero, mientras se negociaba el problema nicaragüense, el arzobispo Alfonso López Trujillo, secretario general de la conferencia, fue ordenado cardenal. López Trujillo era conservador, política y religiosamente, y la promoción pudo interpretarse sólo como una aprobación papal de sus puntos de vista. A manera de contraste, Juan Pablo esperó hasta pocos días antes de su partida de Roma para conferir al obispo Arturo Rivera y Damas el título de arzobispo de San Salvador.

La visita del Papa a Managua de alguna manera convirtió en un anticlímax al resto de la gira. En el aeropuerto, escuchó una arenga de 25 minutos de Daniel Ortega, el coordinador, o jefe, de la junta reinante. Ortega declaró que "los pasos de las botas intervencionistas resuenan amenazadoramente en la Casa Blanca y el Pentágono" y que "todos los días se martirizaba y crucificaba" al pueblo nicaragüense. Añadió: "Nuestra experiencia demuestra que es posible ser tanto creyente como revolucionario, y que no existe ninguna contradicción insoluble entre las dos cosas".

A continuación se le presentaron a Juan Pablo los personajes superiores del gobierno. Uno de ellos era un hombre de cabello cano que vestía una camisa campesina y pantalones azules holgados. Al extender el Papa la mano para que se la estrechara, el hombre se quitó la boina, se arrodilló y trató de besar el anillo del Papa. Éste, al darse cuenta de que ese funcionario era el reverendo Ernesto Cardenal, el ministro de Cultura, retiró la mano.

—Debe enderezar su posición con la Iglesia —se le escuchó decir al Papa.

El acto público más importante de la visita fue una misa al aire libre en el centro despejado de la ciudad. Detrás de la plataforma desde la cual el Papa debía oficiar, se había erigido una enorme cartelera. Sobre la misma estaban representados los héroes martirizados de la revolución sandinista. Frente al Papa se encontraba otra cartelera, de unos 30 metros de largo y 6 de alto, la cual representaba a un tropel de campesinos, obreros y soldados. Ostentaba la declaración: "Juan Pablo Bienvenido a Nicaragua Libre Gracias a Dios y a la Revolución".

Un número indeterminado de entre 300 000 y 500 000 personas había llegado desde todo el país para asistir a la misa, pero los mejores asientos parecían reservados para quienes acudían bajo auspicios del gobierno y que cargaban los estandartes rojos y negros de los sandinistas. Se trataba de los miembros de la "Iglesia del Pueblo", creada por el gobierno sandinista en oposición a la jerarquía "reaccionaria".

En su homilía, el Papa defendió a la Iglesia establecida. Declaró que resultaba "absurdo y peligroso imaginarse que fuera, por no decir en contra, de la Iglesia construida alrededor de los obispos haya otra Iglesia, concebida sólo como «carismática» y no institucional, «nueva» y no tradicional. . .".

Mientras hablaba, unos micrófonos y megáfonos conectados al sistema central de amplificación se materializaron en las manos de algunos integrantes de la Iglesia del Pueblo. Empezaron a recitar a coro "¡Poder popular! ¡Poder popular!". El Papa, enfadado, vociferó varias veces "¡Silencio!".

Al día siguiente la estación radiofónica del Vaticano informó: "Quienes estuvieron más cerca del Santo Padre notaron su aflicción espiritual, sobre todo por el aspecto de la profanación de la santa misa. Además, la gran muchedumbre de los fieles no sólo fue mantenida a cierta distancia, sino que además, no tuvo megáfonos ni acceso a los micrófonos".

En San Salvador, donde la visita transcurrió sin incidentes, el Papa se arrodilló en la tumba del martirizado arzobispo Romero, en la cripta de la catedral incompleta. Fue todavía más lejos, al describir al arzobispo como "un pastor celebrado y venerado por su rebaño, quien trató. . . de poner fin a la violencia y de reestablecer la paz". El arzobispo Rivera y Damas afirmó que sus palabras cayeron "como lluvia sobre el desierto".

La bienvenida del Papa en Guatemala casi no fue más calurosa que la que se le brindó en Nicaragua. Durante semanas, las sectas fundamentalistas estuvieron refiriéndose a él, en sermones, publicaciones y transmisiones radiofónicas, como "la gran bestia del Apocalipsis" y el "anticristo". Ríos Montt rechazó su petición de clemencia para seis hombres condenados a morir, por crímenes no especificados, en un tribunal secreto establecido por el mandatario.

En marzo, Reagan se dirigió a la Asociación Nacional de Evangélicos, una organización que representaba a 40 sectas fundamentalistas, de las cuales la mayoría estaban ocupadas llevando la salvación a las almas en Latinoamérica. Describió la Unión Soviética como "el foco del mal en el mundo moderno" e instó a su público para "orar por la salvación de todos quienes viven en la oscuridad totalitaria". En un discurso pronunciado delante de la Asociación Nacional de Fabricantes, Reagan declaró que los intereses estratégicos de Estados Unidos en Centroamérica hacían imposible pasar por alto el peligro de que ahí se adueñaran del poder fuerzas aliadas con la Unión Soviética. Si los guerrilleros ganaban en El Salvador, continuó, la revolución se extendería hacia el Sur por el istmo, hasta el canal de Panamá, y hacia el Norte, a través de México, hasta las mismas fronteras de Estados Unidos.

Debido a esta inminente amenaza, indicó el presidente, solicitaría al Congreso una consignación de emergencia de 298 000 000 de dólares para la región. La suma, al parecer, eran los mismos 300 000 000 de dólares que el Consejo Nacional de Seguridad había dicho, en abril de 1982, que se necesitarían. El presidente seguía los consejos del mismo aplazando su solicitud del dinero y, quizá por su propia cuenta, restándole 2 000 000 de dólares, lo cual bajaba el precio a los familiares 2.98, más seis ceros.

De esta cantidad, explicó el presidente, El Salvador recibiría 110 000 000 de dólares en ayuda militar, lo cual incrementaría la suma total para el año a 136 000 000 de dólares, y 67 000 000 en ayuda económica, llegando a un total para el año de 227 000 000, y a una suma general de 363 000 000 de dólares. (En 1982, la cifra fue de 260 000 000). Estimando la población de El Salvador en 5 000 000, esto equivalía a 72 dólares por cada hombre, mujer y niño en el país, más de lo que la mayoría de ellos veían en un año.

Con tanto arriesgado en El Salvador, y dado que sólo el 10 por ciento del ejército salvadoreño había obtenido el beneficio del entrenamiento estadounidense, continuó Reagan, estaba pensando en eliminar el límite autoimpuesto de 55 asesores asignados al país. El presidente lo explicó ante su público de industriales como una propuesta destinada esencialmente para ahorrar dinero. O se enviaban los asesores a El Salvador, o habría que traer a las tropas salvadoreñas a Estados Unidos, lo cual resultaría mucho más costoso.

A fin de confortar al público, Reagan hizo una sonora pregunta retórica: "¿Enviaremos soldados estadounidenses al combate? La respuesta es un terminante «no»".

A fines de marzo, el foco de interés en Centroamérica se desplazó bruscamente de El Salvador a Nicaragua. Una fuerza militar estimada en entre 500 y 1 500 hombres, según el que hacía la estimación, y compuesta principalmente de antiguos integrantes de la Guardia Nacional de Somoza, penetró en Nicaragua desde Honduras e instaló bases, según se informó, en las montañas occidentales. Se trataba de los contras que la CIA llevaba más de un año organizando y entrenando. Los sandinista, que guardaban de reserva a su ejército de 25 000 hombres, movilizaron unidades de milicia para enfrentarse con los invasores.

Durante las semanas siguientes, ambos lados emitieron comunicados gráficos en los que describían emboscadas, cañoneos y batallas campales. Los contras afirmaron que los campesinos oprimidos los acogieron como hermanos perdidos hacía mucho. Los sandinistas acusaron a los contras de incendiar, violar, robar y asesinar sin piedad. En el litoral atlántico, los indios mísquitos, también armados y entrenados por la CIA, se trababan en escaramuzas, según se informó, del lado nicaragüense del río Coco.

El ministerio de Estado se negó a confirmar o a desmentir que Estados Unidos estuviera ayudando a la fuerza de invasión, aunque para entonces era un secreto a voces que eso estaba haciendo. Un portavoz afirmó: "Ha habido una creciente oposición al gobierno de Nicaragua, incluso dentro de Nicaragua misma, y estos elementos opositores evidentemente hacen sentir su presión".

A los comités del Servicio de Información de la Cámara y del Senado no les gustó esta réplica. Daniel Patrick Moynihan, el presidente auxiliar del grupo del Senado, opinó que, al permitir que los contras entraran en Nicaragua, el gobierno al parecer estaba violando las provisiones de la enmienda de Boland. Un miembro del comité de la Cámara, después de una breve excursión a Centroamérica, señaló que el gobierno no se encontraba "en acatamiento pleno de la ley".

Jeane Kirkpatrick, cuya influencia en la Casa Blanca estaba floreciendo, negó la acusación. No había tal violación, aseveró, porque los contras sólo estaban tratando de hostigar al gobierno nicaragüense hasta el punto en que dejara de ayudar a los rebeldes salvadoreños. No existía la *intención,* prosiguió, de derrocar al gobierno.

Otras preguntas quedaron sin respuesta de la señora Kirkpatrick o de otra persona cualquiera del gobierno. Por ejemplo, si la función de los contras era detener el flujo de armamento desde Nicaragua a El Salvador, y si las armas realmente se transportaban a través de Honduras en cualquier cantidad semejante al volumen declarado por el gobierno estadounidense, ¿cómo era posible que una fuerza de por lo menos 1 000 hombres, y quizá de tres veces este número, no hubiera logrado interceptar, que se supiese, en más de un año ni un solo rifle?

En cuanto a esto, ¿cómo era posible que los sandinistas enviaran las armas en pequeños aviones por la noche, según sostenía el gobierno, durante un periodo todavía más largo, sin que se perdiera ni siquiera una sola aeronave en un accidente, en Honduras o en El Salvador? Se hubiesen requerido de cientos de vuelos para que este método sirviera como una fuente significativa de pertrechos. La misma cuestión se planteó en relación con los supuestos transportes por vía marítima, en vista de que buques de investigación electrónica de la Marina estadounidense patrullaban el golfo de Fonseca.

Sólo dos soluciones parecían factibles. Una era que los rusos habían proporcionado a los sandinistas buques, aviones, camiones y burros que resultaban invisibles tanto para el radar como a simple vista. La segunda, y más probable, era que los sandinistas estuvieran diciendo la verdad al insistir en que no habían hecho envíos significativos de armamento a los guerrilleros salvadoreños desde el invierno de 1980-1981.

Reagan también volvió su atención brevemente hacia Granada, una nación isleña de 100 000 habitantes en el Caribe, a 130 kilómetros frente a la costa venezolana. Como única entre las antiguas colonias británicas de la región, Granada había estado afligida con malos gobiernos desde que adquirió su independencia en 1974. Primero hubo un anterior líder obrero corrupto, represivo y excéntrico llamado Eric Gairy. Fue derrocado en 1979 por Maurice Bishop, cuyo padre fue asesinado; y lo más probable era que por órdenes de Gairy.

Bishop, un marxista, estableció relaciones estrechas con Cuba y la Unión Soviética. Al poco tiempo, llegaron a la isla trabajadores cubanos y maquinaria rusa y comenzó la construcción de una pista de 3 000 metros para un aeropuerto internacional. Bishop apuntó que resultaba imposible desarrollar una industria turística de importancia sin tal aeropuerto, dado que los viajeros mostraban poco entusiasmo respecto a la necesidad de cambiar a los pequeños aviones de hélice, que eran todo lo que podía acomodar la pista vieja.

Reagan señaló que las aeronaves militares soviéticas podrían utilizar el aeropuerto al igual que los 747 que portaran turistas. Aunque no proporcionó evidencia alguna respecto a este punto, siguió diciendo: "La militarización soviético-cubana de Granada sólo puede considerarse como una proyección de póder hacia la región".

En El Salvador, el desarrollo de la guerra seguía desfavorable, pero el ala derecha del ejército y el partido de la ARENA de D'Aubuisson, finalmente, se apuntaron una victoria al destituir a García como ministro de Defensa. El Pentágono también había aspirado a su deposición desde hacía meses, pero si esperaba que ocupara el puesto un joven y agresivo coronel como Ochoa, cuyo amotinamiento en enero había precipitado el despido de García, debió haber sufrido una decepción. Fue asignado al cargo el general Eugenio Vides Casanova, comandante de la Guardia Nacional. Parecía improbable que el cambio resultara mejor. García, quien desempeñó la función durante casi cuatro años, había trabajado razonablemente bien con los gobiernos de Duarte y de Magaña, defendido la reforma agraria y mantenido al ejército fuera de las elecciones de 1982. Vides Casanova representaba, en el mejor de los casos, un factor desconocido.

A mediados de abril, los cristiano-demócratas se convirtieron en el primer partido que escogiera a un candidato para las elecciones presidenciales. Según lo esperado, fue Duarte. Indicó que el asunto principal de la campaña sería la seguridad social y económica, "todos los elementos que dan a la gente confianza en que dispondrán de oportunidades y de justicia". Se consideraba como seguro que la ARENA nombrara a D'Aubuisson. La cuestión era si los partidos más pequeños de la derecha lo apoyarían a él, transformándolo así en una amenaza seria para Duarte, o si dividirían el voto seleccionando a sus propios candidatos.

Si las fuerzas armadas salvadoreñas demostraron muchas veces tener la capacidad de herirse a sí mismas con mayor seriedad que al enemigo, en abril, los guerrilleros comprobaron poseer el mismo talento en una forma más extrema. Primero se dio a conocer un informe desde Managua acerca del brutal asesinato en su hogar en esa ciudad de la comandante auxiliar de las Fuerzas Populares de Liberación, el grupo más grande y más antiguo de las asociaciones guerrilleras. Se trataba de una antigua maestra llamada Mélida Anaya Montes, y se la había conocido por el seudónimo de "Ana María". El gobierno sandinista declaró que el crimen había sido perpetrado por asesinos de la CIA.

Se tomó una fotografía de Cayetano Carpio, el comandante de 63 años de edad de la facción, en las exequias. Se decía que acababa de volver de un viaje a Libia. Una semana más tarde, Carpio también estaba muerto. Se aseguraba que se había suicidado unos días después del funeral. Pareció un fin improbable para un revolucionario de toda la vida, que había sobrevivido a muchos encarcelamientos duros, que desde 1970 había sido un terrorista y comandante guerrillero y que tenía todos los motivos para suponer que sus fuerzas se hallaban más cerca de ganar la guerra que de perderla. Al cabo de otra semana, sin embargo, un portavoz de las Fuerzas Populares de Liberación dio una explicación del asesinato y el suicidio entrelazados, misma que disipó el escepticismo aunque no fuera por otra razón que por revelar una división devastadora en sus filas.

La persona que habló en nombre de los guerrilleros fue Salvador Samayoa, un hombre cuyos antecedentes eran muy distintos de los de Carpio. Había sido profesor de filosofía en la Universidad Nacional y el ministro de Educación en la primera junta. Según Samayoa relató los acontecimientos, Carpio se quebrantó emocionalmente al enterarse de que la mujer que había sido una de sus camaradas más cercanas o, según otras versiones, su amante, fue asesinada, no por la CIA, sino por órdenes de otro compañero de confianza, Rogelio Bazzaglio. Se informó que Bazzaglio había confesado y declarado que actuó "por el bien de la revolución". El motivo, señaló Samayoa, fue ideológico. Desde el inicio, Carpio se había comprometido con el principio maoista de la guerra prolongada del pueblo. No obstante, en meses recientes, según Samayoa, Carpio y la señorita Montes habían considerado una avenencia con las otras facciones, esperando lograr, al fin, la unidad de estrategias, tácticas y mando. Se decía que Bazzaglio, quien se oponía a toda dilución de la fe verdadera, había asesinado a la señorita Montes a fin de que el arreglo se muriese con ella. De no haberse encontrado en el extranjero Carpio, apuntó Samayoa, era posible que Bazzaglio hubiera tratado de asesinarlo a él en su lugar.

En abril de 1983, el presidente hizo su petición más elocuente de ayuda para su política ante una sesión conjunta del Congreso, que fue transmitida por televisión a la hora del mayor público.

—El Salvador está más cerca de Texas que Texas de Massachusetts —afirmó—. Nicaragua se encuentra a la misma distancia de Miami, San Antonio, San Diego y Tucson como estas ciudades de Washington.

Era muy cierto, pero cuando se puso a explicar la importancia de Centroamérica, aparte de su cercanía, es posible que Reagan haya dicho algunos "estiradores", según los hubiera llamado Huckleberry Finn. Afirmó, por ejemplo, que "dos tercios de todo nuestro comercio exterior y petróleo atraviesan el canal de Panamá y el Caribe" y que el Caribe representaba "nuestra línea vital de comunicación con el mundo exterior". De hecho, sólo el 13 por ciento de los envíos hacia y desde los puertos estadounidenses pasa por el canal, según la comisión del mismo. El ministerio de Comercio confirma que en efecto el 66 por ciento del comercio marítimo de la nación, principalmente el petróleo, los cereales y otras cargas de gran volumen, pasa por Nueva Orleans, Mobile, Houston, Galveston y otros puertos del Golfo de México, pero el Caribe y las naciones centroamericanas se sitúan muy al Sur.

El presidente continuó para hablar acerca del progreso que El Salvador estaba logrando en el camino a la democracia, pese a los guerrilleros, y acerca de cómo Nicaragua se movía en la dirección opuesta desde que los sandinistas llegaron al poder. Citó la declaración de Cayetano Carpio en el sentido de que tanto los guerrilleros salvadoreños como los sandinistas luchaban "por la liberación total de Centroamérica".

¿Era necesario, preguntó Reagan, que las democracias "permanezcan pasivas mientras se acumulan las amenazas contra su seguridad y prosperidad", y que Estados Unidos aceptara "la pérdida de estabilidad de la región entera, desde el canal de Panamá hasta México, en nuestra frontera del Sur?... No creo que exista una mayoría en el Congreso o el país que recomiende la pasividad, la resignación y el derrotismo frente a este reto a la libertad y a la seguridad en nuestro propio hemisferio".

Al mismo tiempo, trató de tranquilizar a las personas que pensaban que la región pudiera resultar otro Viet Nam.

—No tenemos intención alguna de enviar tropas de combate estadounidenses a Centroamérica —afirmó—. No se necesitan; de hecho, no se han solicitado. Lo único que nuestros vecinos nos piden es ayuda para entrenar y armamento para protegerse, mientras desarrollan una vida mejor y más libre.

Pareció bastante categórico al escucharlo por primera vez, pero fue una fórmula distinta y más engañosa que el "terminante «no»" empleado en el discurso ante la Asociación Nacional de Fabricantes el mes anterior.

Las cadenas de televisión concedieron la tercera parte de los 35 minutos otorgados al presidente a los demócratas, para que respondieran. El portavoz del partido fue el senador Christopher Dodd, de Connecticut. Dodd empezó afirmando que todos los estadounidenses se encontraban unidos en su oposición al establecimiento de Estados marxistas en la región. Pero al hacer énfasis en la fuerza, para impedir que esto sucediera, el gobierno, opinó, había creado "una fórmula para el fracaso".

—En El Salvador, los rebeldes han ofrecido negociar incondicionalmente —señaló—. Pongamos a prueba su sinceridad. Seguramente contamos con suficiente influencia para llevar al gobierno a la mesa de negociaciones. . . Y cada aliado importante que tenemos en la región, México, Panamá, Venezuela y Colombia, está ansioso de que se dé tal paso y, quisiera añadir, que ha ofrecido, hacer los arreglos. . . Estas mismas naciones han propuesto incluir a Nicaragua en las negociaciones, y Nicaragua manifestó estar dispuesta. En cambio. . . nuestro gobierno lleva una guerra no muy secreta dentro de ese país.

Reagan afirmó, en su discurso, que nombraría a un embajador especial para procurar soluciones pacíficas en Centroamérica. Escogió a un demócrata para el puesto: Richard B. Stone, anteriormente senador por un solo periodo legislativo, originario de la Florida. Después de su derrota en las elecciones preliminares de 1980, durante 12 meses fue un cabildero muy bien pagado, para el régimen guatemalteco, brutal y corrupto, de Lucas García.

El Congreso no pareció compartir la preocupación del presidente. El Comité para Asuntos Exteriores de la Cámara votó 36-1 en favor de sólo incrementar la ayuda dada a El Salvador durante el año fiscal de 1983 en 8 700 000 dólares, en lugar de los 50 000 000 solicitados por Reagan. Además, para obtener el dinero, se requeriría que el gobierno salvadoreño entablara negociaciones, de buena fe, con el Frente Democrático Revolucionario. Aun el Comité de Relaciones Exteriores del Senado, controlado por los republicanos, sólo aprobó en su votación 20 000 000 de dólares, aunque sin condiciones. Reagan respondió con la pregunta de si el Congreso efectivamente estaba dispuesto a aceptar la responsabilidad de perder al comunismo todo lo situado al sur del río Bravo.

En mayo, Enders y Hinton fueron despedidos. Los dos hombres duros, escogidos personalmente por Haig, resultaron no ser lo suficientemente duros. Enders, según se rumoró, había cedido al Congreso demasiado rápido, se había mostrado demasiado arrogante en sus tratos con la Casa Blanca y demasiado dispuesto a negociar con los rebeldes salvadoreños y con los sandinistas. Sin embargo, la causa directa de su despido fue su negativa a permitir la publicación de una segunda "Hoja Blanca" acerca de El Salvador. La primera, emitida dos años antes, había fracasado notablemente en demostrar la tesis de que el levantamiento salvadoreño representaba un ejemplo de agresión indirecta por la Unión Soviética, actuando a través de Cuba, y se decía que Enders no había considerado como mejor la segunda versión. Fue publicada el día en que se anunció su despido, y confirmó, por acuerdo general, su opinión.

Con referencia al desalojo de Enders, el representante Clarence Long, de Maryland, comentó: "Probablemente lo agarraron tratando de hacer lo indicado".

Pese a todo, Enders cayó de pie. Se volvió embajador en España, donde reemplazó a un hombre despedido de la misma secretaría auxiliar por el gobierno de Carter, debido a la advertencia de su falta de entusiasmo por el programa de derechos humanos. No obstante, Hinton, ese nativo de Indiana astuto y delgado, parecía encontrarse encaminado hacia el mismo cementerio que Robert White, Lawrence Pezzullo y otros muchos colaboradores diplomáticos que no jalaban con suficiente fuerza hacia la derecha. Tenía 60 años de edad y había trabajado en el ministerio de Estado durante 37. Se citó declaraciones de algunas fuentes de la Casa Blanca en el sentido de que era un buen hombre que ya estaba gastado. Cuatro meses después de su retirada, todavía no recibía otra misión, y parecía que tendría que retirarse.

Al despedirse a Enders y Hinton, se encargaron de la política en Centroamérica William P. Clark, el consejero de Reagan para Seguridad Nacional, y Jeane Kirkpatrick, la embajadora en las Naciones Unidas. Clark, un camarada de Reagan, que logró salir reprobado dos veces de Stanford, así como de una escuela de derecho sin nombre, en Los Ángeles, ya no sería avergonzado por las cejas alzadas de Enders cuando pedía que le recordaran de qué país era la capital Tegucigalpa.

Ni habría nadie que despertara a la señora Kirkpatrick, de quien generalmente se creía que pensaba por Clark, de sus fantasías de sangre y fuego. Ella fue, por ejemplo, una de las pocas personas que dijeran algo favorable acerca de la matanza de 1932 en El Salvador, y sobre Hernández Martínez, que la llevó a cabo. En un tratado publicado por el Instituto de la Empresa Americana en 1981, escribió: "Para muchos salvadoreños [no nombró a ninguno, pero D'Aubuisson seguramente figuraba entre ellos], la violencia de esta represión parece menos importante que el hecho del reestablecimiento del orden y los 13 años de paz civil que siguieron".

Una conversación que sostuve con ella poco antes de los despidos me dejó bastante perturbado. La afectación de su discurso, la impaciencia no disimulada que mostró hacia quienes pensaban más lento o hacia los que no compartían por completo sus opiniones, y una belicosidad apenas encubierta, me hicieron pensar en Ramona, de la tira cómica clásica "Educando a Papá", persiguiendo a Pancho con una sartén.

La señora Kirkpatrick me dio la impresión de poseer un lado siniestro además de cómico, y en más aspectos que sus pensamientos acerca de la matanza. En agosto, por ejemplo, en un discurso dado a unos emigrados nicaragüenses, declaró que existían elementos en el Congreso, a los que no identificó, "a quienes, de hecho, les gustaría que las fuerzas marxistas ocuparan el poder en El Salvador". Treinta años antes, bajo circunstancias similares, el senador Joseph McCarthy afirmó que tenía los nombres de los culpables apuntados en el pedazo de papel que, ahí mismo, sujetaba en la mano.

En todo caso, ella y Clark le habían hecho una lobotomía a la memoria institucional del ministerio de Estado, y el sustituto de Enders seguramente sería más dócil. Se trataba de Langhorne A. Motley, un urbanizador de Alaska al que se compensó por sus contribuciones a la campaña de Reagan, nombrándolo embajador en el Brasil. Los embajadores políticos no eran nada novedoso, por supuesto, pero resultaba sumamente inusitado que se asignara a uno una secretaría auxiliar. El puesto de Hinton, al menos, fue adjudicado a un profesional, Thomas R. Pickering, el embajador en Nigeria, pero no tenía experiencia en Latinoamérica y era, por lo tanto, improbable que se pusiera pesado antes de muchos meses.

La última de varias pláticas que tuve con Enders se efectuó unas semanas antes de su destitución y, en retrospectiva, en todo caso, intuí que estaba bajando el barómetro de su carrera. Enders se repantigó en el sofá, con los pies encima de la mesita del centro, los calcetines caídos, las puntas de los dedos de ambas manos juntas al hablar, pero pareció aún más reservado que de costumbre. El funcionario de prensa del ministerio, que estuvo presente en la reunión, hizo más apuntes que yo, temeroso, quizá, de perderse cualquier soplo de subversión.

Aunque reinara la tristeza en el nebuloso fondo, el sol resplandecía encima del Edificio del Ministerio Ejecutivo, un viejo conglomerado victoriano contiguo a la Casa Blanca, donde me reuní con un miembro superior del personal del Consejo Nacional de Seguridad. Trató de descargar en mí un informe diciendo que se había asesinado a Carpio y otros muchos cuentos, pero los teléfonos rojo y verde encima de su escritorio sonaron con frecuencia, lo cual demostró que él, al contrario de Enders, estaba todavía en contacto con los acontecimientos.

De ahí, obedeciendo a un impulso, me dirigí hacia el Monumento a los Veteranos de Viet Nam. Mi ruta me condujo, por casualidad, por la sede de la Organización de Estados Americanos. Es un edificio agradablemente esquizofrénico. El exterior constituye el pastel de bodas de costumbre, con columnas de mármol blanco, pero el interior está decorado al estilo hispano. Palmeras y otras plantas tropicales medraban en un jardín bajo el techo de vidrio de la rotonda, y los pájaros cantaban alegremente, pero no parecía el centro nervioso de las relaciones interamericanas.

El monumento, por el contrario, es tan sencillo y severo y terrible como el hecho de las 57 939 muertes que conmemora. Los nombres están tallados en orden cronológico, desde 1959 hasta 1975, sobre recuadros de granito pulido que forman una "V" baja. Cerca del vértice, encontré el nombre de un soldado acerca de cuya muerte escribí unos 16 años antes. Cada lado del monumento mide 75 metros de largo. Si hubiera uno dedicado a los vietnamitas muertos, civiles y soldados, del Norte y del Sur por igual, o a los muertos de El Salvador, Guatemala y Nicaragua, hubiera continuado por un kilómetro y medio o más.

El aparente anhelo sentido por la Casa Blanca de una intervención armada en Centroamérica preocupó incluso a algunos oficiales superiores del Pentágono. En junio, el jefe del Estado Mayor del ejército, general Edward C. Meyer, que se encontraba sólo a unas semanas del retiro y que podía hablar con libertad, declaró:

—Si pensara que el envío de la 82a. escuadrilla fuera una solución al problema, probablemente lo recomendaría en este mismo momento, pero no creo que lo sea. Existe la necesidad apremiante de reunir las armas económicas y políticas, además de militares, del gobierno, para aplicar programas coherentes. . .

Reagan defendió su política delante de públicos favorablemente dispuestos, sobre todo en los estados del Sur. En Jackson, Mississippi, indicó a una junta de republicanos que podrían esperar una marea de refugiados desde las regiones al sur de la frontera si se perdía Centroamérica. No tuvo que mencionar que sus pieles no serían necesariamente blancas. En un mitin de emigrados cubanos en Miami, citó, hallando aprobación, la famosa máxima de Theodore Roosevelt, "Habla en voz baja y lleva un fuerte palo". Fue el tipo de cosa que Reagan había oído al crecer. T. R., después de todo, abandonó la Casa Blanca en 1909, sólo unos años antes de nacer Reagan, y siguió siendo un héroe hasta su muerte en 1919. Al igual que Roosevelt, Reagan montaba como ejercicio. También cuidaba su dieta, partía leña y arrancaba matas en su rancho de Santa Bárbara, trabajaba regularmente con pesas y se decía que había agregado ocho centímetros a las medidas del pecho. Era un régimen que Teddy, el defensor de "la vida ardua", seguramente hubiera aprobado.

Unas semanas más tarde, en un discurso ante la convención de la Asociación Internacional de Estibadores, un sindicato no conocido por su democracia u honestidad, Reagan anunció que Henry A. Kissinger encabezaría una comisión, formada por ambos partidos, para recomendar los objetivos a largo plazo respecto a Centroamérica. Algunos miembros del Congreso habían instado por su creación, pero Kissinger parecía una elección extraña para encabezarla. Por una parte, Reagan, en el concurso fracasado por la candidatura republicana a la presidencia en 1976, criticó reiteradas veces a Kissinger como el arquitecto de la política del relajamiento de tensiones con la Unión Soviética. También se citó a Kissinger en el sentido de que nunca halló mucho que le interesara en Latinoamérica. Su única empresa de importancia en la región, el derrocamiento del gobierno de Allende en Chile, era muy poco probable que mejorara su posición en el área. Por otra parte, Kissinger era un personaje principal en el escenario diplomático, y, si alguien podía darle a la comisión un aspecto de importancia, sin duda era él. Rápidamente afectado por el espíritu del "mañana" que afligía a la región, anunció al poco tiempo que el comité aplazaría su informe de diciembre de 1983 a febrero de 1984. Afirmó que no creía que nada "irreversible" sucediera en el ínterin.

Las naciones de Contadora, quizá más sensibles que Kissinger, en cuanto al hecho de que cientos de soldados y de civiles morían todas las semanas en El Salvador, Guatemala y Nicaragua y que la muerte también era irreversible, continuaron reuniéndose y haciendo propuestas que Washington siguió rechazando.

El 16 de julio, *The New York Times* publicó otro documento secreto de trabajo de la Casa Blanca. Decía que la situación en Centroamérica estaba acercándose a un punto crítico, y continuaba: "Todavía es posible lograr los objetivos de Estados Unidos sin el uso directo de nuestras tropas (aunque una amenaza verosímil, tal uso se requiere para refrenar la intervención secreta soviético-cubana), siempre y cuando Estados Unidos tome medidas oportunas y eficaces". El documento instaba a que se solicitara al Congreso un aumento en la ayuda dada al gobierno salvadoreño durante el año fiscal de 1984, de los 86 300 000 dólares pedidos anteriormente, y para cuyo otorgamiento no se había mostrado nada dispuesto el Congreso, hasta por lo menos 120 000 000 de dólares.

Sólo dos días después, un portavoz presidencial anunció que comenzarían maniobras militares, en una escala mucho mayor que cualesquiera que se hubiesen realizado jamás en Centroamérica, durante las semanas próximas, y que continuarían durante seis meses. Cuatro mil tropas estadounidenses practicarían desembarcos de asalto y operaciones militares en la selva, cooperando con el ejército hondureño, en la región alrededor de Puerto Castillo. Agrupaciones de portaaviones para la batalla, navegando frente a ambas costas, lanzarían ataques aéreos simulados, y, sólo en caso de que alguien no consiguiera acordarse del término "diplomacia del cañonero", el buque de guerra "New Jersey", recientemente devuelto al servicio activo y un anacronismo desde hacía más de 40 años, estaría entrenando sus cañones de 40 centímetros en los puertos desvencijados, así como lo había hecho, sin ningún propósito aparente, en Viet Nam.

Al día siguiente, que era, por coincidencia, el cuarto aniversario de la victoria sandinista, Nicaragua ofreció participar en pláticas generales para la paz en Centroamérica. Daniel Ortega, el coordinador de la junta reinante, respondiendo a una propuesta hecha por las naciones de Contadora una semana antes, indicó que estaba dispuesto a firmar un tratado de no agresión con Honduras, a congelar los envíos de armas a los rebeldes salvadoreños, y a unirse a una prohibición contra el uso del territorio de cualquiera de los Estados centroamericanos como base desde la cual atacar a otro.

En una conferencia de prensa, el 21 de julio, Reagan opuso que Ortega no había ofrecido lo suficiente. Los sandinistas, declaró, estaban "violando, literalmente, un contrato que firmaron con la Organización de Estados Americanos". Puesto que estaba refiriéndose a las promesas de democracia, de elecciones, etcétera, que los sandinistas habían hecho después de ocupar el poder, es de suponer que quisiera decir "figuradamente". En todo caso, los sandinistas pudieron haber contestado que no lo estaban haciendo tan mal en comparación con muchos miembros de buena categoría de la Organización de Estados Americanos. Reagan siguió diciendo que resultaría "sumamente difícil" estabilizar a Centroamérica mientras los sandinistas permanecieran en el poder, y que "esperaba" que no fuera necesario imponer un sitio naval.

Confrontado por un huracán de críticas por parte del público, de la prensa e incluso de seguidores hasta entonces leales en el Congreso, el presidente apuntó, una semana más tarde, que Estados Unidos no deseaba "incrementar su presencia" en Centroamérica. No obstante, se negó a consolar a aquellos que temían que Estados Unidos estuviera dirigiéndose hacia otro Viet Nam, por medio de la declaración categórica de que no se enviarían tropas de combate a la región. Acordándose de la máxima del segundo Roosevelt, señaló: "Un presidente nunca debe decir «jamás»".

Al día siguiente, el 28 de julio, la Cámara votó, por 228 a 195, en favor de terminar toda la ayuda secreta a los contras nicaragüenses antes del 30 de septiembre. Los líderes republicanos atribuyeron una parte de la culpa de su derrota al hecho de que no se les hubiese informado acerca de la realización de las maniobras antes de que éstas fueran anunciadas públicamente. Un portavoz de la Casa Blanca hizo constar que la ayuda a los contras continuaría hasta que el proyecto de ley se convirtiera en tal, lo cual parecía muy poco probable, dada la mayoría republicana en el Senado y la certidumbre de un veto por el presidente.

Un día después de esta votación, Fidel Castro afirmó que respetaría cualquier acuerdo al que llegaran los Estados centroamericanos, que pidiese retirar a los asesores y poner fin a los envíos de armas. Reagan contestó que estaba dispuesto a "creer antes que dudar" de Cuba, pero nada de lo que sucedió después indicó que esto hubiera sido cierto.

La Casa Blanca confirmó, el 3 de agosto, la noticia nicaragüense de que un destructor estadounidense, uno de los buques de guerra que tomaban parte en las maniobras, había seguido a un buque de carga soviético dirigido a Corinto, el principal puerto nicaragüense en el Pacífico, durante dos horas, a una distancia de 600 metros, y que por la radio había hecho preguntas acerca de su carga y destino. La averiguación no fue ilegal, pero parecía inútil, dado que Washington ya contaba con esta información. Reagan mencionó el buque en su conferencia de prensa, comentando que había pasado por el canal de Panamá y que llevaba una carga militar, incluyendo por lo menos dos helicópteros.

Entretanto, mientras el comité encabezado por Kissinger estaba preparándose para comenzar sus audiencias, una entrevista con él fue publicada por *Public Opinion,* una oscura revista de carácter conservador, en la cual sonaba como el Kissinger de antaño. "Si no podemos arreglarnos con Centroamérica, se le citaba ahí, será imposible convencer a las naciones amenazadas del golfo Pérsico y de otras partes que sabemos mantener el equilibrio global".

En El Salvador, la primera fase de lo que se llamaba el Plan de Campaña Nacional arrancó a principios de junio. Tenía como objetivo expulsar a los guerrilleros de un área a la vez y apostar a suficientes tropas ahí para impedirles que volvieran, mientras las autoridades civiles reparaban los caminos y los puentes, abrían nuevamente las escuelas, construían clínicas y hacían todas las cosas que se intentaron durante años en Viet Nam, para ganarse, según era el decir, los corazones y las mentes del pueblo.

El plan fue implementado primero en San Vicente, al sureste de la capital. Al llegar más de 3 000 tropas, los guerrilleros, previsiblemente, se fueron. Empezaron a aparecer en la prensa fotografías que mostraban a sonrientes trabajadores de acción civil repartiendo maíz y frijoles entre los agradecidos campesinos y tratando las erupciones de los hijos de éstos. Hubieran podido ser tomadas 25 años antes, cerca de Danang o Nhatrang. Los asesores que, sólo unos meses antes, habían criticado a los salvadoreños por llevar una guerra entre las nueve de la mañana y las cinco de la tarde, ahora los alababan por su potencia y por su sensibilidad al tratar con los campesinos. Al cabo de un mes, como también era de predecir, la atención del ejército empezó a distraerse, y en agosto los guerrilleros acabaron con un pelotón de reconocimiento, integrado por 40 hombres, a sólo ocho kilómetros de la capital de la provincia.

Más o menos al mismo tiempo, el gobierno salvadoreño publicó las cifras de las bajas militares correspondientes al periodo de 12 meses que había terminado en julio: 2 292 muertos, 4 195 heridos y 326 desaparecidos. Durante los 12 meses anteriores, fueron 1 073 muertos y 2 728 heridos. Eran sumas muy grandes para un ejército de 22 000, poco más o menos, pero el grupo de militares estadounidenses, siempre optimista, declaró que indicaban un nuevo espíritu ofensivo antes que habilidades y valor superiores de los guerrilleros. De haberse aproximado las bajas de los guerrilleros a las de las fuerzas armadas, la rebelión hubiera terminado.

Aunque fuera de la línea del fuego, la Asamblea Constituyente todavía no acababa de redactar la nueva constitución, tarea para la cual fue elegida casi 18 meses antes. Las dificultades surgieron acerca de dos artículos, que prohibirían expropiaciones ulteriores de tierra. El Sindicato Comunal Salvadoreño, que afirmaba contar con la adhesión de 100 000 pequeños agricultores, pronunció la acusación de que las leyes que regían la reforma agraria que ya existían eran pasadas por alto cada vez con mayor frecuencia. Declaró que se había desalojado ilegalmente a más de 10 000 agricultores de las tierras que habían recibido bajo la fase III, del programa de "tierra para quien la cultiva". Se decía que los líderes del sindicato recibían amenazas de muerte, y que la ARENA, el partido de D'Aubuisson, había abierto un despacho, con sus propios siniestros propósitos, al lado de la sede del sindicato. No era posible descartar las acusaciones del sindicato como inspiradas por los comunistas. Recibía fondos y orientación del Instituto Americano para el Desarrollo Laboral Libre, o AFILD, de la AFL-CIO.

En julio, el gobierno salvadoreño anunció que definitivamente estaba a punto de iniciarse el juicio contra los cinco elementos de la Guardia Nacional, acusados de matar a las cuatro religiosas estadounidenses en diciembre de 1980. Esto hizo posible que el secretario de Estado Shultz otra vez diera constancia de que El Salvador estaba efectivamente progresando en la protección de los derechos humanos. De hecho, según las cifras compiladas por la arquidiócesis de la Oficina de Ayuda Legal en San Salvador, el número de asesinatos aumentó, de un promedio de 160 al mes durante los primeros seis meses de 1982, a 177 mensuales durante el mismo periodo de 1983.

De acuerdo con un artículo publicado por *The New York Times* a fines de julio, los asesores estadounidenses reconocieron que los envíos hechos a los guerrilleros desde Nicaragua no habían sido más que un goteo desde hacía varios meses. Quizás ésta fuera la razón por la que el ejército de contras en Honduras fracasara tan penosamente en interrumpir el tráfico. De recibir los guerrilleros algo de Nicaragua, afirmaron los asesores, probablemente fueran artículos médicos, pilas para los radios de campaña y otras cosas semejantes, llevándolas por la noche en aviones ligeros. Los guerrilleros seguían apropiándose de los rifles y la munición necesarios del ejército.

En Bogotá, donde el presidente Belisario Betancur, de Colombia, sirvió de intermediario, unas delegaciones del FDR-FMLN se reunieron con Stone, el enviado especial, y luego, cuatro semanas más tarde, por primera vez se encontraron con los integrantes de la Comisión para la Paz del gobierno salvadoreño. Ninguna de los dos lados emitió una declaración, y lo único que quiso decir Betancur fue que existía "la posibilidad" de contactos ulteriores. Se consideraba que Nicaragua y Cuba habían impulsado a los rebeldes a estas reuniones. Los sandinistas sentían ya la presión. No se trataba tanto de los grupos de combate que ardían más allá del horizonte, de las maniobras realizadas en Honduras o de las depredaciones de los contras. Estas manifestaciones de la desaprobación de Washington ayudaban a los comandantes a unir y reanimar al país. Era la guerra económica la que realmente les dolía. Washington había cancelado la cuota de importaciones de azúcar desde Nicaragua y vetado los préstamos del Banco de Desarrollo Interamericano y de otras instituciones internacionales. Venezuela suspendió el suministro de petróleo subsidiado, y México había hecho menos generosas sus condiciones. Ambos países tenían problemas económicos propios, pero era casi seguro que también influyó la presión desde Washington. En julio, con las reservas de monedas firmes casi agotadas, Nicaragua solicitó la renegociación de los 140 000 000 de dólares pagaderos sobre sus préstamos extranjeros, de los cuales había heredado algunos del régimen somocista.

Como consecuencia de este apuro fiscal, empeoró la escasez de artículos de consumo necesario, como el pan, el aceite de cocina y el jabón. La poca industria que tenía el país era incapaz de importar maquinaria y otros artículos. El gobierno hizo lo que pudo para acallar las quejas. Aceleró la distribución de la tierra confiscada de Somoza y de quienes lo habían apoyado. Los beneficiarios eran familias individuales y cooperativas, antes que granjas colectivas acordes con el modelo soviético que, inevitablemente, habían resultado ejemplares en su ineficiencia.

Además de ello, cuatro años después de ocupar el poder, los sandinistas todavía no mostraban inclinación alguna por siquiera empezar a expropiar las haciendas muy grandes, cuyos dueños no habían sido somocistas. Considerándolo todo, 1 780 000 hectáreas de las 2 830 000 hectáreas de tierra agrícola permanecían en manos de particulares. Una familia, los Pellas, todavía poseía 6 070 hectáreas y refinaba el 52 por ciento del azúcar de Nicaragua.

Para fines de julio, paulatinamente había desaparecido la ofensiva de los contras. Un antiguo ejecutivo de la Coca-Cola, portavoz de la Fuerza Democrática Nicaragüense, según el grupo se llamaba a sí mismo, echó la culpa a los problemas de abastecimiento. Empezaron a aparecer informes de que los contras temían que Reagan sería incapaz de devolverles el poder. En Costa Rica, Edén Pastora, cuyas tropas empezaban a cruzar la frontera, también tenía sus quejas. Afirmó que la CIA estaba tratando de obligarlo a unir fuerzas con los contras, cortándole los fondos. Unas semanas más tarde, Pastora estuvo de vuelta en la línea del frente. Explicó que había reunido el dinero que necesitaba para seguir luchando de sus simpatizantes socialdemócratas en Europa, pero los acontecimientos posteriores sugirieron que el benefactor había sido la CIA.

En agosto, el gobierno de Nicaragua, afirmando que esperaba

nuevos ataques tanto del Este como del Oeste en cuanto se secara la tierra, impuso el reclutamiento militar por primera vez. La fecha del registro se fijó en el 1 de octubre, pero no se convocaría a nadie hasta después del 1 de enero de 1984. Dado que las clases medias y altas de Latinoamérica siempre han evadido el servicio militar, particularmente en las filas de tropa, pareció probable que el decreto hubiera sido emitido para dar otro incentivo más a las familias que de éstas quedaban en el país, para tomar un avión con destino a Miami.

Aunque el ministerio de Estado ordenó la clausura de los consulados nicaragüenses en Estados Unidos y estaba haciendo difícil o imposible que los funcionarios sandinistas aceptaran invitaciones a hablar en Estados Unidos, eran todavía capaces de hacerse oír. El número de septiembre de *Playboy,* por ejemplo, el cual, como todas las principales revistas estadounidenses, no estaba disponible en Nicaragua, publicó una larga entrevista con los jefes sandinistas.

El reverendo Ernesto Cardenal, ministro de Cultura, dio su versión de lo sucedido en la misa al aire libre celebrada por el Papa Juan Pablo II, en Managua. (Fue Cardenal quien se arrodilló para besar el anillo del Papa, sólo para que éste se lo retirara). En su versión, el Papa arrojó la primera piedra al permitir que el arzobispo Obando y Bravo pronunciara un discurso no previsto que fue de tono antisandinista. En el sermón, apuntó Cardenal, el Papa escogió como texto la historia de la torre de Babel, la cual, por supuesto, se había derrumbado. Además de todo ello, indicó, la liturgia incluyó una oración por los prisioneros, era de presumir que por los 1 000 somocistas o más que todavía estaban detenidos, pero no por los sandinistas muertos por los contras ni, como dicta la costumbre, por los líderes del país. Fueron estas provocaciones, declaró Cardenal, las que agitaron a la multitud reunida.

El 20 de agosto, después de seis meses de debates, el Consejo de Estado nicaragüense terminó de trabajar en una ley que trataba de la organización de los partidos políticos. Esta medida puso los fundamentos para las elecciones nacionales. La fecha de éstas fue fijada para 1985, año que ya no parecía tan lejano. Pese a que los sandinistas dominaban el Consejo, estaban representadas las fuerzas de la oposición, las cuales consiguieron muchas modificaciones en la ley en el proceso de su redacción original.

Incluso antes de aprobarse la ley por la junta gobernante, la oposición empezó a tener reuniones públicas. Adán Fletes, el líder del Partido Cristiano Social, de la izquierda moderada, señaló que había un nuevo ambiente de libertad política, pese a que 35 integrantes del suyo, así como de otros partidos de la oposición se encontraban en la cárcel, bajo cargos de subversión.

"Las reuniones que se efectúan en estos días nunca se hubieran permitido hace tres meses, se citó a Fletes, pero recordamos los años de la dictadura [por la familia Somoza], cuando hubo periodos de relajación intercalados entre la represión. Quizá subsista el mismo ciclo. Ya lo veremos".

A fin de mes, un grupo de 90 conservadores democráticos se reunió sin interferencia en un cinema de Managua. Condenaron al gobierno sandinista y prometieron oponerse a la consolidación de "un régimen marxista-leninista totalitario, que pertenece a la órbita soviética y es rechazado por la inmensa mayoría de nuestro pueblo". Los delegados también exigieron la liberación de los prisioneros políticos y el fin de la censura gubernamental de la prensa, así como de su campaña "antirreligiosa".

A principios de septiembre, la Comisión Permanente de Derechos Humanos de Nicaragua, un cuerpo independiente, afirmó que los sandinistas estaban equivocados al decir que los problemas del país eran causados por Estados Unidos. Los problemas eran "internos", hizo constar la comisión, y habría que realizar negociaciones con el pueblo nicaragüense. La exactitud de la opinión expresada por la comisión tuvo menos importancia, quizá, que el hecho de que siquiera pudiera expresarse. Se asesinaba a la gente por menos en El Salvador y Guatemala.

Costa Rica, que estaba poniéndose cada vez más nerviosa acerca de las actividades del grupo encabezado por Pastora, la Alianza Revolucionaria Democrática, se puso frenética cuando éste envió a dos pequeñas aeronaves de pasajeros bombardear el aeropuerto de Managua, en un golpe característicamente brioso, realizado a fines de agosto. Las bombas no causaron mucho daño, pero uno de los aviones fue derribado y se estrelló contra la torre de control. Sobrevino un incendio que dañó a ésta seriamente y a la terminal de pasajeros. Al día siguiente, el resto de la fuerza aérea de Pastora, dos viejos aviones militares para entrenamiento, disparó cohetes contra los tanques petroleros en Corinto.

Bajo la presión de Estados Unidos, el presidente Luis Alberto

Monge, hizo caso omiso de las actividades de Pastora. El gobierno se sintió obligado a negar lo que nadie dudaba: que los aviones, de hecho, habían despegado de Costa Rica. Al cabo de días, y pese a que las protestas del embajador estadounidense, se arrestaron a más de 80 seguidores de Pastora. Se advirtió a la alianza que, si continuaban las actividades belicosas, serían expulsados sus integrantes. Un portavoz del gobierno, con un ojo puesto en Washington, afirmó que, pese a la aversión que su gobierno les tenía a los sandinistas, no permitiría que se comprometiera la neutralidad de Costa Rica.

Costa Rica hubiera podido aprender algo de Honduras en cuanto a serenidad bajo fuego. Pese a la presencia de más de 2 000 tropas estadounidenses para las maniobras, de 300 asesores estadounidenses, incluyendo a 120 elementos de las Fuerzas Especiales, de multitudes de agentes de la CIA, de unos 5 000 nicaragüenses armados, y de 1 000 salvadoreños armados, que estaban entrenándose en Puerto Castilla, el presidente Suazo Córdova y el general Gustavo Álvarez, quien de hecho manejaba el país, saludaban con entusiasmo a cada recién llegado.

Es posible que este fervoroso anticomunismo haya poseído un aspecto de interés propio. Washington se deshizo por ayudar al país con el que ahora se encontraba hombro a hombro. Llegaba ayuda militar y civil con cada buque, y no parecía irrazonable suponer que los funcionarios y oficiales superiores recibían su parte. Además, la construcción de campamentos, de estaciones de radar y otras necesidades militares proporcionaban contratos al sector privado y trabajo a los desempleados.

La creación de una nueva y poderosa Honduras contaba no sólo con el apoyo del Partido Nacional gobernante, sino también con el de los liberales. De hecho, la única opinión opositora que se oía en el Congreso, era expresada por el solitario miembro cristiano-demócrata de esta entidad. No dejó de señalar, para fastidio de todo mundo, que la Constitución del país requería de aprobación legislativa para apostar a tropas extranjeras en el territorio nacional. Aunque sin duda ésta hubiera sido otorgada, ni siquiera se había solicitado.

Los intelectuales de Honduras rezongaron acerca de que se arrastraba a la matanza a su pobre y atrasado, pero relativamente sosegado país, y los estudiantes organizaron marchas de protesta.

Los campesinos, sin embargo, parecían contentos, ignorando el nuevo destino de su país. Los disturbios que ocurrieron en las zonas rurales estuvieron relacionados con la lentitud con la que se repartían las tierras en propiedad del Estado. Los trabajadores agrícolas e industriales hicieron huelgas para obtener el reconocimiento de sus sindicatos, de lo cual disfrutaban desde hacía 30 años quienes laboraban para la United Brands y Standard Fruit.

La oligarquía y los militares hondureños optaron por tratar las huelgas y la ocupación por los campesinos de tierra en posesión particular como manifestaciones de un espíritu peligrosamente revolucionario, y por hacer justicia sumaria según la ocasión. En comparación con El Salvador o Guatemala, el número de muertes y de desapariciones era muy bajo, quizá 40 o 50 al año, pero alguna vez había estado cerca de cero.

—

En Guatemala, empezaron a incrementarse las dificultades de Ríos Montt después de la visita del Papa. Cuando un funcionario de uno de los partidos del centro, declaró públicamente que el presidente empleaba su cargo para ayudar a los evangélicos, Ríos Montt, a quien se le olvidó volver la otra mejilla, lo encarceló durante cuatro días. Sus sermones, transmitidos por la televisión, empezaron a irritar a la gente. Los hombres guatemaltecos no querían que se les amonestara acerca de la fidelidad marital. Los empleados públicos no disfrutaban las homilías acerca del soborno y la extorsión. La gente comenzó a decir que Ríos Montt estaba loco, y circularon rumores acerca de un inminente golpe de Estado.

Las causas más poderosas del descontento, sin embargo, eran la negativa de Ríos Montt a convocar elecciones y el establecimiento de un impuesto al valor agregado del 10 por ciento, carga que, una vez siquiera, afectó más a las clases media y alta que a los pobres. En junio, encontrándose bajo presión, anunció que habría elecciones para un cuerpo legislativo en julio de 1984, y que se realizaría una elección presidencial uno o dos años después de ello.

Ríos Montt pareció tocar un tono de despedida cuando le dijo a un periodista estadounidense, a principios de agosto, con un lenguaje que hacía recordar el de Jimmy Carter, “En mi corazón, estoy en paz, porque no he sido un dictador, no he sido un asesino, no he sido déspota”. Unos días más tarde, la prensa lo citó en el sentido de que ni Estados Unidos ni la Unión Soviética se interesaban mucho por lo que más beneficiara a Centroamérica. Lo que querían, declaró, eran "posiciones geográficas, posiciones estratégicas, posiciones para el combate".

El 7 de agosto, como posteriormente llegó a saberse, el general de brigada Óscar Humberto Mejía Víctores, ministro de Defensa, visitó el portaaviones *Ranger,* frente al litoral pacífico de Guatemala. A la mañana siguiente, mientras Ríos Montt se encontraba en el aeropuerto de la ciudad de Guatemala, esperando despegar con destino del portaviones, un grupo de oficiales, encabezados por Mejía, asumió el control del país.

Mejía representaba una vuelta al tipo de líder al que estaban acostumbrados los guatemaltecos. Fue ministro auxiliar de Defensa en el gobierno sanguinario y rapaz de Lucas García, el predecesor de Ríos Montt. Mejía afirmó que reestablecería la democracia y que convocaría a elecciones, las cuales, como era de suponer, serían tan honestas como las del pasado. Abolió el tribunal secreto de Ríos Montt, el cual, según resultó, había ordenado la ejecución de un total de 15 personas. De servir de guía la historia, las funciones de este cuerpo probablemente serían reasumidas por los escuadrones de la muerte, y en una escala considerablemente mayor.

Podía creerse una promesa hecha por Mejía. Ésta fue su declaración de que lucharía, "por cualquier medio, para erradicar la subversión leninista comunista, la cual amenaza la libertad y la soberanía de Guatemala". Esto indicaba que las masacres de los indios, que posiblemente disminuyeran un poco bajo Ríos Montt, seguirían siendo una importante técnica para reestablecer, según las palabras de la señora Kirkpatrick, "la paz civil".

El representante Clarence Long apuntó que había hablado con Mejía acerca del tratamiento dado a los indios por el ejército.

—No logré nada con él —afirmó—. Entre más hablaba yo, más se enrojecía él. Casi prendió fuego al cuello de su camisa.

El ministerio de Estado acogió con agrado las aseveraciones de Mejía, respecto a que era inminente la democracia, y rechazó con desdén cualquier suposición de que el golpe de Estado hubiera sido tramado durante la visita de éste al *Ranger,* la cual, explicó el ministerio, no había constituido más que una visita rutinaria, otra vez esta palabra, de cortesía. Mi información indicaba que por lo menos era posible que Washington, disgustado por los comentarios de Ríos Montt y preocupado por la pérdida de popularidad de éste, hubiese dejado, quizá, de contener a sus enemigos.

Más o menos a una semana de entrar en funciones, Mejía afirmó:

—Los problemas de Centroamérica deben ser resueltos por los centroamericanos. . . [pero] Estados Unidos es el único país que puede ayudarnos a combatir a los guerrilleros de la región.

México observó los acontecimientos en Guatemala con cierto desasosiego. Las relaciones entre los dos países no habían sido cordiales desde la Independencia, cuando Chiapas, que había formado parte de la capitanía general de Guatemala, decidió unirse a México. Los políticos guatemaltecos todavía exigen su devolución de cuando en cuando. En años recientes, decenas de miles de refugiados, en su mayoría indios, han huido a través de la frontera, para escapar a la política de la "tierra arrasada", seguida por el ejército guatemalteco.

Puesto que al menos algunos de los refugiados eran guerrilleros o simpatizantes de éstos, México no sólo tuvo que proporcionar una medida mínima de ayuda, sino también se preocupó por la posibilidad de que sus propios indios, en Chiapas y los otros estados del Sur, se contagiaran de la misma infección. Se informaba que algunos oficiales superiores del ejército y la policía mexicanos opinaban que México debiera emular a Guatemala, tomando medidas severas contra la izquierda revolucionaria. El ejército mexicano se había mantenido débil y divorciado de la política desde fines de los veintes del presente siglo, pero no había ninguna garantía, sobre todo en tiempos de apuros económicos, de que estaría dispuesto a permanecer así.

Conforme la economía mexicana seguía debilitándose, el electorado se enfureció lo suficiente para, siquiera esta vez, romper con su hábito de votar por el PRI. El partido fue lo bastante prudente para permitir que esta ira en todo caso, se reflejara, en forma diluida, en las urnas. En las elecciones realizadas en julio en cinco estados del Norte, los vigorizados partidos de la oposición hicieron profundas incisiones en el voto por el PRI, lo cual le costó no menos de 13 presidencias municipales, incluyendo la de Ciudad Juárez, del otro lado del río Bravo frente a El Paso, Texas, y la de Durango, y cinco de los 61 escaños que estaban disputándose en los cuerpos legislativos estatales. El beneficiario no fue, como pudo haberse supuesto, la izquierda, que, en general, permaneció desorganizada e impotente, sino el partido conservador de Acción Nacional, el PAN.

Dos días después de la elección, el gobierno tomó medidas para despojar a Jorge Díaz Serrano, el antiguo jefe de PEMEX, de su inmunidad parlamentaria, para poder enjuiciarlo respecto a las acusaciones de haber recibido comisiones de 34 000 000 de dólares por la compra de dos buques petroleros. Después de su despido por López Portillo, por haber reducido los precios de exportación, sin el permiso de éste, Díaz Serrano recibió una candidatura del PRI para el Senado, una designación que siempre podía comprarse por dinero contante, y en 1982 fue debidamente elegido. Dado que no se había privado de su inmunidad a ningún senador durante más de 30 años, es posible que su propósito, y parece segura la afirmación, haya sido principalmente el de permanecer fuera de la cárcel.

Puesto bajo arresto domiciliario en su mansión de los suburbios, Díaz Serrano expresó confianza respecto a su reivindicación. Al mismo tiempo, alabó al gobierno que estaba persiguiéndolo de manera injusta. "Demuestra la firmeza y la severidad de las autoridades", indicó al *Wall Street Journal*. Esto se interpretó en el sentido de que, como un hombre leal del partido, no comprometería a López Portillo ni a nadie más, se le hallaría culpable, cumpliría con una breve sentencia en la casa del celador y sería liberado discretamente. Para principios de agosto, Díaz Serrano estaba esperando el juicio en una confortable suite de una cárcel ubicada fuera de la capital. Ahí organizaba el programa deportivo y afirmó que hacía años que no se sentía tan bien.

El gobierno también anunció que estaba investigando las finanzas de Carlos Hank González y de Arturo Durazo Moreno, el antiguo regente y jefe de la policía, respectivamente, de la ciudad de México, que ambos se hallaban en el extrajero, González en su residencia de Greenwich, Connecticut. Salvador Barragán Camacho, el líder del sindicato de los trabajadores petroleros, acusó a un colega, Héctor García Hernández, conocido como "El Trampas", de un fraude sobre 6 600 000 dólares. "El Trampas", por lo tanto, se instaló en su condominio de McAllen, Texas. No obstante, fue secuestrado y devuelto a la ciudad de México. Detenido, a su vez acusó a Barragán y a otro líder sindical de robar 130 000 000 de dólares. "El Trampas" declaró estar seguro de la cantidad, dado que él había sido el intermediario en la transacción.

López Portillo, el hombre que el país más quería ver tras las rejas, pasaba la mayor parte del tiempo en París, un lugar de conveniente acceso a las cuentas bancarias numeradas que todo mundo suponía que tenía en Suiza, antes que en su espléndida finca en las afueras de la ciudad de México.

Se citó a dos hombres de negocios europeos en *The New York Times*, que decían que en efecto habían sido capaces de conseguir una venta a PEMEX sin necesidad de pagar un soborno.

—Fue como hacer negocios con la compañía petrolera estatal de Noruega —indicó uno de ellos.

En agosto, Reagan cruzó la frontera para reunirse con De la Madrid. La conversación fue descrita como amistosa, pero los comentarios hechos por los participantes, al concluir la junta, sugirieron que México no estaba dispuesto a modificar sus puntos de vista acerca de Nicaragua y El Salvador.

De la Madrid declaró posteriormente: "A pesar del subdesarrollo social, agravado ahora por una profunda crisis económica y por despliegues de fuerza que amenazan con provocar una conflagración, debemos urgentemente responder con una firme vocación por la paz y la solidaridad". También aludió a la "historia de encarnizadas luchas por la independencia nacional" de México, así como a su "invasión y desmembramiento". Fue demasiado cortés para mencionar quién se había encargado del desmembramiento.

Reagan comentó: "Creemos que la gente debe tener la oportunidad de fijar sus propias soluciones, y por ello hemos respondido a las peticiones de ayuda de ciertos vecinos latinoamericanos nuestros".

En septiembre, Reagan firmó, sin ceremonia alguna, lo que quedaba de la Iniciativa de la Cuenca del Caribe, que él había propuesto más de dos años antes. El Congreso aprobó los 350 000 000 de dólares de ayuda, la mayor parte de la cual fue entregada, como en el caso de la Alianza para el Progreso, a negocios particulares en Estados Unidos, para pagar las exportaciones a los países beneficiarios. Según lo había solicitado, el Congreso eliminó los aranceles sobre muchas importaciones de la región, incluyendo aparatos electrónicos, juguetes, fruta y flores, los cuales habían sido bajos desde el principio, pero mantuvo los derechos sobre zapatos, artículos de cuero y productos textiles. No obstante, anuló la provisión más importante de la iniciativa, que otorgaba ventajas fiscales a los estadounidenses que instalaran negocios en la región. Lo que aprobó, en cambio, fue una deducción del impuesto sobre la renta personal para quienes asistieron a convenciones en el área.

México anunció, unas semanas más tarde, que el peso sería devaluado otra vez, pero gradualmente, a través de los 12 meses siguientes, para reducir su valor de 150 a 197 por dólar y así ahorrar al país el impacto de devaluaciones más grandes pasados algunos meses. Esto dio tanta seguridad a los banqueros mundiales que una semana después, en el gran cónclave del Fondo Monetario Internacional, en Washington, aprobaron un acuerdo de 8.3 mil millones de dólares para reestructurar la deuda.

El golpe más duro cayó en octubre, cuando De la Madrid dio a conocer que se había exagerado el tamaño de las reservas de petróleo y de gas natural del país, al incluir unos campos en el Golfo de México, que resultaría demasiado caro desarrollar sin un incremento enorme a los precios del combustible. La cifra de los equivalentes de petróleo y gas económicamente recuperables fue reducida de 72 mil millones a 60 mil millones de barriles. Según los expertos citados por el *Wall Street Journal*, era posible otra reducción, hasta los 50 mil millones de barriles. También hicieron constar que, puesto que los banqueros consideran el petróleo del subsuelo como un resguardo sólido, el gobierno de López Portillo intencionalmente exageró la cifra para incrementar el poder crediticio del Estado.

Nada de lo que el gobierno de Reagan hizo o dijo hasta principios de octubre, cuando este libro entró en prensa, sugería que De la Madrid se hubiera hecho comprender por el presidente de Estados Unidos.

Por ejemplo, en lo que el gobierno describió como una declaración de importancia capital, Fred C. Iklé, el subsecretario de Defensa Política, adoptó una actitud inflexible en un discurso pronunciado en Baltimore. "Permítanme explicarles esto, indicó. No buscamos la derrota militar de nuestros amigos. No deseamos un estancamiento militar. Queremos una victoria para las fuerzas de la democracia. . . No se le ha dado la oportunidad de funcionar a la política centroamericana del presidente, continuó Iklé. El Congreso ha negado al presidente los medios para el éxito. . . Debemos impedir la consolidación de un régimen sandinista en Nicaragua, el cual se convertiría en un arsenal para la insurrección. Si no podemos evitarlo, tenemos que esperar la división de Centroamérica. Tal desarrollo nos obligaría entonces a guarnecer un nuevo frente militar del conflicto entre Este y Oeste, aquí mismo en nuestro continente".

Reagan declaró, al poco tiempo después, que la Unión Soviética había violado reiteradamente, el acuerdo de 1962, que puso fin a la crisis cubana de los misiles, al enviar "armamento ofensivo" a Cuba. No obstante, sus críticos señalaron que desde el principio el tratado se ha interpretado como aplicable sólo a las armas nucleares. Un portavoz de la Casa Blanca respondió diciendo que Reagan sólo estaba discutiendo "el espíritu" del documento.

El comité de Kissinger, mientras tanto, estuvo oyendo a testigos eminentes hacer declaraciones predecibles. El antiguo secretario de Estado, Cyrus R. Vance, que prestó sus servicios en el gobierno de Carter, afirmó que los problemas de Centroamérica eran "de naturaleza esencialmente local" y que los esfuerzos por encontrar una solución política resultaban inadecuados. El antiguo secretario de Estado Haig opinó: "Nuestro problema en Centroamérica es, antes que nada, global, en segundo lugar regional, con el foco en Cuba, y en tercero local".

En Bogotá, unos representantes de bajo nivel del Frente Revolucionario Democrático se reunieron, una vez más, con los miembros de la Comisión Salvadoreña por la Paz. El presidente Betancur declaró: "El diálogo por la paz en El Salvador ha comenzado directamente".

No obstante, Francisco Quiñónez, la cabeza de la comisión y un miembro de una de las familias más poderosas de la oligarquía del país, indicó que la reunión había sido "una decepción total" y que la posibilidad de negociaciones había llegado a ""un punto de crisis". Reiteró la oferta permanente del gobierno, de participar en las próximas elecciones presidenciales, y comentó que la fecha, provisionalmente a fines de febrero o principios de marzo, era "negociable". Rechazó la propuesta del frente de que la siguiente reunión se efectuara en El Salvador, lo cual hubiera realzado la posición del mismo como un movimiento de oposición.

Una encuesta realizada por *The New York Times* y CBS, publicada el 29 de septiembre de 1983, indicaba que Reagan todavía no lograba persuadir al público del mérito de su política. En efecto, el 47 por ciento desaprobaba su manejo de los asuntos exteriores, lo cual representaba un aumento del 11 por ciento desde una encuesta hecha en junio, el 38 por ciento estaba de acuerdo, y 15 por ciento no sabía qué pensar.

La encuesta puso énfasis en las crisis de los aviones coreanos y del Líbano, pero, según señalaba: "La tendencia general de las opiniones. . . corre en gran medida paralela a la de encuestas anteriores acerca de la complicación estadounidense en Centroamérica. Aquellas encuestas indicaban que el público alimentaba dudas acerca de las funciones estadounidenses en la región, no estaba a favor de una intensificación de las actividades ahí, temía que la situación pudiera llegar a parecerse a Viet Nam y consideraba que el punto de vista del gobierno no se había explicado bien. Como sucede en todas las cuestiones de política exterior, el nivel de información del público era reducido".

En la asamblea general de las Naciones Unidas, a principios de octubre, Humberto Ortega, el coordinador de la junta nicaragüense, pronunció la acusación de que el gobierno de Reagan le había "declarado la guerra" a Nicaragua y que estaba aplicando "la política del palo fuerte, la política del cañón, la política del terror". Las consecuencias hasta el momento, indicó Ortega, eran 717 nicaragüenses muertos y 108 500 000 dólares en daños a la propiedad. Después comunicó a los reporteros que Nicaragua seguiría consiguiendo armas dondequiera que pudiese.

El presidente Betancur, de Colombia, audazmente violó las tradiciones más consagradas de las Naciones Unidas al hacer un discurso que fue elocuente y poético. Los miembros, después de haberse recuperado de la impresión, le dedicaron una ovación. Betancur se presentó como "el segundo de 22 hijos de una familia campesina colombiana, semiletrada. . . un antiguo profesor universitario que se ha enfrentado con el hambre, dormido sobre bancos en los parques y aceptado cualquier trabajo para sobrevivir".

Siguió para hacer constar: "A la distancia de un viaje de varias horas desde aquí, desde esta sede, se encuentra un continente agitado. . . [que] actualmente [forma] el epicentro de unos acontecimientos que, de una manera u otra, nos convierten a todos en actores de su tragedia. La violencia, las tensiones, los incidentes, el subdesarrollo y la injusticia son todos síntomas de una crisis en la que se ha olvidado la coexistencia y la autodeterminación y que presencia la intervención desvergonzada de las superpotencias en unos países, donde los campesinos dejan el arado para alzar armas ajenas y cavar sus propias tumbas".

En El Salvador, conforme se acercaba la temporada de las campañas, tanto políticas como militares, uno de los viejos y establecidos escuadrones de la muerte entró en acción. Se trataba de la Brigada Anticomunista Maximiliano Hernández, que portaba el nombre del hombre cuya reputación la señora Kirkpatrick estaba tratando de rehabilitar. Desde septiembre hasta principios de octubre, asumió públicamente la responsabilidad por el asesinato del miembro de más alto rango del Frente Revolucionario, que todavía residía en San Salvador, de 18 funcionarios sindicales y de unos profesores. La residencia jesuita en la Universidad Centroamericana fue bombardeada, y otros cinco profesores, secuestrados.

Se advirtió que cinco de estas personas fueron asesinadas al poco tiempo de ser denunciadas por D'Aubuisson como izquierdistas peligrosos. El *Wall Street Journal* informó que Pickering, el nuevo embajador, había tratado de indicarle las consecuencias serias de palabras ociosas. Unos días después, un portavoz del ministerio de Estado afirmó: "Consistentemente hemos deplorado la violencia política, sin importar el origen, y, dentro del contexto de los informes recibidos a través de las semanas recién pasadas, volvemos a hacerlo en términos sumamente categóricos. . . Resulta particularmente deplorable que la violencia política en El Salvador se dirija contra los grupos moderados que han aceptado los riesgos de apoyar las reformas democráticas.

Cuando Hinton se expresó en términos semejantes en un discurso dado en noviembre de 1982, él y Enders, que lo había aprobado, fueron censurados públicamente por la Casa Blanca. Fue uno de los primeros acontecimientos que, con el tiempo, condujeron a su despido.

A fines de septiembre, Rubén Zamora, en Managua, declaró que los guerrilleros salvadoreños, que estaban iniciando su quinto año de operaciones abiertas, se hallaban cerca de lograr la unidad en el mando. Se consideró que la muerte de Cayetano Carpio, el líder de las Fuerzas Populares de Liberación, había eliminado el último gran obstáculo. Algunas fuentes de los servicios de información estadounidenses afirmaron que, si esto ocurriese, Joaquín Villalobos pudiera convertirse en el líder supremo. Era el jefe del Ejército Revolucionario del Pueblo, el cual, según indicaban las fuentes, se había convertido en la más grande de las facciones guerrilleras. Villalobos, el hombre que en 1975 asesinó u ordenó el asesinato de Roque Dalton, el poeta revolucionario, era clasificado como el más talentoso de los generales guerrilleros.

A Zamora se le prohibió la entrada a Estados Unidos. El pretexto fue que un comentario suyo acerca del asesinato de un asesor militar estadounidense, que tales cosas eran inevitables, mientras los asesores permanecieran en El Salvador, indicaba una indiferencia empedernida hacia el valor de la vida humana. La razón real, como pareció seguro afirmar, fue evitar que concediera entrevistas o que apareciera en programas de debate en la televisión.

El juicio contra los acusados de matar a las cuatro misioneras estadounidenses, que se anunció como inminente en julio, todavía no mostraba indicios de comenzar a principios de octubre, lo cual causó que el Comité de Consignaciones del Senado efectuara su propio corte a la ayuda militar para El Salvador. El senador Arlen Specter, un republicano de Pensilvania, quien propuso la medida, dijo: "Simplemente me harté. Cuando el procurador general salvadoreño habló conmigo, en español, en agosto, la única palabra que entendí fue «mañana»".

En Nicaragua, los contras reanudaron su ofensiva a finales de septiembre. Una fuerza de 1 000 hombres atacó Ocotal, un pueblo situado a 24 kilómetros de la frontera hondureña, pero fue rechazada en las afueras de la localidad. El comandante de los contras, un antiguo capitán de la Guardia Nacional, hizo constar más tarde que estuvo defendida por mayores fuerzas de las que había esperado. Según un informe dado por el *Post* de Washington, la CIA no estaba de humor para tolerar las excusas. Indicó al mando de los contras que quería ver la piel del oso colgada en la pared.

The New York Times informó, a principios de octubre, que el Cessna 404 derribado al bombardear el aeropuerto de Managua había sido registrado en la Dirección Federal de Aviación el mismo año, como propiedad de la Investair Leasing Corporation. El presidente de ésta era el antiguo director de una compañía conocida como un frente de la CIA. Más o menos al mismo tiempo, llegó a saberse que la CIA estuvo llevando pertrechos a El

Salvador, para los contras. Mientras tanto, se decía que funcionarios cubanos se reunieron varias veces, durante los dos meses anteriores, en las ciudades de México y de Panamá, con representantes de Edén Pastora, en un intento por reparar sus diferencias con los sandinistas.

En el norte de Honduras, en la selva a orillas del río Patuca, se decía que tropas hondureñas estaban trabadas en escaramuzas con unos guerrilleros. El gobierno declaró que los guerrilleros, también hondureños, habían penetrado en el país desde Nicaragua. No había manera de saber si el informe era correcto o si sólo servía como otro pretexto para enviar tropas hondureñas a operaciones contra los sandinistas.

A mediados de octumbre, los contras, en un ataque por barco desde Honduras, causaron daños severos al depósito más grande de petróleo de Nicaragua, ubicado en Corinto, terminando así el trabajo iniciado por Pastora. Hubo que evacuar el pueblo mientras se apagaban los incendios. El gobierno afirmó que se habían destruido 12 110 000 litros de gasolina y de otros combustibles. Los únicos depósitos de la nación, aparte de éste, en Puerto Sandino, sobre el litoral pacífico cerca de Managua, y en Puerto Benjamín Zeledón, en la costa atlántica, habían recibido graves daños en unos ataques realizados en septiembre.

El gobierno sandinista llamó "criminales" estas acciones y envió una nota de protesta al ministerio de Estado. Unos días más tarde, algunos funcionarios no identificados del gobierno de Reagan admitieron que la CIA había escogido los blancos y planeado los ataques. Uno o dos días despés, el comité de Kissinger, al final de su gira por la región, que recorrió seis países en seis días, se reunió con Daniel Ortega, el coordinador de la junta, en Managua. Kissinger declaró enigmáticamente: "No deberíamos tener que escoger entre la paz y la democracia en Nicaragua".

Según dio la casualidad, Langhorne A. Motley, el sustituto de Enders, estaba justamente terminando su propia visita a Managua. Afirmó que creía que el gobierno sandinista era "sincero" en su apoyo a las propuestas de paz del grupo de Contadora. Al mismo tiempo, dijo: "Percibí un innegable sentimiento antiestadounidense, el cual posiblemente sea comprensible".

Epílogo

¿OTRO VIET NAM?

LA GRAN INTERROGANTE en Estados Unidos quizá sea si está involucrándose en otra guerra de Viet Nam en Centroamérica, pero ahí esto es como preguntar si el Papa es católico o si comeremos tortillas y frijoles hoy. Para fines de octubre de 1983, había por lo menos 40 000 muertos en El Salvador, número que iba constantemente en aumento; entre 10 000 y 20 000, sólo puede adivinarse, en Guatemala; 40 000 en Nicaragua, durante la rebelión contra Somoza, y otros 1 000 desde que Estados Unidos comenzó a pelear su guerra de poder allá.

Fueron apostados 55 asesores estadounidenses en El Salvador, y por lo menos 200 en Honduras, por no mencionar las 4 000 tropas estadounidenses ocupadas en maniobras en este país y los agentes de la CIA al acecho detrás de cada árbol. En Costa Rica, unos ingenieros del ejército estadounidense estaban trazando caminos a la frontera nicaragüense. Un funcionario del gobierno hizo constar que su país, el único en Centroamérica que está libre de la maldición del militarismo, necesitaba un verdadero ejército para protegerse de los sandinistas. Aeronaves estadounidenses despegaban en misiones de reconocimiento y abastecimiento, en beneficio de los contras nicaragüenses, desde las bases en la antigua zona del canal, violando así el espíritu del tratado firmado con Panamá. Los costos directos habían aumentado hasta 500 000 000 de dólares al año y sólo podían seguir creciendo.

En el otoño de 1983, era posible decir que Centroamérica se parecía a Viet Nam, uno o dos años antes de que llegaran ahí las primeras unidades estadounidenses de combate en 1965. Había conflictos armados en El Salvador, en Guatemala y en las regiones fronterizas de Nicaragua. Estados Unidos todavía no proporcionaba a sus aliados centroamericanos los "sistemas avanzados", cuyo empleo excesivo en Viet Nam alegró por igual los corazones de los concesionarios de armamento y de los generales. Había pocos aviones de guerra o helicópteros artilleros, ninguna bomba "inteligente" de dirección propia, nada de metralla de plástico, invisible para los rayos X, ningún fósforo blanco, nada de napalm, o casi nada, y ningún Agente Naranja. Los combates eran esporádicos, sostenidos a quemarropa con armas ligeras de infantería, y a menudo desde emboscadas. En Nicaragua y El Salvador, los aliados de Estados Unidos aparentemente estaban llevándose la peor parte. En todo caso, se mataba a muchos más civiles que tropas.

Estados Unidos estaba instalando un poderoso sistema de radar en Honduras, en un esfuerzo por localizar, al fin, esos transportes de armamento de Nicaragua a El Salvador. El medio hacía pensar en la "cerca electrónica" instalada, por un costo enorme, a lo largo de la zona desmilitarizada entre los dos Viet Nam. La diferencia radicaba en que allá las tropas y los pertrechos efectivamente llegaban desde el Norte, mientras este nuevo sendero de Ho (por "Honduras") Chi (por "«Chi whiz» [Cáspita], coronel, por ahí están en algún lado") Minh (por "Minhagua") parecía existir sólo como pretexto para continuar la guerra contra Nicaragua.

El gobierno de Reagan, como se ha dicho con cierto mérito, parecía tratar de repetir y ganar la guerra de Viet Nam en El Salvador. En tal caso, estaba intentándolo en una forma extraña, muy semejante a la que condujo a aquel desastre. (Uno se preguntaba, en todo caso, por qué se molestaba en ello. Los historiadores revisionistas, fantasiosos pudiera ser una palabra más adecuada, demostraron ya, para satisfacción propia, que Estados Unidos infaliblemente hubiera ganado la guerra de Viet Nam de no haber engañado la prensa a la opinión pública, para que exigiera la retirada prematura de las fuerzas). Estados Unidos se había aliado con un gobierno débil, dominado por una casta militar por lo general corrupta e inepta. Los generales y coroneles mandaban, las más de las veces desde la retaguardia, a un ejército de muchachos campesinos conscriptos, algunos tan jóvenes como de 14 años, contra unos guerrilleros altamente motivados. La élite salvadoreña, sus hijos y sirvientes vivían, mientras tanto, a salvo en Miami y otras partes, así como los vietnamitas ricos habían esperado el final de la guerra en París.

Washington justificaba su intervención en El Salvador de la misma manera que en Viet Nam. Había afirmado, entonces, que estaba ayudando a una incipiente democracia a defenderse contra un enemigo implacable, el instrumento del "comunismo monolítico", y que Viet Nam del Sur, además, era la primera en una serie de fichas de dominó del sureste asiático. Dos de éstas, Camboya y Laos, en efecto cayeron, pero sólo después de que Estados Unidos los arrastrara a la guerra, así como estaba arrastrando al conflicto centroamericano a Costa Rica y Honduras.

Para probar que El Salvador, como Viet Nam del Sur, de hecho era una naciente democracia, Estados Unidos impuso una nueva constitución, realizó elecciones y, sin estar muy convencido, apoyó una reforma agraria. Todo ello se hizo en medio de una rebelión de gran envergadura y sin considerar el hecho de que los acaudalados de ambos países se habían negado a permitir siquiera, incluso durante los periodos de relativa paz y prosperidad, las reformas más inocuas.

Si la versión de la realidad sostenida por el gobierno de Reagan transformaba a El Salvador en Viet Nam del Sur, Nicaragua se volvía la del Norte, entrelazada con la Cuba de la invasión de la Bahía de Cochinos. Se acusó al gobierno sandinista de haber sido el portador de las ideas revolucionarias que inflamaron la rebelión salvadoreña, como si El Salvador no hubiera tenido su propia rebelión de tendencia comunista 50 años antes. También se acusó a Nicaragua de servir de escala en el transporte de armamento desde la Unión Soviética, vía Cuba, a los guerrilleros salvadoreños, lo cual, indudablemente, era cierto en pequeña escala, pero sólo durante los primeros meses de 1981, y de proporcionar a sus líderes un refugio seguro en Managua, lo cual nadie negaba.

El instrumento elegido para el acoso, terrorismo y, puede disculparse el pensamiento, la eventual intervención directa de Estados Unidos, fue un ejército mandado y compuesto, en su mayor parte, por antiguos integrantes de la única organización temida y odiada por todos los nicaragüenses: la Guardia Nacional de Somoza. En este aspecto, se parecía mucho a la fuerza invasora de la bahía de Cochinos, la cual estuvo dominada por antiguos elementos del ejército y de la policía secreta del dictador derrocado, Fulgencio Batista. La composición de ambas fuerzas garantizó su fracaso y desprestigió por adelantado los esfuerzos de Estados Unidos.

Si Estados Unidos ya se encontraba hasta las rodillas, según parecía estarlo, en el tremedal centroamericano, hundiéndose aceleradamente, estaba encaminado hacia otro desastre, en una escala más reducida que Viet Nam, quizá, pero mucho más cerca de casa. Habían pasado hacía mucho los tiempos cuando un regimiento de infantes de marina intimidaba a Nicaragua. La furia y el fatalismo de la sangre española e india, disciplinada por una ideología comunista encallecedora, y por una causa nacionalista, casi garantizaban que tal guerra se convertiría en un conflicto guerrillero sangriento y extenso. Con toda probabilidad también se fundiría, a través del estrecho corredor pacífico de Honduras, con la insurrección salvadoreña, casi seguramente provocaría luchas más encarnizadas en Guatemala, y podría encender levantamientos en otras partes de la región, así como en el sur de México. La paz que finalmente se restableciera sería la paz de la desolación.

El gobierno de Reagan, bajo uno u otro pretexto, había rechazado las reiteradas ofertas de negociaciones extendidas por Cuba, Nicaragua y los insurgentes salvadoreños, y no había proporcionado aliento alguno a los esfuerzos del grupo de Contadora, México, Panamá, Venezuela y Colombia, para llevar al gobierno y a los guerrilleros salvadoreños a la mesa de las negociaciones. El gobierno estadounidense declaró que estaba siguiendo una política de "dos cursos", apoyando al gobierno salvadoreño y a los contras nicaragüenses, a la vez que trataba de negociar con sus opositores. No obstante, las negociaciones al parecer eran una farsa, puesto que las únicas condiciones ofrecidas se aproximaban a una rendición incondicional.

Esta política parecía tener un impedimento fatal. La credulidad del Congreso y del público, de la que se aprovecharon Kennedy y Johnson para incrementar la intervención en la guerra de Viet Nam, no subsistía en ningún grado que se aproximara siquiera al anterior. La política de Reagan se enfrentó a una oposición sustancial y creciente desde el principio, y resultó más difícil mantener la acusación, como se había hecho durante los años de Viet Nam, de que la rebelión estaba inspirada por los comunistas.

Por este motivo, Reagan estuvo obligado a proceder incluso más lentamente que Johnson en Viet Nam, en el incremento de la complicación estadounidense en Centroamérica. Esta "vuelta de la chicharra", según la terminología del periodo de Viet Nam, fue la misma táctica por la que la derecha republicana criticó a Johnson, y daba tanto a los rebeldes salvadoreños como a los sandinistas tiempo para fortalecerse y para atraer a la opinión pública internacional a su lado.

Si, por otra parte, Reagan meramente planeaba continuar la guerra de poder, con la esperanza de que, con el tiempo, haría morir del susto a los sandinistas, estaba engañándose a sí mismo, según la opinión de cada experto con el que hablé. También estaba metiendo a Estados Unidos en el ignominioso papel del pendenciero rico que contrata a otro para pelear por él, contra una nación empobrecida y devastada con apenas la centésima parte de la población y ni la millonésima del poder militar.

También era posible que los adivinos del gobierno estuvieran equivocados en su predicción de que el único resultado factible eran unos Estados marxista-leninistas de línea dura, de permitir a los sandinistas permanecer en el poder y si los guerrilleros con el tiempo triunfaran en El Salvador. Todos los comandantes sandinistas eran marxistas, de un tipo u otro. Pese a sus protestas en contra, era improbable que jamás pensaran compartir el poder, de alguna manera real, con los no marxistas, cuya ayuda había sido crucial en la derrota de Somoza. La historia de los movimientos comunistas a través de todo el mundo, incluyendo el de Viet Nam, sugería que los líderes guerrilleros salvadoreños tratarían de la misma manera a sus auxiliares no comunistas.

Sin embargo, esto no significaba necesariamente que cualquiera de los dos grupos estuviera obligado a construir su nación según el programa soviético o chino. Los líderes sandinistas habían prometido, desde el día en que entraron a Managua, que tenían la intención de conservar una economía mixta y un gobierno de participación. Más de cuatro años después, podía argumentarse que esa promesa había sido torcida, pero no rota. De realizar estos comandantes, en algún momento, un brusco giro hacia la izquierda, la incesante hostilidad del gobierno de Reagan les habrá proporcionado una excelente excusa para hacerlo.

No quiero insinuar que los comandantes estuvieran totalmente libres de culpa. Parecía darles un placer particular, a la manera de Sandino mismo, y de Arbenz, Castro y otros muchos líderes latinoamericanos de la izquierda, arrancarle plumas a la cola del águila. No obstante, al fin y al cabo generalmente, eran jóvenes, exaltados por su triunfo, de punto de vista doctrinario, y sin experiencia alguna en los problemas prácticos del gobierno, como lo es casi todo mundo en Centroamérica que no sea por casualidad, el amigo o pariente de un caudillo.

Incluso su estadista de mayor edad, Tomás Borge, pasaba apenas de los 40 años, y, ciertamente, no sería razonable suponer que un hombre, que ha pasado 20 años luchando o en la prisión, alargara de inmediato la mano de una confiada amistad hacia el país que ayudó a mantener en el poder a la tiranía somocista hasta sólo uno o dos meses antes de que ésta fuera derrocada.

Pese a todo, Estados Unidos casi seguramente hubiera podido retener una considerable influencia sobre los sandinistas de haber estado dispuesto a brindarles una fracción de la paciencia que mostró, por ejemplo, hacia el gobierno salvadoreño, y hubiera esperado a que enjuiciaran a los asesinos de las misiones y de los consejeros para la reforma agraria. México y Venezuela habían probado que era posible aprovechar la ayuda y el comercio que la Unión Soviética no parecía querer proporcionar, para obtener concesiones de los sandinistas, pero el gobierno de Reagan le declaró una guerra económica a Nicaragua en cuanto hubo entrado en funciones, y al cabo de un año empezó a organizar una campaña militar contra ese país.

El gobierno de Reagan estaba enfrentándose con El Salvador y Nicaragua de una manera muy parecida a cómo Eisenhower se las había arreglado con Guatemala, Kennedy con Cuba, Johnson con la República Dominicana, y Nixon con Chile, y por la misma razón. Todos estos países eran considerados como los objetivos inmediatos de un plan maestro soviético para dominar a Latinoamérica. Dado que es posible que incluso la idea de un El Salvador y Nicaragua dominados por el comunismo no provoque precisamente el terror en los corazones estadounidenses, se diseñó una nueva versión de la teoría de las fichas de dominó: que Nicaragua y El Salvador, para citar las sarcásticas palabras de Robert White, el embajador retirado de El Salvador, constituían la parte más débil y vulnerable del estado de Kansas.

El grupo de Contadora, los vecinos cercanos de las naciones en cuestión, se formó una opinión distinta, creyendo que Nicaragua y El Salvador eran importantes respecto a la seguridad del hemisferio, principalmente como lecciones prácticas. Servían para demostrar lo que sucedía cuando unos países eran mal gobernados más allá del límite de lo soportable. Ninguna nación de Contadora podría describirse como de orientación incluso remotamente izquierdista. Todas sostenían relaciones generalmente amistosas con Estados Unidos y eran sus deudoras, hasta uno u otro punto. Sabían infinitamente más acerca de la región que cualquiera en el ministerio de Estado o la Casa Blanca, y compartían con ella una lengua, religión y cultura comunes. Si no tenían miedo, resultaba difícil comprender por qué Washington debía tenerlo. A las naciones de Contadora les parecía extraño que el gobierno de Reagan no hubiera acogido con agrado la oportunidad de desembarazarse de uno de los muchos problemas para cuyo manejo se había mostrado incapaz.

—Existen dos problemas —me indicó un representante diplomático de uno de estos países a mediados de octubre—. Uno es el temor de Reagan al comunismo. El otro, y posiblemente sea el más importante, es que no está dispuesto a renunciar al monopolio de poder y de influencia que Estados Unidos ha ejercido en Centroamérica durante los últimos 100 años. El interés legítimo de las naciones de Contadora en Centroamérica está creciendo. El de ustedes [de Estados Unidos] está menguando, ahora que se ha garantizado la seguridad del canal de Panamá. Y puedo asegurarle que nosotros tampoco queremos, no más que ustedes, bases rusas en El Salvador o Nicaragua.

"Los asuntos han ido muy lejos, y en la dirección equivocada —afirmó, al hablar de la dificultad para hallar una solución negociada—. No pensamos que sea posible ni deseable volver el reloj atrás en El Salvador y Nicaragua. No existe ninguna fórmula segura para la paz. Lo único que podemos hacer es tratar de crear las condiciones bajo las cuales ésta pudiera lograrse. Incluso el comienzo de negociaciones por lo menos reduciría la posibilidad de que hubiese una guerra regional, lo cual nos preocupa mucho a todos".

Al contrario de la opinión expresada con frecuencia por Reagan, prosiguió, negociar un lugar para el frente en el gobierno salvadoreño no sería equivalente a permitirle que sc abriera el paso a balazos.

—No culpo al frente por no querer tomar parte en las elecciones antes de negociarse otros asuntos —señaló—. No cuando el gobierno no pudo protegerlos del asesinato por los escuadrones de la muerte.

Había una razón fundamental, declaró el diplomático, por la cual él y sus colegas del grupo de Contadora no estaban muy preocupados por la posibilidad de una Nicaragua o El Salvador marxista-leninista.

—Los latinoamericanos somos demasiado individualistas para permitir jamás un estilo de gobierno verdaderamente soviético —indicó con una sonrisa—, quizá demasiado individualistas para cualquier tipo de gobierno. Incluso ahora, Cuba, a pesar de que en teoría su gobierno es exactamente igual al de la Unión Soviética, de hecho es muy diferente: represivo, pero más relajado.

La política de Estados Unidos con respecto a Cuba, continuó, ayudaba a dificultar cualquier arreglo en Centroamérica.

—Desde 1961 ustedes han atacado económica o militarmente a Castro, y ¿qué han conseguido aparte de acercarlo más a la Unión Soviética? ¿Cuál es el sentido de eso?

En todo caso, prosiguió, resultaba evidente que pocos en Estados Unidos, Latinoamérica o Europa occidental apoyaban la política actual del gobierno de Reagan. Una intervención directa dejaría completamente aislado a Estados Unidos, e incluso los Estados latinoamericanos, mutuamente hostiles, se reunirían en su contra, como Argentina y Cuba contra Estados Unidos y la Gran Bretaña durante la guerra de las Malvinas.

Como en el caso de Viet Nam, comenté, que Estados Unidos se empantanara en Centroamérica complacería tanto a los rusos como el hecho de tener a los rusos atascados en Afganistán agradaba a la Casa Blanca.

—Sí —reconoció—. Nicaragua fácilmente podría convertirse en el Afganistán de ustedes. . . y de nosotros.

No mucho después, pedí a un funcionario del ministerio de Estado que me explicara, en términos que pudiera comprender un niño de 12 años, por qué el gobierno de Reagan había hecho caso omiso de las frecuentes ofertas cubanas de negociar sus diferencias con Estados Unidos sobre la mesa. Aunque resultaran irreconciliables, indiqué, ¿qué perjuicio podía haber en el intento? La bravata y falta de contenido de su respuesta sugirieron que, en cuanto atañía al gobierno, la cuestión era esencialmente religiosa, antes que política, y, por lo tanto, no susceptible a una solución racional.

Concebiblemente había dos razones no declaradas y relativamente sensatas para la intransigencia de Estados Unidos. Una era que a Washington no le molestaba ver gastar a los rusos entre mil millones y tres mil millones de dólares al año, dependiendo de quién hacía la estimación, para mantener económicamente a flote a Cuba. La otra era que la suspensión del embargo comercial y del veto sobre los préstamos para el desarrollo pudiera hacer que el gobierno de Castro pareciera un poco menos fracasado.

Fuera o no el gobierno sandinista una sucursal de lo que Reagan llamaba el "imperio del mal" soviético, parecía bastante claro que Estados Unidos no tenía ninguna causa, política o moral, para tratar de destruirlo o, para el caso, para aprovechar su existencia, o la de la Cuba de Castro, como un pretexto para seguir reforzando a los gobiernos represivos y corruptos de la región.

Jeane Kirkpatrick en una ocasión estableció la diferencia entre los regímenes "autoritarios" y los "totalitarios". A los anteriores los juzgó merecedores del apoyo de Estados Unidos, cualesquiera que fuesen sus defectos, porque estaban sujetos, por lo menos teóricamente, a la reforma. Los últimos, que convenientemente eran todos comunistas, por casualidad, no la merecían, por encontrarse petrificados en la maldad.

"Autoritario" pudiera aplicarse a países como Arabia Saudita o Sudáfrica. Las leyes indudablemente eran severas, puesto que incluían, en el primer caso, el cercenamiento de los miembros, la flagelación pública y la muerte a pedradas, y, en el segundo, el frecuente ahorcamiento ejemplar de las personas negras descubiertas en el intento de romper sus cadenas. Aun así, no podía negarse que estas penas generalmente eran impuestas por los tribunales de la ley.

No obstante, había que estirar bastante el significado de "autoritario" para hacerlo aplicable a Guatemala, El Salvador, la Nicaragua de los Somoza o, para ir más lejos, a otra antigua colonia española, las Filipinas de Ferdinand Marcos. Estos gobiernos se parecían a nada tanto como a conspiraciones criminales permanentes del tipo de la Mafia. Ni reinaba la ley ni existía ninguna semblanza de justicia social. Los hombres de los sombreros negros siempre ganaban. La única función de tales Estados era permitir que la clase gobernante disfrutara del ejercicio ilimitado del poder y robara cuanto pudiese a los gobernados, durante todo el tiempo posible. Que Estados Unidos considerara a unos ladrones y tiranos sus amigos o aliados era absurdo. Para éstos, Estados Unidos era una caja de seguridad, un refugio para las tormentas, y nada más que eso.

Si Washington hubiera tenido siquiera un mínimo de interés en promover la democracia, hubiera derrocado a Somoza al mismo tiempo que a Arbenz, y a Stroessner, de Paraguay, al mismo tiempo que a Allende. La "desestabilización" del gobierno sandinista sería menos repugnante si fuera equiparada por una acción semejante en Haití. El despotismo hereditario y explotador de los Duvalier, padre e hijo, se le ha fijado en la yugular desde 1957, reduciéndolo a un nivel de pobreza y opresión que no tiene igual en el hemisferio, y ha obligado a decenas de miles de fugitivos políticos y campesinos, que se morían de hambre, a huir a Estados Unidos.

Más o menos la única idea preconçebida con la que empecé este libro fue que, según las palabras de Winston Churchill citadas arriba, la democracia es la peor forma de gobierno excepto todas las otras formas de gobierno, y que el marxismo-leninismo ortodoxo es casi la peor. Después de dos o tres años de euforia posrevolucionaria, la gente de los países gobernados por sus principios casi siempre se da cuenta de que ha cambiado a un grupo de amos por otro, y que los nuevos, en algunos aspectos cuando menos, son más crueles y más exigentes que los anteriores. Más allá de esto, el marxismo-leninismo sólo ha sido capaz de producir alimentos o de fabricar artículos eficientemente, crear riqueza, estimular antes que reprimir las artes o aumentar el volumen de la felicidad humana en general en el grado en que se permitió a sí mismo volverse menos ortodoxo y más humanitario, como en Yugoslavia y Hungría, por ejemplo. Aun los indudables beneficios tienen un precio demasiado alto. ¿Cuál es el sentido, al fin y al cabo, de aprender a leer y a escribir, si el Estado controla la prensa y abre los sobres con vapor?

Por este motivo, y para confundir a los eternos quejumbrosos, que optan por creer que el papel de Estados Unidos en Centroamérica, así como en todas partes, por cierto, ha sido irredimiblemente malo, quizá me fui demasiado lejos al buscar explicaciones para sus actos. No se trata de que compartiese precisamente la fe anticomunista del padre anónimo citado por Reagan en su famoso discurso ante una convención de predicadores evangélicos en marzo de 1983. El presidente lo citó aprobatoriamente con las palabras: "Preferiría ver a mis hijitas morir ahora, creyendo todavía en Dios, que dejarlas crecer bajo el comunismo y que algún día se mueran sin creer ya en Dios".

Mi propio punto de vista es que tendría que meditarlo durante un buen rato, pero estoy seguro de que preferiría estar ligeramente enfermo en Nueva York, por ejemplo, que completamente saludable en Moscú, Pekín o La Habana. Para ir al grano, nada de lo que vi y oí en Centroamérica me convenció de que más que una pequeña minoría del pueblo desea un comunismo de línea dura, pero aun menos quiere una continuación de los gobiernos de maleantes que han conocido. Lo que quieren, según me pareció, es un gobierno que por lo menos les permita creer que no están del todo desamparados y que la vida no está enteramente falta de esperanza. La esperanza, en varias formas tangibles, hubiera podido representar la exportación más valiosa de Estados Unidos a Centroamérica, y parece una lástima que el gobierno de Reagan la haya embargado.

Un número asombroso de personas en Centroamérica admiran a Estados Unidos y anhelan emular a este país. Para ellos, es un gran y buen lugar, y no entienden por qué parece reservar la democracia para el consumo local. Tampoco comprenden por qué Estados Unidos opta por mantenerse ignorante, o pasa por alto, las fiebres políticas, las penas y los problemas que los azotan por años a la vez, y luego, cuando brevemente despiertan algún interés, por qué supone, como los médicos del siglo XVIII, que puede curarlos por sangría.

No se pretende decir que el enfoque intransigente de Reagan debió haber asombrado a nadie. Es el hombre más rígido ideológicamente y peor informado que ha ocupado la Casa Blanca en los tiempos modernos. Es el sonriente vendedor de las ideas extrañas, evocadoras en muchos aspectos de las doctrinas de la Sociedad de John Birch, de la reunión de cresos californianos que lo introdujeron a la política en un principio.

Más allá de esto, la obsesión del gobierno de Reagan con Centroamérica le impide dedicar la consideración indicada a un peligro mucho más grave en otras partes del hemisferio. Éste es la probabilidad de trastornos políticos y sociales serios en México, Brasil, Argentina y Chile, como resultado de las medidas de austeridad impuestas a ellos por el Fondo Monetario Internacional. Aumenta el desempleo, bajan los niveles de vida, y seguramente vendrán cosas peores.

En lo referente a Centroamérica, me negué a hacer una elección entre los ladrones y los policías. Aunque estaba avanzado el día, todavía valía la pena intentar otro enfoque. Si yo fuera el presidente, en efecto es posible que mandara tropas a El Salvador, pero tendrían como misión arrestar a D'Aubuisson y su gente y enviarlos a Paraguay o a la Patagonia. Se extendería la invitación a seguirlos a los oligarcas que dirigen los escuadrones de la muerte desde la comodidad de sus mansiones en Miami. Se adjudicaría los mandos del ejército al considerable número de oficiales reformistas que todavía prestaran servicios o que estuvieran exiliados. Se dispersaría a la Guardia Nacional y a los servicios de seguridad. Se proporcionaría armas a los partidarios de Duarte y a otros simpatizantes de la democracia, para formar una milicia que protegiera a los representantes del frente durante las negociaciones. En cuanto a Nicaragua, parece al menos posible que el poder persuasivo combinado de Estados Unidos, México y Venezuela, sus otros vecinos continentales y, quizá, Cuba, pudiese inducir a los sandinistas a mostrar una consideración aceptable hacia los derechos de los ciudadanos que no estén de acuerdo con ellos, a conservar una economía mixta y a acceder a no permitir el establecimiento de bases rusas. Estados Unidos, al fin y al cabo, siempre fue el principal cliente de Nicaragua para el azúcar, el café y otros productos similares, y podría hacer la promesa de proporcionar los préstamos de reconstrucción y desarrollo que resultan tan urgentes. Mientras tanto, habría que disolver los ejércitos de los contras, dar condecoraciones apropiadas a sus integrantes, así como el permiso de vivir en Estados Unidos, que fácilmente puede hallar lugar en el área de Miami para otros cuantos latinoamericanos de convicciones derechistas.

Más de 20 años después del fracaso de la invasión a la Bahía de Cochinos, parece perverso que Washington siga fingiendo que no existe la Cuba de Castro. Las negociaciones iniciadas durante el gobierno de Carter, con el objetivo de normalizar las relaciones, deberían reanudarse. Debería hacerse un esfuerzo especial, me parece, por llegar a conocer a la generación más joven de los oficiales cubanos. Castro, al fin y al cabo, no estará eternamente en el poder.

Dado que nada de esto, ni nada remotamente parecido, resulta probable mientras Reagan o un sucesor de la misma mentalidad ocupe la Casa Blanca, sólo puede esperarse que el pueblo estadounidense, en su sapiencia, confíe la nave del Estado a un capitán que no piense que es un buque de guerra. A alguien que esté consciente, quizá, que hace mucho tiempo, desde 1953, Milton Eisenhower, quien llevó a cabo varias misiones en Latinoamérica, en nombre de su hermano, el presidente, advirtió que la revolución armada era inevitable ahí, a menos que se efectuaran algunos cambios fundamentales en los sistemas políticos y económicos.

". . . al viajar y observar la situación, escribió, según lo cita su libro *The Wine Is Bitter,* o sea, unas cuantas personas fabulosamente ricas en un país, una clase media pequeña, de haber alguna, y mares de personas pobres, miserables y analfabetas, que viven constantemente al borde de la inanición, me sobrevino una preocupación extraordinaria, y sentí que la ayuda ortodoxa no haría más que fortalecer el orden predominante".

Durante los 30 años siguientes, la ayuda *sí* fue ortodoxa, cuando se prestó siquiera, y el orden predominante *en efecto* se fortaleció, o así parece, y las condiciones *de veras* han empeorado.

Milton Eisenhower, un hombre sabio y humanitario, describió entonces lo que él consideraba el papel adecuado de Estados Unidos en sus tratos con Latinoamérica. Quizá no hubiera estado del todo feliz respecto a la necesidad de incluir a Nicaragua y Cuba en su fórmula, pero creo que tal vez lo hubiese hecho. (Nixon una vez dijo lo mismo, pero no creo que esté dispuesto a moderar sus puntos de vista). En todo caso, la fórmula de Milton Eisenhower era la siguiente: "Un apretón de manos para todos, pero un abrazo para nuestros amigos".

NOTA DEL AUTOR

EN CONSIDERACIÓN a los lectores que repararon, quizá con desconfianza, en la ausencia de notas de pie y de otros mecanismos eruditos, permítame explicar que mi enfoque del asunto fue periodístico, lo cual quiere decir informal. No obstante, traté de ser imparcial en mi descripción de los acontecimientos que presencié, en la presentación de las entrevistas que hice, en mi interpretación de los sucesos y en el uso que di al material tomado de la prensa diaria, principalmente *The New York Times,* publicaciones periódicas tanto en inglés como en español, y documentos oficiales. Los libros que me resultaron más útiles se encuentran mencionados en el texto.

ESTA EDICION DE 10 000 EJEMPLARES SE TERMINO
DE IMPRIMIR EL 30 DE JUNIO DE 1986 EN LOS
TALLERES DE LITOGRAFICA CULTURAL, S. A.
ISABEL LA CATOLICA No. 922 COL. POSTAL
03410 MEXICO, D. F.